D1301270

LE FENG SHUI

風水

4 9 2
3 5 7
8 1 6

LE

FENG SHUI

風水

GUIDE **PRATIQUE** D'UN **ART** DE **VIVRE**

LILLIAN TOO

KÖNEMANN

Ce livre est dédié à ma famille. Avec toute mon affection.

L'édition originale a été publiée par
Element Book LTD Publishers
The Old School House, The Courtyard, Bell Street, Shaftesbury,
Dorset SP7 8BP, England

Titre original : The illustrated encyclopedia of Feng Shui. The complete guide to the art and practice of Feng Shui

Conception : The Bridgewater Book Company

Könemann Verlagsgesellschaft mbH
Bonner Str. 126, D-50968 Cologne

Traduction : Les Cours / Jean-François Bournot et Jacques Tranier
Mise en pages : Les Cours, Caen
Conseil technique : Hélène Weber
Fabrication : Ursula Schümer
Imprimé et relié en C.E.E. par *Partenaires-Livres®*
Imprimé en France

ISBN 3-8290-5284-7

10 9 8 7 6 5 4 3 2 1

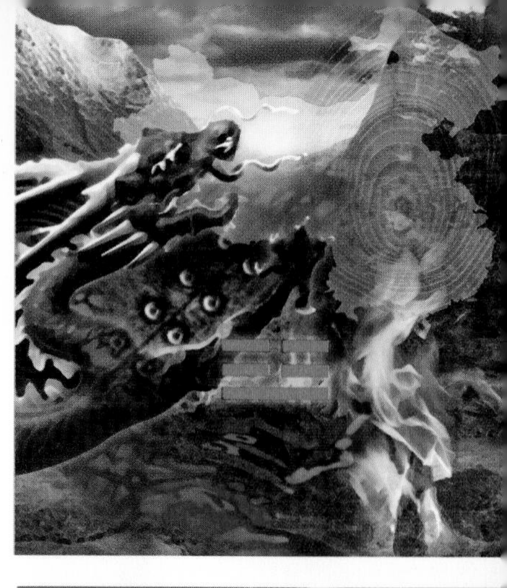

SOMMAIRE

Introduction : qu'est-ce que le Feng Shui ? 8

PREMIÈRE PARTIE
LES RACINES DU FENG SHUI 13

CHAPITRE UN **LES ORIGINES DU FENG SHUI 15**
Historique et principes de base 16
Le Feng Shui en Chine 18
Le Feng Shui à Taiwan, Hong Kong et ailleurs 20
La philosophie du Tien, Ti et Ren 23
Les applications du Feng Shui 24
Le Feng Shui aujourd'hui 26
Le yin et le yang dans le Feng Shui 28

CHAPITRE DEUX **LES CONCEPTS DU FENG SHUI 31**
Le concept du Chi : le souffle cosmique du dragon 32
Le *I Ching* 34
Les trigrammes 38
Le concept d'harmonie : les cinq éléments 40
Le concept d'équilibre : le yin et le yang 46
Le concept de la forme : le symbolisme des Quatre Créatures Célestes 48

DEUXIÈME PARTIE
LES PRINCIPES ESSENTIELS DU FENG SHUI 53

CHAPITRE TROIS **LE FENG SHUI DE LA FORME 55**
Le Feng Shui de l'École de la Forme 56
Les effets des contours et des niveaux 58
Dragon Vert et Tigre Blanc 59
Les différents types de montagne 60
L'association des montagnes 61
Les formations montagneuses 62
L'orientation des montagnes 63
Le Feng Shui de la forme dans le monde moderne 64

CHAPITRE QUATRE **LE FENG SHUI DE L'ÉCOLE DE LA BOUSSOLE 67**
L'évolution de la formule du Feng Shui 68
L'importance des emplacements et directions de la boussole 70
La théorie des Huit Sites : formule du Pa Kua Lo Shu 72
Le Feng Shui de l'Étoile Volante : la dimension temporelle 76
Interprétation et signification des nombres 78

CHAPITRE CINQ **LE FENG SHUI SYMBOLIQUE 81**
Les origines du symbolisme 82
Comment utiliser les symboles pour intensifier le Feng Shui 83
Comment fonctionne le Feng Shui symbolique ? 84
Le symbolisme de la maison 86
Les symboles de bonne fortune 88
La période 7 en cours (années 1984 à 2003) 90
La signification des nombres 91
L'activation des symboles bénéfiques 92
Symboles de prospérité, succès et richesse 94
Symboles de longévité et de santé 96
Symboles d'amour et de mariage 98
Autres symboles de chance 99

CHAPITRE SIX **LE FENG SHUI, SOURCE DE RICHESSE 101**
Eau propice et eau néfaste 102
L'eau dans le Feng Shui : ce qu'il faut faire et ne pas faire 103
Eau majeure et eau mineure 104
L'activation de l'eau majeure 105
L'activation de l'eau mineure 106
L'activation des conduites d'eau de pluie 108
Le Feng Shui de l'eau 109

CHAPITRE SEPT **LES OUTILS DU FENG SHUI 111**
Le Luo Pan ou Boussole du Maître du Feng Shui 112
Le Pa Kua yin et le Pa Kua yang 114
L'application des trigrammes 116
La règle Feng Shui : indication des dimensions favorables 118

CHAPITRE HUIT **CONSEILS POUR UNE APPLICATION PRATIQUE 123**
Comment lire la boussole ? 124
Comment lire les relevés ? 126
Comment déterminer les limites en Feng Shui ? 128
Comment superposer le carré Lo Shu ? 130
Comment appliquer les formules à votre maison ? 131
Comment disposer les symboles de chance ? 132

TROISIÈME PARTIE
LE FENG SHUI À LA MAISON 135

CHAPITRE NEUF **LE FENG SHUI POUR TOUTES LES MAISONS 137**
Demeures et maison de maître 138
Les pavillons et maisons individuelles 140
Maisons jumelées 141
Appartements et résidences 142
Studios et chambres d'étudiants 144
Les appartements de deux ou trois pièces 145

CHAPITRE DIX **LE FENG SHUI POUR LES INTÉRIEURS 147**
Le Feng Shui des maisons en rénovation 148
Les courants de Chi à l'intérieur de la maison 150
L'agencement des pièces 151
Le Feng Shui de la porte principale 152
Autres portes : alignements, dispositions et modèles 156
Les fenêtres : le bon et le mauvais 159

CHAPITRE ONZE **LE FENG SHUI DE LA CHAMBRE À COUCHER 161**
La chambre principale 162
Les tabous de la chambre à coucher 164
Les autres chambres 166
Les chambres d'enfant 168
Les chambres d'étudiant 169

CHAPITRE DOUZE **LE FENG SHUI DU SALON 173**
La disposition des meubles 174
La bonne disposition du mobilier dans le salon 176
La mauvaise disposition du mobilier dans le salon 177
Les miroirs dans la décoration intérieure 178
Comment optimiser les éléments Feng Shui 179
La neutralisation de flèches empoisonnées 180
La salle à manger 181

CHAPITRE TREIZE **CUISINES, SALLES DE BAINS ET DÉBARRAS 183**
Plans et dispositions de la cuisine 184
Le Feng Shui de la cuisine 185
La salle de bains 187
Débarras, escaliers et garages 188

QUATRIÈME PARTIE
LE FENG SHUI INDIVIDUEL ET CELUI DE LA FAMILLE 191

CHAPITRE QUATORZE **LE FENG SHUI ET LA FAMILLE 193**
La place du père : le nord-ouest 194
La place de la mère : le sud-ouest 196
La place des fils : l'est 197
La place des filles : le sud, le sud-est et l'ouest 198

CHAPITRE QUINZE **LE FENG SHUI : L'AMOUR ET LE MARIAGE 201**
Le Feng Shui et l'amour 202
Activer la direction sud-ouest 204
La formule Kua 206
L'influence des toilettes 207

CHAPITRE SEIZE **LE FENG SHUI ET LA SANTÉ 209**
Longévité et vie en bonne santé 210
L'énergie yin et yang dans les maladies 211
Exposer au regard des symboles de longévité 214
La gymnastique des animaux célestes 215
Les directions célestes et la santé 216

CHAPITRE DIX-SEPT **LE FENG SHUI ET LA RÉUSSITE PROFESSIONNELLE 219**
Franchir les portes du Dragon Céleste 220
Harmoniser le Chi humain et le Chi de l'environnement 222

CHAPITRE DIX-HUIT **LE FENG SHUI APPLIQUÉ AUX DÉPLACEMENTS ET AUX VOYAGES À L'ÉTRANGER 225**
Bonnes et mauvaises directions de déplacement 226
Surmonter un mauvais Feng Shui lors d'un voyage 228
Le Feng Shui tibétain 230
Activer les énergies pour les voyages d'affaires 232

CINQUIÈME PARTIE
LE FENG SHUI DANS LE JARDIN 235

CHAPITRE DIX-NEUF **APPLIQUER LE FENG SHUI AU JARDIN 237**
Le Feng Shui dans le jardin 238
Styles et aménagements des jardins 240

CHAPITRE VINGT **LES PLANTES 243**
Les bonnes plantes Feng Shui 244
Les bons arbres Feng Shui 246
La couleur des fleurs 248
Yin, yang et Chi 249

CHAPITRE VINGT-ET-UN **L'EAU 251**
Les deux formules de l'eau 252
La formule de l'écoulement de l'eau 254
Autres installations faisant intervenir l'eau 256

CHAPITRE VINGT-DEUX **LES STRUCTURES DANS LES JARDINS 259**
Le Feng Shui des structures de jardin 260

CHAPITRE TVINGT-TROIS **L'ÉCLAIRAGE 267**
Corriger l'influence des formes et les structures néfastes 268
Utiliser l'éclairage pour renforcer la chance et réduire la malchance 269
Réputation et reconnaissance sociale 270
L'éclairage dans le jardin 272

SIXIÈME PARTIE
LE FENG SHUI ET LES AFFAIRES 275

CHAPITRE VINGT-QUATRE **CONSEILS PRATIQUES POUR LES ENTREPRENEURS 277**
Activer l'énergie attirant la richesse 278

CHAPITRE VINGT-CINQ **LE FENG SHUI DESTINÉ AUX COMMERÇANTS 285**
Conseils pratiques pour le commerce de vente au détail 286

CHAPITRE VINGT-SIX **LE FENG SHUI DES GRANDES SOCIÉTÉS 293**
Le Feng Shui appliqué aux immeubles 294
L'effet des immeubles voisins 295
L'entrée principale d'un immeuble abritant une grande société 296
Le Feng Shui appliqué aux rues entourant un immeuble 297
Autoroutes, voies surélevées et voies de chemin de fer 298
Logos de société porte-bonheur 299
Mariages de couleurs porte-bonheur 300
Où installer le chef d'entreprise ? 301

SEPTIÈME PARTIE
CONSEILS PRATIQUES FENG SHUI POUR TOUS LES ENVIRONNEMENTS 303

CHAPITRE VINGT-SEPT **REMÈDES ET ANTIDOTES FENG SHUI 305**
Pourquoi les remèdes et antidotes Feng Shui sont-ils nécessaires ? 306
Se servir de lumières pour dissiper le Chi 307
Se servir de sons pour créer de l'énergie yang 308
Stopper, dissoudre et dévier à l'aide d'écrans, de murs et d'arbres 309
Se servir de miroirs pour dévier la mauvaise énergie 310
Se servir de cristaux et de la lumière du soleil 311
Se servir d'objets pour faire circuler le Chi 312
Se servir de symboles protecteurs 313

CHAPITRE VINGT-HUIT **LES FLÈCHES EMPOISONNÉES DANS L'ENVIRONNEMENT 317**
Débusquer les flèches empoisonnées cachées 318
Que faire contre les flèches empoisonnées 322
Arbres, poteaux et structures verticales 324
Bâtiments yin 326

HUITIÈME PARTIE
DICTIONNAIRE FENG SHUI 329

Lectures complémentaires et adresses utiles 355

Index 356

Remerciements 360

INTRODUCTION

QU'EST-CE QUE LE FENG SHUI ?

CI-DESSUS : *la science du Feng Shui se pratique en Chine depuis au moins 3 500 ans*

Le Feng Shui est une science très ancienne dont les origines remontent à plus de 3 500 ans. Elle puise ses racines dans la vision chinoise de l'univers, selon laquelle tout ce qui existe sur terre se trouve catégorisé en cinq éléments fondamentaux, (le feu, le métal, la terre, le bois et l'eau), avec une implication d'énergie positive ou négative. Cette énergie connue sous le nom de Chi, ou, de façon plus imagée, de « souffle cosmique du dragon », apporte la chance à ceux qu'elle entoure. Les cinq éléments constituent un axe majeur dans l'analyse et la pratique du Feng Shui, et chacun d'entre eux peut avoir des propriétés yin ou yang.

Traduit littéralement, Feng Shui signifie « vent et eau » et fait référence à la terre, ses montagnes, ses vallées et ses cours d'eau, dont les formes et dimensions, les directions et niveaux résultent de l'interaction de ces forces puissantes. En tant que mode de vie, le Feng Shui peut être considéré comme la science qui permet de sélectionner et d'organiser un environnement vivant dans lequel les cinq éléments et les énergies du yin et du yang se trouvent en équilibre pleinement harmonieux et, par voie de conséquence, procurent une existence agréable à tous ceux qui résident dans cet environnement.

Le Feng Shui est également un art – nourri d'expérience et de sens commun – ainsi qu'une technique permettant de corriger les défauts d'harmonie de l'environnement et donnant à chacun la possibilité d'améliorer son propre espace de vie et de travail, de façon à renforcer cette harmonie et cet équilibre vitaux.

La pratique du Feng Shui reste imprégnée d'un certain mysticisme. Pour comprendre et assimiler ses lois et règles multiples, il faut admettre un certain nombre de théories fondamentales sur l'univers qui peuvent nous paraître totalement étrangères dans le contexte de notre perception moderne du fonctionnement du monde. La description des perspectives, des paysages et de leur environnement prend ordinairement la forme de représentations symboliques. Les métaphores qui imprègnent les références classiques et mythiques des Chinois envers les animaux, les éléments et les forces intangibles du yin et du yang sont le reflet des racines anciennes de cette science.

La philosophie du Feng Shui, ainsi que ses techniques classiques, peuvent s'étudier dans les livres de référence anciens qui nous ont été transmis. Mais ses applications

PREMIÈRE PARTIE
LES RACINES DU FENG SHUI

Historique et concepts.

DEUXIÈME PARTIE
LES PRINCIPES ESSENTIELS DU FENG SHUI

Formules du Feng Shui des Formes et du Feng Shui de la Boussole. Symbolisme, outils et lignes directrices pratiques.

CI-CONTRE : *la grande stèle au sommet du Taishan, en Chine, où les empereurs pratiquaient les grands sacrifices du « Feng » et du « Shan » au vent et à la terre. L'interaction des éléments a toujours été un élément fondamental dans la pratique du Feng Shui.*

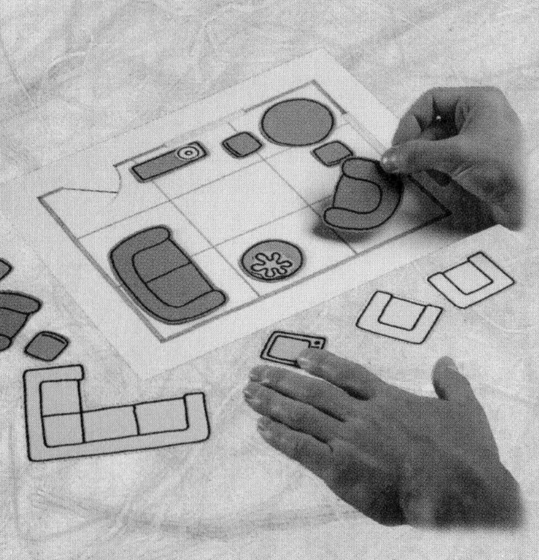

TROISIÈME PARTIE
LE FENG SHUI À LA MAISON

Le Feng Shui pour toutes les maisons, pièces et intérieurs.

QUATRIÈME PARTIE
LE FENG SHUI PERSONNEL ET CELUI DE LA FAMILLE

Le Feng Shui pour la famille : amour, mariage, santé, carrière et voyages.

concrètes nous ont été transmises, au fil des siècles, de génération en génération, essentiellement par le bouche à oreille avec tout ce que cela suppose de superstition. La théorie du Feng Shui n'est donc pas difficile à appréhender ; mais si l'on veut l'appliquer correctement, dans le contexte actuel, il faut en assimiler les principes essentiels.

À l'aube du nouveau millénaire, l'engouement pour le Feng Shui peut s'expliquer par le simple fait que cela marche vraiment ! Le Feng Shui est de fait un art de vivre capable de nous procurer bien-être et satisfaction. De plus, il n'est guère difficile à pratiquer. Dès lors que vous voudrez bien l'étudier sérieusement, ses applications vous sembleront vite marquées du coin du bon sens. Ses concepts de base sont pour la plupart très faciles à comprendre. Vous n'avez besoin que d'une réelle volonté d'apprendre et d'un minimum de confiance dans ce que vous appliquerez.

Cet ouvrage a été rédigé tout spécialement pour le néophyte recherchant un livre de référence complet, couvrant tous les aspects de cette science. La promesse du Feng Shui, c'est de vous apporter fortune, prospérité et bonheur. Sa pratique concrète, dans le monde moderne, où tant de gens vivent dans des villes surpeuplées, en appartement et non plus à la campagne, demande de la patience, ne serait-ce que pour en apprendre les principes essentiels. Pour en maîtriser les bases il faut aussi une

À DROITE : *le Feng Shui offre remèdes et antidotes contre toutes les structures hostiles.*

CINQUIÈME PARTIE
LE FENG SHUI DANS LE JARDIN

Le Feng Shui pour tous les jardins, les pièces d'eau, les édifices de jardin et l'éclairage.

SIXIÈME PARTIE
LE FENG SHUI ET LES AFFAIRES

Conseils pratiques pour les entrepreneurs, commerçants, et grandes sociétés.

certaine rigueur intellectuelle. La pratique du Feng Shui progresse aussi avec l'expérience. Son efficacité est conditionnée par une approche intelligente. Comprenez ses fondements, mais efforcez-vous de les adapter : travaillez avec ce que vous avez !

Il est pratiquement impossible de parvenir à un Feng Shui absolument correct. Les endroits offrant un Feng Shui idéal ou parfait sont extrêmement rares. À supposer que votre Feng Shui soit presque parfait, vous devrez encore prendre en compte la « dimension temporelle ». Parfois, en dépit d'un excellent Feng Shui spatial, vous traverserez des périodes néfastes du fait de ce qu'on appelle les « mauvaises étoiles filantes ». Avec de l'expérience, vous en découvrirez le sens et en comprendrez la raison. Si vous persévérez et si vous aménagez vraiment votre espace de vie en fonction des lignes directrices du Feng Shui, indiquées dans ce livre, votre pratique s'améliorera progressivement avec des conséquences positives sur votre propre vie, votre travail, et sur les vôtres. Le succès gagnera tous les membres de votre famille. Si vous êtes chef d'entreprise, le Feng Shui pourra vous aider à tirer le meilleur profit de votre emplacement professionnel, et les relations de travail entre vos employés s'amélioreront. Le Feng Shui propose des solutions pour améliorer vos résultats de façon significative, pour profiter de nouvelles opportunités commerciales et pour gagner de nouveaux marchés. Les couples seront plus forts, les familles plus unies, les revenus des uns et des autres augmenteront. La santé sera meilleure et les rapports humains plus intenses. Le Feng Shui a vraiment beaucoup à offrir pour un investissement minime.

Imprégné de Feng Shui, vous prendrez conscience de la nécessité de préserver et de respecter l'environnement. Vous serez alors sur la bonne voie. Vous aurez fait la moitié du chemin qui vous conduira à avoir « l'œil du Feng Shui ». Peut-être resterez-vous sceptique à la lecture de ces pages ; ce n'est pas grave : vous n'avez pas à croire au Feng Shui pour que cela marche. Ce n'est ni une religion, ni une démarche spirituelle. Ce n'est pas une atteinte à vos convictions morales ou à vos croyances religieuses.

Il suffira que votre analyse, fondée sur un certain nombre de principes d'application simple, soit correcte pour que le Feng Shui agisse, pour vous, de façon positive. Si vous appliquez avec soin les changements préconisés, si vous veillez à la stricte application des dimensions et des directions proposées, vous ne pouvez que bénéficier du Feng Shui. Lisez ce livre avec une grande ouverture d'esprit. Donnez-vous le temps nécessaire pour comprendre comment fonctionne le Feng Shui.

À GAUCHE : *suivez les lignes directrices du Feng Shui pour vous assurer santé, fortune, succès et bonheur pour vous-même et votre famille.*

SEPTIÈME PARTIE
CONSEILS DU FENG SHUI POUR TOUS LES ENVIRONNEMENTS

Remèdes et antidotes. Comment éviter les flèches empoisonnées.

HUITIÈME PARTIE
DICTIONNAIRE DU FENG SHUI

Le guide des termes du Feng Shui de A à Z.

Première partie

LES RACINES DU FENG SHUI

CHAPITRE UN

LES ORIGINES DU FENG SHUI

*Les origines du Feng Shui remontent à l'antiquité. Les premières traces apparaissent sous la dynastie des Tang, mais pendant des siècles, l'accès à la connaissance du Feng Shui authentique, ainsi qu'aux textes classiques qui contenaient ses nombreux secrets, était réservé à la famille impériale et aux classes dirigeantes chinoises. Ce n'est qu'au cours du XX*e *siècle que le Feng Shui est devenu accessible à la majorité des gens et, de ce fait, extrêmement populaire. Traversant les océans, il a atteint de nouveaux rivages et, notamment depuis quelques dizaines d'années, les pays où la diaspora chinoise s'est installée, notamment à Taiwan, à Hong Kong et à Singapour. Le Feng Shui y est devenu une donnée essentielle de la vie de tous les jours. Il est actuellement de plus en plus accepté et reconnu dans de nombreux pays occidentaux.*

Le Feng Shui contemporain, nous propose de dompter le souffle cosmique du dragon dans le contexte du Tien, Ti *et* Ren *: la trinité que constituent le Ciel, la Terre et la Destinée humaine. Cet ouvrage place le Feng Shui en perspective et vous apporte tout ce qui est nécessaire pour le rendre attrayant et le mettre à la portée de tous. Tous les concepts de base, y compris la cosmologie du Yin et du Yang, les interactions des cinq éléments, les principes fondamentaux de l'École de la Boussole, ainsi que le symbolisme, y sont examinés en détail de façon intellectuelle et pratique. Bienvenue dans le monde des dragons et des tigres !*

À GAUCHE : *le Feng Shui est né en Chine il y a environ 3500 ans. Durant des siècles, il est demeuré la chasse gardée de la famille impériale.*

CHAPITRE UN : LES ORIGINES DU FENG SHUI

HISTORIQUE ET PRINCIPES DE BASE

CI-DESSUS : *les premiers adeptes du Feng Shui se concentrèrent sur le symbolisme des paysages. Plus tard, on vit naître une approche plus scientifique, l'École de la Boussole, qui est l'étude des orientations fondée sur la position des huit trigrammes autour du Pa Kua, et des nombres du Carré de Lo Shu.*

C'est depuis la dynastie Tang que l'on pratique le Feng Shui en Chine en tant que technique de sélection des sites les plus favorables. Le plus grand maître du Feng Shui fut sans doute Yang Yun Sang, quasi-unanimement reconnu dans les textes anciens pour être le « fondateur » du Feng Shui de la Forme, tel que nous le connaissons aujourd'hui. L'héritage de Maître Yang a traversé les siècles jusqu'à nous. Personnage important de la cour de l'empereur Hi Tsang (888 de l'ère chinoise), Maître Yang écrivit des livres sur la capture et le contrôle du souffle du dragon. C'étaient des lectures obligatoires pour préparer les concours impériaux. Son influence sur la cour était ainsi considérable.

Les livres de Maître Yang sur ce qui devait devenir le Feng Shui furent également à la base de l'éducation de générations d'adeptes. Il accordait une importance toute particulière à la forme des montagnes, à la direction des cours d'eau et, par-dessus tout, à la recherche de l'antre du Dragon Vert, caché dans les crêtes ondulantes et les vallées de montagne.

Les théories de Maître Yang étaient axées sur la façon de repérer le dragon bénéfique dans des endroits où sa présence n'est pas forcément évidente. Il insistait sur l'importance du souffle du dragon pour le bien-être d'une habitation, et il décrivait longuement les endroits et les formations de terrains qui bénéficiaient de ce souffle, qualifié de cosmique, et qu'il plaçait au centre de la pratique du Feng Shui.

Maître Yang a formulé ainsi plusieurs théories essentielles qui sont devenues par la suite le fondement même de toute l'École Feng Shui de la Forme et du paysage et qui ont été considérées, au fil des siècles, comme les textes fondateurs du Feng Shui. Maître Yang s'appuyait essentiellement sur la métaphore du dragon et il se référait à l'anatomie de cet animal ou à son humeur – gaie ou coléreuse – pour décrire les formations géologiques, les reliefs et les conditions climatiques.

Les théories de Maître Yang ont également été détaillées dans trois ouvrages classiques qui, tous, décrivent les formations Feng Shui en termes d'allégories imagées ayant trait au dragon. Le premier de ces livres majeurs est le *Han Lung Ching*, ce qui peut se traduire par « L'art d'éveiller le dragon ». Le deuxième, le *Ching Nang Ao Chih*, explique les méthodes pour trouver l'antre du dragon. Le troisième, *I Lung Ching*, « Les Règles de l'approche des dragons », donne des conseils précis pour rechercher les dragons dans les endroits où ils sont difficiles à trouver.

On peut trouver beaucoup de textes et de commentaires anciens sur le Feng Shui, notamment ceux portant sur le Feng Shui de la Forme à Taiwan, où sa pratique est très répandue. Les principes de Maître Yang sont à la base de l'École de la Forme permettant de discerner le bon du mauvais Feng Shui par une analyse visuelle des paysages et, plus précisément, des montagnes et des collines.

Ces dernières y sont décrites comme des dragons verts et des tigres blancs, pour qu'un emplacement ait un bon Feng Shui, il fallait la présence du dragon. Les adeptes de l'École de la Forme commençaient donc leur quête des sites favorables en cherchant un Dragon Vert. Ils portaient une attention toute particulière à la configuration du terrain, à la forme des montagnes et des collines, aux cours d'eau, à leur orientation et à leur direction. La localisation du dragon et de son antre constituait pour eux l'essentiel de la théorie du Feng Shui de la Forme.

Peu à peu, cependant, le symbolisme du dragon s'estompa au profit d'une approche plus scientifique, fondée sur le concept d'orientation par rapport aux points cardinaux. L'École de la Forme céda ainsi le pas à l'École de la Boussole, dont l'analyse était fondée

CI-DESSOUS : *ce paysage aux paisibles ondulations est l'un des signes révélateurs qui indique la présence du Dragon Vert propice.*

À GAUCHE : *le Feng Shui de la Forme utilise le symbolisme du Dragon Vert et du Tigre Blanc pour décrire les formations montagneuses ou de collines favorables.*

sur les huit trigrammes du *I Ching* et sur l'emplacement de ces trigrammes autour d'un symbole octogonal connu sous le nom de Pa Kua. Le Feng Shui de la Boussole induisait aussi le symbole à neuf grilles appelé le Carré magique de Lo Shu. Ces symboles, de même que le système Ghanzi du calendrier chinois, la théorie des cinq éléments, et le maintien de l'équilibre entre les éléments yin et yang, ont constitué le support de spéculations métaphysiques qui se sont développées dans le cadre du Feng Shui de la Boussole.

Le Feng Shui de la Boussole, ou des points cardinaux, insiste sur l'influence et l'importance des directions. Le bon ou le mauvais Feng Shui se définissait désormais ainsi en termes de pertinence des orientations par rapport à la date de naissance et au sexe d'une personne, mais aussi sur un certain nombre de facteurs pouvant influencer sa vie. Ces formules ont donné naissance à différentes méthodes pour déterminer et créer un bon Feng Shui.

Le Feng Shui de la Boussole a également introduit le concept de la dimension temporelle dans le Feng Shui. En utilisant le Carré magique de Lo Shu en tant que base de calculs à partir de la numérologie, la méthode des points cardinaux intègre les concepts spatiaux et temporels du Feng Shui. Quand le Feng Shui de la Boussole se développa, les adeptes accordèrent de moins en moins d'importance à l'environnement. L'influence du dragon, telle qu'édictée par le vieux Maître Yang, tomba dans l'oubli.

Finalement, les adeptes se rendirent compte que pour être efficace, l'École de la Boussole ne pouvait pas totalement ignorer l'effet des collines et des rivières avoisinantes sur le bien-être des demeures. À la fin du XIXe siècle et au début du XXe, les deux écoles de Feng Shui ont fusionné. Le symbolisme du dragon réapparut, et son attrait augmenta considérablement. Les conceptions du Feng Shui de la Boussole continuèrent aussi à gagner du terrain.

À Hong Kong et à Taiwan, les adeptes du Feng Shui pratiquent un mélange des deux écoles. Ce livre les prend toutes deux en compte. Mais personnellement, je pratique aussi le Feng Shui de la Boussole l'ayant vu appliqué avec de très bons résultats. Quelle que soit la demeure, je m'assure d'abord que l'environnement et le paysage sont harmonieux, qu'ils profitent du dragon et de son souffle cosmique, et qu'ils ne pâtissent pas du souffle mortel d'influences hostiles.

Pour moi, la pratique du Feng Shui de la Forme est la meilleure expression du Feng Shui défensif. Ce n'est qu'après avoir constaté que la présence du dragon autour de la maison m'apporte un souffle propice – le bon Sheng Chi – que je poursuis en énergisant les différentes formules du Feng Shui de la Boussole résumées dans ce livre. Un grand nombre de formules sont extrêmement puissantes et leur application donne rapidement des résultats positifs.

À mi-chemin entre ces deux écoles de Feng Shui se situe la pratique parallèle du Feng Shui symbolique. L'habitude consistant à disposer des symboles favorables dans les maisons et dans le palais des empereurs remonte à l'Antiquité, comme le montrent de nombreux objets mis à jour depuis des temps immémoriaux. En Chine, il y a de nombreux symboles et divinités propitiatoires pour attirer sur les maisons abondance et prospérité, bonne santé et longue vie. Il faut pour cela que les symboles appropriés soient correctement disposés. Il sera donc aussi question du Feng Shui symbolique dans cet ouvrage.

CI-DESSUS : *ces pièces de monnaie chinoises, qui symbolisent l'unité du Ciel et de la Terre, sont favorables aux affaires et aux finances en général.*

VOIR AUSSI
❖ Le Feng Shui de la Forme *p. 54-65*
❖ Le Feng Shui de l'École de la Boussole *p. 66-79*

CHAPITRE UN : LES ORIGINES DU FENG SHUI

LE FENG SHUI EN CHINE

CI-DESSUS : *les hommes d'affaires chinois adhèrent toujours aux principes du Feng Shui, même s'ils ne sont pas toujours convaincus de sa pertinence dans le monde moderne.*

CI-DESSOUS : *le plan des bâtiments et des cours d'eau de la Cité interdite de Pékin est révélateur de l'influence des principes du Feng Shui.*

Les Chinois ont toujours cru au Feng Shui. Ceux qui s'y sont intéressés à travers les livres anciens le pratiquent avec déférence, en particulier les commerçants, les marchands et tous les hommes d'affaires, qui en ont souvent beaucoup profité. Ceux qui ont connu le Feng Shui par leurs parents, le regardent généralement comme une superstition, ce qui ne les empêche pas d'en respecter les principes de base.

Dans la Chine ancienne, il fallait appartenir à une classe privilégiée pour accéder à la connaissance et à la maîtrise du Feng Shui. Durant des siècles, le Feng Shui est resté l'apanage de la famille impériale et des mandarins qui régentaient la cour. On a retrouvé des preuves de la pratique du Feng Shui dans les demeures des courtisans de la dynastie mandchoue, ainsi que dans les palais de la Cité interdite.

Autrefois, le Feng Shui bénéficiait de l'appui impérial tout puissant. Les empereurs étaient particulièrement attentifs à l'orientation de leurs tombeaux. Ils croyaient fermement que la destinée des vivants était en grande partie déterminée par la qualité du Feng Shui des ancêtres, et la Chine regorge de légendes et de contes populaires qui décrivent en termes lyriques les tombes de pères d'empereurs, tels que Chu Yuan Chuan, le fondateur de la dynastie Ming, ou même de Sun Yat Sen, qui devint président de la République de Chine au début du XXe siècle. En visitant Pékin, on pourra se rendre dans les faubourgs nord de la ville où l'on peut visiter les vieux tombeaux Ming, construits strictement selon les règles du Feng Shui.

Pour parler d'une époque plus récente, ne dit-on pas que deux des derniers dirigeants chinois, Mao Tse Tung et Deng Xiaoping eux-mêmes ont dû leur accession au pouvoir à l'orientation spéciale des tombeaux de leurs ancêtres respectifs ?

À Taiwan, il est toujours de tradition de concevoir et de construire les tombes familiales selon les préceptes du Feng Shui. Les familles font d'énormes efforts pour faire en sorte, non seulement d'enterrer leurs morts suivant la bonne orientation, mais aussi pour que les tombes soient correctement entretenues et protégées. Ils s'assurent, en particulier, que le drainage et l'écoulement des eaux se font dans le sens propice. Les patriarches des familles en vue choisissent de leur vivant une concession funéraire pour que la famille reste sous des auspices favorables et que leurs descendants continuent à honorer le nom de celle-ci.

Autrefois, le Feng Shui était très important pour élaborer le plan d'urbanisme des villes et villages. La prospérité de Canton serait due à sa situation sur le delta de la rivière des Perles, tandis que le célèbre Bund de Shanghai aurait apporté de grandes richesses à cette métropole. Au début du XXe siècle, Hong Kong n'était rien de plus qu'un rocher

CI-DESSUS : *le Feng Shui a contribué à la réussite financière de l'ancienne colonie britannique qu'est Hong Kong.*

stérile. L'observance rigoureuse du Feng Shui par la population locale et l'excellente orientation de son port allaient assurer la prospérité de la colonie britannique.

Les empereurs interdirent souvent le Feng Shui et l'histoire dit que certains d'entre eux sont allés jusqu'à rendre les vieux textes incompréhensifs. De cette façon, ils empêchaient ceux qui pouvaient constituer une menace pour la dynastie de pratiquer le Feng Shui et, ainsi, acquérir quelque pouvoir. Les livres de contes chinois rapportent comment le premier des empereurs Ming, Chua Yuan Chuan, inonda le pays de faux livres de Feng Shui qui contenaient des préceptes ambigus sur l'environnement et des théories incorrectes et contradictoires. Des siècles plus tard, lorsque Mao Tse Tung devint le nouvel « empereur » de Chine, lui aussi était un pratiquant avisé du Feng Shui. Mao a passé sa vie à étudier *Les Annales des dynasties*. On dit que le Grand Timonier, obsédé par la crainte de se voir renverser, a étudié les livres de stratégie et de politique de la cour des anciens empereurs tels que Chu Yuan Chuan. Mao ne voulait pas que quiconque puisse utiliser le Feng Shui, ce qui aurait pu permettre de desserrer sa mainmise sur le pays. Tout le temps qu'il resta au pouvoir, Mao bannit l'usage du Feng Shui en Chine.

À GAUCHE : *une séance de Tai Chi sur le Bund de Shanghai, dont l'emplacement est, dit-on, à l'origine de la prospérité passée de la cité et de sa renaissance actuelle.*

LE FENG SHUI À TAIWAN, HONG KONG ET AILLEURS

CI-DESSUS : *Yap Cheng Hai, maître en Feng Shui, qui nous a généreusement révélé à quelques formules spéciales.*

Tandis que la pratique du Feng Shui déclinait en Chine, les Chinois qui avaient fui leur pays pour s'établir dans des contrées lointaines, contribuaient à sa survie. C'est à Taiwan en particulier, où de nombreux maîtres et adeptes du Feng Shui avaient suivi Tchang Kai Chek dans sa fuite après sa défaite face aux communistes, que le Feng Shui devint florissant. Le général emportait avec lui des milliers de textes anciens sur le Feng Shui, et les maîtres de Feng Shui qui avaient fui avec lui, continuèrent d'exercer leur art pour en faire bénéficier le régime de Chiang ainsi que les hommes d'affaires de l'île. Aujourd'hui, le Feng Shui qui est pratiqué à Taiwan doit beaucoup aux précieuses formules de l'École de la Boussole ; deux de ces formules ont pu être été retrouvées grâce au maître Yap Cheng Hai qui, jeune encore, était allé à Taiwan pour étudier le Feng Shui sous la férule d'un vieux maître vénéré. Ce maître était un doyen de la pratique du Feng Shui à Taiwan, consulté par un grand nombre de grands patrons du pays.

Bien qu'il fût d'un autre âge, nombre de ses disciples continuent de s'en inspirer aujourd'hui. Ce n'est certainement pas par hasard si Taiwan est aujourd'hui un pays très prospère.

CI-DESSOUS : *le gouverneur de Hong Kong, C.H. Tung qui, dit-on, refusa de s'installer dans la résidence de l'ancien gouverneur à cause d'un Feng Shui néfaste.*

CI-DESSUS : *Taiwan a bénéficié des anciennes pratiques du Feng Shui introduites dans l'île à la suite de la défaite de Tchang Kaï-chek en 1949.*

Le Feng Shui a aussi fleuri à Hong Kong où se sont établis nombre de réfugiés chinois. Aujourd'hui, Hong Kong est devenu la capitale officieuse du Feng Shui et les résidents chinois continuent à le considérer comme une façon d'être, un art de vivre De fait, le premier gouverneur chinois de Hong Kong (1997), C.H. Tung, a beaucoup fait parler de lui dans la presse internationale lorsqu'il annonça qu'il n'occuperait ni la résidence coloniale, ni le bureau de l'ancien gouverneur britannique parce qu'il considérait que le Feng Shui de ces deux endroits était négatif.

La renaissance du Feng Shui et le regain d'intérêt pour cet art de vivre en Chine même constituent indéniablement l'un des faits marquants de ces dernières années. Sa pratique en a été réimportée par des Chinois exilés qui investissent aujourd'hui dans des entreprises de la « nouvelle Chine ». Des villes entières et de grands projets immobiliers supervisés par des Chinois de Hong Kong démontrent, à l'évidence, l'influence nouvelle du Feng Shui en Chine.

Le Feng Shui prend une place tout aussi spectaculaire dans les communautés chinoises occidentalisée installées dans les quartiers chinois des métropoles des États-Unis, d'Europe, d'Australie et de l'Asie du sud-est. Partout où la population chinoise exilée est importante – comme à Singapour ou en Malaisie –, le Feng Shui gagne en popularité. De nombreux Chinois redécouvrent avec émerveillement les promesses d'une pratique qui fait partie de leur héritage culturel.

Parallèlement à cet engouement croissant des Chinois d'outre-mer, il faut souligner l'intérêt d'autres communautés pour le Feng Shui. Dans le monde occidental, le Feng Shui est entré par la porte du mouvement *New Age* qui focalisait sur le concept global du corps et de l'esprit. Le *New Age* cherchait sa voie dans les enseignements ésotériques de l'Orient. C'est ainsi que ses adeptes découvrirent les perspectives et le potentiel du Feng Shui. Depuis quelques années, le Feng Shui a connu un attrait croissant. Aujourd'hui son impact est mondial.

POTINS DE HONG KONG

Nombreux sont les habitants de Hong Kong qui pensent que la mort du célèbre Bruce Lee, la superstar des arts martiaux, était due à un mauvais Feng Shui. On prétend qu'en prenant le nom de Hsiao Loong (Petit Dragon), Bruce Lee aurait offensé les Neuf Dragons de Kowloon. Ils auraient attendu le bon moment pour donner une leçon au Petit Dragon. Ce moment arriva lors d'un typhon qui provoqua la chute du miroir protecteur Pa Kua de Bruce Lee. Sans protection, les neuf dragons avaient le champ libre et Bruce Lee connut une mort prématurée.

On dit que le dernier gouverneur britannique de Hong Kong, Chris Patten, souffrait du mauvais Feng Shui de la résidence coloniale. Certains pensent aussi que cette résidence jouissait autrefois d'un excellent Feng Shui, car adossée au pic Victoria et face à la mer – une orientation classique Dragon Vert – Tigre Blanc. Cet excellent Feng Shui a été compromis par la construction de la Banque de Chine, dont la façade comporte des angles vifs et d'immenses croix. Un des angles du bâtiment semble fendre la résidence du gouverneur, affectant le Feng Shui de Chris Patten. Les habitants de Hong Kong ne furent donc pas surpris quand son successeur chinois, C.H. Tung, refusa poliment d'y emménager.

La banque de Hong Kong, avec ses deux lions tutélaires, est l'un des symboles de Hong Kong. Les architectes de ce bâtiment achevé au milieu des années 1980 se sont attachés les services de plusieurs maîtres du Feng Shui qui ont travaillé pour garantir un flux positif dans l'immeuble. L'endroit le plus propice, en termes de Feng Shui, est le « Hall de lumière », devant l'immeuble. On dit qu'au siècle dernier, l'un des « taipans » de la banque acheta le terrain qui lui faisait face et en fit don au gouvernement de la colonie sous la condition expresse que ce terrain ne serait jamais construit. De la sorte, l'entrée de la banque a une vue dégagée sur la mer et le « Hall de lumière », permet au Chi propice de se reposer un instant avant d'entrer tranquillement à l'intérieur de la banque.

CI-DESSOUS : *le Feng Shui de la résidence du gouverneur de Hong Kong serait gâté par l'énergie tueuse du building de la Banque de Chine.*

À DROITE : *Bruce Lee, star de plusieurs films de kung-fu, aurait connu une fin précoce à cause d'un Feng Shui défavorable.*

POTINS DE SINGAPOUR

CI-DESSUS : *le Premier ministre de Singapour, Lee Kuan Yew, aurait eu recours au Feng Shui pour augmenter la croissance extraordinaire de l'économie de cette république.*

Nombreux sont ceux qui ont exprimé leur admiration pour la croissance économique phénoménale de Singapour et pour l'homme qui a guidé cette minuscule cité-état sur la voie de la prospérité, Lee Kuan Yew, diplômé de Cambridge. On dit en Asie du sud-est que la fortune de Singapour et le succès de M. Lee doivent autant au Feng Shui qu'à ses talents.

M. Lee était apparemment très proche d'un des plus grands maîtres du Feng Shui, un simple moine dont les connaissances en la matière étaient légendaires. On dit qu'au moment de la construction du magnifique réseau de transport en commun, au début des années 1980, les travaux provoquèrent une véritable récession économique à Singapour. Inquiet, M. Lee aurait consulté son expert en Feng Shui. Celui-ci dit à M. Lee que, pour guérir l'économie de Singapour, chaque habitant devait pendre chez lui un Pa Kua – le symbole octogonal du Feng Shui. Les conseillers de M. Lee exprimèrent leur scepticisme et doutèrent que dans une société aussi multiéthnique que Singapour, le gouvernement soit capable de convaincre l'ensemble de la population d'exhiber un symbole aussi manifestement chinois.

M. Lee avait à l'évidence une solution très personnelle. Il fit émettre une pièce de 1 § Singapour en forme de Pa Kua. En dépit de cette mesure, cependant, l'économie de Singapour ne se redressa pas.

À la suite d'une nouvelle consultation auprès du maître Feng Shui, celui-ci suggéra que la forme du Pa Kua soit exhibée de façon plus évidente. D'où une nouvelle solution mise en œuvre : la vignette auto de Singapour, redessinée, prit la forme du Pa Kua. Il semble que cela fut efficace, car l'économie de Singapour se redressa. Aujourd'hui encore, tous les automobilistes ont sur leur pare-brise une vignette en forme de Pa Kua.

Quelques années plus tard, le maître tomba malade et l'on prétend que, questionné, il suggéra qu'un dragon fût érigé au-dessus de l'embouchure de la rivière Singapour et qu'ainsi il protégerait à jamais le lion de mer, symbole de la cité-état.

Une nouvelle fois, il avait trouvé une façon de sauvegarder la prospérité de Singapour : un dragon fut donc placé dans le coin supérieur gauche du billet de 50 § Singapour. Comme ce billet porte l'image de la rivière et du port de Singapour, le dragon se trouve bien suspendu symboliquement au-dessus du lion de mer, protégeant ainsi sa prospérité à jamais. Si vous vous rendez un jour à Singapour, regardez bien vos billets.

CI-DESSOUS : *pour sauvegarder l'économie de Singapour, M. Lee a fait apparaître sur les billets de banque un dragon protégeant le fleuve et le port.*

LA PHILOSOPHIE DU TIEN, TI ET REN

À GAUCHE : *le Feng Shui est fondé sur la philosophie des trois aspects de chance qui nous accompagnent pendant toute notre vie : Tien Chai, la Chance Céleste, qui nous est donnée à la naissance ; Ti Chai, la Chance Terrestre, qui est résulte de notre environnement ; et Ren Chai, la Chance de l'Humanité, que nous nous construisons nous-même.*

Le Feng Shui n'est pas une pratique spirituelle qui fait des miracles. Il n'apporte pas immédiatement le succès. Il ne modifie pas instantanément les conditions de vie de l'individu. Le résultat du Feng Shui est fonction de la qualité des énergies qui affectent l'espace domestique ou de travail. Ceux qui espèrent faire fortune, gagner à la loterie ou obtenir immédiatement une augmentation n'ont rien compris au Feng Shui.

En lui-même, le Feng Shui ne peut attirer la chance, mais il va créer une énergie favorable autour de votre maison ou de votre bureau de sorte que, lorsque la malchance se présentera, il en tempérera les effets et en réduira les éventuelles conséquences, rendant les choses plus faciles à supporter. À l'inverse, quand vous traverserez une période faste, le Feng Shui bénéfique en accentuera les effets. Tout cela est fondé sur la philosophie du *Tien, Ti* et *Ren*, les mots chinois désignant le ciel, la terre et l'humanité. C'est La Trinité de la chance. D'abord, il y a la Chance Céleste, sous laquelle nous naissons. La Chance Céleste, ou *Tien Chai*, ne peut être contrôlée par personne. Nul n'a de pouvoir sur les circonstances de sa naissance, non plus que sur les périodes favorables ou néfastes de son existence. C'est la raison pour laquelle toutes les cultures du monde ont des méthodes de divination qui tentent de déchiffrer le destin en se basant sur des tables de naissance ou toute autre méthode divinatoire. C'est pourquoi beaucoup attachent tant d'importance à la prière et à la religion en général. L'assistance divine transcende l'humain, et ne doit pas être confondue avec le Feng Shui. La Chance Terrestre, *Ti Chai*, au contraire, est sous notre contrôle. La chance terrestre est celle qui résulte de l'environnement et elle se trouve renforcée lorsque le Feng Shui qui entoure notre cadre de vie est propice.

Examiné dans ce contexte, le Feng Shui prend tout son sens, car si la chance terrestre est sous notre contrôle, et si, de fait, nous sommes capables de créer nous-mêmes un Feng Shui favorable, à la maison ou au bureau, nos chances de mieux vivre s'en trouvent accrues. Le Feng Shui est une composante essentielle de notre existence, car il concerne la partie de notre destinée sur laquelle nous pouvons agir.

Le Feng Shui permet de saisir les opportunités, d'augmenter nos chances de succès, d'améliorer nos conditions de vie et nos relations avec les autres. Pour que le Feng Shui réalise son potentiel optimal, il faut qu'il s'appuie sur notre potentiel humain – le *Ren Chai*, ou Chance de l'Humanité – qui, comme son nom l'indique, est sous notre contrôle.

Ainsi, le meilleur des Feng Shui, porteur des plus grandes promesses d'avancement, des meilleurs revenus, d'un maximum de chance sera-t-il sans effet si nous ne l'accompagnons pas d'un bon travail à l'ancienne, d'une attitude positive devant les choses, qui sont les meilleurs atouts de l'homme. Faute de cela, notre bon Feng Shui sera gaspillé. En d'autres termes : « Aide toi et le Feng Shui t'aidera ! ».

VOIR AUSSI
❖ Le yin et le yang dans le Feng Shui p. 28-29
❖ Le concept d'harmonie : les cinq éléments p. 40-45

CHAPITRE UN : LES ORIGINES DU FENG SHUI

LES APPLICATIONS DU FENG SHUI

CI-DESSUS : *le bon Feng Shui vous garantira des relations heureuses et vous donnera le bonheur.*

Le Feng Shui concerne presque tous les aspects de la vie privée et professionnelle. Il stimule les énergies de l'environnement proche, à la maison ou au travail. Lorsqu'on vit – respire, dort, mange et travaille – dans un environnement vibratoire sain, on est envelopppé par une aura de bonnes vibrations qui attireront la prospérité. À l'inverse, si les conditions sont défavorables, si l'on est entouré de vibrations négatives ces conditions défavorables auront de graves conséquences.

La chance se manifeste de différentes façons et concerne les aspirations aussi bien matérielles que morales. La malchance prend aussi différents aspects : maladie, pertes financières, occasions ratées, accidents en série, échecs répétés ; parfois même, tout va mal dans l'existence. Bénéficier d'un bon Feng Shui vous donne alors une longueur d'avance sur vos concurrents. À l'inverse, conserver un mauvais Feng Shui vous place vraiment en position défavorable.

Les principes du Feng Shui doivent donc se retrouver dans la conception et la disposition de votre résidence ou de votre bureau.

Si vous avez une entreprise, le Feng Shui vous permettra d'augmenter votre chiffre d'affaires et vos bénéfices. Si vous êtes cadre ou employé, le Feng Shui vous donnera l'occasion de faire reconnaître vos mérites. Si vous êtes en quête d'amour et de bonheur, le Feng Shui peut vous permettre de trouver l'âme sœur.

Que votre maison soit un pavillon, une maison de ville, un appartement, un simple studio, que vous habitez seul(e) ou que vous partagez, ou encore une simple chambre dans une cité universitaire, que vous soyez propriétaire ou locataire, il est important que l'endroit où vous vivez bénéficie d'un bon Feng Shui. Quel que soit le lieu qui vous accueille une fois votre journée de travail finie, pour vous reposer, vous détendre et vous régénérer, il faut que vous puissiez y bénéficier d'un flux d'énergie favorable et harmonieux. Quand une maison jouit d'un bon Feng Shui, on baigne dans une énergie vibrante et revitalisante.

Toutes les pièces de la maison gagneront à bénéficier d'un bon Feng Shui aussi bien les pièces communes, telles que la salle de séjour ou la salle à manger que les pièces privées, comme les chambres à coucher. Le plan, les orientations, les formes et les couleurs dominantes, l'emplacement des meubles, des objets décoratifs, des tableaux, tout concourt à l'ensemble. Le Feng Shui règle toutes ces questions.

Pour bénéficier au mieux de cet ouvrage, une approche systématique s'impose. Avant d'essayer de rechercher ce qui est bon ou mauvais dans votre propre Feng Shui, il vous faut acquérir les principes de base de cette science. Prenez conscience de votre environnement : les maisons, les routes, et tout ce qui les entoure. Efforcez-vous de développer une sensibilité aux énergies environnantes. Développez une attitude positive, orientée vers la quête de solutions. À chaque fois que vous sentez que quelque chose ne correspond pas aux principes du Feng Shui, contentez-vous d'abord d'en rechercher la raison. Ensuite, seulement, confrontez votre analyse aux règles du Feng Shui, et essayez de trouver les solutions qui s'imposent.

CI-DESSUS : *problèmes professionnels, stress, voire maladie, peuvent résulter d'un mauvais Feng Shui.*

N'oubliez jamais qu'il existe toujours des solutions pratiques et peu coûteuses à la plupart des problèmes de Feng Shui. Si, une fois le problème identifié, vous ne parvenez pas à le résoudre, reportez-vous aux pages qui suivent et éventuellement à la partie dictionnaire ou aux divers encadrés de cet ouvrage.

Vous pouvez combiner les recommandations des diverses écoles de Feng Shui. Ne soyez pas surpris de la prolifération des conseils Feng Shui qui fleurit aujourd'hui sur le marché. Selon l'endroit où ils se trouvent et la façon dont ils ont acquis leurs connaissances, les maîtres peuvent donner des conseils différents. Sachez que parmi les vieux maîtres qui vivent en Orient, peu sont disposés à divulguer ce qu'ils considèrent comme des secrets professionnels. Même en Chine, il y a différentes approches du Feng Shui, notamment en fonction des dialectes.

Si vous hésitez, appliquez d'abord une bonne dose de bon sens. Ne vous perdez pas dans les subtiles différences qui distinguent l'École de la Forme et celle de la Boussole. Leur corpus est commun, même si elles sont très différentes. Focalisez-vous sur le développement de la connaissance des théories fondamentales et des conseils. Avec de la pratique, vous pouvez utiliser cette encyclopédie pour faire votre propre Feng Shui.

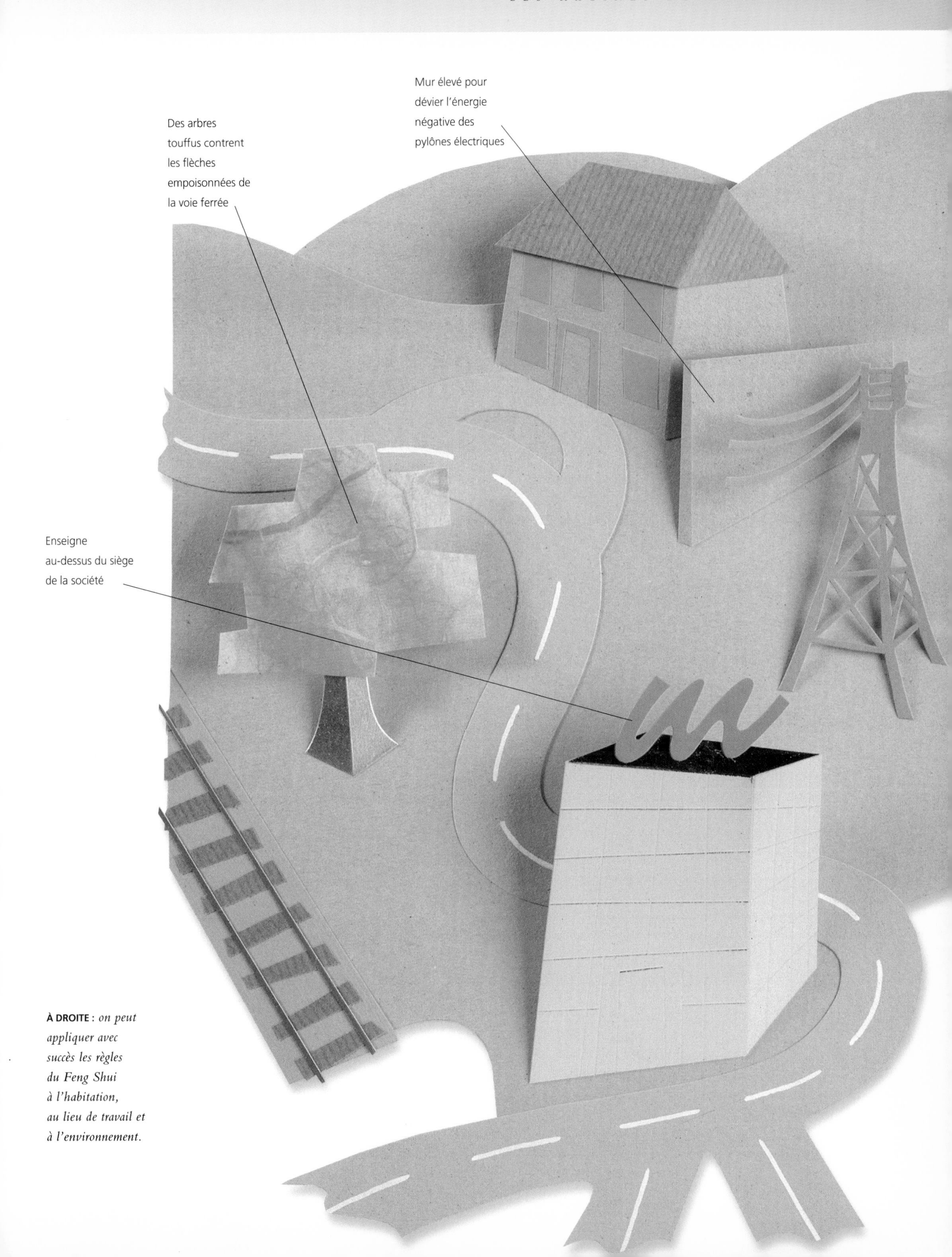

À DROITE : *on peut appliquer avec succès les règles du Feng Shui à l'habitation, au lieu de travail et à l'environnement.*

LE FENG SHUI AUJOURD'HUI

CI-DESSOUS : *on pourrait croire que les cités modernes, telle Chicago, sont à des années-lumières des lois anciennes du Feng Shui. Mais celles-ci, reconsidérées d'un œil neuf, s'adaptent aux conditions actuelles.*

La pratique du Feng Shui dans le monde actuel diffère substantiellement de celle des origines. De nos jours, le Feng Shui est accessible à tous. Il est utilisé par les riches comme les pauvres ; sa pratique s'applique aux résidences comme aux lieux de travail et par les particuliers eux-mêmes.

Le Feng Shui se pratique aujourd'hui dans un monde qui a beaucoup changé : parce que le paysage mondial s'est lui-même modifié radicalement, le Feng Shui a vu ses anciens préceptes évoluer profondément. La croissance urbaine et le fait que de plus en plus de gens vivent en appartement et dans un environnement urbain ont justifié la réinterprétation des textes anciens. De nouveaux sens ont été donnés aux métaphores anciennes.

À GAUCHE : *les sages enseignements des maîtres du Feng Shui, tels qu'ils s'appliquaient sous la dynastie des Tang, ont été adaptés pour s'appliquer au monde moderne. Les gratte-ciel sont devenus des montagnes et les rues des rivières.*

Ainsi, dragons et tigres, tortues et phénix se superposent dans la cité pour interpréter le Feng Shui de la Forme dans une métropole moderne. Dans la ville en hauteur d'aujourd'hui, les immeubles construits

par l'homme deviennent des montagnes qui, en raison de leur forme, de leur emplacement, de leur structure, s'apparentent aux animaux célestes du Feng Shui de la Forme.

Les routes sont assimilées aux rivières et le Chi circule en suivant les rues. Les gratte-ciel et les grands immeubles sont considérés comme de hautes montagnes et les plus petits comme de simples collines, symboles de l'une des créatures célestes. Leur forme détermine l'élément dans lequel elles seront catégorisées. Il faut, pour franchir ce pas dans l'interprétation, une adaptation extrêmement rigoureuse des théories qui constituent la base et le contexte historique du Feng Shui. Il faut une fois de plus se référer aux concepts fondamentaux sous-jacents sur lesquels toutes les écoles de Feng Shui, et toutes les formules de la Boussole, sont fondées. Gardez toujours cela à l'esprit.

À GAUCHE : *les intérieurs contemporains continuent à profiter des concepts fondamentaux du Feng Shui, bien que ceux-ci aient été élaborés il y a des siècles.*

CHAPITRE UN : LES ORIGINES DU FENG SHUI

LE YIN ET LE YANG DANS LE FENG SHUI

CI-DESSUS : *le Feng Shui yin est celui du silence et de la mort. À Taiwan et en Malaisie, cette branche du Feng Shui est encore pratiquée de nos jours. Pour qu'une sépulture soit propice, et qu'elle assure le bonheur des descendants du mort, il faut une vue dégagée devant la tombe et une montagne en arrière-plan.*

Autrefois, on utilisait énormément le Feng Shui dans les « demeures yin », c'est-à-dire, essentiellement, les sépultures des ancêtres. Les ouvrages de référence font la distinction entre le Feng Shui yin le Feng Shui yang. Les symboles, ainsi que les points de référence utilisés pour les calculs sont distincts pour chacun des deux types de « demeures ».

Le Feng Shui traité dans cet ouvrage est le Feng Shui « yang » qui ne s'applique qu'aux maisons des vivants.

Cela ne veut pas dire pour autant que le Feng Shui yin ne trouve plus d'applications de nos jours : à Taiwan une branche importante du Feng Shui reste pratiqué par de nombreuses familles très en vue. Souvent, les concessions destinées à la sépulture des aïeux sont achetées des années avant leur décès. La tombe réservée au patriarche ou au père de famille bénéficie d'un maximum d'attentions. On sait que l'avenir des descendants est très influencé par le Feng Shui de la sépulture de l'ancêtre le plus proche. En Malaisie, le Feng Shui yin continue d'être étudié et pratiqué par un petit groupe d'adeptes enthousiastes. Quelques-uns des patriarches des familles bourgeoises les plus riches ont déjà choisi leur tombeau. Ils les ont fait dessiner en tenant compte des préceptes fondamentaux du Feng Shui avec, en arrière-plan, une montagne, et devant, une vue que rien ne vient gêner.

Les effets du Feng Shui yin concernent surtout, dit-on, les descendants mâles ; les femmes de la famille en subissent moins l'influence. Ceci étant, comme il n'est guère possible de contrôler l'orientation d'une tombe dans un cimetière moderne, j'ai toujours considéré, pour ma part que, par mesure de sécurité, il était prudent de ne pas avoir de tombe du tout. L'alternative est évidemment la crémation qui est tout à fait acceptable et respectable. Selon les experts en Feng Shui, lorsqu'une personne est incinérée, l'effet sur les descendants sera totalement neutre : ni positif, ni négatif. Nous devrions en tenir compte au moment de choisir la façon d'inhumer nos morts.

Par ailleurs, elle a le mérite de concentrer les applications du Feng Shui sur les demeures yang, ce qui est à la fois plus facile et plus raisonnable.

Ce livre ne traitera donc que du Feng Shui yang. Cela mérite d'être souligné car les outils de base utilisés dans ces pages reposent sur l'arrangement de trigrammes du Pa Kua connu sous le nom de Ciel postérieur, qui est assez différent de l'arrangement du Ciel antérieur. Le chapitre consacré aux outils du Feng Shui (voir pages 111-121), donne une explication détaillée sur la signification des arrangements des trigrammes dans le Pa Kua.

L'attention du lecteur doit aussi être attirée sur la différence intrinsèque entre les énergies yin et yang. Les maisons des vivants sont dites yang, parce que l'énergie yang représente

Si votre maison se trouve située près d'un cimetière, construisez un mur entre les deux pour dévier l'énergie yin.

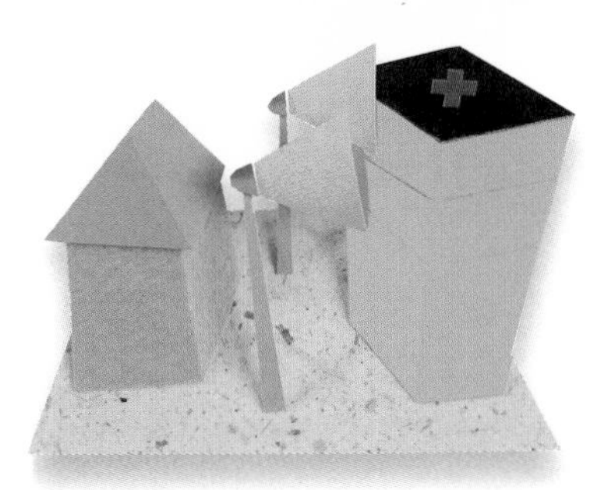

Installez deux spots haut placés pour contrer un excès de yin dû à la présence d'une prison, d'un poste de police, ou d'un hôpital.

Si vous vivez en appartement, placez un éclairage brillant sur la fenêtre qui ouvre sur un immeuble yin.

la vie, l'activité, le mouvement et la croissance. L'énergie yin, au contraire, suggère l'immobilité, le silence et la mort. Par conséquent, si l'on applique le Feng Shui à une demeure yang, cette énergie doit être dominante, mais pas au point de faire totalement disparaître l'énergie yin. Vous trouverez dans le chapitre consacré aux concepts du Feng Shui une explication plus approfondie sur la question (voir pages 31-51).

Quand on est capable de faire la différence entre le Feng Shui yin et le Feng Shui yang, on comprendra mieux pourquoi les maîtres du Feng Shui recommandent toujours de ne jamais implanter sa maison à proximité de bâtiments où l'énergie yin est dominante. Les endroits de ce genre – hôpitaux, prisons, cimetières, abattoirs, etc. – génèrent trop d'énergie yin dont les vibrations sont tout à fait indésirables dans une demeure yang. Il faut donc les éviter.

Les sages déconseillent aussi toute construction sur un terrain ayant autrefois accueilli de telles structures, car ils estiment que l'énergie yin y perdure longtemps. C'est pourquoi, si vous êtes à la recherche d'une maison, il est bon de se renseigner sur le passé du site où elle a été bâtie. Évitez tous les endroits ayant eu récemment un rapport avec la mort (comme un abattoir).

À GAUCHE : *une chaude ambiance familiale, rehaussée par la présence d'enfants et d'animaux de compagnie est idéale pour encourager l'énergie yang.*

Si vous vivez déjà dans un endroit dominé par l'énergie yin, et qu'il vous est impossible de déménager, le remède consiste à introduire des éléments pouvant susciter de l'énergie yang pour contrebalancer le yin. Si vous habitez trop près d'un cimetière, peignez le mur qui lui fait face en rouge ainsi l'énergie yin que le cimetière dégage sera absorbée.

Si vous habitez à proximité d'un hôpital, d'une maison de retraite, d'un poste de police, ou même d'une prison, il est recommandé, pour contrer l'énergie yin, de placer deux spots lumineux sur un poteau entre votre maison et l'immeuble en question. Si vous vivez près d'un hôpital, placez une source lumineuse brillante derrière toute fenêtre qui ouvre sur l'établissement en question.

Si votre maison a été bâtie sur un ancien cimetière, ou à l'emplacement d'un ancien hôpital, ou de toute autre structure dominée par le yin, peignez les murs de couleurs vives, laissez la radio allumée presque toute la journée et créez de l'activité dans toute la demeure. Si la maison doit rester vide la plus grande partie de la journée, laissez-y un animal – chien ou chat –, car c'est la meilleure façon d'activer l'énergie yang.

Même si votre habitation ne souffre d'aucun des problèmes qui viennent d'être évoqués, vous ne pourrez que gagner à mettre ces conseils en pratique.

VOIR AUSSI
❖ Le concept d'équilibre : le yin et le yang *p. 46–47*
❖ Les énergies yin et yang dans les maladies *p. 211–213*

CHAPITRE DEUX

LES CONCEPTS DU FENG SHUI

Le souffle cosmique du dragon, ou « Chi », est au centre de la compréhension et de la pratique du Feng Shui. Le Chi est invisible. C'est une force puissante qui circule dans l'environnement. Le Feng Shui est bon lorsqu'un Chi propice se concentre en un endroit. Une telle énergie Chi apportera la bonne fortune. Un mauvais Feng Shui se produit lorsque le Chi devient malfaisant et mortel. La pratique du Feng Shui consiste donc à apprendre comment différencier le bon et le mauvais Chi : comment disperser et soumettre le mauvais Chi et comment faire naître et amplifier le bon Chi.

Pour acquérir ce savoir faire, une bonne appréciation des concepts de base du Feng Shui est nécessaire. On en trouvera les clés dans les huit trigrammes et dans la façon dont ils sont disposés autour du symbole octogonal du Pa Kua. Il est également nécessaire d'acquérir une compréhension profonde des cinq éléments : le feu, l'eau, la terre, le métal et le bois – et de leurs multiples interactions. Le Feng Shui se rapporte aussi au concept d'équilibre et d'harmonie entre les éléments, spécialement dans la façon dont ils se manifestent dans le paysage environnant. Une prise de conscience de l'environnement ouvre sur le symbolisme des Quatre Créatures Célestes qui sont très présentes dans le Feng Shui de l'environnement. Le Feng Shui vous indiquera comment activer l'« essence » de ces créatures pour apporter chance et bonne fortune dans votre vie.

À GAUCHE : *il est important que les adeptes actuels du Feng Shui acquièrent une connaissance et une bonne appréciation des concepts ancestraux qui régissent cet art de vivre très ancien.*

CHAPITRE DEUX : LES CONCEPTS DU FENG SHUI

LE CONCEPT DU CHI : le souffle cosmique du dragon

Les flux d'énergie invisible qui flottent doucement entre la terre et le ciel, dérivant au-dessus des eaux ou transportés au gré d'une brise paisible, et apportant le bonheur et la prospérité partout où ils circulent et s'installent, constituent certainement la plus belle image du Feng Shui. Les Chinois donnent à cette énergie le nom de « Chi ».

Le Chi est la force imperceptible et délicate qui se déplace dans le corps humain et dans l'environnement, invisible mais toujours agissante. Il peut se comparer aux ondes radios, aux signaux téléphoniques, aux ondes radars et aux vibrations magnétiques. Les adeptes du yoga font référence au « Prana », le souffle interne qui stimule mystérieusement le corps humain, en procurant une force étrange, une sorte de vigueur extraordinaire. Les Chinois considèrent le Chi comme une énergie interne mystérieuse fournissant à l'humanité son âme et sa force.

CI-DESSOUS : *l'énergie Chi se manifeste de multiples façons, parfois subtilement, parfois brutalement, comme dans le coup porté par ce maître de kung-fu.*

CI-DESSUS : *la traduction littérale de Feng Shui est « vent et eau »; vent pour direction, eau pour richesse.*

Il y a création de Chi chaque fois que, par exemple, un moine en état de méditation profonde contrôle parfaitement sa respiration ; qu'un expert en kung-fu porte un coup imparable ; qu'un artiste en calligraphie donne un coup de pinceau délicat. Dans tous ces cas, une sorte de vitalité interne de nature particulière accompagne le mouvement pour créer une puissance unique, une force vitale qui permet de maîtriser la respiration, le coup porté, le trait du pinceau, en faisant de chacune de ces actions quelque chose d'unique et de supérieur. Ce sont là des manifestations du Chi humain.

Dans le Feng Shui, le Chi est une force omniprésente qui circule et se déplace dans l'environnement. À la fois dans les maisons et au dehors, sur la terre, sur l'eau, à travers les montagnes. Le Chi est partout. C'est l'énergie invisible qui vibre de par le monde, avance, tourbillonne et se disperse, ou bien circule et se pose. Et là où le Chi se pose, il apporte avec lui une énergie spéciale qui attire la chance.

On décrit souvent le Feng Shui comme l'art de dompter « le vent et l'eau », de capturer et de créer le Chi. Les anciens comparent le Chi au « souffle cosmique du dragon » en lui attribuant des connotations magiques qui s'expriment en termes lyriques. La littérature chinoise foisonne de récits extraordinaires expliquant comment équilibre et harmonie créent, dans l'environnement, une profusion de flux Chi. À travers de telles explications, ils attribuent les caprices de la terre et du ciel, et leurs effets sur la destinée des hommes, à ces courants invisibles. Les Chinois voient leur destin comme inextricablement mêlé aux puissances créatrices et destructrices de la nature. Deux éléments – le vent et l'eau – provoquent la transformation et le changement des paysages, apportant la destruction en même temps que la création. L'homme a toujours dû coexister avec un environnement se modifiant sans cesse sous l'action du vent et des eaux.

Ce faisant, l'homme a immanquablement cherché à s'expliquer les paysages, le cours des rivières, la forme des chaînes de montagne, comparant la plupart des reliefs aux formes et caractéristiques de Quatre Créatures Célestes. Ainsi, le dragon, le tigre, le phénix et la tortue en sont arrivés à jouer des rôles importants dans les descriptions fondamentales du Feng Shui. Le dragon est l'illustration même de ce qu'entend expliquer le Feng Shui. Le bon ou le mauvais Feng Shui finit par s'expliquer par une inspiration ou une expiration de Chi, l'énergie vitale qui attise l'existence.

On croyait aussi que le Chi était la vraie puissance qui créait les paysages du monde, ses montagnes et ses rivières, ses collines et ses vallées. Le Chi était censé déterminer les formes, contours et couleurs de l'environnement, de même que la santé des plantes et des arbres et de toutes les créatures vivantes, y compris et en particulier l'homme.

Chez l'homme, le Chi est le souffle spirituel qui gouverne le comportement et l'activité. La qualité de son rayonnement, ou l'absence de celui-ci dans le corps humain, déterminent la santé et la vitalité de la personne. Les anciens tentaient d'atteindre la perfection en équilibrant leur Chi interne pour qu'il circule dans tout le corps de façon régulière et sans obstacle, processus, créant une aura positive de vibrations et d'énergie.

Le Chi humain diffère en quantité et en qualité d'une personne à l'autre. Souvent, les courants de Chi se bloquent, ce qui est une cause de maladie grave. Des techniques furent donc mises au point pour attiser le Chi, par la méditation, par les exercices martiaux du kung-fu, ou par la respiration contrôlée.

Mais ne faire que rehausser le Chi humain n'était pas suffisant. Il fallait aussi vivre en harmonie avec l'environnement. Ainsi, le Chi du corps de l'homme devait être en plein accord avec le Chi du milieu ambiant. Le Chi de la demeure et celui de son occupant devaient glisser en douceur et en rythme l'un avec l'autre. Ainsi, le Feng Shui implique-t-il de vivre en pleine harmonie avec l'environnement, en étant à l'aise dans son foyer, et, d'une manière générale, en se sentant détendu, heureux, et plein d'énergie vitale.

L'ensemble du savoir, des techniques, et de la philosophie sous-jacente au Feng Shui a pour finalité de capter, de créer et d'accumuler le bon Feng Shui (que l'on peut traduire grossièrement comme le Chi de croissance). L'exercice du Feng Shui consiste aussi à dévier, à dissoudre et à détruire de ce que l'on appelle le « Shar Chi », ou le Chi mortel, celui qui apporte la malchance.

Les techniques permettant de réaliser ces deux objectifs du Feng Shui sont fondées sur l'interprétation et l'application des concepts de base qui en sous-tendent la pratique. Si l'on assimile ces concepts, il devient plus facile d'apprécier toutes les nuances du Feng Shui. Ces principes n'expliquent pas comment fonctionne le Feng Shui, mais jettent les bases de la pratique du Feng Shui. Ils donnent des explications sur la vision chinoise de l'Univers, une approche très éloignée de la tradition scientifique occidentale.

À GAUCHE : *la méditation est l'une des méthodes qui permet d'améliorer le courant d'énergie Chi qui entoure le corps humain.*

CI-DESSOUS : *le Chi est une force invisible, intrinsèque et puissante qui circule dans notre environnement – le souffle cosmique du dragon qui façonne le paysage.*

VOIR AUSSI
- Les courants de Chi à l'intérieur de la maison, *p. 150*
- yin, yang et Chi, *p. 249*
- Se servir de la lumière pour dissiper le Chi *p. 307*

CHAPITRE DEUX : LES CONCEPTS DU FENG SHUI

LE I CHING

CI-DESSUS : *robe taoïste du XVIIIe siècle décorée avec les symboles du yin et du yang et les huit trigammes.*

Le livre de référence du Feng Shui est le *I Ching* ou *Livre des Mutations*. C'est un texte très riche, reflet de la sagesse des anciens. Les démonstrations abondent, certaines évidentes, d'autres ésotériques, mais elles dérivent toutes des huit trigrammes mystérieux et pourtant très simples qui, en se dédoublant, deviennent les 64 hexagrammes du Livre des Mutations.

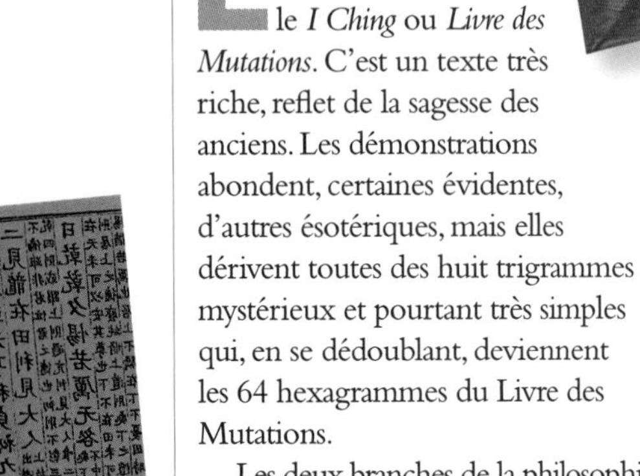

CI-DESSUS : *extrait d'un exemplaire du I Ching (ou Livre des Mutations) datant du Xe siècle, et où figurent les premières lignes de l'hexagramme « Chien ».*

Les deux branches de la philosophie chinoise – le confucianisme et le taoïsme – puisent des racines communes dans le *I Ching*, dont l'origine remonte à la plus haute antiquité. Livre de méditation et de divination, le *I Ching* a occupé des générations d'érudits chinois depuis des siècles. Tout ce qui, en matière culturelle, s'est fait de grand en Chine au cours des siècles prend son inspiration dans le *I Ching*. La philosophie chinoise, la science et l'art politique ont emprunté quelque chose à la légendaire circonspection du *I Ching*. Dans la Chine d'aujourd'hui, les pratiques les plus courantes de la vie quotidienne continuent à subir profondément son influence, et c'est dans ce livre majeur et singulier que les secrets cachés du Feng Shui trouvent leur source.

Beaucoup des principes ayant trait au symbolisme et à la vision de la Trinité – le ciel, la terre et l'homme – trouvent leur origine et leurs associations dans les trigrammes placés autour du Pa Kua octogonal. La signification des nombres du Pa Kua provient de l'ordonnancement de ces nombres dans la grille magique de Lo Shu. L'analyse de la qualité du flux de Chi est fondée sur le Pa Kua et repose sur les nombres de Lo Shu.

Les applications pratiques de la méthode du Feng Shui prennent donc en compte l'équilibre et l'harmonie. C'est à ce stade que l'interaction du yin et du yang, le positif et le négatif, de même que la relation entre les cinq éléments, participent au sens des applications du Feng Shui.

Le rôle primordial joué par le symbole octogonal du Pa Kua et ses huit trigrammes illustre de façon évidente l'influence du *I Ching* sur la philosophie et les méthodes du Feng Shui.

De fait, beaucoup de ces formules qualifiées de divinatoires dérivent de l'emplacement spécial et des connotations symboliques de ces trigrammes qui, eux-mêmes, sont aux origines des 64 hexagrammes du *I Ching*.

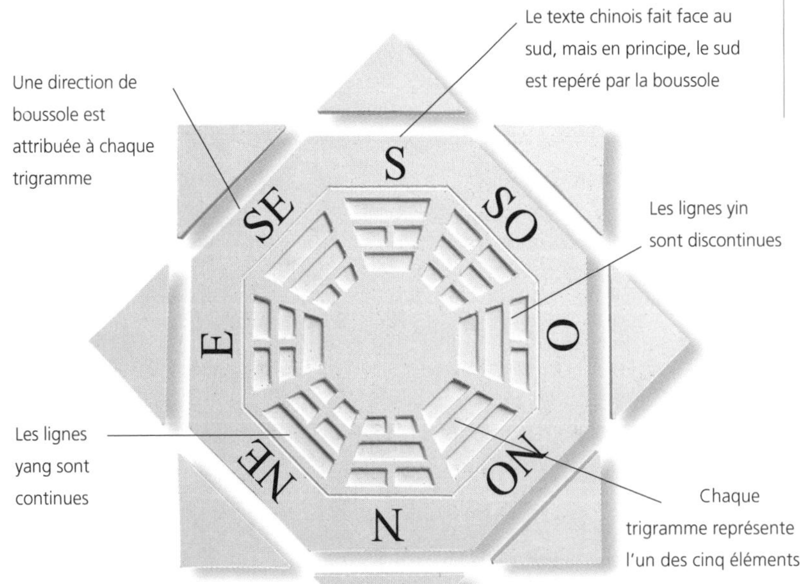

À DROITE : *les trigrammes positionnés tout autour du Pa Kua octogonal représentent la Trinité de l'univers : le ciel, la terre et l'homme – un principe fondamental en Feng Shui.*

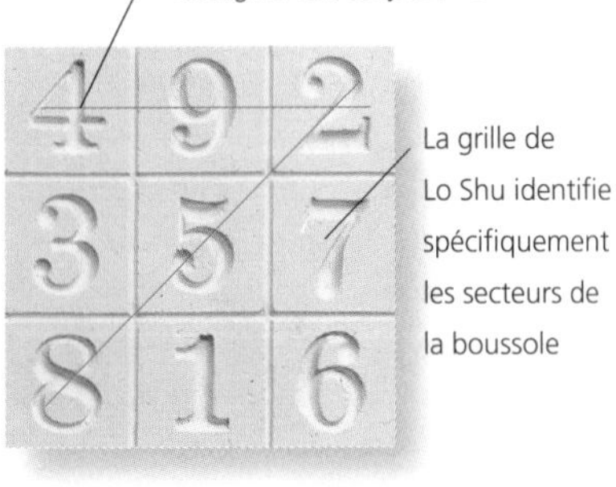

CI-DESSUS : *les nombres qui figurent sur le carré de Lo Shu sont censés dévoiler les secrets du Pa Kua à huit côtés.*

Il y a donc interaction étroite entre les formules du Feng Shui et les aspects divinatoires du *I Ching*, comme le montre la similitude des concepts philosophiques d'harmonie et d'équilibre que tous deux concrétisent. Du fait de ces convergences, toute tentative de différencier le corpus d'images et de symboles des concepts qui synthétisent la connaissance du Feng Shui requiert une connaissance très approfondie du *I Ching* classique, passant par l'étude de ses origines et de son histoire, de ses hexagrammes, des huit trigrammes, et de tout ce qui en découle.

Pour comprendre le sens profond des recommandations des maîtres, l'adepte du Feng Shui doit avoir conscience du rôle des trigrammes. Leur connaissance élargit considérablement les bases théoriques du Feng Shui. La compréhension des trigrammes donne du sens à la pratique du Feng Shui et, chose plus importante encore, permet au récipiendaire d'exercer son sens critique et de discerner le bien du mal.

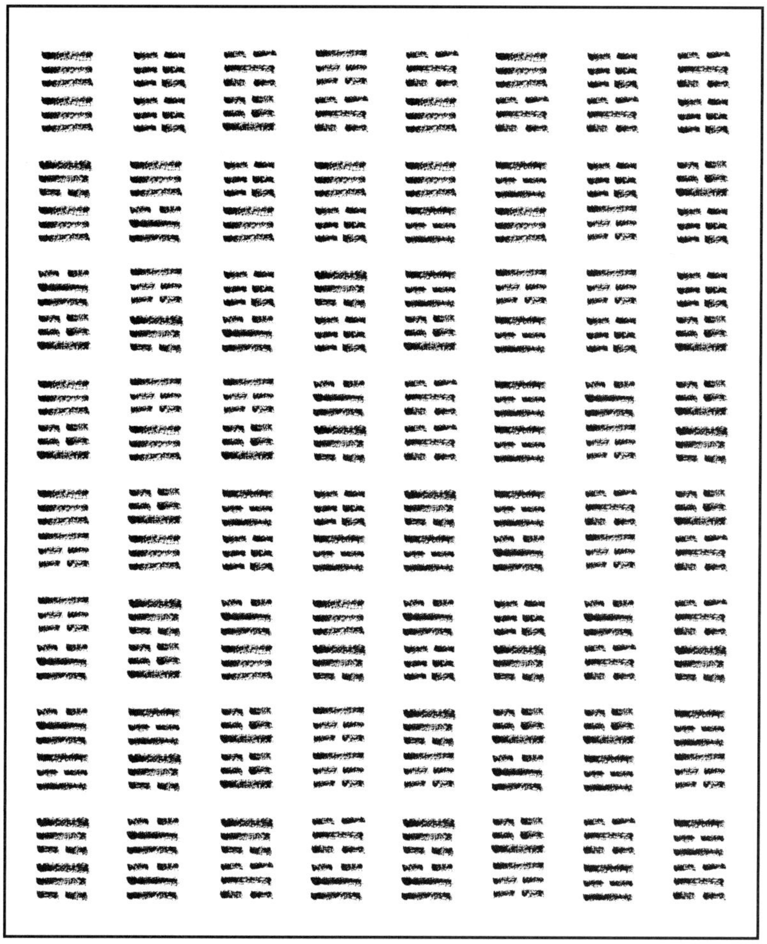

Il n'existe pas beaucoup de traductions authentiques ou fiables, du *I Ching*. Les premières traductions publiées en Occident l'ont été à la fin du XIXe siècle et sont l'œuvre des érudits orientalistes Richard Wilhelm et James Legge. La traduction la plus complète et la plus fidèle du *I Ching* est sûrement celle de Richard Wilhelm, qui a consacré plus de dix ans à travailler sur les textes et sur les commentaires annexes du *I Ching*. De longs séjours en Chine, une bonne connaissance de la langue écrite et parlée, des contacts étroits avec les dirigeants de l'époque lui ont permis d'avoir une bonne perception des œuvres classiques chinoises et de comprendre, en en ayant la même vision que les Chinois, la profusion des métaphores utilisées.

Wilhelm commença à travailler sur son projet en 1911, après la Révolution chinoise, lorsque Tsing-Tao fut devenu le lieu de résidence de plusieurs érudits de premier plan. Parmi ceux-ci se trouvait Lao Nai-Tsuan qui, selon les mots de Wilhelm dans la préface de sa traduction, « était un érudit de la vieille école, un des derniers du genre, qui eût une connaissance approfondie du vaste corpus littéraire commenté qui s'est développé autour du *I Ching* au cours des siècles ». Sous la direction expérimentée de Lao, et après avoir discuté de maints détails, Wilhelm s'attaqua à la traduction du texte. Le projet fut interrompu par la Première Guerre mondiale mais fut repris plus tard et complété. « J'ai passé avec mon vieux maître de précieuses heures d'inspiration » écrivit Wilhelm.

La traduction de Wilhelm était bien sûr en allemand, mais un autre savant, Cary F. Baynes, la transcrit en anglais, rendant ainsi la sagesse du *I Ching* accessible à un public plus large. Beaucoup de Chinois d'outre-mer, comme l'auteur de cet ouvrage et bon nombre de ses contemporains, ont une dette envers Wilhelm et Baynes pour leur avoir rendu possible l'étude de cette grande œuvre, eux dont la connaissance et l'imprégnation à ce qu'il est convenu d'appeler la « culture chinoise authentique » résulte de l'ingestion d'une littérature de second plan, de superstitions, et des ouï-dire des grands parents.

Car cette traduction particulière du *I Ching* s'adresse implicitement, non seulement au monde académique mais aussi, et peut-être plus encore, à n'importe lequel d'entre nous. Elle a été particulièrement utile pour aider ceux qui ont le désir de lever le voile qui recouvre une grande partie des sciences métaphysiques chinoises.

Quatre personnalités légendaires, voire mythiques, se voient attribuer la paternité ou les évolutions du *I Ching*, ou Livre des Mutations. Ce sont Fu Hsi, le roi Wen, le duc de

À GAUCHE : *les soixante-quatre hexagrammes du* I Ching*. Les huit trigrammes si fondamentaux dans le Feng Shui en constituent la base. Chacun d'eux exprime une combinaison spécifique de yin, de yang, et des éléments afin de déterminer une façon d'être.*

VOIR AUSSI
- Les trigrammes *p. 38-39*
- La théorie des Huit Sites : formule du Pa Kua Lo Shu *p. 72-75*

Tchou et Confucius, les plus célèbres de tous les grands penseurs chinois.

On dit que Fu Hsi aurait été l'inventeur des signes linéaires qui se concrétisent sous la forme des huit trigrammes de trois lignes. Ils apparurent d'abord dans deux ouvrages majeurs, le *I Ching* de la mythique dynastie Hsia (vers 2205 avant J.-C.) appelé « Lien Shan », et le *I Ching* de la dynastie Chang, intitulé « Kuei Ts'ang ». Ces trigrammes sont les racines des hexagrammes et figurent aussi en tant que composants vitaux du symbole du Pa Kua.

Le roi Weng, qui fut le fondateur de la dynastie Tchou, (1150-249 avant J.-C.), a fait progresser les trigrammes et il fut l'inventeur des soixante-quatre hexagrammes. Ils furent créés par le doublement des trigrammes qui, de trois lignes, passèrent à six grâce à de multiples combinaisons à partir des trigrammes eux-mêmes. Il y a ainsi 8 x 8 = 64 permutations possibles. Wen est également censé avoir ajouté de courtes sentences à chaque hexagramme, posant ainsi les fondements d'une grande partie de la philosophie *I Ching*.

Le duc de Tchou, le dynamique fils du roi Wen, est l'auteur des textes se rapportant à chacune des lignes individuelles des hexagrammes, leur assignant une signification pour chaque changement. On désigne son œuvre sous le titre de *Mutations de Tchou,* qui furent plus tard utilisées comme oracles. Ils modifièrent profondément le caractère du *I Ching*, en étendant et en donnant à sa philosophie une touche de divination.

CI-DESSOUS : *le philosophe Confucius a consacré la majeure partie de sa vie à l'étude du I Ching, en dépit du fait que celui-ci avait été déclaré blasphématoire par l'empereur Tchin Chih Huang Ti.*

Lorsque Confucius connut le *I Ching*, celui-ci avait déjà atteint le niveau qui vient d'être décrit. Confucius voua la plus grande partie de sa vie à en étudier les textes, les sentences et les métaphores, mais il élargit aussi le champ d'intérêt du livre par une série de commentaires que l'on appelle généralement les « Canons ». On a beaucoup écrit dès cette époque sur ce livre et des fragments de ces écrits font encore aujourd'hui partie des Commentaires du *I Ching* moderne. Ces *Commentaires* diffèrent tellement, par leur contenu comme par leur interprétation, que le rôle de Confucius, dans l'interprétation du *I Ching*, ne peut être négligé. Ses disciples contribuèrent aussi à le faire progresser.

Le *Livre des Mutations* échappa au destin d'autres ouvrages classiques détruits dans le fameux « autodafé » organisé sous l'empereur tyran Chin Shih Huang Ti. Mais à cette époque, il s'était imposé comme un livre de divination et de magie.

À la même époque, (3 avant J.-C.) l'engouement pour la doctrine du yin et du yang explosa du fait des interprétations populaires du *I Ching*, soutenues par les érudits Han de cette période. Tous tendaient vers l'apologie des aspects mystérieux et magiques contenus dans le *I Ching*. Ce n'est qu'en 226 que le *Livre des Mutations* commença à être considéré comme un livre de sagesse, et à l'époque de la période Song (960-1279) il avait encore évolué pour devenir un livre de référence se rapportant à la science politique et à la philosophie du vivant.

Au XIIIe siècle des tentatives pour faire revivre le *I Ching* en tant que livre divinatoire furent couronnées de succès et cette vision métaphysique du livre s'est perpétuée jusqu'à présent. Pendant la dernière dynastie chinoise, les interprétations et les commentaires du livre tendirent à être influencés par les théories magiques. Cette vision du *I Ching* a perduré et de nos jours : l'ouvrage est considéré comme l'un des grands textes de divination chinois.

Au cours de la période K'ang Hsi, une version complète du livre apparut. Dans cette interprétation, le texte était séparé des Commentaires, lesquels comprenaient l'intégralité des extraits qui avaient traversé le temps. La traduction de Wilhelm est fondée sur cette édition K'ang Hsi.

Le développement de la pensée et de la pratique Feng Shui se fit parallèlement avec celui du *Livre des Mutations*, du moins à partir de la période Tang. Ainsi, même si les « perspectives » du *I Ching* se modifiaient d'un siècle à l'autre, un développement parallèle influença la pratique et l'approche conceptuelle du Feng Shui. La chose prend tout son sens si l'on commence à se poser la question de savoir si le Feng Shui est réellement efficace, et si le *I Ching* permet vraiment de prévoir les événements. Tous deux ont des connotations magiques ; tous deux sont fondés sur des types similaires d'images, en particulier les symboles du trigramme linéaire, les rapports avec les forces de la nature et les directions de la boussole ; tous deux semblent reposer sur les manifestations du surnaturel, ou du moins sur des forces métaphysiques agissantes. Il faut admettre qu'une discipline aussi complexe que le Feng Shui, et une sagesse aussi profonde que le *I Ching* n'ont pu survivre aux caprices du temps que parce que l'on en perçoit les potentialités. Le fait qu'elles aient pu captiver tant de générations successives ne peut que suggérer qu'il y a là quelque chose qui mérite étude et attention.

À GAUCHE : *Fu Hsi et les huit trigrammes dont on lui attribue l'invention et qui sont à la base du I Ching.*

CI-DESSUS : *le célèbre et légendaire philosophe Confucius, qui a étudié le I Ching et lui a consacré de nombreux Commentaires.*

CI-DESSOUS : *le roi Wen a élaboré les soixante-quatre hexagrammes du I Ching.*

À DROITE : *le duc de Tchou a continué l'œuvre de son père (le roi Wen) en donnant aux lignes des hexagrammes leur signification.*

CHAPITRE DEUX : LES CONCEPTS DU FENG SHUI

LES TRIGRAMMES

CI-DESSUS : *chaque hexagramme se compose d'un trigramme supérieur et d'un trigramme inférieur. Par exemple, la combinaison du trigramme supérieur « vent » et du trigramme inférieur « montagne » représente un développement régulier.*

Chaque trigramme est composé d'une combinaison de trois lignes horizontales qui sont discontinues (– –) ou continues (–). Ces trigrammes, pris collectivement, représentent la Trinité de l'univers, comprenant le sujet (l'homme), l'objet ayant une forme (la terre) et le contenu (le ciel). Le trait le plus bas du trigramme est celui de la terre ; celui du milieu appartient à l'homme et le haut au ciel.

C'est un concept unifié de l'univers qui s'exprime pleinement à travers la signification globale des huit trigrammes. Leur interpénétration prend une autre valeur quand ils deviennent hexagrammes. Se créent alors de nouveaux rapports, avec pour conséquence la création de champs signifiants nouveaux. Cela peut s'exprimer, par exemple, dans des expressions comme « le ciel et la terre déterminant les directions » ou « montagne et lac s'unissant » ou encore comme « tonnerre et vent se stimulant l'un l'autre ». Ils peuvent également s'exprimer dans une formule comme « l'eau et le feu ne se combattant pas ».

Les trigrammes ont chacun plusieurs séries de significations sous-jacentes, avec un symbolisme qui leur est propre. Chaque trigramme est disposé autour des huit côtés du Pa Kua en deux arrangements distincts – l'arrangement du Ciel antérieur et l'arrangement du Ciel postérieur. Les adeptes Feng Shui de l'École de la Boussole se réfèrent à ces trigrammes et à ces deux arrangements parce que les significations associées à chaque trigramme offrent des « clés » ou indices très importants pour bien pratiquer le Feng Shui.

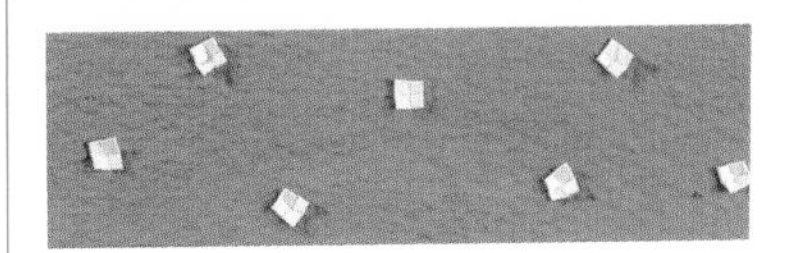

CI-DESSUS : *chaque trigramme se compose de trois lignes. La plus haute représente le ciel, celle du milieu l'humanité et celle du bas la terre.*

Chaque trigramme intègre l'une des directions de la boussole, mais aussi la représentation d'un élément. Il intègre par ailleurs des caractères comme le doux et le dur, l'obscurité et la lumière, choses que l'on peut résumer comme la manifestation du yin ou du yang. Chaque trigramme représente aussi un membre spécifique de la famille. D'où les difficultés d'interprétation pour les applications du Feng Shui. Les permutations des divers attributs du trigramme peuvent donner lieu à une multitude d'interprétations qui sont autant de défis pour l'amateur qui pratique le Feng Shui.

Cependant, ces significations et interprétations donnent tout son sens au Feng Shui. Ils étendent le champ de la pratique tout en fournissant des clés pour ce qui peut être « énergisé ». Ils suggèrent également la façon d'activer le symbolisme soit personnellement, soit collectivement, pour attirer prospérité et bonne fortune dans le monde concret. Apprécier les nuances des huit trigrammes constitue donc un préliminaire important pour comprendre le Feng Shui.

On trouve dans le *I Ching* des symboles supplémentaires en rapport avec chacun des trigrammes, de même que des commentaires approfondis qui proposent des analyses sur le caractère des lignes elles-mêmes. Pour notre utilisation, cependant, les descriptions données ci-dessus seront suffisantes pour comprendre les composantes fondamentales de la pratique du Feng Shui. Ils se rapportent essentiellement (mais non exclusivement) aux éléments, au(x) membre(s) de la famille concerné(s), et aux significations de base qui se trouvent formalisées dans chacun des trigrammes.

SUN, le doux. Ce trigramme se compose de deux lignes continues yang et d'une ligne discontinue yin placée en bas. Le membre de la famille qu'il représente est la fille aînée, dont l'attribut est le vent – indécis, mais pénétrant. La créature symbolisée par Sun est le coq, dont la voix perce l'air du matin. Sa saison est la fin du printemps. Dans l'analyse yang du Feng Shui, Sun se place au sud-est et représente la richesse.

LI, l'attachant. Ce trigramme est constitué d'une ligne yin discontinue entre deux lignes yang. C'est le trigramme du feu et il représente la fille cadette. Son caractère semble fort, mais en réalité il est faible. Les lignes yang suggèrent la force, mais l'intérieur est creux et mou. Li représente le feu. Sa saison est l'été et il est doté d'un potentiel de grande luminosité de nature à illuminer le monde.

KUN, le réceptif. Trois lignes discontinues composent ce trigramme. Elles suggèrent la puissance primaire, obscure et complaisante du yin. Kun représente le matriarcat, la maternité de la femme. Il est à l'image de la terre, qui demeure impartiale. Son animal est la vache symbole de la fertilité. Kun est le parfait complément de Chien : en assemblant leur énergie, on suscite une puissance énorme. La place de Kun est au sud-ouest, et son élément est la terre.

CHEN, l'excitant. Ce trigramme se compose de deux lignes discontinues yin au-dessus d'une ligne continue yang. C'est le trigramme du fils aîné et il s'y rattache le symbolisme du tonnerre, du dragon émergeant des profondeurs de la terre et s'élevant majestueusement dans un ciel d'orage. Cette explication résulte du fait que la très forte ligne yang se propulse à travers les deux lignes brisées yin. L'élément de Chen est le bois. Sa direction est l'est.

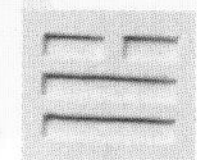

TUI, le joyeux. Ce trigramme est constitué d'une ligne discontinue yin et de deux lignes continues yang. Tui représente la plus jeune des filles et son élément est le métal. Son symbole est le lac, qui se réjouit de toutes choses. C'est un trigramme heureux, placé à l'ouest. Il représente la chance des enfants.

KEN, le calme. Les attributs essentiels de ce trigramme sont ses suggestions de trésors cachés et de force silencieuse. Ken représente le plus jeune des fils. Son élément est la terre. Ken se place au nord-est et symbolise l'émergence de la sagesse.

KAN, l'insondable. Ce trigramme est constitué d'une ligne continue yang entre deux lignes discontinues yin. Kan est le deuxième fils entre l'aîné et le benjamin et son élément est l'eau. Il suggère aussi l'hiver, saison où tout est humide et froid. Kan n'est pas un trigramme très propice et il indique souvent l'imminence d'une situation périlleuse.

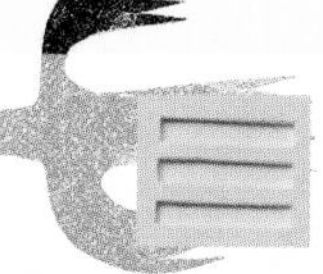

CHIEN, le créatif. Ce trigramme comprend trois lignes continues. Il est donc de nature yang et se trouve souvent associé au père, le chef de famille. Chien est le mâle, l'homme le plus âgé. Il symbolise aussi le ciel, la lumière intense, l'énergie et la persévérance. Son élément associé est le métal, son animal, le cheval. La direction qu'on lui attribue est le nord-ouest.

CHAPITRE DEUX : LES CONCEPTS DU FENG SHUI

LE CONCEPT D'HARMONIE : les cinq éléments

Au centre des nombreuses règles et recommandations qui régissent le Feng Shui, il y a la croyance que toute chose physique, toute forme d'énergie, tangible ou intangible, toute direction ainsi que chaque saison, contient des attributs d'éléments qui entretiennent des rapports mutuels. Le corollaire de cette croyance est que tout ce qui existe dans l'univers est lié à l'un des cinq éléments, dont l'interaction fait que l'énergie qui les côtoie devient soit propice, soit néfaste.

Quand il y a affinité, tout se passe bien et c'est le bonheur. Lorsque la relation est discordante et hostile, l'énergie provoque colère, tristesse et frustration. En somme, l'harmonie des éléments se manifeste sous la forme d'un bon ou d'un mauvais Feng Shui. C'est la nature de l'interaction des éléments qui crée l'harmonie ou la disharmonie dans un lieu donné. Ce principe fondamental permet de comprendre nombre des pratiques du Feng Shui avec leurs relations et corrélations. La grille de référence ci-contre résume les rapports entre les directions de la boussole et les cinq éléments.

Cette grille donne un moyen simple d'activer correctement l'énergie des éléments dans chacun des huit secteurs de n'importe quelle maison ou pièce d'habitation, en utilisant le concept des cinq éléments. Placez la grille au-dessus du plan de votre habitation. Vous pouvez utiliser la même méthode pour chaque niveau de la maison. Divisez la surface de votre demeure en cases égales. Les cases ne doivent pas nécessairement être carrées, mais il faut qu'elles soient de même taille. Servez-vous d'une boussole puis notez la direction de chaque case. Consultez ensuite le shéma ci-dessous pour affecter les différentes cases.

L'harmonie des éléments va aussi au-delà de l'activation des éléments respectifs qui régentent chacune des directions de la boussole. L'interaction entre ces cinq éléments est souvent plus importante. Il existe entre les

SE bois	S feu	SO terre
E bois	SE bois	O métal
NE terre	N eau	NO métal

CI-DESSUS : *cette grille de référence illustre les rapports entre les directions de la boussole et les cinq éléments.*

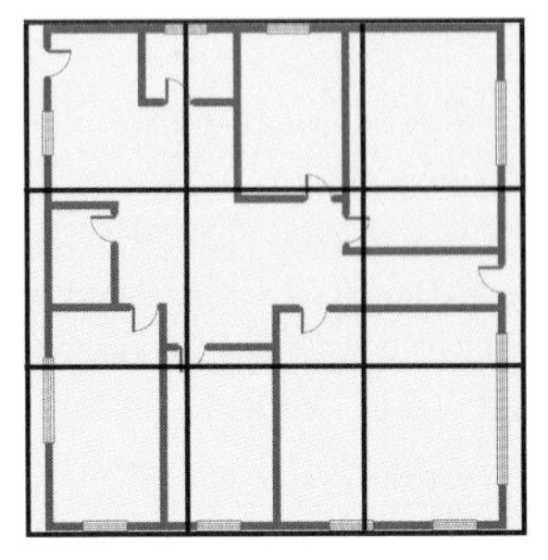

CI-DESSUS : *en positionnant la grille de référence sur le plan de votre habitation, vous pourrez déterminer les emplacements les plus favorables.*

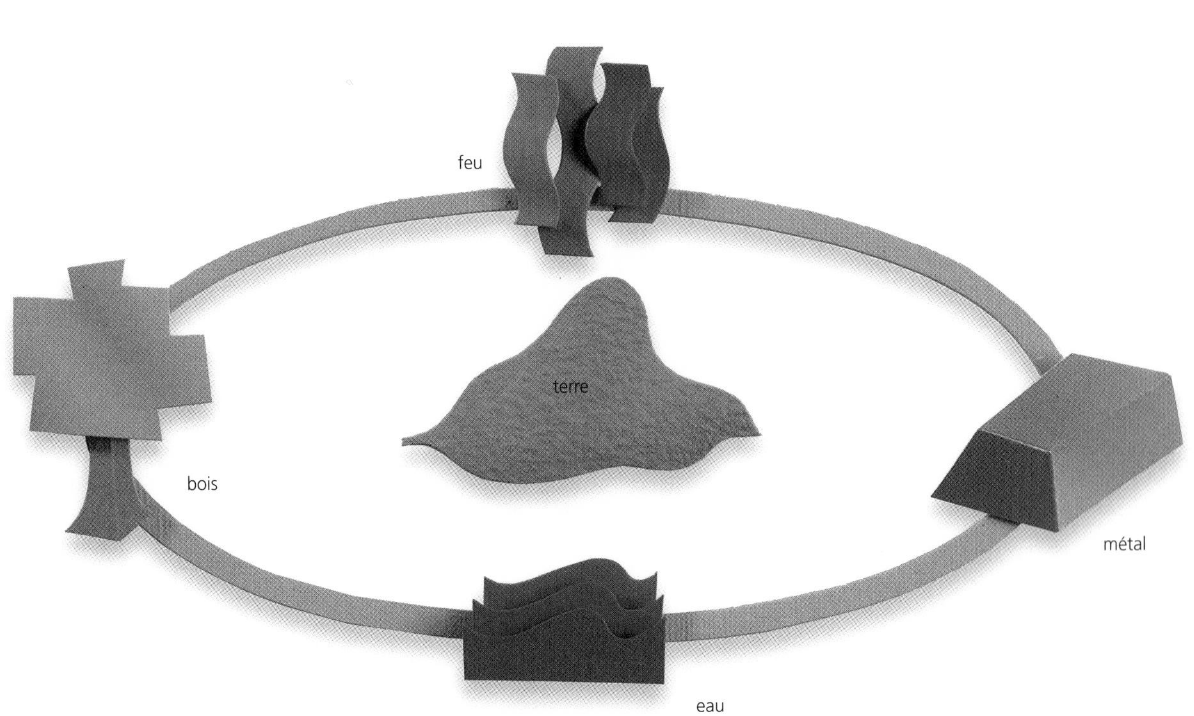

À DROITE : *les cinq éléments (la terre, le feu, le métal, l'eau et le bois) sont fondamentaux dans la pratique du Feng Shui et la façon dont ils agissent entre eux est à la base des forces favorables ou néfastes.*

éléments une interaction constructive et une autre destructive que l'on appelle respectivement Cycle de Production et Cycle de Destruction. Ces flux sont circulaires, et quand on en comprend les nuances on peut optimiser le Feng Shui.

Dans le Cycle de Production, l'eau produit le bois, lequel produit le feu, qui produit la terre, qui produit le métal, qui produit l'eau.

Dans le Cycle de Destruction, l'eau détruit le feu qui, à son tour, détruit le métal, lequel détruit le bois, qui détruit la terre, qui détruit l'eau...

Pour apprécier les subtilités du flux circulaire des énergies productives et destructives, il est bon de comprendre les attributs donnés à chacun des cinq éléments.

Le feu

Le feu est le seul élément qui doive être créé. Il n'existe pas naturellement et ne peut pas être mis en réserve. Le feu brûle et détruit beaucoup de choses, et dans le Cycle, c'est le seul élément assez fort pour détruire le métal. Le feu est produit par le bois et pour cette raison, on dit que le feu épuise le bois. En même temps, cependant, le feu produit aussi de la chaleur, qui fait pousser le bois, le fait fleurir et le mène jusqu'à la récolte. Le feu est détruit par l'eau et pourtant, cela ne fait pas de ces deux éléments des ennemis naturels car le feu transforme aussi l'eau en vapeur et dans le processus, la change en quelque chose de fort et de puissant.

Le feu est associé au sud. Lorsqu'il correspond au coin sud de la maison ou de la pièce, il suscite une énergie qui se dirige vers le haut. Des sources lumineuses dans la partie sud du jardin et un foyer sur le côté sud de la maison créent des flux Chi ascendants qui procurent aux habitants succès, célébrité et appréciation d'autrui. L'énergie du feu apporte toujours le succès associé à la reconnaissance publique. Le bois est également excellent au sud car le bois nourrit le feu. Enfin, un peu d'eau crée aussi de la puissance pour le sud, car l'eau devient de la vapeur. La clé de ce qui est bon ou mauvais, c'est la force relative de ces éléments l'un par rapport à l'autre.

Le feu est toujours puissant. Les Chinois aiment activer l'énergie du feu car il représente bien l'énergie yang, qui amplifie rapidement et efficacement la chance. Le feu doit toujours être traité avec respect. N'abusez pas de l'énergie du feu et ne l'utilisez pas n'importe où. Si vous avez un doute, il vaut mieux vous abstenir et vous garder d'utiliser trop d'objets relevant de l'élément feu. N'oubliez pas l'importance de l'équilibre. Il ne doit jamais y avoir trop d'un même élément. Le feu, par exemple, doit être gardé sous contrôle.

Lorsque la lune est pleine, l'élément feu devient extrêmement actif. C'est aussi le cas pendant l'été. Une fois que le feu a atteint son potentiel maximal, il commence à diminuer, comme pendant la saison froide, et quand cela se produit, le feu créé artificiellement sous la forme de lumières brillantes et de bougies allumées, compense la diminution de cette énergie. Lorsque vous travaillez avec le feu, n'oubliez pas que l'élément bois attise le feu, tandis que l'élément eau l'éteint.

CI-DESSUS : *l'élément feu est très fort et il faut prendre grand soin de ne pas le laisser se développer aux dépens des autres éléments.*

Les personnes nées dans l'année de cet élément ont une affinité particulière avec le feu parce que c'est leur élément naturel. Les personnes nées dans les années du serpent ou du cheval ont également une affinité avec l'élément feu, simplement parce que le feu est aussi l'élément de ces deux animaux.

L'EMPLACEMENT DE LA CHEMINÉE

CI-DESSUS : *un feu flambant dans une cheminée située sur le mur sud favorise l'équilibre entre les énergies yin et yang. Pendant l'été, on peut recréer le même effet en y plaçant une lampe allumée.*

Lorsque la cheminée est située sur le mur sud du salon, elle crée une parfaite énergie yang qui contrebalance l'excès d'énergie yin qui s'accumule pendant les mois d'hiver. Une cheminée au sud active également, pour toute la famille, les meilleures chances de réussite.

Pendant les mois d'été, quand la cheminée n'est pas utilisée, placez une lampe sur son manteau. Elle captera et stimulera la nécessaire énergie yang.

VOIR AUSSI
❖ Le Feng Shui de la cuisine *p. 184-185*

À DROITE : *la puissance de l'eau peut être trompeuse, mais bien utilisée, elle favorisera la chance au foyer et au travail.*

L'eau

L'eau est considérée comme un élément yin. Comme le feu, l'eau est extrêmement puissante et, à son zénith, elle peut être encore plus destructrice que le feu. De fait, dans le *I Ching*, l'eau est considérée comme un signe de danger. Placée au-dessus d'une montagne, c'est-à-dire en hauteur, elle est l'un des quatre indices de danger critique du Feng Shui, car elle évoque la rivière qui sort de son lit. Dans le cycle, le métal produit de l'eau, parce qu'il peut se liquéfier. L'eau épuise donc le métal. En termes pratiques, cela veut dire que placer l'eau dans un coin métal tend à affaiblir cet emplacement.

L'eau est associée au nord. Cela implique simplement que tout ce qui suggère l'eau, lorsque placé au nord, active son énergie, et ce faisant, apporte harmonie et chance dans le secteur nord de votre maison. L'énergie de l'eau se déplace vers le bas ; ainsi, une petite chute d'eau placée au nord sera très propice.

L'eau évoque la nouvelle lune, le commencement d'un cycle. Les couleurs sombres – le noir ou le bleu – représentent cet élément. Ainsi, l'utilisation de couleurs sombres va énergiser les coins qui bénéficient de l'élément eau. Moquettes ou tapis bleus, rideaux, de même que tissus d'ameublement, édredons, couettes ou coussins dont la couleur dominante est le bleu conviennent pour cela. Les aménagements d'intérieur sont d'excellents supports pour activer les éléments. Jouez avec les couleurs pour créer une harmonie créatrice inspirée du Feng Shui dont vous profiterez en coordonnant les couleurs avec les zones de chaque pièce. Cependant, ne vous attendez à de grands changements immédiats. N'oubliez pas que le Feng Shui appliqué aux intérieurs n'entre que pour une faible part dans le Feng Shui général affectant la maison. Vous ne devez jamais espérer que l'énergisation de votre intérieur provoque du jour au lendemain une amélioration sensible.

L'introduction d'objets représentant l'élément eau au nord apporte beaucoup de chance en affaire. À l'intérieur de la maison, la meilleure méthode pour énergiser l'eau est d'installer un aquarium avec une eau bien oxygénée, et beaucoup de bulles. Mettez-y des poissons bénéfiques tels que des carpes, des poissons rouges et des guppies.

L'idéal est encore de pouvoir activer l'élément eau dans le jardin, si vous avez la chance d'en avoir un. Installez une fontaine dans laquelle l'eau jaillit vers le centre et non vers l'extérieur. Si vous avez un terrain assez grand, créez une cascade artificielle. Placez-la dans la partie nord du jardin, ou quelque part bien en vue depuis la porte principale. Assurez-vous qu'elle se trouve du côté gauche du jardin.

Les personnes nées sous l'élément eau se sentent à l'aise avec cet élément, comme celles qui sont nées dans l'année du rat ou du cochon.

Comme toujours, manipulez les énergies avec discernement. Le mieux est l'ennemi du bien.

AVANTAGES DE L'EAU

À GAUCHE : *une petite cascade dans le jardin encouragera le Chi à attirer la chance sur votre famille.*

Installée au nord, une cascade portera bonheur. Pour attirer de façon durable richesse et prospérité, une petite chute d'eau placée à quelques mètres de la porte principale de la maison, renforcera l'énergie. L'eau doit s'écouler doucement. Recyclez-la à l'aide d'une pompe, qui ne doit pas être trop puissante. Il faut entendre l'eau susurrer et non couler bruyamment et à gros bouillon. L'eau courante est bienfaisante si elle est calme ; si elle se déverse à grand bruit, elle est synonyme de souffle mortel. Vous pouvez, si vous le désirez, élever des poissons dans le bassin. Vous pourrez aussi mettre dans l'eau des galets recouverts de peinture dorée, pour symboliser une cascade aurifère. Le plus important, est de faire en sorte que l'eau donne l'impression de couler vers vous, et jamais dans la direction inverse.

Le bois

Le bois symbolise l'expansion, personnifiée par la joie et la croissance printanière, la germination et la pousse des plantes. Des cinq éléments, le bois est le seul qui ait sa vie propre. Le bois représente la lune montante, qui grandit chaque nuit et apporte force, rayonnement et éclat. Ses énergies irradient vers l'extérieur dans toutes les directions, comme les branches d'un arbre. Le bois est ainsi un excellent élément à énergiser car toutes ses connotations sont associées à un développement positif.

Le bois produit le feu, qui l'épuise. En hiver, il est faible, et par conséquence, a besoin de la chaleur du feu. C'est en été que le bois est au plus fort. Le plus grand danger vient, pour lui, de l'élément métal qui le détruit. Mais en petites quantités, le métal transforme le bois en objets de valeur et en choses utiles. Pour fabriquer un meuble, on se sert d'outils et d'instruments de métal. Ainsi, de petites quantités de métal ne nuisent pas nécessairement à cet élément vibrant de croissance.

Sur la boussole, le bois est placé à l'est, là où réside le Dragon Vert, où l'élément prend la forme d'un grand arbre imposant. C'est aussi l'élément du sud-est, la place du petit bois, l'endroit qui représente la richesse matérielle. L'activation des coins bois de la maison est extrêmement bénéfique, surtout pour les personnes nées dans les années de bois, ou dans les années du tigre ou du lapin, ces deux signes astrologiques appartenant à cet élément. Utilisez toutes sortes de plantes (même des plantes artificielles, mais non pas de plantes ou de fleurs séchées), sauf celles dont les feuilles sont pointues ou portent des épines acérées. Toutes les formes de cactus avec piquants doivent être évitées dans la maison. Les bonsaï, dont la croissance est artificiellement entravée, sont également indésirables car ils répriment la pousse naturelle du bois.

La présence d'eau amplifie l'énergie du bois, car dans le Cycle de production des éléments, l'eau produit le bois.

CI-DESSUS : *le bois est un élément vivant, qui personnifie les notions de croissance et de développement personnel. Il est de nature à favoriser la réussite dans la vie.*

Placez vos plantes le long du mur est de la maison pour rappeler l'élément grand bois. Dans le jardin, un grand arbre aux branches étalées, très feuillu, est également efficace. Le pin et le bambou le sont aussi et représentent la longévité.

Les plantes font un excellent camouflage pour dissimuler une vue ou toutes les structures inesthétiques que vous pourriez avoir à l'est ou au sud-est de votre maison ou de votre jardin. Les plantes rampantes servent également à adoucir les énergies hostiles des arêtes vives et des coins saillants. S'il s'agit de plantes rampantes qui fructifient, placez-les au sud-est afin de symboliser une bonne récolte.

Les plantes sont aussi excellentes pour énergiser le secteur sud-est. Lorsqu'elles fleurissent, elles apportent une merveilleuse énergie vibrante porteuse de succès. Les Chinois décrivent toujours une vie bien remplie comme une vie qui a commencé par fleurir. Puisque le sud-est représente la richesse, les fleurs y sont particulièrement souhaitables.

VOIR AUSSI
❖ Les énergies yin et yang dans les maladies *p. 211-213*

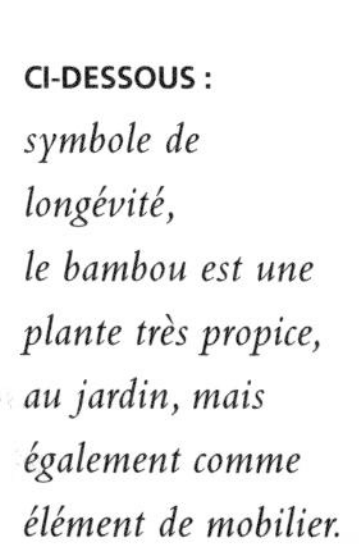

CI-DESSOUS : *symbole de longévité, le bambou est une plante très propice, au jardin, mais également comme élément de mobilier.*

La terre

L'élément terre personnifie le noyau du Feng Shui. La puissante énergie de la terre se déplace latéralement et horizontalement, étendant son influence à chaque changement de saison, aidant à la transition entre été, automne, hiver et printemps puis de nouveau été. La terre est produite par le feu et ainsi, les endroits où il y a trop peu de cette énergie vitale sont renforcés par la présence de lumière vive. Mais la terre est détruite par le bois, auquel elle donne substance. En conséquence, dans les endroits de terre, réduisez la présence du bois. Il est bon, aussi, de limiter la place du métal, car c'est la terre qui le produit. C'est pourquoi on dit que le métal épuise la terre.

L'élément terre est associé au sud-ouest qui représente la « grande » terre ainsi qu'au nord-est dont l'élément est la « petite » terre. Le centre de la maison est aussi supposé faire partie de cet élément. Dans tous ces secteurs de la maison, ou dans le sud-ouest et le nord-est du jardin, le renforcement de l'élément terre crée une grande harmonie d'énergies. Concentrez-vous plus spécialement sur le centre, car la création d'une énergie harmonieuse à cet endroit apporte la chance à toute la famille et aide à renforcer les relations dans une fratrie.

CI-DESSUS : *les cristaux sont porteurs des bienfaits de l'élément terre. Correctement placés dans le coin sud-ouest, ils favorisent les relations humaines.*

Les cristaux symbolisent très bien l'élément terre. Artificiels ou naturels, ils sont tout aussi efficaces. Placez-les dans le coin sud-ouest de votre salle de séjour si vous voulez énergiser la chance en amour, et au nord-est si vous voulez connaître le succès dans les études.

Les théières et les vases en céramique sont également d'excellents énergisants de l'élément terre. Choisissez ceux dont la décoration représente des symboles de bonne fortune, par exemple la fleur *mou tan* (la pivoine) qui est excellente au sud-ouest, ou n'importe quel symbole de longévité, comme la grue, le pin ou le bambou, pour magnifier les énergies qui apportent la bonne santé dans la maison. Ces dernières années, l'industrie de la céramique s'est beaucoup développée en Chine et il est facile de trouver de très bons articles de ce genre. Ces objets gagneront à être placés dans le sud-ouest ou le nord-ouest de la salle de séjour. Cependant, ne les laissez jamais vides à moins que vous ne vouliez capturer l'énergie tueuse causée par la présence de flèches secrètes empoisonnées. Si ces vases sont placés dans l'intention d'énergiser le coin terre, remplissez-les de pierres de couleur décoratives. Vous pouvez aussi y verser de l'eau ou du riz non cuit.

ÉNERGISER LE COIN TERRE

De grands vases ou des urnes décoratives sont excellents pour énergiser les coins de la maison qui relèvent de l'élément terre. Autant que possible, remplissez-les de pierres semi-précieuses et placez-les sur une table basse. En plus d'être esthétiques, ils susciteront dans toute la maison des énergies propices. Si vous avez installé un autel chez vous, pourquoi ne pas y mettre un bol en céramique rempli de pierres semi-précieuses qui adresseront aux divinités une belle offrande d'énergie terrestre.

CI-DESSUS : *on peut capter l'énergie de l'élément terre pour qu'elle circule dans la maison en disposant, aux endroits « clés », des pots de céramique remplis de pierres semi-précieuses.*

CI-DESSOUS : *les formations sédimentaires, comme celles de Bryce Canyon (Utah), aux États-Unis, offrent l'exemple de l'influence de l'eau sur la terre.*

Le métal

Les énergies de l'élément métal sont denses et circulent vers l'intérieur. Le métal est synonyme d'or et d'argent et ces deux métaux précieux ont toujours été symboles de richesse et de prospérité ; mais cet élément est également froid et inerte. Au contraire des autres éléments, le métal ne plie pas. C'est une manifestation de la fortune. Énergiser son essence dans les coins appropriés de la maison sera très bénéfique pour toute l'habitation.

Un vase d'or constitue la meilleure représentation du métal. Dans le Feng Shui, toute chose est dotée d'une force symbolique, mais placer un peu de menue monnaie – des pièces – dans une boîte en métal et la placer dans la direction du métal, c'est-à-dire le nord-ouest ou l'ouest, magnifie les énergies de ces secteurs et ajoute à l'harmonie et aux flux qui se déplacent à travers la maison.

Tout ce qui est métallique, qu'il s'agisse de pièces de monnaie ou de lingots d'or, est bon pour les zones métal. Les personnes nées dans les années de métal ou dans les années du coq et du singe ont une affinité spéciale avec le métal. Les énergies des éléments ne sont pas statiques. Elles interagissent en permanence dans des cycles qui sont ou productifs ou destructeurs. C'est en comprenant la façon dont les énergies des cinq éléments agissent entre elles que l'adepte saura comment parvenir à l'harmonie Feng Shui dans son cadre de vie.Étudiez le cycle des éléments attentivement, car cela augmentera énormément vos capacités de pratiquer le Feng Shui.

CI-DESSUS : *ce faux lingot d'or représente une façon de symboliser l'élément métal.*

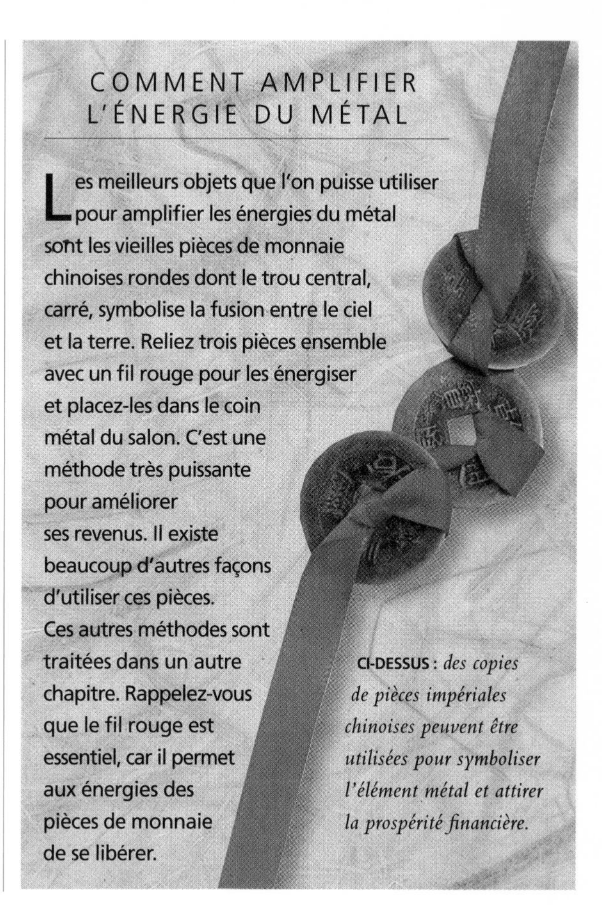

COMMENT AMPLIFIER L'ÉNERGIE DU MÉTAL

Les meilleurs objets que l'on puisse utiliser pour amplifier les énergies du métal sont les vieilles pièces de monnaie chinoises rondes dont le trou central, carré, symbolise la fusion entre le ciel et la terre. Reliez trois pièces ensemble avec un fil rouge pour les énergiser et placez-les dans le coin métal du salon. C'est une méthode très puissante pour améliorer ses revenus. Il existe beaucoup d'autres façons d'utiliser ces pièces. Ces autres méthodes sont traitées dans un autre chapitre. Rappelez-vous que le fil rouge est essentiel, car il permet aux énergies des pièces de monnaie de se libérer.

CI-DESSUS : *des copies de pièces impériales chinoises peuvent être utilisées pour symboliser l'élément métal et attirer la prospérité financière.*

LES CINQ ÉLÉMENTS DES IMMEUBLES

Les immeubles peuvent être classés en fonction de leurs éléments. Ce classement est fondé sur la forme générale de l'immeuble. Pour déterminer votre affinité avec un bâtiment, vérifiez votre propre élément en étudiant la tige céleste de l'année de votre naissance, c'est-à-dire l'élément de l'année elle-même (qui est différent de l'élément de la branche terrestre). Ainsi, si vous êtes né une année de bois, les immeubles de forme rectangulaire seront-ils pour vous l'idéal.

En termes de Feng Shui, les types d'immeubles les plus sécurisants sont les immeubles de terre et de bois, car ils sont très propices et génèrent le moins de problèmes de Feng Shui. Les immeubles de feu sont très agressifs et attirent souvent des mesures de rétorsion de la part des voisins. Les immeubles de métal sont excellents pour le public, mais ne conviennent pas pour l'habitation. Ce sont les immeubles d'eau qui créent le plus grand nombre de problèmes.

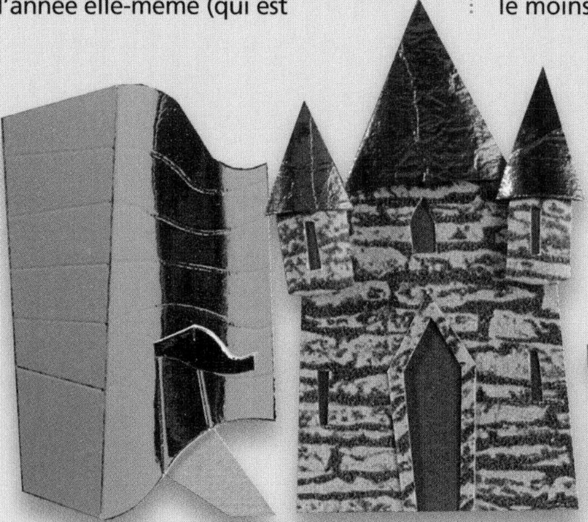

Immeuble d'EAU

Immeuble de FEU

Immeuble de BOIS

Immeuble de TERRE

Immeuble de MÉTAL

CHAPITRE DEUX : LES CONCEPTS DU FENG SHUI

LE CONCEPT D'ÉQUILIBRE : le yin et le yang

CI-DESSUS : *l'équilibre des énergies du yin et du yang concerne directement le Feng Shui. Toutes les énergies terrestres sont soumises à cet équilibre dont la rupture peut être dangereuse.*

CI-DESSOUS : *un excès de yang peut être créé par une cheminée trop grande ou un immense ventilateur. Les occupants devront introduire un peu de yin pour rétablir l'harmonie.*

Toutes les énergies de la terre – qui peuvent être considérées comme l'expression du souffle du dragon, le Sheng Chi – sont, par nature, soit yin soit yang.

Tous les éléments de la terre sont également d'essence yin ou yang. La cosmologie de ces deux forces opposées mais complémentaires est la manière conceptuelle qu'ont les Chinois de concevoir l'univers. Le yin et le yang ont chacun leurs attributs, et leur propre champ d'énergie magnétique. Ils sont diamétralement différents, mais cependant mutuellement dépendants. Chacun d'eux donne à l'autre son existence. L'un ne peut vivre sans l'autre. Quand, s'agissant du Feng Shui, on parle d'équilibre, on fait référence à la présence de deux types d'énergie en quantité optimale, l'une par rapport à l'autre. Il n'existe pas de formule connue pour préciser ce que sont ces quantités optimales. Le Feng Shui, il faut le reconnaître, conseille plus de yang dans les habitations des vivants, et plus de yin dans les maisons des morts. Cela signifie que dans nos maisons et sur nos lieux de travail, il devrait y avoir beaucoup plus de yang que de yin. Cela dit, il ne saurait y avoir tant de yang que le yin disparaîtrait complètement. Sans le yin, il ne peut y avoir de yang.

CI-DESSUS : *l'énergie yang est active et bruyante, à l'image de ces montagnes russes dans un parc d'attraction, mais qui n'existerait pas sans énergie yin.*

Les énergies qui nous entourent sont réputées en état d'équilibre bénéfique lorsque le yin et le yang sont tous deux présents. La force relative de l'un et de l'autre, dans n'importe quelle situation donnée doit être finement accordée selon les circonstances, mais il ne devrait jamais y avoir trop de yin qui risquerait de paralyser le yang, et vice-versa. Pour le Feng Shui, les énergies yang sont bien sûr vitales, mais jamais au point que le yin soit totalement diminué, bien qu'un excès d'énergies yin puisse causer des dégâts et parfois même la maladie et la mort. De la même façon, il y aura des situations dans lesquelles l'équilibre devra être inversé. Une exposition à l'éclat du soleil de l'ouest peut causer un excès d'énergie yang. Trop de bruit, trop d'activité, trop de luminosité, sont autant de signes d'un excès d'énergie yang.

Lorsqu'il y a trop d'ombre et trop de calme, lorsque nuit et jour sont froids et sans vie, l'énergie est considérée comme beaucoup trop

CI-DESSUS : *l'énergie yin, qui représente la tranquillité et le repos, contraste avec l'énergie yang. Mais même dans un cimetière, il y aura un minimum de yang.*

yin. De tels endroits manquent de vie, de croissance et d'expansion. Les endroits yin conviennent pour les habitations des morts, pas pour celles des vivants.

Yin et yang interagissent continuellement et, dans ce processus, créent le changement. Ainsi, l'été yang monte à son zénith pour redescendre vers l'hiver (yin) avant de repartir vers l'été. Le jour succède à la nuit. La lune prend la place du soleil et l'ombre devient lumière. Toute chose, dans l'univers, contient une part d'énergie yin et d'énergie yang en proportions variables. Dans un paysage, yin et yang trouvent leur expression dans les contours du terrain, dans la température du sol, dans l'alternance des ombres et de la lumière.
Les paysages très plats sont trop yin et demandent la présence de rochers et de plantes. Les paysages aux perspectives très ensoleillées sont trop yang et gagneront à la présence de plantes créant des ombres. La présence de l'eau introduit une énergie yin équilibrante. Les jardins chinois et japonais sont la parfaite expression de l'équilibre entre le yin et le yang.

À présent, pensez aux régions polaires couvertes de neige bien trop yin ; et aussi aux déserts brûlants, bien trop yang. Ces régions invivables sont incompatibles avec le Feng Shui.

CI-DESSUS : *dans un paysage, il y a à la fois des éléments yin et yang. Les champs et le lac sont yin, mais reçoivent beaucoup de lumière solaire – yang – qui fait pousser les vignes. Ce paysage reçoit également l'énergie yang générée par les montagnes alentour.*

À GAUCHE : *ce jardin japonais a été énergétisé en élément eau grâce à un équilibre harmonieux et propice de rocs, de galets et de buissons.*

CHAPITRE DEUX : LES CONCEPTS DU FENG SHUI

LE CONCEPT DE LA FORME : le symbolisme des Quatre Créatures Célestes

La pratique du Feng Shui se fait toujours à partir d'un lieu. Si les environs de votre maison sont propices, selon les préceptes de base du Feng Shui, cela suffira à vous assurer, à vous et à votre famille, une vie satisfaisante. La chance vous accompagnera et tout ce que vous accomplirez connaîtra le succès tant que vous resterez dans cette maison. L'environnement naturel est extrêmement puissant. Même si, à l'intérieur de la maison, il existe un peu de Feng Shui négatif, il n'aura que peu d'effet dès lors que l'emplacement de la demeure bénéficiera d'un excellent Feng Shui de la Forme.

Le Feng Shui de la Forme met d'abord l'accent sur le cadre physique de l'habitation. Si vous vivez en appartement, prenez en compte l'immeuble entier pour déterminer si son emplacement répond aux critères du bon Feng Shui.

Le meilleur emplacement, si l'on se réfère au Feng Shui classique, est celui qui est représenté ci-dessous. Il se définit par des métaphores lyriques faisant référence aux animaux symbolisant les reliefs alentours. Ce sont les Quatre Créatures Célestes.

Les collines de la Tortue Noire sont le nom donné aux reliefs situés sur l'arrière, qui doivent, dans l'idéal, être situés au nord.

Les collines du Dragon Vert sont sur la gauche, l'est étant leur situation idéale.

Les collines du Tigre Blanc sont sur la droite c'est-à-dire à l'ouest. Il faut que ces collines soient plus basses que celles du Dragon Vert à gauche et de la tortue sur l'arrière.

Enfin, il y a le monticule du Phénix Rouge sur le devant, placé idéalement au sud, avec une rivière qui borde le site tel une ceinture de jade. La forme générale ressemble à un fauteuil, ce qui évoque une vie confortable.

Les emplacements suggérés dans le diagramme ci-dessous sont tellement favorables que certains riches Chinois n'hésitent pas à créer artificiellement ces formes et ces contours, tout autour de leur lieu de résidence, afin de garantir à leur famille un excellent Feng Shui. Si dans le passé, les maîtres en Feng Shui faisaient d'énormes efforts pour sélectionner des paysages naturels, de nos jours, un environnement recréé et simulé artificiellement permet d'obtenir d'excellents résultats.

La règle cardinale du Feng Shui est d'avoir la montagne à l'arrière et l'eau sur le devant. Les contours du paysage ont énormément d'importance dans le Feng Shui et un site ondulé sera toujours préféré à un site plat. Mais la règle essentielle, c'est de ne jamais avoir de montagne en face, bloquant la porte principale. Le terrain en face de la maison et de la porte d'entrée doit être sans obstacle. Il ne faut pas que la vue soit bloquée. Si vous avez une eau vive – une rivière – dont la vue donne sur votre maison, le Feng Shui est extrêmement propice.

Dans les paysages d'aujourd'hui, la règle cardinale du Feng Shui veut que s'il existe un immeuble important ou un grand building à proximité, il doit se trouver sur l'arrière de l'habitation et non pas devant. Un immeuble de haute taille derrière chez vous est une très bonne chose, car il simule les collines de la Tortue Noire.

Les terrains situés à gauche de votre maison (lorsque vous regardez dehors) doivent être plus hauts que ceux situés sur la droite. Cela stimule les collines du Dragon Vert et du

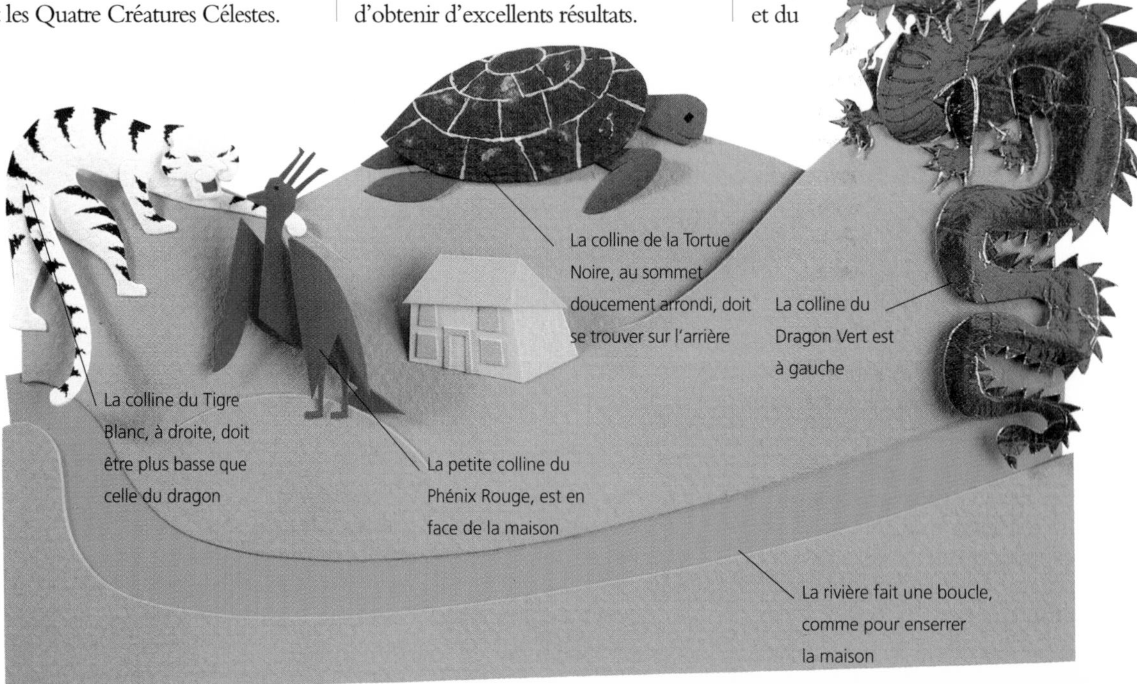

À DROITE : *l'endroit le plus favorable pour l'emplacement de la maison est déterminé par la présence des Quatre Créatures Célestes. Dans cet exemple, les Quatre Créatures Célestes qui entourent l'habitation sont correctement placées.*

Tigre Blanc. Si c'est le contraire, l'effet est néfaste car cela signifie que le tigre domine le dragon et qu'il peut donc se retourner contre les occupants.

Les animaux célestes – la tortue, le dragon, le tigre et le phénix – sont des symboles importants et puissants du Feng Shui de la Forme. En prenant la mesure de leur signification, les adeptes sont capables de corriger et d'améliorer leur cadre de vie.

Il n'est pas facile de trouver dans la nature la formation en fauteuil. Ce n'est pas non plus à la portée de toutes les bourses, mais il est possible de la simuler. Voilà comment faire. Les animaux célestes peuvent ainsi être activés pour vous porter chance.

Occupez-vous d'abord de ce qui est derrière vous. La partie de terrain située derrière doit être plus élevée que celle qui se trouve devant la maison. Si vous en avez la possibilité, élevez une butte qui simulera le dos de la tortue. Dans l'idéal, la tortue doit se trouver derrière l'habitation.

S'il vous est absolument impossible d'avoir un terrain plus élevé sur l'arrière, accrochez une image de tortue sur le mur arrière de votre maison ou, mieux encore, procurez-vous une vraie tortue. Pas la peine de verser dans l'excès : pas besoin d'installer une famille ! Une seule tortue suffira. Le chiffre associé à la tortue est le « 1 ». Elle symbolise le soutien de personnes importantes, la longévité, et une protection continue. Activer la tortue chez vous est parmi ce que l'on peut faire de mieux en Feng Shui. Elle protégera votre maison. Si vous n'avez pas la possibilité d'élever une tortue vivante, une tortue en céramique ou en bronze fera aussi bien l'affaire.

Le dragon constitue le symbole suprême de la chance. Cette créature mythique tient une place spéciale dans le cœur et dans l'esprit des Chinois. Dans le Feng Shui de la Forme, la meilleure façon d'apprécier si un site est propice est de se demander s'il peut accueillir un Dragon Vert. La pratique la plus authentique du Feng Shui implique de rechercher les collines et les montagnes où l'on peut

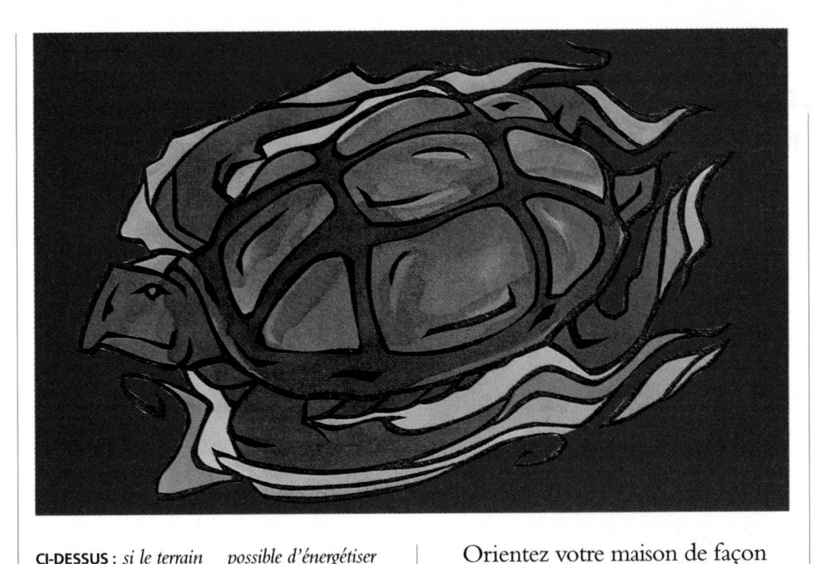

CI-DESSUS : *si le terrain derrière votre maison ne comporte aucune partie élevée, il est possible d'énergétiser le secteur nord de l'habitation avec une image de tortue*

trouver cette créature céleste. Seuls les reliefs abritent des dragons. En conséquence, recherchez plutôt des terrains vallonnés, là où l'herbe est verte, où le sol est fertile, où l'air sent bon, dans un site relativement abrité. Évitez les sommets exposés aux éléments et les endroits où l'herbe ne pousse pas. Assurez-vous qu'il y a en même temps de la lumière et de l'ombre, pour que le yin se mêle harmonieusement au yang.

Faites en sorte que votre voisin de gauche soit légèrement en hauteur par rapport à votre voisin de droite. En appartement, appliquez le même principe quant aux immeubles situés à votre gauche et à votre droite.

Lorsque vous cherchez un endroit bénéficiant d'un bon Feng Shui, soyez particulièrement attentif aux contours environnants. Le long d'une route en pente, les meilleurs endroits sont à mi-chemin et doivent être préférés à ceux situés tout en haut ou tout en bas.

Le sommet d'une colline est réputé néfaste à cause de l'absence de protection contre les éléments. Les vallées posent moins de problèmes, mais dans la recherche d'un site, il vaut mieux être à mi-hauteur plutôt que tout en haut ou tout en bas.

Orientez votre maison de façon que le côté gauche soit plus haut que le côté droit. Essayez de ne pas vivre en dessous du niveau de la route. Si malgré tout c'est le cas, mettez au moins vos chambres à coucher à l'étage et si possible, orientez la maison de telle façon que la partie à gauche de la porte d'entrée soit plus haute que la partie à droite.

Veillez à ce que la maison ne soit pas construite sur pilotis, car cela crée un espace vide sous la maison, ce qui symbolise un manque de fondations. Essayez d'avoir le niveau le plus bas fermé avec les pièces qui lui correspondent.

Faites en sorte que la maison embrasse la colline, comme si c'était l'antre d'un dragon. De cette façon, vous transformerez une maison potentiellement néfaste en une demeure propice.

On dit que le Dragon Vert réside à l'est. Si vous vivez en appartement et que vous n'avez aucun contrôle sur l'environnement, accrochez une image de dragon au mur situé à l'est.

Vous pouvez aussi poser un dragon en céramique du côté est de votre salon. Le dragon est en Chine, le plus populaire des symboles de chance,

CI-DESSUS : *la Tortue Noire – symbole des montagnes situées sur l'arrière de l'habitation.*

CI-DESSUS : *les collines vallonnées du Dragon Vert sont sur la gauche.*

CI-DESSUS : *les collines du Tigre Blanc sont situées à droite et de préférence à l'ouest de la maison.*

CI-DESSUS : *le monticule du Phénix Rouge doit se trouver sur le devant de la maison.*

CI-DESSOUS : *à défaut d'une vrai tortue, une tortue décorative fera très bien l'affaire.*

À GAUCHE : *le dragon est très populaire c'est un symbole de chance. Placé du côté est de votre salon, un dragon à quatre griffes vous portera bonheur.*

en particulier chez les commerçants. Si vous envisagez d'utiliser le dragon, n'en prenez pas un doté de cinq griffes. Celui-ci est le dragon impérial et l'énergie yang qu'il symbolise pourrait être trop forte pour vous. Choisissez un dragon normal à quatre griffes. Pour les mêmes raisons, ne choisissez pas un trop grand dragon en céramique. Si vous décidez d'utiliser un dragon comme logo ou comme emblème commercial, ne l'emprisonnez pas dans un cercle ou un carré, et assurez-vous qu'il est bien gras et qu'il a l'air heureux et prospère. Le logo du groupe Hong Leong en Malaisie est un bon exemple d'utilisation positive du dragon. Non seulement il est bien gras, mais on dirait une femelle pleine, suggérant ainsi des petits à venir, c'est-à-dire des acquisitions réussies pour le groupe.

CI-DESSUS : *le logo du groupe Hong Leong, en Malaisie – un dragon bien gras et heureux – est l'emblème de la réussite et de la fortune de la société.*

Ne placez aucune représentation de dragon dans la chambre à coucher, car c'est le symbole yang ultime et il n'est pas conseillé dans un lieu de repos où les énergies yin sont bien plus importantes. Il est aussi utile de noter que la présence d'un dragon dans la maison peut exciter l'agressivité de certaines personnes. Si vous sentez que vous débordez d'énergie après avoir placé la créature dans votre maison, il vaut mieux ne pas utiliser cette méthode pour énergiser votre lieu de vie. Mais, si vous commencez à sentir que votre chance s'améliore, il est évident que vous avez des affinités avec cette créature, et vous serez bien avisé de continuer.

Le Tigre Blanc est aussi important que le Dragon Vert et on le trouve toujours là où il y a un vrai dragon. Les collines du tigre doivent toujours être plus basses que celles du dragon. Rappelez-vous que dans le Feng Shui, les références à ces deux animaux concernent toujours des collines et des formations de terrain. Si, donc, il y a une colline du dragon, on peut déduire presque à coup sûr qu'il y a aussi une colline du tigre.

L'art du Feng Shui de la Forme consiste à déterminer quelles sont les collines du dragon et celles du tigre. Ce n'est pas aussi difficile qu'il y paraît. En regardant droit devant vous, les reliefs situés à gauche de l'entrée de la maison sont généralement les collines du dragon, celles qui sont à la droite sont celles du tigre. Les collines les plus élevées doivent toujours représenter le dragon.

Si les collines les plus hautes sont sur votre droite, l'orientation est censée être néfaste. Cela veut dire que le tigre est devenu dominant et plus puissant que le dragon, ce qui est une configuration extrêmement périlleuse car on peut craindre que le tigre s'en prenne aux habitants de la maison.

Notez bien que si l'on parle ici de collines, le même principe est applicable à tout terrain situé à gauche et à droite de la maison. Le Phénix Rouge symbolise le sud, ou l'endroit qui se trouve en face de la maison. Sa configuration doit être plate, ou du moins plus basse que l'arrière, la gauche ou la droite de la maison, et la vue doit y être dégagée. Le Phénix Rouge est censé représenter les occasions qui procurent le confort matériel.

Si le devant de la maison est bloqué par une montagne, une colline ou une construction quelconque, ces obstacles peuvent aussi bloquer tout ce que vous entreprenez. Le succès peut être difficile à obtenir, et, pire encore, vous pourriez essuyer de graves revers. Si, en revanche, il existe un petit monticule dont le niveau est plus bas que votre façade, il représente le phénix.

Le Phénix Rouge est censé représenter le reposoir sur lequel vous pourrez délasser vos pieds fatigués. Pour la maison, la présence de ce monticule est très favorable, car il permet aux habitants de se détendre et de rassembler leurs énergies pour faire face au monde extérieur. Il ne doit par conséquent pas être confondu avec une montagne que vous auriez en face de chez vous. Il est possible d'activer symboliquement la présence du phénix en plaçant du côté sud un oiseau décoratif. Un flamant rose en marbre posé dans le coin sud du jardin sera favorable. Vous pouvez également placer dans votre salon, toujours du côté sud, un tableau ou une sculpture décorative représentant un coq.

CI-DESSUS : *on peut substituer à l'image du phénix celle d'un coq qui générera le même type d'énergie favorable.*

QUESTIONS ET RÉPONSES

Question : il existe tellement de livres différents consacrés au Feng Shui et tellement d'experts et de conseillers, comment reconnaître ceux qui sont authentiques ?

Réponse : le Feng Shui est une pratique très ancienne qui a passé avec succès l'épreuve du temps. Au cours de sa longue évolution, il a connu des formes et des aspects divers. Même en Chine, il existe différentes théories et plusieurs écoles de Feng Shui. Sous le règne des premiers empereurs Ming, furent même publiés et distribués dans tout le pays de faux livres de Feng Shui de façon à réserver les vraies formules et les vraies méthodes à une poignée de gens. Il n'est donc pas étonnant qu'il existe autant de textes et de traités consacrés au Feng Shui. Aujourd'hui, avec la popularité croissante de cet art de vivre, il n'est donc pas surprenant de trouver autant d'ouvrages sur ce sujet et de gens qui le pratiquent. Mon conseil sera simple. Choisissez des livres écrits par des auteurs crédibles et adressez-vous à des conseillers disposant déjà d'une clientèle nombreuse et satisfaite. Dans votre quête du Feng Shui authentique, munissez-vous d'une bonne dose de bon sens et de scepticisme. Moi-même, quand j'ai démarré, j'étais très sceptique.

Question : toutes ces différentes « écoles » et formules me troublent. Par où commencer si je veux appliquer le Feng Shui pour ma maison ?

Réponse : il n'y a pas lieu d'être troublé si vous avancez pas à pas. Dans n'importe quelle discipline, vous aurez toujours à démêler des avis contraires. Allez-y lentement et réfléchissez bien. Au début, appliquez le Feng Shui de manière « défensive ». Regardez bien autour de vous et cherchez tout ce qui peut vous faire du mal, à vous et à votre maisonnée. Ensuite, appliquez-vous à démanteler toutes les flèches empoisonnées. Après seulement, vous pourrez commencer à énergiser pour attirer la chance. Lisez et assimilez d'abord mes livres d'introduction au Feng Shui avant de vous attaquer aux formules plus avancées. Utilisez le présent ouvrage à la fois comme manuel d'initiation et comme livre de référence.

Question : combien de temps faut-il pour que le Feng Shui soit efficace ?

Réponse : le Feng Shui peut être efficace presque immédiatement. Par exemple, si vous constatez après avoir lu ce livre que votre maison est menacée par une flèche empoisonnée (Shar) et que vous arriviez à y remédier, vous en sentirez l'effet instantanément. Ce sera comme un poids retiré de vos épaules. L'élimination de l'énergie néfaste peut se ressentir très rapidement.

Question : ai-je besoin d'un conseiller en Feng Shui ?

Réponse : non, si vous désirez simplement utiliser le Feng Shui dans la maison. À mon avis, c'est à vous de mettre en œuvre votre propre Feng Shui, tout simplement parce que s'agissant de votre domicile, vous aurez tendance à être plus prudent. Vous ne devriez faire appel à un conseiller que si vous avez plusieurs résidences ou bureaux et que vous n'avez pas le temps de le faire vous-même. Un autre avantage de mettre soi-même en application le Feng Shui, c'est que vous saurez ce que vous voulez et n'aurez pas à inviter chez vous un parfait inconnu qui fera intrusion dans votre vie privée. Traitez le Feng Shui comme un violon d'Ingres. Il vous ouvrira tout un monde nouveau. Un univers qui fera entrer dans votre vie quelque chose de particulièrement magique.

Question : comment savoir si un conseiller est qualifié ?

Réponse : il n'existe actuellement aucun organe officiel de qualification. Ce serait de toute façon très difficile. J'ai rencontré au cours de ma vie un certain nombre d'excellents maîtres en Feng Shui, avec beaucoup d'expérience. Les vrais maîtres sont généralement pleins de modestie et d'aménité. Mais, je dois le reconnaître tristement, au cours de mes pérégrinations de par le monde, j'ai aussi connu un certain nombre de charlatans qui se soucient comme d'une guigne de gâter la vie des gens par leur pratique farfelue du Feng Shui. Je vous conseille donc d'être prudent et de ne pas ouvrir trop vite votre porte aux inconnus qui se prétendent experts en Feng Shui. Si vous pouvez commettre des erreurs, le conseiller le peut également et si le conseiller peut réussir, vous aussi. Ayez confiance en vous et bon Feng Shui !

Question : que dois-je faire si je me trompe complètement et ne sais pas comment faire pour rattraper les choses ?

Réponse : personne ne peut obtenir 100 % de réussite. Tout le monde connaît des problèmes de Feng Shui. Si vous lisez ce livre attentivement, vous trouverez la plupart des réponses. Si vous vous trouvez en réelle difficulté, vous pouvez me contacter sur Internet. Je réponds à tous les e-mail qui ne comportent pas plus de 50 mots. Mon adresse Internet est fengshui@lillian-too. com. Il n'y a rien à payer. C'est un service entièrement gratuit.

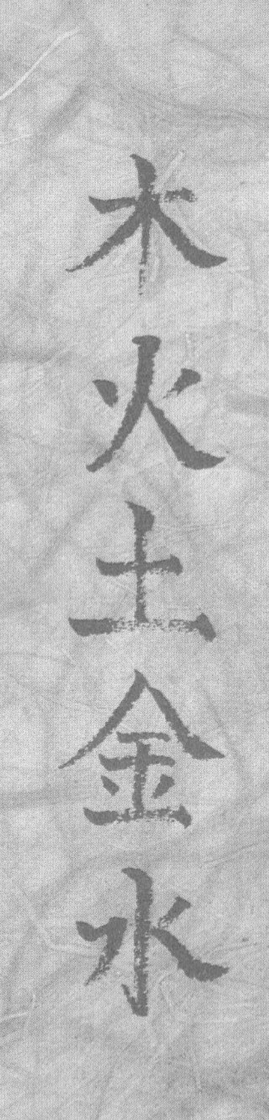

DEUXIÈME PARTIE

LES PRINCIPES ESSENTIELS DU FENG SHUI

CHAPITRE TROIS

LE FENG SHUI DE LA FORME

Le Feng Shui de la Forme, ou des paysages, est « le » Feng Shui classique. C'est là que les mots « vent » et « eau », pris littéralement ont tout leur sens, car cette forme de Feng Shui s'intéresse à l'environnement. Il étudie dans les sites tout ce qui a été façonné par l'action des vents et de l'eau. Les formes géologiques y prennent une signification. Les contours, les hauteurs, sont les ondulations de créatures célestes : les montagnes ou Shan, les collines, et les formations qui permettent au Chi de louvoyer de façon propice ou de s'élever de façon malveillante. Il en est de même du cours des rivières : il peut être favorable et constructif ou bien bouillonnant et destructeur.

Le maître en Feng Shui sent l'odeur du sol et respire l'air pour diagnostiquer la qualité des vents. Il suit à la trace les formes des reliefs avoisinants et étudie la qualité de la végétation. Il évalue la présence du bon Chi et recherche l'harmonie dans les éléments alentour. Chaque fois qu'il trouve une flèche empoisonnée, il suit la trajectoire du Chi néfaste qui l'émet et trouve les remèdes qui s'imposent. Lorsque les reliefs sont propices, il les renforce. Telle est la « magie » du Feng Shui qui transforme l'infortune en chance et qui magnifie celle-ci.

À GAUCHE : *le Feng Shui peut faciliter l'aménagement du territoire dans les petites villes, comme ici aux États-Unis.*

CHAPITRE TROIS : LE FENG SHUI DE LA FORME

LE FENG SHUI DE L'ÉCOLE DE LA FORME

CI-DESSOUS : *les reliefs naturels d'un environnement produisent un effet sur le Feng Shui des immeubles et ne doivent jamais être négligés.*

La pratique du Feng Shui débute par une connaissance approfondie de l'École de la Forme, ou de l'environnement. Cette école s'intéresse aux caractéristiques ou aux attributs des terrains où se situent les habitations yang, c'est-à-dire les maisons des vivants. L'École de la Forme, comme son nom l'indique, prend en compte la configuration des terrains, leurs limites, la topographie dans son ensemble et la façon dont l'environnement immédiat agit sur le cadre de vie.

Le Feng Shui prend aussi en compte la qualité des vents qui soufflent dans les environs proches. Les brises légères sont préférables aux vents violents. L'air doit respirer la vie et la fraîcheur des plantes. Il doit être frais et non fétide, vif et non lourd. Les plantes doivent être vigoureuses plutôt que faibles et chétives. Là où il y a de l'eau, on dit que le Feng Shui est très amélioré. Mais l'eau et le vent doivent couler calmement. Un trop plein d'énergie est considéré comme trop yang. Dans le Feng Shui, tout ce qui se déplace trop vite est le vecteur d'une énergie tueuse. Ainsi, l'eau doit couler lentement, mais pas au point d'être stagnante, car dans ce cas, elle suggère la mort et est beaucoup trop yin. L'eau torrentueuse contient le souffle mortel et est trop yang.

Le Feng Shui est donc la science qui permet de distinguer le yin et le yang dans notre environnement immédiat, ce qui inclut toutes les formations de terrain qui sont autour de notre maison. L'École de la Forme s'intéresse aussi à la largeur et au débit des cours d'eau, au trafic routier, à la taille et au caractère des montagnes, à la forme des collines et de toutes les structures bâties par l'homme. Toutes ces structures physiques contiennent, à des degrés divers, des énergies yin et yang. Certaines sont exclusivement yang et d'autres excessivement yin. Pour créer un Chi propice et influencer son propre Feng Shui, le yin et le yang doivent être parfaitement équilibrés. Cet équilibre dépend généralement de la façon dont l'espace a été modifié par l'homme ; les endroits où les gens vivent ou travaillent doivent posséder davantage d'énergie yang que yin. L'équilibre entre le yin et le yang est étudié aux pages 46-47.

Ordinairement, quand les symboles du yin et du yang s'équilibrent, le Chi créé est propice, il est source de prospérité et d'abondance. Mais

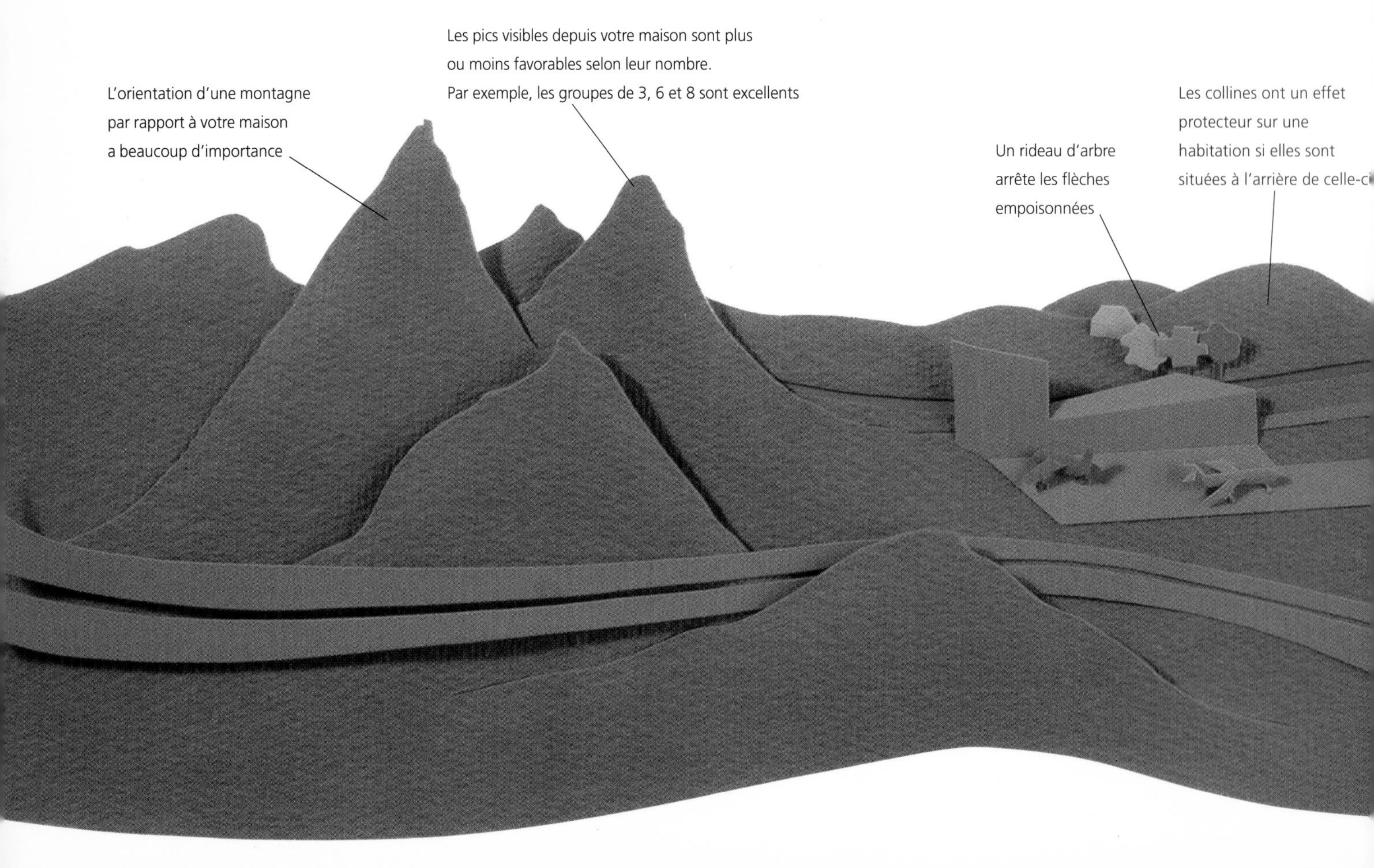

lorsque l'équilibre est rompu, en raison d'une quantité excessive de yin ou de yang, tout devient néfaste.

La qualité de l'énergie du Feng Shui peut également devenir très mauvaise en présence de structures violentes et menaçantes. Le Chi environnant devient alors nocif et empoisonné. Les formes hostiles et redoutables causées par la configuration particulière des montagnes ou par les angles vifs des grands immeubles font naître des flèches secrètes malfaisantes qui émettent un souffle si nauséabond qu'il empoisonne tout aspect bénéfique dans son environnement (voir pages 317-327 pour détecter les flèches empoisonnées et comment y remédier).

L'appréciation en Feng Shui d'une grande partie des paysages et des sites est subjective et demande un œil averti. Il existe cependant des lignes directrices qui permettent à l'amateur de déchiffrer le Feng Shui en un lieu donné et de déterminer s'il est bon ou mauvais. Il n'est pas difficile de voir si une maison ou un lieu de travail, bénéficient d'un bon Feng Shui, et même si un cimetière ou une sépulture jouissent d'une bonne orientation pour nos ancêtres disparus.

Plusieurs méthodes, concernant notamment l'orientation des immeubles, sont suggérées pour créer un Chi favorable. Une direction correcte est en effet souvent suffisante pour que les occupants et leurs descendants aient un Feng Shui bénéfique. On peut cependant aller plus loin : il existe des solutions pour permettre au Chi favorable de circuler et de se stabiliser, améliorant la fortune de la famille, et ce jusqu'à la cinquième génération. En fait, d'après les thuriféraires de cet art de vivre, le Feng Shui de la Forme peut aller bien au-delà de la simple compensation de la malchance causée par des orientations néfastes telles qu'elles ressortent de l'École de la Boussole.

Le Feng Shui repose sur le principe que l'environnement est vivant avec des forces cachées provenant de la forme, de la taille et de la couleur des structures physiques qui composent le paysage. Quand on analyse le plan de sa maison ou de son lieu de travail, ces facteurs doivent être pris en compte. Il est aussi important que le praticien amateur comprenne que toutes les directives en Feng Shui sont fondées sur des textes anciens qui décrivent toujours une disposition idéale.

Dans le monde réel, et tout spécialement dans le contexte de la vie urbaine actuelle, il est impossible de vivre dans un endroit où le Feng Shui serait parfait. Le maître de Feng Shui expérimenté accepte cette réalité et fait du mieux qu'il peut dans une situation donnée, en corrigeant tout ce qu'il peut. Les éléments physiques qui ne peuvent être démolis et reconstruits, les mauvaises orientations qui ne peuvent être modifiées sont tout simplement neutralisés. On y arrive de différentes façons, voir le chapitre « Cures et antidotes Feng Shui » (pages 305-315). Même si ce n'est pas l'idéal, c'est souvent suffisant.

VOIR AUSSI
- **Historique et principes de base** ***p. 16-17***
- **Le concept de la forme : le symbolisme des Quatre Créatures Célestes** ***p. 48-50***

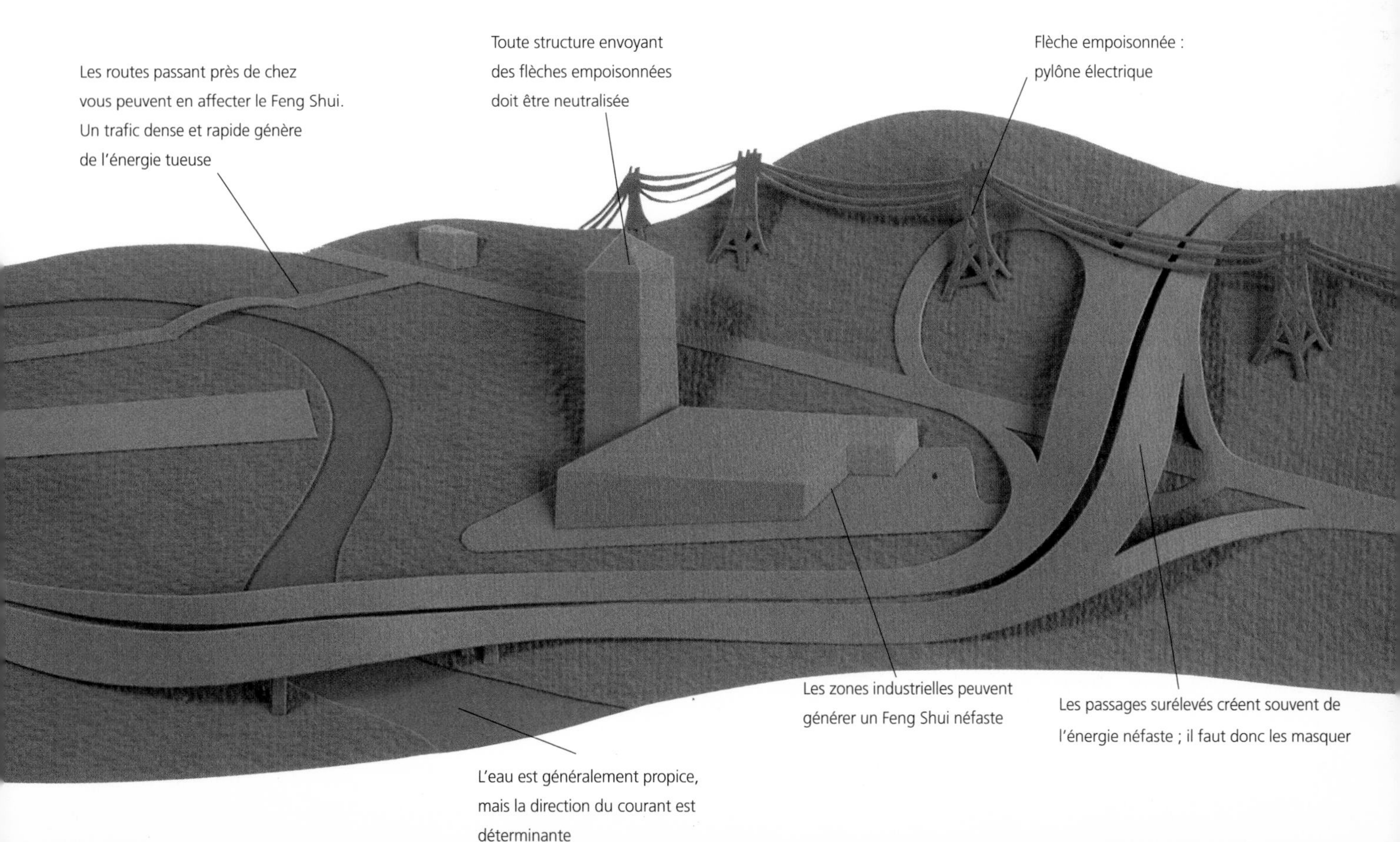

LES EFFETS DES CONTOURS ET DES NIVEAUX

L'amateur sera bien avisé d'apprendre à reconnaître les formes, les aspects, les orientations, la topographie et les niveaux de l'environnement qui sont bénéfiques ou néfastes. Examinez les collines et la topographie derrière votre maison. Par « arrière » de la maison, on entend généralement ce qui s'étend sur la partie opposée à la porte d'entrée principale.

D'après certains textes, l'arrière de la maison est la partie qui est la plus éloignée de la route principale faisant face à la maison, sans se soucier de l'emplacement de la porte. D'autres estiment que la position de la porte de derrière détermine l'arrière de la maison. Pour simplifier, je suggère que vous usiez de bon sens pour fixer ce que vous considérez comme l'arrière de la maison. Si vous n'êtes pas sûr, prenez l'emplacement de la porte arrière comme étant l'arrière de la maison.

Si le terrain situé à l'arrière de la maison, tel que vous l'aurez défini, est en hauteur, c'est-à-dire plus élevé que celui de devant, il constitue un bon support et le Feng Shui est censé être bon. Si ce n'est pas le cas, le Feng Shui ne peut être satisfaisant. Cela se produit, par exemple, lorsqu'une maison, ou un immeuble, sont bâtis sur une crête ; la pente derrière la maison n'offre pas de support. Le Feng Shui laisse alors la maison sans protection contre les éléments, mais aussi contre toutes sortes de malchances et de déconvenues. Une telle situation se corrigera en plantant de très grands arbres derrière la maison, qui auront pour effet de faire symboliquement « monter l'énergie » sur l'arrière. Installer des lampadaires en hauteur est également une autre façon de stimuler l'énergie protectrice. Vous pouvez aussi construire un mur élevé pour remplacer la présence d'une montagne. Optez pour la solution la plus facile à mettre en œuvre et convenant le mieux aux circonstances. Il n'est pas nécessaire de cumuler les solutions.

Étudiez ensuite le niveau des terrains en face de votre maison ou de votre immeuble. Il est primordial qu'il ne soit pas plus élevé que celui de la maison, le pire étant la présence d'une montagne en face de la porte d'entrée. À l'inverse si, de celle-ci, on embrasse un vaste paysage, la maison est sous de bonnes influences Feng Shui. C'est le cas, en particulier, lorsqu'un paysage dégagé est encadré de douces collines (plus hautes à gauche en regardant vers l'extérieur) et quand la maison est elle-même adossée à une hauteur. Un petit monticule, face à l'entrée, sera toléré : il figurera un point de repos pour des jambes fatiguées. Si rien ne menace ni la porte ni la maison elle-même, vous bénéficiez d'un site Feng Shui idéal. En réalité, une telle configuration est rare dans la nature et difficile à recréer. L'essentiel est de disposer d'un solide appui arrière, d'un bon dégagement devant la maison, si possible en contrebas, jamais plus haut. Créez une place dégagée sur l'avant : faites en sorte que les terrains sur la gauche et la droite soient plus élevés, comme s'ils enveloppaient la maison. Le côté gauche étant toujours plus élevé que le côté droit

La question de la perspective est également importante. Si les formes environnantes – collines ou immeubles – vous semblent trop imposantes car trop grandes ou trop proches, l'énergie de votre maison se trouve étouffée. Lorsque la porte principale est directement la cible de flèches empoisonnées lancées par une crête aiguë, ou par les angles vifs d'immeubles ou d'autres structures, la maison est victime du Shar Chi, le souffle tueur. Le Shar Chi est l'antithèse du Sheng Chi bénéfique et doit être évité à tout prix. Si cela n'est pas possible, occultez la vue des structures agressives causant le Shar Chi en utilisant les antidotes Feng Shui (voir pages 305-315).

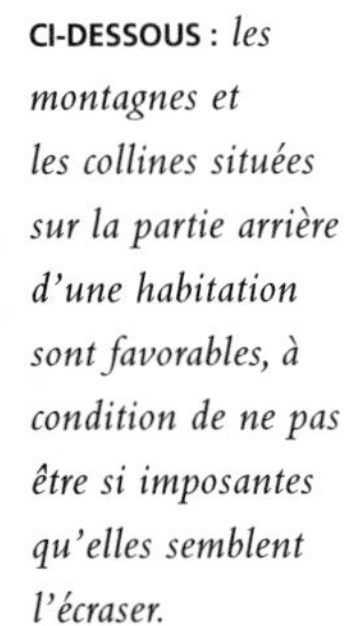

CI-DESSOUS : *les montagnes et les collines situées sur la partie arrière d'une habitation sont favorables, à condition de ne pas être si imposantes qu'elles semblent l'écraser.*

DRAGON VERT ET TIGRE BLANC

Les textes du Feng Shui (la plupart écrit en ancien chinois) offrent des descriptions colorées des lieux et des sites parfaits. Ces descriptions utilisent des images symboliques qui, autrefois, étaient plus faciles à comprendre.

À Hong Kong et ailleurs, les maîtres expliquent ainsi le bon Feng Shui en se référant aux quatre animaux célestes. Ainsi, les termes « excellente formation du Dragon Vert et du Tigre Blanc » (Cheng Lung Pak Fu) sont-ils courants. Les lieux étaient toujours décrits par rapport au dragon céleste : les sites néfastes étaient ceux où le dragon n'était pas présent ou bien était malade ou blessé.

Les maîtres de l'École de la Forme du Feng Shui tiraient leurs conclusions de l'observation signifiante de structures et d'objets spécifiques. Pour acquérir le bon « coup d'œil » et un jugement correct en Feng Shui, il faut non seulement savoir bien évaluer les forces yin et yang, mais aussi avoir une bonne connaissance des cinq éléments et de leurs Cycles de Production et de Destruction.

Beaucoup de ces vieux maîtres ont une connaissance si approfondie du symbole octogonal du Pa Kua qu'ils sont capables, rien qu'en regardant les collines et en respirant l'air, d'en interpréter les nuances dans les trigrammes du Feng Shui. Ils sont capables d'évaluer les forces intangibles expliquant comment les formes symboliques des collines interagissent de façon à créer un équilibre ou au contraire un déséquilibre du milieu ambiant. Au premier abord, les recommandations de Feng Shui et les explications qui les accompagnent apparaîtront totalement étrangères à ceux qui ne sont pas encore familiarisés avec la culture traditionnelle chinoise. Au bout d'un certain temps, pourtant, la logique du Feng Shui deviendra claire et leur apparaîtra évidente.

Le Feng Shui de la Forme n'est pas compliqué à étudier et à comprendre, mais avant de devenir un maître dans ce domaine, de longues années d'études, ainsi qu'une grande expérience sont nécessaires. Pour ce qui nous intéresse, il suffit d'en apprendre les fondements pour déterminer, notamment, les bonnes orientations.

La bonne compréhension du Feng Shui nécessite de bien assimiler la vraie nature du dragon et du tigre, les deux plus importants animaux célestes symboliques qui constituent l'essence concrète du Feng Shui. Le Dragon Vert est synonyme de chance. Le tigre est le symbole qui la protège. Il est tout aussi important de créer que de conserver. N'oubliez pas qu'une fois obtenus, la fortune, l'amour, le succès, peuvent aussi être perdus. C'est un principe central du *I Ching* : la chance et la fortune peuvent se transformer en malchance et en infortune. Il faut donc rester vigilant.

Ainsi, le Dragon Vert est à l'origine du développement d'une existence sereine et le Tigre Blanc aide à conserver le bonheur. Le dragon d'un côté et le tigre de l'autre forment l'environnement favorable Feng Shui. L'un n'est rien sans l'autre.

CI-DESSUS : *pour porter chance, cette assiette décorée d'un Dragon Vert doit être placée à l'est.*

À GAUCHE : *le Dragon Vert a une grande importance dans le Feng Shui. Il crée les conditions de la réussite dans la vie privée et professionnelle. Le Tigre Blanc, de l'autre côté, le soutient.*

CHAPITRE TROIS : LE FENG SHUI DE LA FORME

LES DIFFÉRENTS TYPES DE MONTAGNES

CI-DESSUS : *les paysages de montagne procurent un excellent cadre de vie, mais il faut savoir reconnaître la signification de chacune de leurs formes.*

Le Feng Shui de la Forme s'intéressant aux contours terrestres, la forme et l'orientation des montagnes exercent donc une énorme influence sur la chance des habitations construites à proximité. Les Chinois ont toujours considéré que les montagnes (shan) étaient des lieux favorables pour vivre. Convaincus que les dragons célestes nichent dans des sites élevés, ils évitent les plaines plates qui représentent l'accumulation des érosions descendues des montagnes. Dans le Feng Shui, les collines arrondies sont ce qu'il y a de mieux.

Sachant qu'il ne faut jamais que la porte d'entrée se trouve en face d'une montagne, il est essentiel de pouvoir analyser le caractère propice ou non des montagnes qui vous entourent. L'une des méthodes consiste à différencier cinq types de montagne, classés par rapport aux cinq éléments, la forme du sommet déterminant l'essence de base.

Les cinq formes représentant les cinq éléments sont les formes conique, arrondie, carrée, oblongue et en crête. Elles correspondent, dans le même ordre aux éléments feu, terre, bois, métal et eau.

Le feu

Les montagnes de feu sont coniques. Leurs pics droits, fiers et pointus se terminent en pointe acérée. Elles représentent des triangles et sont associées à la planète Mars. Les personnes nées sous l'élément métal doivent éviter de vivre à proximité. Les montagnes de feu sont au contraire très bénéfiques pour ceux qui sont nés sous le signe terre, mais ils devront éviter qu'elles soient face à leur maison. Elles doivent se trouver sur l'arrière, en soutien.

La terre

Les montagnes de terre sont d'aspect plutôt massif. La forme du sommet est carrée et ressemble plutôt à un large plateau. La planète associée est Saturne. Ces montagnes profitent en principe à tous lorsqu'elles sont situées derrière la maison, mais elles sont plus particulièrement favorables à ceux qui sont nés sous le signe du métal et au contraire, pourraient causer des problèmes à ceux dont l'année de naissance est sous le signe de l'eau.

Le bois

Les montagnes de bois se dressent bien droites, mais leurs sommets sont arrondis. Elles sont hautes et étroites. La planète à laquelle elles sont associées est Jupiter. Les personnes dont l'élément est le feu seront favorisées en vivant auprès d'elles, tandis que celles qui sont nées dans les années de l'élément terre verront leurs forces s'épuiser si elles restent à proximité.

Le métal

Les montagnes de métal (ou d'or), sont en forme de dôme ou doucement arrondies au sommet. Leur base est large, les pentes sont douces. Ces montagnes sont considérées comme très favorables car elles signifient qu'une « montagne d'or » n'est pas loin. Certains textes leur prêtent une forme oblongue. Elles sont bonnes pour tous, à l'exception de ceux qui sont nés pendant les années dominées par l'élément bois.

L'eau

Les montagnes d'eau sont constituées d'une série de crêtes. La montagne donne ainsi l'impression d'avoir plusieurs sommets qui ondulent et paraissent vivants, rappelant le corps d'un dragon. La planète associée à ce type de montagne est Mercure. Cette formation montagneuse est particulièrement propice aux affaires, car l'élément eau attire l'argent.

L'ASSOCIATION DES MONTAGNES

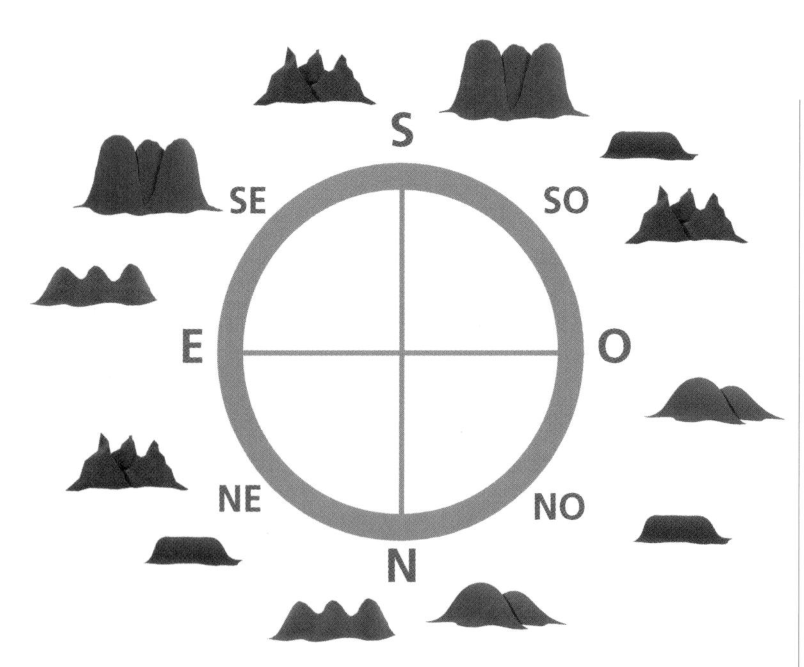

Si vous vivez dans un environnement montagneux et que vous vous mettez à analyser la forme des pics et des sommets qui constituent les hauteurs qui vous entourent, faites aussi l'effort d'analyser l'association de ces hauteurs entre elles. Servez-vous du Cycle de production des cinq éléments pour vous assurer que les sommets sont en harmonie. Ainsi, les pics élevés (le bois), sont compatibles avec les sommets coniques (le feu) ; les pics coniques (le feu) s'accordent avec le carré (la terre) ; les sommets carrés s'harmonisent avec les sommets ronds et oblongs (l'or) ; les sommets arrondis (le métal) s'harmonisent avec les formes en dents de scie (l'eau).

Pour découvrir les sommets qui sont incompatibles entre eux, ayez recours à votre analyse, en tenant compte du Cycle de destruction des cinq éléments. Si vous utilisez cette méthode d'analyse des formes montagneuses entourant votre maison, n'oubliez pas de classer la « forme » telle qu'elle vous apparaît depuis la maison. Rappelez-vous que la forme des collines et des montagnes change selon l'endroit d'où vous la regardez. Il est donc important, lorsque vous effectuez cette analyse, d'observer la montagne de chez vous.

Pour créer le meilleur Feng Shui, les éléments de la montagne doivent correspondre à l'année personnelle de naissance du père de famille et aussi s'harmoniser avec les directions de la boussole c'est-à-dire la montagne en vis-à-vis de la maison. Ainsi :

- Les reliefs au sud de la maison doivent être des montagnes de feu ou de bois de façon à créer un flux propice venant du sud vers votre demeure. Cela ne doit jamais être des montagnes d'eau, car l'eau détruit le Chi de feu qui vient du sud.
- Les montagnes situées au nord de l'habitation devront être des montagnes d'eau ou bien d'or (métal) car elles produisent une énergie favorable venant du nord. Quand les montagnes au nord ont la forme de montagnes de terre, le Chi d'eau favorable devient saumâtre ou se perd.
- Les montagnes qui se situent à l'est ou au sud-est de la maison doivent de préférence être de bois ou d'eau. Une telle configuration procure une grande prospérité car le Chi de bois venant de l'est et du sud-est est alors considéré comme renforcé. Si, au contraire, les sommets ont la forme de montagnes d'or/métal, l'énergie du bois est censée avoir été pourrie ou détruite.
- Les montagnes situées au sud-ouest ou au nord-est de votre résidence doivent être de terre ou de feu, de façon à renforcer et rendre favorable le Chi venant de ces directions. Si ces hauteurs sont en forme de montagnes de bois, le Chi de terre s'épuise et s'affaiblit.
- Les montagnes qui se trouvent à l'ouest et au nord-ouest procureront beaucoup de chance et seront très propices à votre famille et à vos descendants si elles sont des montagnes d'or/métal ou de terre. Vous bénéficierez alors du soutien et de l'assistance de nombreuses personnes influentes. Mais si les montagnes sont de feu, elles détruiront tout le bon Chi d'or venant de ces directions.

À GAUCHE : *pour chaque type de montagne, certaines directions de boussoles sont plus favorables que d'autres.*

CI-DESSOUS : *si vous vivez dans une zone montagneuse ou de collines, observez bien la forme des sommets pour savoir s'ils sont compatibles. Dans cet exemple, une montagne en forme de cône (feu) domine deux pics carrés (terre).*

CHAPITRE TROIS : LE FENG SHUI DE LA FORME

LES FORMATIONS MONTAGNEUSES

Le nombre de sommets détermine également si les montagnes visibles de votre maison sont propices ou néfastes. Ainsi, un nombre donné de sommets aura une certaine signification (lorsque ce nombre est indéterminé ou non spécifié, la formation est neutre).

Les montagnes sur l'arrière ou sur la gauche de la maison

- Lorsque six sommets distincts sont visibles, votre famille aura toujours le soutien du dirigeant et des personnes influentes du pays. C'est une formation extrêmement favorable.
- Lorsque huit sommets sont visibles, votre famille bénéficiera d'une chance extrême pendant toute la période du huit, c'est-à-dire de 2004 à 2023. Chacun des membres de la famille en bénéficiera.
- Quand neuf sommets sont visibles, votre famille connaîtra éternellement prospérité et richesse. La chance sera à son zénith entre les années 2023 et 2043, la chance s'étendant sur neuf générations. Si la résidence de votre famille est placée dans un tel endroit, ne déménagez pas sauf si, du fait d'aménagements, les sommets propices se trouvent arasés, ce qui gâterait votre Feng Shui.
- Lorsque cinq sommets sont visibles à l'arrière, votre famille souffrira constamment de problèmes de santé et le père de famille pourra mourir prématurément. Cette configuration est donc extrêmement néfaste. Pour la corriger, il faudra créer un sixième sommet symbolique en suspendant un tableau représentant une montagne en face des cinq sommets. Cela a pour effet de contrebalancer le caractère négatif de cette formation et de le rendre bénéfique.
- Lorsque deux sommets sont visibles, la famille risque de pâtir d'un manque d'harmonie. Les enfants vont quitter la maison et ceux qui resteront n'arrêteront pas de se quereller et de discutailler. Les belles-mères s'en prendront à leurs belles-filles. Ce domicile ne connaîtra pas la paix.
- Lorsqu'un seul sommet est visible à l'arrière de la maison, il représente la tortue, ce qui est particulièrement propice. La famille va jouir d'une protection exceptionnelle tout le temps qu'elle habitera cette maison. Le chiffre 1 est également le nombre qui promet beaucoup de succès professionnels. La chance sera réellement exceptionnelle si ce sommet isolé relève de l'élément or/métal, car cela sera un symbole de grande richesse.

Les montagnes situées en face de la maison

Lorsque des montagnes se trouvent directement en face de votre maison, et plus particulièrement bloquent la vue depuis la porte d'entrée, cela signifie que tous vos projets seront voués à l'échec et que vous ne connaîtrez jamais le succès dans ce que vous entreprendrez, et si vous connaissez un succès, il sera de courte durée. Ceci étant, si les montagnes qui font face à votre maison sont suffisamment éloignées, elles ne seront pas cause d'infortune. La bonne distance est d'un *li*, soit de 1 km environ. Selon les textes du Feng Shui, les montagnes qui sont visibles depuis la porte d'entrée et qui sont à plus de 1 km seront soit propices soit néfastes selon le nombre de sommets clairement visibles.

- Lorsque trois sommets sont visibles, les fils de la famille feront de très bonnes carrières et accéderont à des postes à responsabilité. Cette tendance sera encore accentuée si la direction des montagnes représente l'est. S'ils entrent en politique, ils atteindront le sommet. Très favorable.
- Lorsqu'il y a cinq sommets, surtout lorsqu'ils sont placés à l'arrière, la famille sera affligée par la malchance et connaîtra revers de fortune, accidents et décès prématuré du patriarche.

CI-DESSOUS : *si vous avez la chance d'avoir six sommets derrière votre habitation, votre famille bénéficiera de conditions extrêmement favorables.*

L'ORIENTATION DES MONTAGNES

Quand l'environnement est constitué de collines, il est essentiel de s'assurer que l'orientation de la maison pourra capter la chance et la protection offertes par les montagnes. Par orientation, on entend la position de la porte d'entrée principale ; c'est elle qui détermine l'orientation de la demeure. Cette orientation est indépendante de vos directions propices personnelles dépendant des huit maisons de la formule de la boussole du Pa Kua Lo Shu. Le Feng Shui est idéal quand vous pouvez capter à la fois la chance venant de la montagne et celle de votre direction personnelle. Le défi auquel doit faire face l'adepte du Feng Shui est de concevoir une habitation qui permet astucieusement d'exploiter les deux.

C'est le même défi qui attend les spécialistes en Feng Shui. Tout comme vous, ils doivent recourir à leur créativité et à leur esprit d'invention pour interpréter adroitement les directives du Feng Shui qui, superficiellement et à première analyse, peuvent apparaître contradictoires.

Les lignes directrices sur les orientations de la maison ou de l'immeuble vis-à-vis des montagnes (ou, en ville, des bâtiments de grande hauteur, qui passent comme tel) sont résumées ci-dessous.

- N'orientez jamais une habitation de telle sorte qu'elle soit directement face à une montagne. La porte d'entrée ne doit pas ouvrir sur une montagne. Plus la montagne est proche, plus le Feng Shui sera dangereux.
- Comme le veut la règle, faites en sorte que la montagne située sur la gauche de votre maison soit toujours plus haute que celle de droite. La gauche et la droite sont prises par rapport à la porte d'entrée, en regardant vers l'extérieur.
- Assurez-vous toujours que le terrain est plus élevé derrière la maison que devant. Quand il y a des montagnes à proximité de votre maison, la plus élevée doit se trouver derrière. Cela permet de capter la puissance de son support. La meilleure forme de montagne est celle qui ressemble à une tortue qui, dans le Feng Shui, est l'ultime symbole de protection et de soutien.

CI-DESSOUS : *les montagnes derrière la maison sont généralement signe de bon Feng Shui, mais il importe d'observer certains critères pour être sûr que leur effet est vraiment favorable.*

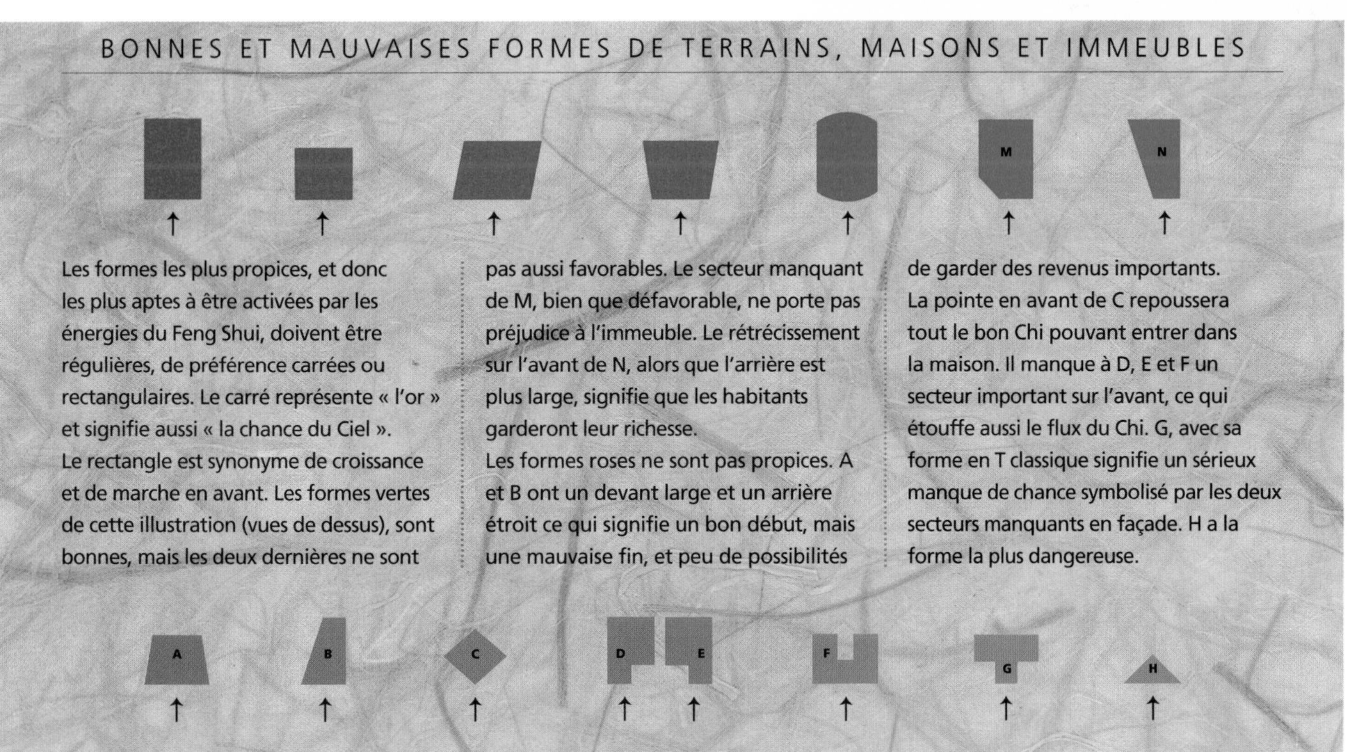

BONNES ET MAUVAISES FORMES DE TERRAINS, MAISONS ET IMMEUBLES

Les formes les plus propices, et donc les plus aptes à être activées par les énergies du Feng Shui, doivent être régulières, de préférence carrées ou rectangulaires. Le carré représente « l'or » et signifie aussi « la chance du Ciel ». Le rectangle est synonyme de croissance et de marche en avant. Les formes vertes de cette illustration (vues de dessus), sont bonnes, mais les deux dernières ne sont pas aussi favorables. Le secteur manquant de M, bien que défavorable, ne porte pas préjudice à l'immeuble. Le rétrécissement sur l'avant de N, alors que l'arrière est plus large, signifie que les habitants garderont leur richesse.

Les formes roses ne sont pas propices. A et B ont un devant large et un arrière étroit ce qui signifie un bon début, mais une mauvaise fin, et peu de possibilités de garder des revenus importants. La pointe en avant de C repoussera tout le bon Chi pouvant entrer dans la maison. Il manque à D, E et F un secteur important sur l'avant, ce qui étouffe aussi le flux du Chi. G, avec sa forme en T classique signifie un sérieux manque de chance symbolisé par les deux secteurs manquants en façade. H a la forme la plus dangereuse.

CHAPITRE TROIS : LE FENG SHUI DE LA FORME

LE FENG SHUI DE LA FORME DANS LE MONDE MODERNE

CI-DESSUS : *bien que les paysages et l'habitat aient considérablement changé depuis les débuts de la mise en pratique du Feng Shui, ces principes peuvent être adaptés pour être appliqués à l'environnement moderne.*

Les anciens textes proposent aussi des variantes sur les configurations parfaites concernant la forme des montagnes, le flux des rivières et les contours, en relation avec les cinq éléments, et leur interaction pour générer le bon ou le mauvais Feng Shui.

Bon nombre de conseils contenus dans les livres anciens, cependant, ont connu au cours des cent dernières années des adaptations pour une pratique plus moderne du Feng Shui. Connaissant les explications fondamentales d'équilibre et d'harmonie, et retournant aux sources livresques de la pensée chinoise, les adeptes ont pénétré avec succès le langage des textes anciens pour comprendre et révéler leur symbolisme.

Aujourd'hui, les immeubles sont regardés comme des montagnes, les routes comme des rivières. Un grand nombre de structures et d'équipements modernes – lignes électriques, centrales électriques, arêtes vives des buildings, hauteurs, couleurs, formes et orientations – ont été intégrés au système d'analyse et de pratique du Feng Shui et sont considérés et appréciés comme des collines et des montagnes.

Les paysages habités et cultivés d'aujourd'hui ressemblent peu à ceux des temps anciens où les lignes directrices du Feng Shui ont été formulées. Tant de gens, aujourd'hui, vivent dans des villes et des zones urbaines où les formes du paysage ont été arasées et où les routes ont pris la place des rivières comme voies de communication.

Par ailleurs, de plus en plus de gens vivent en appartement, dans de grands immeubles, plutôt qu'en maison individuelle. Le Feng Shui se pratique à notre époque dans un monde très différent de celui où il a pris naissance. L'application de ses théories dans un environnement moderne nécessite donc une nouvelle interprétation des anciens préceptes. Cela est particulièrement vrai s'agissant du Feng Shui de l'École de la Forme. Ainsi voyons-nous les dragons et les tigres, les tortues et les phénix – les créatures célestes qui symbolisent la topographie de la terre – se superposer artificiellement au paysage urbain, de façon à adapter les principes de l'École de la Forme aux réalités des métropoles modernes.

Dans un centre ville, les grands immeubles ont pris la place des montagnes (ou des dragons et des tigres) et on les considère comme yin ou yang, selon leur forme, leur emplacement, leur structure et leurs associations. Les routes sont vues comme des rivières, et les rues font circuler les flux du Chi.

Les gratte-ciel et les grands immeubles sont considérés comme des formations de terrain élevées et des montagnes et ils deviennent, de ce fait, emblématiques d'une des créatures célestes.

Mais il y a plus important : la pratique moderne du Feng Shui est le reflet de sa diffusion. Il y a de plus en plus de livres et d'experts sur le sujet. Alors que dans le passé, le Feng Shui était réservé aux riches et puissants, aujourd'hui, pauvres comme riches peuvent l'utiliser avec d'égales chances de succès. Enfin aucune règle n'interdit d'appliquer les principes du Feng Shui à son propre espace de vie.

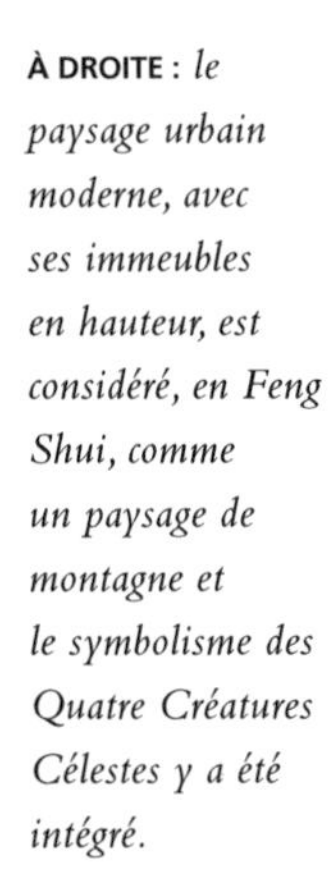

À DROITE : *le paysage urbain moderne, avec ses immeubles en hauteur, est considéré, en Feng Shui, comme un paysage de montagne et le symbolisme des Quatre Créatures Célestes y a été intégré.*

LA SIGNIFICATION DES ROUTES

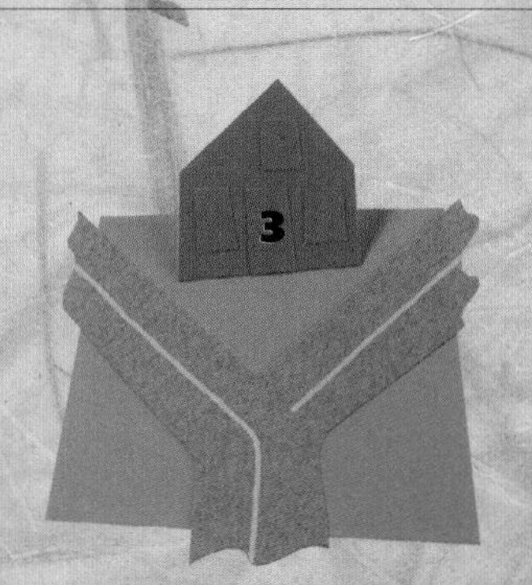

CI-DESSUS : *si votre habitation est entourée par une route, assurez-vous qu'il n'y a pas de voie derrière la maison la rendant vulnérable.*

CI-DESSUS : *une intersection en T juste devant la maison crée une situation très défavorable.*

CI-DESSUS : *un croisement en Y est aussi problématique, l'énergie devant être contrée par des arbres ou un miroir.*

Dans le Feng Shui actuel, l'effet des routes est comparé à celui des rivières. Les routes sont censées être les pourvoyeurs d'énergie Chi, la bonne autant que la mauvaise. Si, par exemple, votre maison se trouve située dans une zone commerciale animée, l'énergie est très yang, ce qui procure une grande quantité d'énergie propice. Cependant, si elle est trop yang, et que la route devienne trop bruyante et congestionnée, cette énergie se gâte. C'est comme une rivière polluée par un usage trop intensif.

Voici quelques points à examiner si vous rechercher une nouvelle maison.

- Il est préférable de vivre près d'une route secondaire que près d'un grand axe, où l'énergie se déplace trop vite. Le Chi s'en trouve dissipé.
- Il vaut mieux que la route soit au même niveau que la maison ou, mieux encore, en léger contrebas. Si vous vivez en dessous du niveau de la route, le Chi en sera affecté.
- Il faut éviter que la maison soit prise en sandwich entre deux routes. Si, en plus, elles sont à des niveaux différents, c'est très mauvais.
- Assurez-vous que la route qui passe devant la maison est plus basse que le terrain qui se trouve derrière.
- Il vaut mieux vivre le long d'une route propre que d'une route sale.
- Si vous êtes entourés sur trois côtés par des routes, assurez-vous que le côté sur lequel il n'y a pas de route est derrière vous. Sinon, vous êtes sans protection.
- Évitez d'avoir une route qui débouche droit devant votre maison, comme sur la figure deux. C'est la classique intersection en T et elle est mortelle. Bloquez-la par des arbres ou placez un miroir Pa Kua au-dessus de la porte de façon à contrer les effets de la route.
- Ne soyez pas directement en face d'une intersection en Y, situation également mortelle ; il faut réagir soit en en bloquant la vue par un rideau d'arbres, soit en suspendant un miroir Pa Kua.
- Dans la figure n° 5, la route est comme une flèche qui transperce la maison, ce qui est très néfaste.
- Lorsque le terrain est triangulaire comme indiqué dans ce schéma, les habitants de la maison seront vulnérables.
- Un secteur comme celui-ci (6) où la courbe abrupte de la route coupe dans la maison n'est pas aussi favorable que si la route l'encerclait sur trois côtés.

CI-DESSOUS : *un virage devant l'entrée de la maison donne l'impression de vouloir y entrer. Défavorable.*

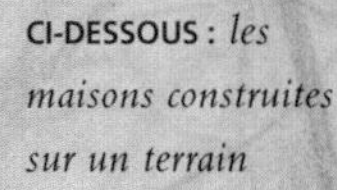

CI-DESSOUS : *les maisons construites sur un terrain triangulaire risquent de causer des pertes à leurs habitants.*

CI-DESSOUS : *un virage comme celui-ci n'est pas favorable. Il en irait différemment s'il entourait la maison.*

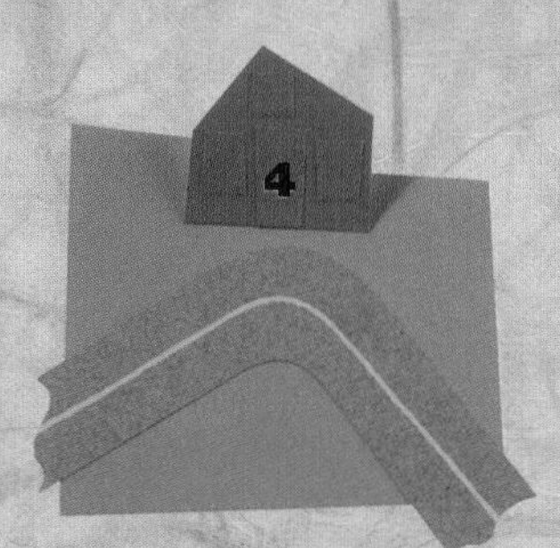

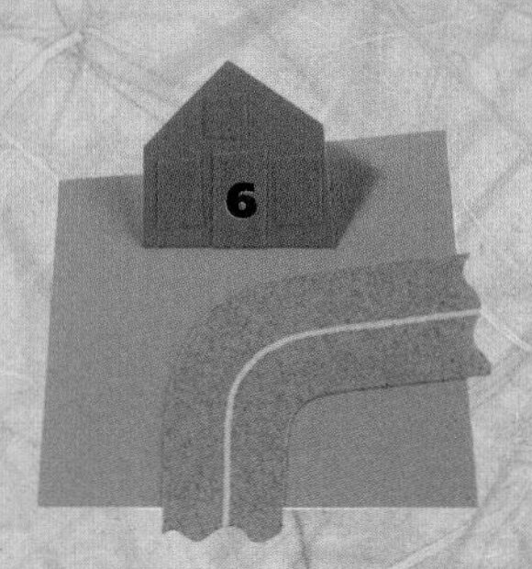

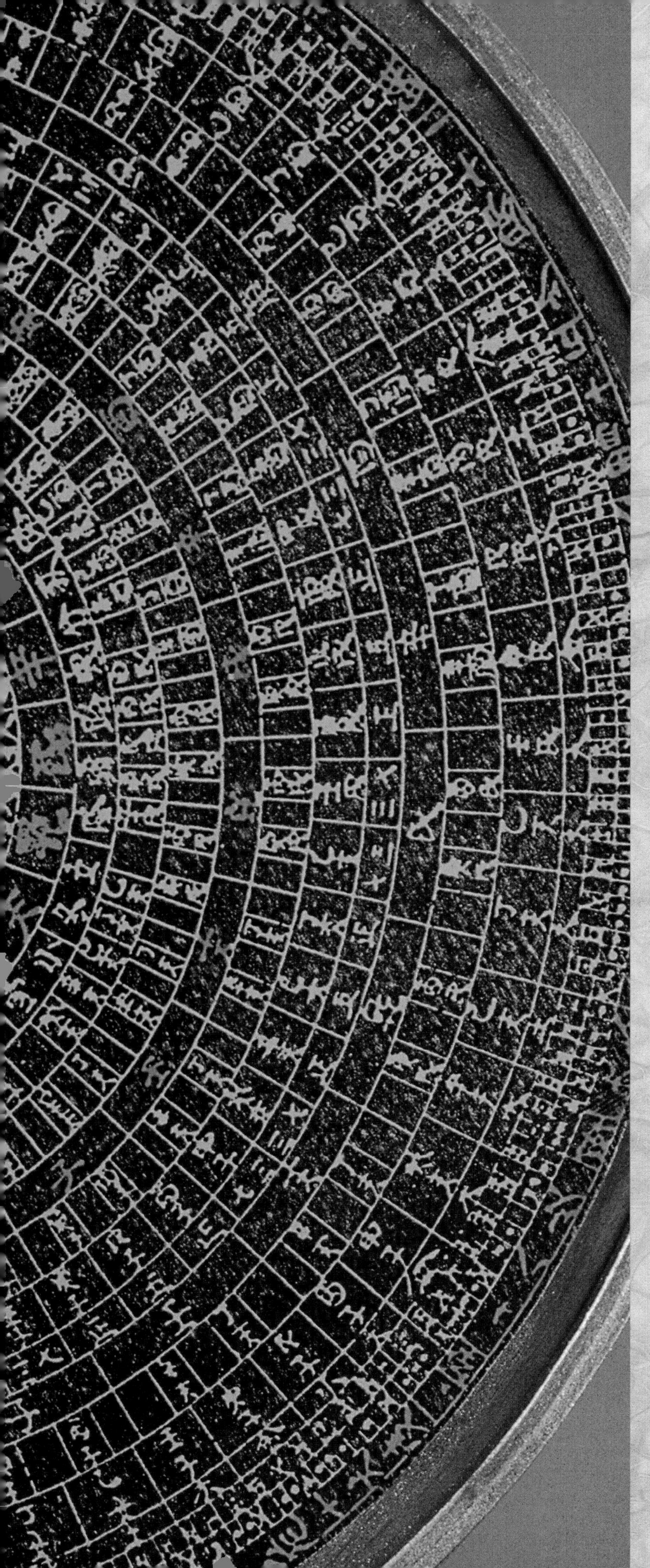

CHAPITRE QUATRE

LE FENG SHUI DE L'ÉCOLE DE LA BOUSSOLE

Le Feng Shui de la Boussole se sert de formules spéciales pour détecter les directions propices ou néfastes et les secteurs de la maison ou du lieu de travail qui sont personnalisés selon le sexe et la date de naissance. Le Feng Shui de la Boussole est une discipline exacte qui demande beaucoup de précision. Pendant longtemps, les méthodes d'évaluation et de calcul du Feng Shui de la Boussole ont été gardées jalousement scellées. Ces dernières années, cependant, un grand nombre de ces anciens secrets qui donnent la clé des précieuses formules ont été rendus publics par les maîtres et les héritiers des théoriciens, rendant ainsi cette dimension essentielle du Feng Shui accessible au plus grand nombre. Ces formules ont été simplifiées et c'est bien ainsi.

Il n'est pas difficile de trouver les bonnes formules ; il suffit de savoir lire la boussole et de bien prendre les mesures. Des difficultés pratiques apparaissent quand il devient nécessaire de faire des interprétations et des choix. Il y a aussi des divergences quant à l'application des formules de la boussole. Les progrès dans la pratique viendront de l'expérience. Dans ces pages, vous trouverez de nombreuses formules et techniques, y compris la très puissante formule des Huit Maisons et le Feng Shui de l'Étoile Volante avec sa dimension temporelle. Lisez ce chapitre lentement pour comprendre les formules. Le temps que vous y consacrerez vaut de l'or.

À GAUCHE : *la boussole Feng Shui, le Luo Pan, est un instrument compliqué, dont l'usage requiert une grande habileté mais tout ceux qui s'engagent dans la consultation professionnelle en Feng Shui doivent savoir la lire.*

CHAPITRE QUATRE : LE FENG SHUI DE L'ÉCOLE DE LA BOUSSOLE

L'ÉVOLUTION DE LA FORMULE DU FENG SHUI

À DROITE : *l'École Feng Shui de la Forme fonde ses interprétations sur une « lecture » du paysage, et plus particulièrement des formes et emplacements des montagnes, ainsi que du cours des rivières. L'École de la Boussole reconnaît le besoin d'aligner le Chi de l'environnement avec le Chi des hommes et des femmes qui vivent dans cet environnement.*

Alors que le Feng Shui de la Forme met l'accent sur la topographie, les directions et l'écoulement des cours d'eau, les adeptes du Feng Shui se sont peu à peu rendus compte de l'importance qu'il pouvait y avoir à aligner le Chi de l'environnement sur celui des personnes qui y vivaient. On en vint à considérer qu'il était important pour le destin des hommes de réaliser cette concordance, d'où un développement des calculs ainsi que des techniques spécifiques fondées sur le symbole du Pa Kua et les arrangements de nombres du carré Lo Shu. Ces deux symboles majeurs avaient en commun les huit directions de la boussole, ce qui explique que l'École de la Boussole se soit développée en tant qu'école distincte de celle de la Forme.

L'École de la Forme, avec son symbolisme animal très imagé, expliquait le paysage en termes de courants de Chi, distinguant le bon ou le mauvais Feng Shui d'un site en fonction de la disposition des collines les unes par rapport aux autres, ou de la façon dont coulaient les rivières.

L'École de la Boussole du Feng Shui a tenté, elle, de faire la synthèse entre les courants Chi de l'environnement et les flux Chi du corps humain, en se servant des symboles du Pa Kua et du carré Lo Shu, de manière à mettre en rapport les dates de naissance, les caractères et éléments propres à chaque individu avec les courants du Chi dans l'environnement terrestre.

CI-DESSOUS : *l'École de la Boussole propose des formules qui placent le Feng Shui dans la perspective de la date de naissance et du sexe des individus, de l'arrangement des nombres dans le carré Lo Shu, de l'utilisation des symboles du Pa Kua, et des directions et secteurs de la boussole dans le but d'harmoniser le flux de Chi dans l'environnement avec le Chi du corps humain.*

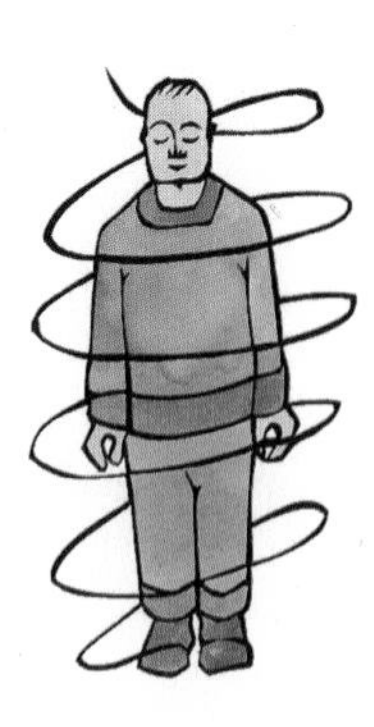

Ces formulations devinrent une base de travail pour la conception de bâtiments yang (lieux d'habitations et de travail), pour l'emplacement des pièces, l'orientation des portes, des chambres à coucher, des cuisines et des entrées et même pour savoir où aller en voyage ou vers quel endroit déménager. Derrière ces formules, l'essentiel du raisonnement était fondé sur la façon dont se superposait le carré magique Lo Shu sur le Pa Kua du Ciel postérieur, ce qui revient à faire coïncider les nombres avec les directions de la boussole.

Ce sont les maîtres de l'École de la Boussole qui ont inventé le Luo Pan, la boussole géomantique chinoise. L'interprétation des nombreux anneaux de cette boussole est une

CI-DESSUS : *élément de l'École de la Boussole, la formule des Huit Maisons, divise les individus en deux groupes appartenant soit à l'est, soit à l'ouest.*

tâche gigantesque, qui nécessite une compréhension des éléments, des « nombres étoiles », des directions et des trigrammes.

Une approche plus concrète de l'interprétation des formulations de l'École de la Boussole – plus facile à utiliser et mieux adaptée aux conditions de vie moderne – est donc recommandée. Au cours de ces dernières années, cela a peu à peu conduit à une simplification d'un certain nombre de formules merveilleuses qui ont été rendues accessibles au public par la générosité de plusieurs vieux maîtres. Ainsi, de précieuses formules ont été converties en tables de référence commodes, à

CI-DESSUS : *le Feng Shui de l'Étoile Volante détermine les périodes où les « nombres étoiles » suscitent la chance.*

partir desquelles les adeptes peuvent aujourd'hui déterminer :

- leurs propres directions et lieux propices ou néfastes. Cela est basé sur la théorie Pa Kua Lo Shu du Feng Shui, également connue sous le nom de « Formule des Huit Maisons » (ou *Paht Chay*). Cette formule très puissante divise les individus en deux groupes : ceux de l'est et ceux de l'ouest, qui doivent individuellement utiliser les directions et les lieux qui leur sont favorables pour optimiser leur Feng Shui bénéfique ;
- les bons et les mauvais mois de l'année, lorsque les « nombres étoiles » propices ou tueurs, bénissent ou affligent la demeure ou chaque secteur de l'habitation. Cette méthode

CI-DESSUS : *la règle Feng Shui vous aidera à calculer les cotes favorables dans votre habitation*

de Feng Shui est connue sous le nom « d'Étoile Volante » (*Fey Sin*) une formule qui se préoccupe uniquement du Feng Shui temporel ;
- les meilleures dimensions et les plus favorables à utiliser pour la demeure et le mobilier, en prenant une règle Feng Shui dont les divisions indiquent ce qui est bon ou néfaste. Cette formule permet aussi une activation des forces bénéfiques par la « thérapie de la dimension » ;
- les lieux les plus propices pour les plans d'eau et la direction de courant favorable, de façon à utiliser l'eau directement pour attirer prospérité et richesse sur le lieu d'habitation.

Il faut pour maîtriser l'ensemble des formules ci-dessus, une profonde compréhension des fondements de la théorie du Feng Shui. Autrefois, les novices étudiaient pendant des années

CI-DESSUS : *vous reconnaîtrez quel type d'élément aquatique mettra de l'harmonie dans votre vie.*

sous la direction de maîtres. Il leur fallait une profonde appréciation des différentes nuances des interactions entre les cinq éléments et de l'équilibre entre les forces yin et yang.

J'ai la chance d'avoir reçu une part de cet héritage secret, mais je dois admettre que je ne connais pas à fond toutes les formules. Celles que j'ai utilisées dans mes livres l'ont toujours été avec succès et l'évidence montre qu'elles marchent aussi pour les autres. Abordez ces formules avec décontraction ; il n'est pas nécessaire de croire à fond au Feng Shui. Utilisez les formules comme un moyen amusant d'aménager et de décorer votre intérieur.

VOIR AUSSI
❖ Le concept du Chi : le souffle cosmique du dragon *p. 32–33*
❖ La théorie des Huit Sites : formule du Pa Kua Lo Shu *p. 72–75*
❖ Le Feng Shui de l'Étoile Volante : la dimension temporelle *p. 76–77*

CHAPITRE QUATRE : LE FENG SHUI DE L'ÉCOLE DE LA BOUSSOLE

L'IMPORTANCE DES EMPLACEMENTS ET DIRECTIONS DE LA BOUSSOLE

CI-DESSUS : *les maîtres du Feng Shui sont experts dans l'art de se servir de la boussole Luo Pan, mais de nos jours, il est possible d'utiliser une boussole ordinaire.*

CI-DESSOUS : *lorsqu'on se sert d'une boussole moderne dans la pratique du Feng Shui, il faut qu'elle soit calibrée en degrés pour être utilisée efficacement.*

Avant de s'embarquer dans l'apprentissage des formules, il est fondamental de mesurer l'importance de la boussole. Autrefois, les adeptes du Feng Shui se servaient du Luo Pan – la boussole des maîtres, richement ornée, d'utilisation complexe. Aujourd'hui, vous pouvez vous servir d'une bonne boussole moderne, graduée en degrés – la plupart des formules demandent des lectures très exactes. Les relevés sont habituellement en rapport avec l'orientation de la porte principale. La direction vers laquelle elle ouvre joue un très grand rôle pour déterminer la compatibilité du Feng Shui de la maison avec ses occupants.

La boussole permet aussi de déterminer les différentes directions des aires, ou secteurs, de la maison. Un grand nombre de formules, plus spécialement celles qui visent à rehausser l'énergie – ou Chi – dans les différentes parties de la maison font appel à divers types de symboles qui doivent être placés dans les secteurs en question. Comment déterminer quel symbole placer à tel ou tel endroit dépendra uniquement de l'orientation sur la boussole du secteur à décorer.

Pour délimiter ces secteurs avec précision, la boussole est indispensable, même si tout le monde ne procède pas de la même façon. La secte tibétaine du Bonnet Noir, du professeur Lin Yun, définit neuf secteurs en faisant abstraction des directions de la boussole et se servant de la porte principale comme point de repère pour déterminer les différentes zones à activer. Le Feng Shui que j'ai appris ne procède pas ainsi.

Indépendamment de la méthode enseignée par chaque école, la chose la plus importante sera de déterminer ce qui marche pour vous. Testez-les puis décider par vous-même. Mais il ne faut pas tenter de mélanger deux méthodes ou deux formules pour interpréter une recommandation spécifique. Ceci étant, il est tout à fait acceptable de s'inspirer des pratiques de plusieurs écoles pour activer, dans des pièces différentes, certains aspects ou dimensions du Feng Shui.

Malgré tout, les directions et les aires de boussole sont essentielles, en raison de l'importance des cinq éléments. Le Wuxing, ou théorie des Cinq Éléments, est tellement centrale à la pratique du Feng Shui que je lui ai consacré une partie importante de la première partie (voir pages 40-55). Sans relevé avec la boussole, il est impossible, dans un espace donné, d'appliquer sérieusement les formules du Feng Shui.

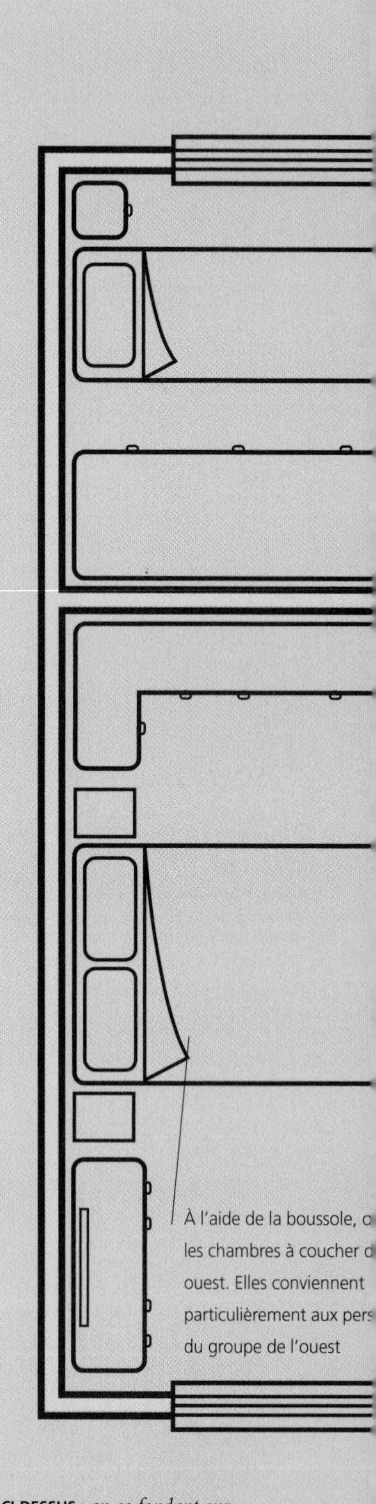

CI-DESSUS : *en se fondant sur les principes du Feng Shui de la Boussole, on peut concevoir une maison de façon à créer les meilleures conditions pour un environnement propice.*

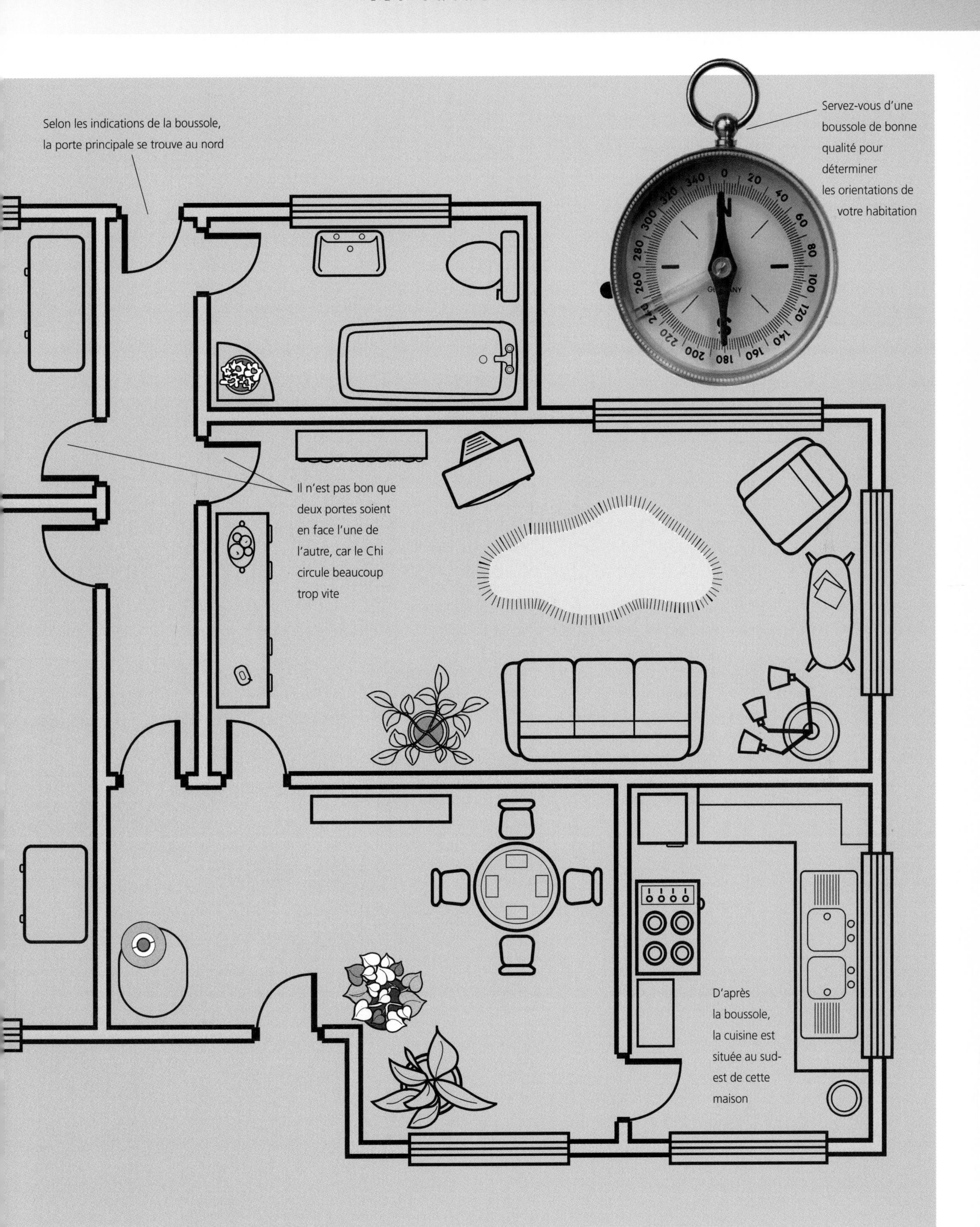
Selon les indications de la boussole, la porte principale se trouve au nord
Servez-vous d'une boussole de bonne qualité pour déterminer les orientations de votre habitation
Il n'est pas bon que deux portes soient en face l'une de l'autre, car le Chi circule beaucoup trop vite
D'après la boussole, la cuisine est située au sud-est de cette maison

CHAPITRE QUATRE : LE FENG SHUI DE L'ÉCOLE DE LA BOUSSOLE

LA THÉORIE DES HUIT SITES : formule du Pa Kua Lo Shu

CI-DESSUS : *le carré Lo Shu est un symbole extrêmement important dans le Feng Shui de l'École de la Boussole. On peut s'en servir pour élaborer le plan d'un immeuble, d'une ville ou d'un quartier.*

Au cours de plus de vingt ans de pratique du Feng Shui, j'ai découvert que cette théorie est probablement celle qui peut procurer dans la vie le maximum de réussite. La théorie des Huit Sites est facile à comprendre et à utiliser. Tout ce dont vous avez besoin pour calculer vos directions propices et néfastes, c'est de :

- votre date de naissance ;
- votre sexe.

Cette méthode est utilisée pour identifier les emplacements bénéfiques et déterminer les directions favorables et celles qui sont néfastes. Commencez par calculer votre nombre Kua. Servez-vous ensuite de la table ci-contre puis, reportez-vous au tableau de la page suivante pour découvrir les secteurs aussi bien que les directions qui vous sont les plus favorables. La formule du Kua, ou des Huit Sites est basée sur le postulat que chaque individu appartient soit au groupe de l'est soit au groupe de l'ouest.

LA FORMULE POUR DETERMINER VOTRE NOMBRE KUA

Déterminez d'abord votre année de naissance selon le calendrier chinois. Cela signifie que si vous êtes né avant le Nouvel An lunaire, c'est-à-dire en janvier février vous devez déduire 1 de votre année de naissance (vérifiez avec un calendrier lunaire pour ne pas vous tromper). Cela fait, additionnez les deux derniers chiffres de votre année de naissance. Si le résultat obtenu est à deux chiffres, continuez à additionner jusqu'à ce que vous obteniez un nombre à un chiffre. Ensuite :

Pour les hommes soustrayez ce nombre de 10. Le résultat est votre nombre Kua.

Pour les femmes, ajoutez 5 à ce nombre. Le résultat est votre nombre Kua.

Si vous obtenez un nombre à deux chiffres, additionnez-les de façon à n'obtenir qu'un seul chiffre ; par exemple, si vous obtenez 10 faites 1+0 = 1, et si vous obtenez 14, 1+4 = 5

Exemple : date de naissance 6 mars 1956
Nombre Kua 5+6 = 11, puis 1+1 = 2 et ensuite :

Pour les femmes : (ajoutez à 5) 2+5 = 7

Pour les hommes (soustrayez de 10) 10-2 = 8

Autre exemple : date de naissance 3 janvier 1962.
Comme cette date se situe avant le Nouvel An lunaire, il nous faut déduire 1 du millésime, donc, au lieu de 1962, faites comme si vous étiez né en 1961.

Ainsi, le nombre Kua est 6+1 = 7

Pour les hommes (soustrayez de 10) 10-7 = 3
Pour les femmes (ajoutez à 5) 7+5 = 12 et 1+2 = 3

Avec votre nombre Kua, reportez-vous à la table ci-contre pour déterminer vos endroits propices.

Nota – Pour le cas où vous ne pourriez vous procurer un calendrier chinois, sachez que cette formule prend généralement le 4 février comme début de l'année lunaire chinoise.

COMMENT DÉTERMINER LES EMPLACEMENTS PROPICES

VOTRE NOMBRE KUA	VOS SECTEURS ET EMPLACEMENTS PROPICES EN ORDRE DÉCROISSANT DE CHANCE	SI VOUS ÊTES DE L'EST OU DE L'OUEST
1	Sud-est, est, sud, nord	Est
2	Nord-est, ouest, nord-ouest, sud-ouest	Ouest
3	Sud, nord, sud-est, est	Est
4	Nord, sud, est, sud-est	Est
5	Hommes : Nord-est, ouest, nord-ouest, sud-ouest	Ouest
	Femmes : Sud-ouest, nord-ouest, ouest, nord-est	Ouest
6	Ouest, nord-est, sud-ouest, nord-ouest	Ouest
7	Nord-ouest, sud-ouest, nord-est, ouest	Ouest
8	Sud-ouest, nord-ouest, ouest, nord-est	Ouest
9	Est, sud-est, nord, sud	Est

Avec votre nombre Kua reportez-vous au tableau ci-contre pour déterminer vos secteurs propices.

LES QUATRE TYPES DE BONNE ET DE MAUVAISE FORTUNE

Cette table utilise les points cardinaux pour identifier les quatre emplacements propices qui indiquent également les quatre directions les plus favorables. Mais ces directions ne sont que générales. La formule divise les bonnes et mauvaises directions en identifiant exactement la bonne et la mauvaise fortune. Ainsi, il y a quatre types de bonne fortune et celui qui est désigné par le Sheng Chi est censé être le meilleur. Les quatre types de bonne ou mauvaise fortune sont décrits, ci-dessous, avec leur signification.

Votre nombre Kua directions propices	**1**	**2**	**3**	**4**	**5***	**6**	**7**	**8**	**9**
Votre Sheng Chi c'est-à-dire le souffle générateur	SE	NE	S	N	NE SO	O	NO	SO	E
Votre Tien Yi ou le docteur du ciel	E	O	N	S	O NO	NE	SO	NO	SE
Votre Nien Yen ou longévité avec de riches descendants	S	O	SE	E	NO O	SO	NE	O	N
Votre Fu Wei ou harmonie générale	N	SO	E	SE	SO NE	NO	O	NE	S
Directions néfastes	**1**	**2**	**3**	**4**	**5**	**6**	**7**	**8**	**9**
Votre Ho Hai ou accidents et mésaventures	O	E	SO	NO	E S	SE	N	S	NE
Votre Wu Kwei ou direction des Cinq Esprits	NE	SE	NO	SO	SE N	E	S	N	O
Votre Lui Sha ou direction des Six Meurtres	NO	S	NE	O	S E	N	SE	E	SO
Votre Cheh Ming ou direction de la Perte Totale des descendants	SO	N	O	NE	N SE	S	E	SE	NO

* Kua 5 : la première ligne concerne les hommes et la seconde les femmes.

L'ART DE LA PRÉSENTATION
Dans certaines situations professionnelles, comme lorsqu'on fait un exposé, le succès peut dépendre de la position prise par le présentateur et de la disposition des sièges de l'auditoire.

LA POSITION À TABLE
L'endroit où nous prenons nos repas et la direction que nous regardons en mangeant peuvent avoir de réelles implications sur le Chi.

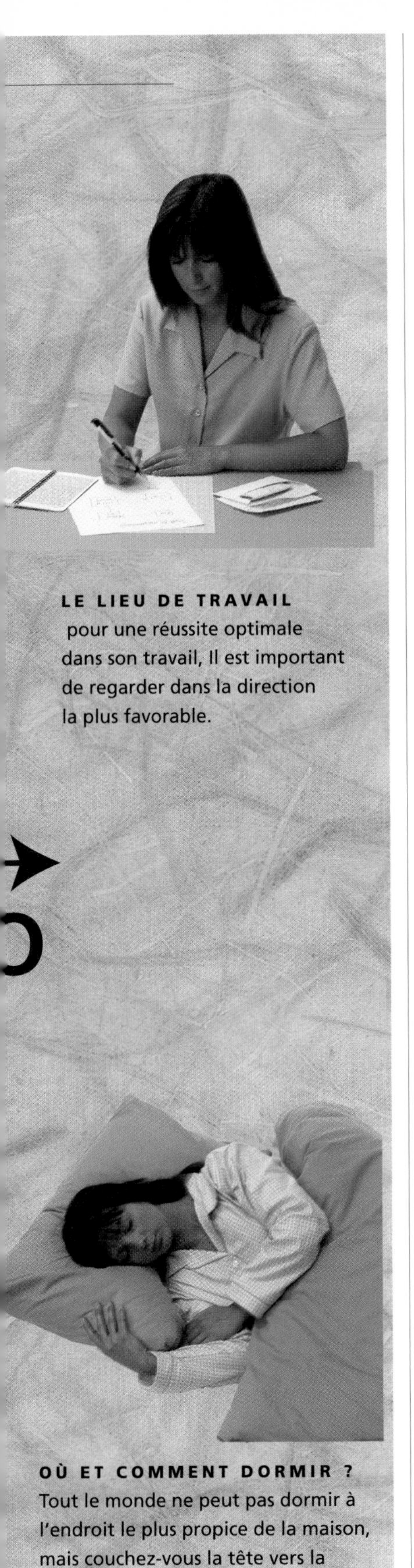

LE LIEU DE TRAVAIL pour une réussite optimale dans son travail, Il est important de regarder dans la direction la plus favorable.

OÙ ET COMMENT DORMIR ? Tout le monde ne peut pas dormir à l'endroit le plus propice de la maison, mais couchez-vous la tête vers la direction la plus favorable possible.

Quand vous cherchez la meilleure orientation pour dormir ou simplement pour vous asseoir, mémorisez d'abord votre meilleure direction personnelle (Sheng Chi). Reportez-vous au tableau de la page 74 et notez les directions qui vous sont favorables, pour une chose ou une autre. Essayez toujours de vous asseoir en faisant face à la direction que vous souhaitez activer. Si, par exemple, ce sont la richesse et la réussite qui vous attirent, cherchez la direction du Sheng Chi ; si c'est votre santé qui vous intéresse en priorité, branchez-vous sur la direction du Tien Yi ou « Docteur du Ciel » et ainsi de suite.

Si vous ne pouvez pas vous coucher ou vous asseoir dans la direction souhaitée, essayez au moins l'une de vos trois autres directions personnelles. Ce ne sera peut-être pas celle que vous désirez, mais ce sera toujours mieux que de vous asseoir face à une direction foncièrement hostile et synonyme de perte. La formule définit les types spécifiques de bonne et de mauvaise fortunes de chacune des huit directions de la boussole.

Dormez la tête dans la bonne direction

Si vous avez le choix entre plusieurs chambres à coucher, choisissez celle qui correspond à votre direction la plus favorable, c'est-à-dire celle du Sheng Chi. Si vous cherchez la réussite professionnelle ou dans vos affaires, essayez toujours de sélectionner votre chambre Sheng Chi. Elle sera située dans votre direction personnelle de Sheng Chi. Si ce n'est pas possible, essayez d'en trouver une dans la partie de la maison qui correspond à l'une de vos quatre directions favorables. Si cela n'est toujours pas possible, essayez de placer votre lit de telle façon que votre tête soit tournée dans votre direction la plus favorable, pour que, pendant votre sommeil, un flux d'énergie très propice soit dirigé vers vous depuis votre direction Sheng Chi. Cette méthode est excellente pour bénéficier d'un très bon Feng Shui. Si vraiment, vous vous trouvez dans l'impossibilité de vous « brancher » sur la direction la plus favorable, choisissez l'une de vos quatre directions positives personnelles.

Asseyez-vous d'après votre position la plus favorable

L'endroit où l'on s'assoit et la direction dans laquelle on se trouve assis peuvent avoir d'importantes incidences en termes de Feng Shui. Si l'on est assis pour négocier, pour faire un exposé ou prononcer un discours, la direction vers laquelle on regarde va influer sur le résultat. La façon dont les chaises sont orientées quand on mange, joue ou discute entre amis peut avoir d'importantes implications quant au Feng Shui.

Il est consciemment possible d'influencer positivement les choses simplement en utilisant les formules et en se concentrant sur la disposition et l'orientation des chaises et des tables. Au bureau, assurez-vous que votre table ou votre fauteuil sont positionnés de façon à correspondre à vos direction et emplacement les plus propices. Faites la même chose chez vous, quand vous prenez vos repas. Je recommande de mémoriser ses propres directions favorables et de toujours porter une boussole de façon à être capable de s'asseoir face à au moins une direction faste.

CI-DESSOUS : *parfois, la roue tourne, mais n'oubliez pas que la direction dans laquelle vous regardez peut avoir un impact sur ce que vous entreprenez.*

CHAPITRE QUATRE : LE FENG SHUI DE L'ÉCOLE DE LA BOUSSOLE

LE FENG SHUI DE L'ÉTOILE VOLANTE : la dimension temporelle

CI-DESSOUS : *le Feng Shui de l'Étoile Volante est dédié au temps, car les orientations ne sont pas favorables ou défavorables éternellement. En apprenant à interpréter le carré Lo Shu, vous saurez reconnaître l'influence du temps sur les bonne ou mauvaise fortunes.*

Le Feng Shui ne se préoccupe pas que de l'espace ; il a aussi une dimension temporelle. Celle-ci en rapport avec les cycles temporels et la technique qui consiste à analyser les périodes de temps, est connue sous le nom de Feng Shui de l'Étoile Volante. Cette technique met l'accent sur les conséquences de la modification des forces liées aux changements de périodes. Le processus explique l'influence des nombres et des combinaisons de nombres sur le carré magique Lo Shu.

Cela ajoute une nuance essentielle aux notions de « bon » et de « mauvais » Feng Shui qui ne resteront ni favorables ni défavorables pendant toute une vie.

Le Feng Shui de l'Étoile Volante permet de contrôler l'évolution des influences dans la maison, sur toute l'année, en étudiant l'influence des forces terrestres intangibles.

Le Feng Shui temporel indique ainsi à l'adepte la présence de forces hostiles. Si rien n'est fait pour les contrer, ces dernières risquent de causer de graves préjudices aux occupants. Mais parallèlement, il existe aussi, on le sait, des forces bénéfiques, et il est possible de les renforcer.

Les nombres et le carré Lo Shu

La théorie de la dimension temporelle est fondée sur les nombres et reflète les fondements de la numérologie chinoise. L'outil principal de la formulation et de la compréhension de cette théorie est le carré Lo Shu. Dans ce carré, les nombres de 1 à 9 sont disposés de telle manière, dans chacun des neuf carrés qui constituent la grille du Lo Shu, que l'addition de n'importe quelle ligne – horizontale, verticale ou diagonale – donne toujours 15. Ce nombre exprime le nombre de jours qu'il faut à la nouvelle lune pour devenir pleine.

Les nombres pairs – 2, 4, 6 et 8 –, qui sont porteurs d'énergie yin, sont placés dans chacun des coins du carré.

Les nombres impairs, porteurs d'énergie yang, sont aux quatre points cardinaux. Ainsi, 1, 3, 7 et 9 sont placés respectivement au nord, à l'est, à l'ouest et au sud, tandis que le chiffre 5 occupe la place centrale.

Les nombres se meuvent autour de la grille selon une séquence prédéfinie qui détermine le mouvement, ou le « vol » de chacun. Les nombres ont une signification. Ils représentent les éléments, interagissent l'un avec l'autre et avec les objets qui se trouvent dans les secteurs de la boussole dans lesquels on les trouve.

Ces interactions sont dynamiques et créent les forces invisibles qui rendent l'énergie, mauvaise ou tueuse, bonne ou favorable. Le propos du Feng Shui de l'Étoile Volante est de diagnostiquer les combinaisons de nombres qui doivent correspondre à chacun des divers secteurs de la maison. Il requiert par conséquent une bonne appréhension de la signification de ces nombres et une aptitude à en interpréter le caractère favorable ou non selon le secteur où on les trouve ; et si le résultat est défavorable, comment contrer les effets d'une mauvaise « Étoile Volante ».

De là, le nom de « Fey Sin Feng Shui » en chinois, Feng Shui de l'Étoile Volante. Bien entendu, les étoiles en question sont purement fictives. Dans chacun des neuf carrés

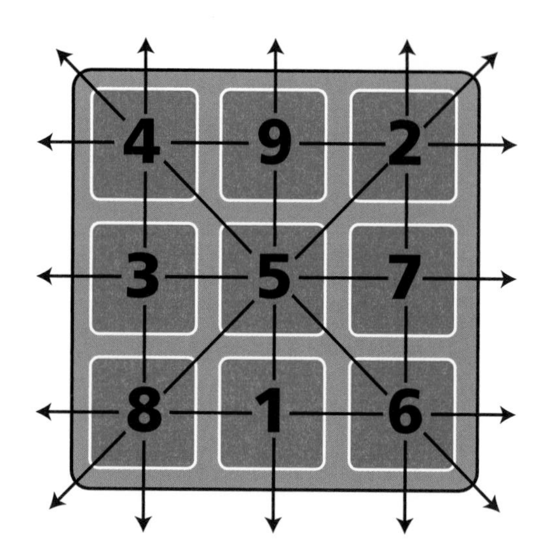

CI-DESSUS : *le carré Lo Shu est souvent considéré comme ayant des propriétés « magiques ». En partie parce que le total des nombres dans n'importe quelle direction donne toujours 15.*

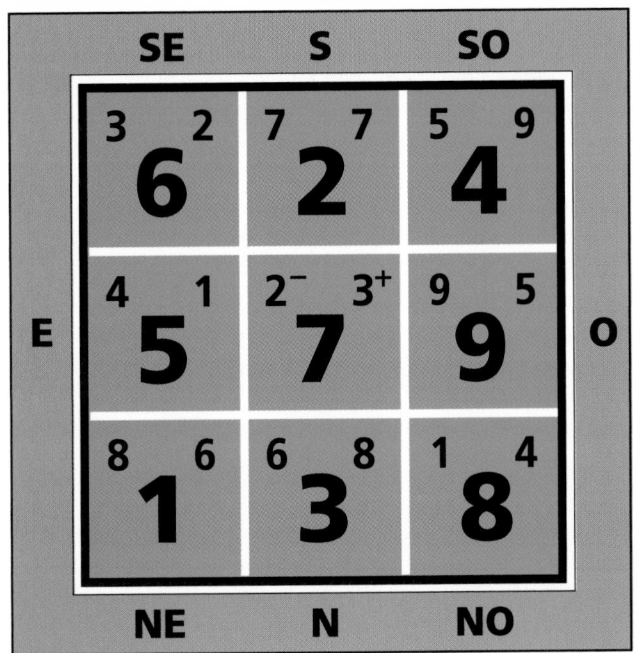

À GAUCHE : *un exemple typique de thème de naissance selon le Lo Shu de l'Étoile Volante, qui montre les positions des étoiles Siang Sin et Chor Sin et leurs mouvements sur la grille. Ce thème est celui de la Période Sept et le Nombre Roi, le 7 est placé au centre. À partir de ce tableau, on peut déduire que la maison est orientée au nord.*

mineurs, il y a un nombre pour l'étoile principale, un pour l'étoile de la montagne (ou Chor Sin), et un pour l'étoile de l'eau (ou Siang Sin). Ces chiffres se déplacent (volent) d'un carré à l'autre. Ils « volent » également d'une période de temps à une autre.

Examinez l'exemple (ci-dessus) d'un thème de naissance typique du Lo Shu de l'Étoile Volante. Ce thème montre une maison de la période 7 dont la porte principale est située au nord et faisant face à la première sous-section de la direction nord. Les petits chiffres sur la droite du nombre de l'étoile principale sont les étoiles Siang Sin. Notez leur trajet et comment ils se déplacent.

Les nombres sur la gauche du nombre de l'étoile principale sont les étoiles Chor Sin. Notez aussi de quelle façon ils se déplacent sur la grille et comment les nombres changent en passant d'une aire de boussole à une autre.

Le Feng Shui de l'Étoile Volante prend en compte les nombres des étoiles et en tire des conclusions quant aux secteurs favorables et défavorables de n'importe quelle habitation pendant une période donnée. Cette technique, ses méthodes de raisonnement, ses analyses et les applications que l'on peut en tirer, constituent la substance de tous les livres écrits sur le Feng Shui de l'Étoile Volante.

Nombres rois et périodes de temps

Pour se servir de l'Étoile Volante, il faut d'abord connaître les périodes temporelles. Les nombres du carré Lo Shu se modifient de période en période. Pour chacune d'elle, il existe un nombre que l'on qualifie de « Nombre Roi du Lo Shu ».

Actuellement, nous sommes dans la période du 7. Cette période de vingt ans a commencé en 1984 et il est prévu qu'elle se termine dans le courant de l'année 2003. Le Nombre Roi est le 7 parce que l'arrangement de nombres applicables à cette période a fait que le nombre de l'étoile principale qui se trouve placé au centre du carré est le 7.

Le Nombre Roi pour la prochaine période de vingt ans sera le 8, et pour les deux décennies suivantes le 9. De plus, il y a aussi un Nombre Roi pour chaque année, chaque mois, chaque jour. Ces Nombres Rois du Lo Shu font partie intégrante de l'almanach chinois, le Tong Shu, où l'on détermine, pour l'année à venir, les jours favorables ou défavorables. Ces calculs peuvent être obtenus grâce au Feng Shui de l'Étoile Volante. L'almanach chinois est distribué dans tout l'Extrême-Orient. La version purement chinoise donne la liste détaillée des jours fastes et néfastes. Il en existe aussi une version en langue anglaise, qui est plus explicite, mais ne peut servir de calendrier de référence comme celle en chinois.

Thème de naissance des habitations

Par ailleurs, et cela se rapporte plus directement à la pratique du Feng Shui, les Nombres Rois sont aussi à la base du calcul du thème des maisons et des immeubles. À partir de ce thème, il est possible de dire si tel ou tel bâtiment bénéficiera d'un Feng Shui favorable au cours d'une période donnée (plusieurs mois ou plusieurs années). Le thème révèle également les secteurs, qui, à l'intérieur d'une maison, bénéficieront au cours de la même période de bonnes ou mauvaises influences, les pièces qui risqueront de causer à leurs occupants, maladies, préjudices ou malchance persistante.

VOIR AUSSI
❖ Comment superposer le carré Lo Shu ? *p. 130*
❖ Comment appliquer les formules à votre maison ? *p. 131*
❖ La disposition des meubles *p. 174*

INTERPRÉTATION ET SIGNIFICATION DES NOMBRES

L'interprétation et la signification des nombres, ou des combinaisons de nombres, sont fondées sur deux relations symboliques de grande importance.

- La signification intrinsèque des nombres.
- Les rapports entre les nombres et les éléments, et par suite, l'interaction entre les cinq éléments exprimés sous forme de nombres.

Cette interdépendance des cinq éléments, ou Wuxing, est la clé de la compréhension de l'Étoile Volante.

Comprendre le Cycle de Production et le Cycle de Destructif ne constitue que le commencement d'une bonne appréhension du Wuxing. L'interrelation des deux cycles est en fait beaucoup plus complexe.

Le bon maître de Feng Shui est celui qui comprend les subtilités et les nuances des différentes interactions entre les éléments. Il devra alors être capable de donner un avis pertinent sur les différents remèdes, antidotes, rehausseurs et activateurs d'énergie que propose le Feng Shui.

Chaque nombre de 1 à 9 représente un élément, mais la nature exacte de la représentation diffère de l'un à l'autre. Ainsi, 3 et 4 représentent tous deux l'élément bois, mais le 3 est le bois majeur et le 4 le bois mineur. En outre, 3 est le bois actif alors que le 4 est le bois passif. De même, 3 est masculin et 4 féminin, etc. Chacun de ces attributs représente une strate supplémentaire de signification. Il faut regarder l'ensemble dans sa globalité pour voir apparaître une image complète et cohérente. C'est en jouant des combinaisons que l'on parvient au bon Feng Shui. C'est un vrai défi pour l'adepte, mais cela rend le Feng Shui de l'Étoile Volante fascinant. La réussite est la récompense immédiate d'une bonne analyse.

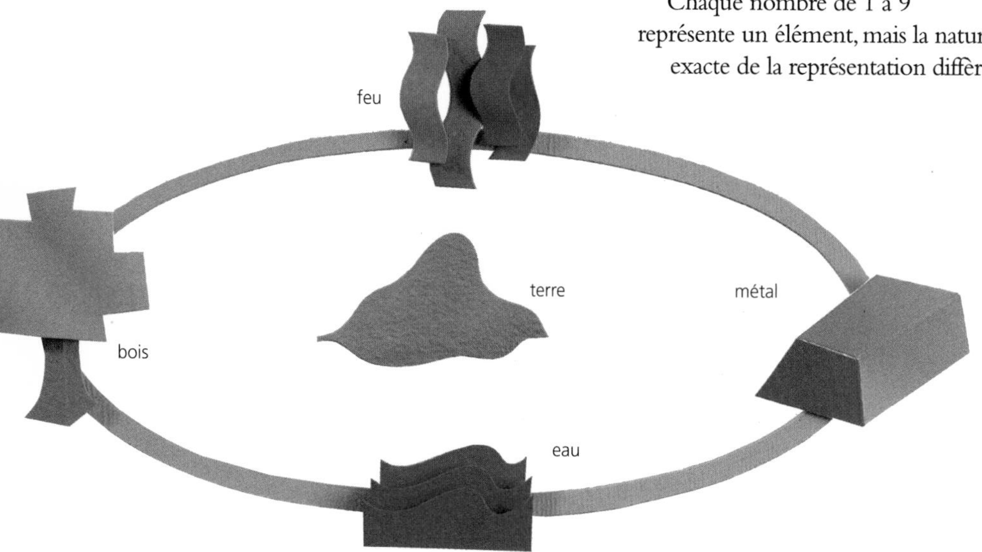

CI-DESSUS : *les rapports entre les cinq éléments influent sur l'interaction des nombres.*

Les cinq éléments

L'impact du Wuxing sur l'interprétation de l'Étoile Volante est extrêmement important. La différence entre un « bon » et un « mauvais » maître de Feng Shui se reconnaît généralement à l'étendue de ses connaissances, qui lui permet ou non d'analyser et d'interpréter les relations entre les éléments. Ce n'est qu'à partir d'une compréhension correcte qu'il est possible de proposer des remèdes ou des méthodes d'amélioration. Le Wuxing n'est pas aussi simple qu'il en a l'air.

Autres significations des nombres

Les nombres ont aussi des significations en rapport avec les trigrammes correspondants. Cela se passe à deux niveaux.

- La relation symbolique entre nombres et trigrammes est au départ fondée sur l'emplacement des nombres dans le carré Lo Shu.
- Dans l'interprétation du thème de naissance et des thèmes de chaque période des Étoiles Volantes, il faut examiner les rapports entre les nombres au cours de la période considérée. Ainsi, le nombre 1 est-il représentatif du trigramme Kan dans le carré Lo Shu. Mais, dans le thème de l'Étoile Volante de l'année, par exemple pour 1999, le 1 aura « volé » au centre. Cela veut dire que Kan, qui représente l'eau, se sera également déplacé au centre, lequel dépend de l'élément terre. Selon l'analyse conventionnelle, l'eau n'est pas nuisible à la terre sauf si elle surgit en trop grandes quantités. Il nous faudra alors combiner cette lecture avec le thème de naissance de la maison. S'il y a prépondérance de 1 dans le carré central, il en résultera un excès d'eau au centre, ce qui veut dire « danger ».

En numérologie chinoise, ces relations symboliques sont à la base des interprétations. Il est important de savoir apprécier les subtilités des cinq éléments. Le Feng Shui ne consiste pas simplement à révéler que tel élément et tel nombre sont « bons » ou « mauvais ». Il faut également prendre en compte la « force » répétitive d'un nombre. Tout excès, dans un sens ou dans l'autre, rompt l'harmonie et l'équilibre, et détériore le Feng Shui.

FAIRE COÏNCIDER LE CARRÉ LO SHU AVEC LE PA KUA

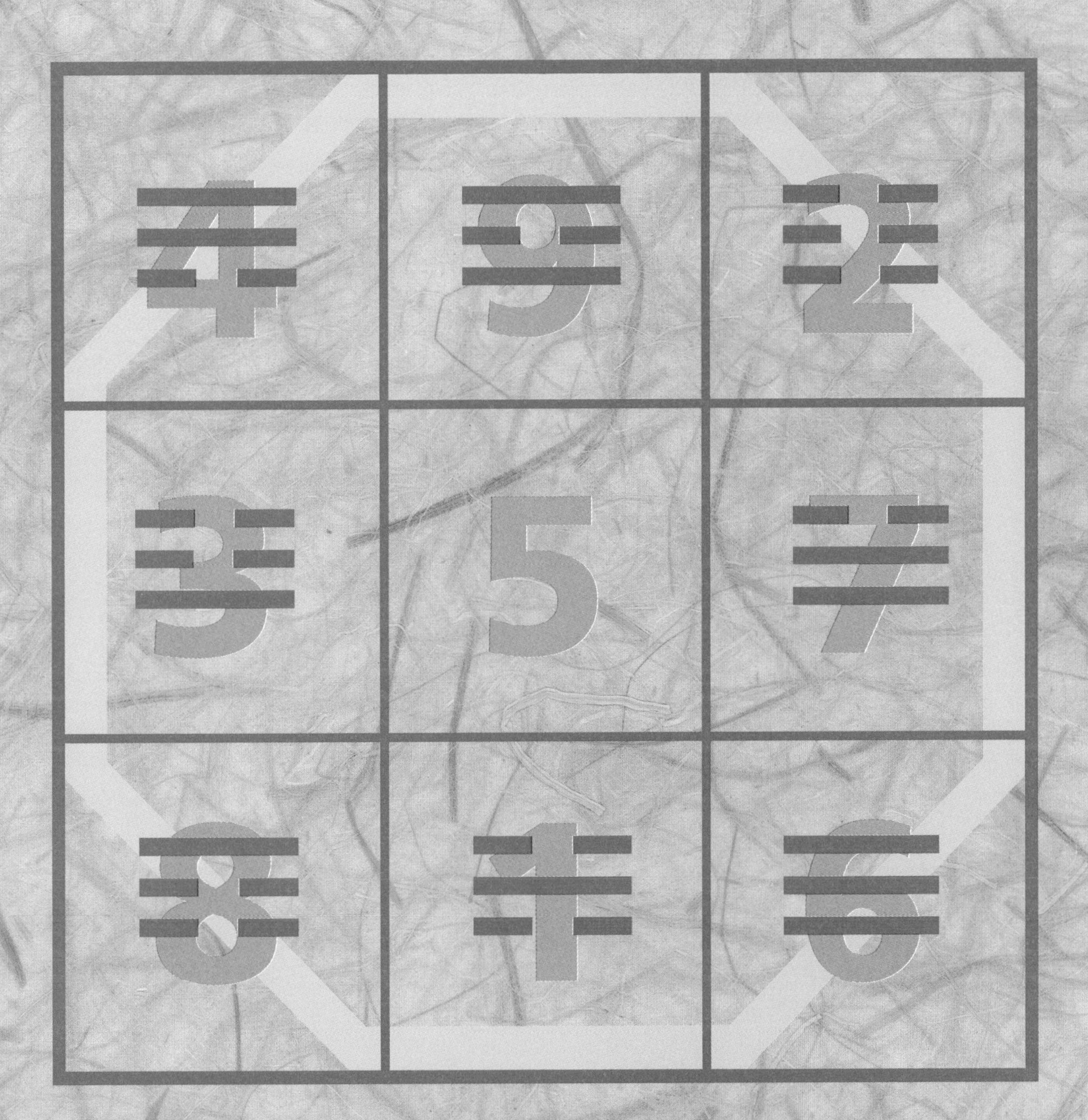

CI-DESSUS : *le carré Lo Shu, le Pa Kua et les trigrammes. Chaque nombre est relié à un élément.*

CHAPITRE CINQ

LE FENG SHUI SYMBOLIQUE

La philosophie du Feng Shui est tellement empreinte de symbolisme qu'il est absolument nécessaire d'en mesurer l'importance pour appliquer correctement les principes de cette discipline. Les origines du Feng Shui symbolique remontent aussi loin dans l'histoire de la Chine que le I Ching. *Les mots et l'écriture chinoise étaient initialement des symboles. Les lignes continues et discontinues, qui constituent les trigrammes du Pa Kua, sont des symboles. Et les symboles imprègnent tous les rituels, toutes les croyances et toutes les traditions populaires de la Chine. Autrefois, l'accès au savoir et aux sources écrites du Feng Shui était réservé aux classes privilégiées ; pour les gens ordinaires, les symboles allaient donc devenir la principale façon de transmettre des croyances simples, particulièrement celles en rapport avec des événements heureux ou malheureux.*

L'utilisation de représentations d'animaux, de plantes et d'objets symbolisant chance et prospérité s'est ainsi glissée dans le Feng Shui moderne. Choisis avec soin et placés dans l'environnement personnel, au travail ou à la maison, les symboles peuvent rapidement attirer la chance. De plus, ils sont aussi parfois effectivement utilisés comme remèdes efficaces contre les mauvaises Étoiles Volantes et pour corriger les effets de directions et d'emplacements inappropriés qui pourraient être diagnostiqués par les techniques du Feng Shui de la Boussole. La compréhension du symbolisme fait donc partie intégrante de la pratique du Feng Shui.

À GAUCHE : *on considère que des statues géantes de chiens Fu protègent efficacement les grands immeubles.*

CHAPITRE CINQ : LE FENG SHUI SYMBOLIQUE

LES ORIGINES DU SYMBOLISME

CI-DESSUS : *intérieur chinois datant du XIXe siècle. Depuis des siècles, les symboles du Feng Shui font partie intégrante de la vie quotidienne en Chine.*

CI-DESSUS : *le Pa Kua, ici sous la forme d'un miroir, est l'un des éléments symboliques les plus importants du Feng Shui protecteur.*

Le symbolisme du Feng Shui est riche de l'imagerie d'un peuple qui baigne dans un folklore et des légendes anciennes issus d'une des plus vieilles civilisations du monde. Les récits et les légendes associés aux principaux symboles bénéfiques de la Chine nous sont parvenus par le bouche à oreille. Les redoutables matrones de l'ancienne Chine dirigeaient leur maisonnée d'une main de fer. Le Feng Shui commandait la disposition des pièces, le décor des chambres à coucher, des entrées et des pièces de réception. La superstition guidait encore l'emplacement des tableaux porte-bonheur, des urnes et des vases et autres éléments de décoration. Des manuels d'organisation domestique donnaient des indications sur les fleurs à cultiver et les fruits qu'il fallait planter. Le Tong Shu (le calendrier de 100 ans), prodiguait des conseils sur les époques les plus propices aux grands événements de la vie – se marier, entreprendre un voyage, engager de nouveaux serviteurs, ou prendre une nouvelle concubine. Les vieux tabous et les anciens rituels régentaient alors la vie quotidienne.

Beaucoup de ces rituels et de ces croyances venaient de l'ancienne pratique du Feng Shui. La Chine était un si vaste pays, composé de tant de groupes différents, que l'accès au savoir livresque était le plus souvent réservé aux classes les plus privilégiées ; les symboles étant les vecteurs de tabous aux relents de métaphysique et de superstition. La science, telle que nous la connaissons, n'existait pas.

Le symbolisme est donc devenu le principal moyen de communiquer des croyances simplistes relatives au destin, à la chance et au malheur. Certains objets – animaux et plantes, créatures domestiques et célestes – en sont arrivés à représenter les diverses aspirations de la vie. Beaucoup de ces symboles ont leurs racines dans les origines du Feng Shui qui incluent les symboles du *I Ching*, le symbolisme du Pa Kua, et les nombres Lo Shu. Les directions de la boussole étaient le dénominateur commun des trois grands groupes de symboles.

Les symboles peuvent protéger contre la malchance. Il existe aussi beaucoup de supports de chance qui placés stratégiquement dans les espaces de vie, attirent le Chi propice.

Le Feng Shui symbolique est très puissant. Quand les symboles de bonne fortune sont sélectionnés et placés intelligemment dans l'espace de vie, ils répandent très rapidement leurs bienfaits. L'utilisation d'objets symboliques pour détourner la malchance semble aussi donner des résultats beaucoup plus rapides qu'on pourrait l'imaginer.

À GAUCHE : *les Chinois utilisent fréquemment des représentations d'animaux comme symboles de bonne fortune. Le crapaud à trois pattes a la réputation d'attirer la prospérité.*

COMMENT UTILISER LES SYMBOLES POUR INTENSIFIER LE FENG SHUI

Le meilleur moyen d'activer les symboles bénéfiques dans l'espace de vie est d'abord de bien appréhender l'approche et l'étendue de la branche symbolique du Feng Shui pratique. Les talismans taoïstes, l'environnementalisme, la numérologie, les divinités, les fruits, les fleurs, les plantes, les créatures, les animaux et tous les objets domestiques courants ne constituent que quelques catégories de symboles bénéfiques qui peuvent être exploités pour attirer et amplifier la chance dans les lieux que nous fréquentons.

Il faut d'abord en identifier quelques-uns, parmi les plus répandus, et ensuite apprendre à les disposer pour bénéficier au mieux de leur présence. Dans ce contexte, il est utile de passer en revue quelques principes généraux de symbolisme.

À GAUCHE : *cette broderie représentant en gros plan une carpe sautant hors de l'eau est emblématique des ambitions d'un jeune étudiant. Un tel symbole placé sur une table basse est censé porter chance.*

CI-DESSOUS : *nombre d'objets peuvent être utilisés comme symboles pour apporter de l'énergie dans une pièce. La plupart du temps ce sont aussi de beaux objets.*

Pour les Chinois, les orangers sont bénéfiques

Sept éléphants d'or portent chance

Un bateau à voile chargé d'or encourage la fortune et facilite la réussite

Les pivoines sont le symbole de l'amour et du romantisme

Un couple de poissons rouges favorisera le succès

CHAPITRE CINQ : LE FENG SHUI SYMBOLIQUE

COMMENT FONCTIONNE LE FENG SHUI SYMBOLIQUE ?

CI-DESSUS : *les idéogrammes signifiant « Feng Shui », reflètent la place du symbolisme dans cette pratique.*

CI-DESSOUS : *on peut stimuler l'énergie yang à l'aide de symboles invisibles, comme une odeur d'encens qui se répand dans une pièce.*

Les symboles ont un impact sur le subconscient, qui représente la plus grande partie de notre mental. Les vieux maîtres le savaient bien ; ils mesuraient l'effet des symboles sur le bien-être en général et sur notre environnement. Le symbolisme joue donc un grand rôle dans la pratique du Feng Shui.

Le symbolisme occupe une place de choix dans la culture chinoise où tout a un sens. Dans la transcription du chinois par exemple, chaque caractère est un symbole, une image ou un dessin qui sous-tend une idée ou un concept. Dans une langue étrangère, ces concepts risquent d'être mal traduits si l'on ne possède pas l'acquis culturel néccessaire pour comprendre le sens profond des caractères. Une traduction littérale peut, dans ces conditions, être trompeuse. La langue chinoise communique par l'intermédiaire d'images et le symbolisme est profondément ancré dans le mode de vie des Chinois, dans leur culture et dans leur philosophie.

CI-DESSUS : *la pivoine est un symbole de chance, surtout en amour.*

Cela transparaît dans l'art, dans l'architecture, la poésie, la littérature et l'artisanat. Chaque mot, chaque image ou tableau sont censés posséder une énergie propre, une signification et un objectif subtil. Cela veut dire que tous les objets placés dans un espace donné peuvent stimuler à la fois le Chi de l'environnement, et celui des occupants au niveau le plus profond, celui du subconscient.

Les symboles n'ont pas forcément une apparence physique. Tout ce qui possède le pouvoir de stimuler les énergies autour de vous – un son, une odeur, une couleur – peut être porteur de chance ou de malchance, et avoir la puissance d'un symbole, avec des fréquences associées aux aspirations, aux pensées, aux humeurs. Le symbolisme est aussi en rapport avec les dimensions yin et yang des énergies. Ainsi, des chansons, des parfums et des couleurs, procédant de l'énergie yang, apportent souvent rires et bonne fortune dans la maison. Mais trop de symboles yang peuvent causer des problèmes et un excès de symboles yin sera facteur de mélancolie.

Ainsi, l'énergie d'un lieu peut-elle être manipulée de façon à suggérer et à créer une atmosphère joyeuse ou triste, dynamisante ou réconfortante. Tout cela dépend de l'équilibre entre le yin et le yang. Les sentiments, les humeurs et les dispositions de chacun peuvent par conséquent être modifiés à l'aide de représentations symboliques comportant une concentration de yin ou de yang plus ou moins importante.

LES DIEUX DE LA RICHESSE

À DROITE : *Tsai Shen Yen, l'un des dieux de la richesse dans la tradition chinoise.*

Les Chinois ont différentes versions du Choy San, le dieu de la richesse. Chacune de ces divinités est censée favoriser, pour la maisonnée, la chance en affaires et la prospérité financière. Le culte voué à ces dieux est rarement de nature réellement religieuse, mais on les considère avec beaucoup de respect et certains les « prient » directement pour leur demander de l'argent. Les connotations spirituelles associées à ces divinités se rapportent essentiellement aux rites taoïstes. On dit qu'il suffit de placer des représentations de ces dieux dans la maison pour s'attirer leur protection.

Le plus populaire des dieux de la richesse est Tsai Shen Yen, qui est supposé être l'esprit déifié d'un sage du XIIe siècle de l'ère chinoise, nommé Pi Kan. Dans certaines régions de Chine et parmi certains groupes ethniques, il est vénéré, surtout par les pauvres et les joueurs, le vingtième jour de la septième lune. Il est souvent représenté assis sur un tigre tenant un lingot dans la main gauche et un sceptre d'or dans la main droite. Si l'on en croit un texte ancien, cette divinité serait associée à l'arbre de la richesse. Les branches de cet arbre sont de l'or en barre et ses fruits des lingots que l'on peut obtenir simplement en le secouant.

Le puissant Kuan Kung est un autre exemple de dieu extrêmement populaire. On le connaît également sous le nom de Kuan Ti, le dieu de la guerre et de la littérature. Kuang Kung était en réalité un général et héros guerrier de l'époque des Trois Royaumes, dont les services et les hauts faits furent reconnus. Il fut déifié au XVIe siècle. Kuan Kung est à la fois le saint patron de la police et des triades, la divinité tutélaire de toutes les entreprises commerciales, et un protecteur puissant pour tous les dirigeants et politiciens et aussi pour les nababs de la vie économique.

Si vous souhaitez faire une place chez vous aux dieux de la fortune, mettez-les sur une sellette ou une étagère, de préférence face à la porte d'entrée. Sur un autel, elles ne font pas bon ménage avec Bouddha.

Les poissons – que les chinois appellent « yu », un mot qui peut aussi vouloir dire « abondance » – sont encore symboles de richesse. Voir beaucoup de poissons est annonciateur d'abondance. C'est un fait profondément ancré dans la culture chinoise. Ainsi, quand on prononce le mot poisson en Chinois, il prend le sens d'abondance, ancrant cette association d'idée dans l'esprit de générations de Chinois.

CI-DESSOUS : *Kuan Kung, divinité très puissante, veille sur les intérêts des personnes importantes.*

Un aquarium où nagent plein de poissons heureux représente habituellement la précieuse énergie yang qui procure la bonne fortune. C'est la raison pour laquelle tant de Chinois ont des poissons rouges. Placés dans le séjour ou la salle à manger, les poissons créent une sensation d'abondance. Mais si vous les mettez dans une chambre à coucher, où l'énergie yin doit prédominer, vous provoquerez un déséquilibre qui peut causer des problèmes, notamment le risque d'un cambriolage.

CI-DESSOUS : *un bassin ou un aquarium où nagent des poissons heureux et en bonne santé a la vertu de favoriser les conditions de la prospérité.*

LE SYMBOLISME DE LA MAISON

À DROITE : *selon le Feng Shui, une maison est la personnification de ses occupants. Si son aménagement n'est pas harmonieux, le bien-être de la famille s'en trouvera affecté.*

Dans le Feng Shui, la maison symbolise en fait une personne. La porte en est la bouche ; les pièces situées de chaque côté de la porte en sont les poumons, le milieu le cœur, la porte arrière l'anus, le toit la tête, les fenêtres les yeux et les oreilles. La maison doit être symétrique, comme le corps humain.

Lorsque l'habitation est de forme asymétrique ou s'il manque quelque chose, notre bien-être s'en trouve affecté. Si elle repose sur un terrain instable ou précaire, les gens qui l'habitent seront certainement aussi instables. Si vous ouvrez chaque jour votre porte devant un mur ou un rideau d'arbres, vous êtes confronté à une obstruction. Il en résulte un blocage : l'énergie devient stagnante. Pour utiliser une métaphore, c'est comme si quelqu'un vous empêchait de respirer en vous bâillonnant. Si la maison est sale du fait de canalisations bouchées ou d'une accumulation de poussière, le corps n'est pas à l'aise et a besoin d'un bon nettoyage. Quand elle n'est pas assez ensoleillée, le corps en souffre et si elle l'est trop, il souffre aussi.

L'équilibre et l'harmonie sont donc extrêmement importants.

Par ailleurs, même les objets inanimés, comme les photos, les tableaux, les bijoux, les sculptures, etc., possèdent du Chi, ou de l'énergie. Ce sont des symboles qui évoquent dans notre subconscient toutes sortes de significations et qui, ainsi, influent sur la qualité énergétique des lieux et des espaces. Le Feng Shui prend en compte l'influence des associations symboliques sur le bien-être physique et psychologique des personnes qui occupent cet espace. Il est donc vital, dans le Feng Shui, de s'entourer d'images ou de symboles qui fournissent à notre esprit, à notre corps et notre maison, une énergie positive.

CI-DESSUS : *le bon Feng Shui stimule le Chi environnant et de cette façon, participe à la prospérité familiale.*

On a vu que les formes, les couleurs, la végétation et la direction dans laquelle se trouve une montagne sont symboliques de différents types d'énergie : des montagnes vertes et arrondies en arrière-plan procurent protection et énergies positives ; il n'en va pas de même avec une montagne rocheuse de forme acérée.

Tout ce qui nous entoure a une signification symbolique et le Feng Shui est l'art de créer un environnement au symbolisme favorable qui attire la prospérité dans tous les domaines de notre vie. Dès lors que l'on prend pleinement conscience de son environnement et de ses effets, on est capable d'en capter et d'en renforcer la puissance avec les symboles appropriés.

Bien utilisé, le Feng Shui symbolique devient un allié qui nous entraîne dans un cycle ascendant de progrès et de croissance. Plus on envoie d'énergie pour créer un environnement propice, plus on en bénéficie. Cela veut dire qu'avec le Feng Shui, tout ce qui nous entoure et qui se trouve dans notre espace de vie doit être soigneusement choisi et positionné. Couleurs, lieux, nombres, formes, dimensions, etc., peuvent avoir des significations spéciales et nous influencer.

Qu'importe vers quoi nous nous tournons, dans quelle pièce nous entrons, les images et stimulations positives activent toujours le Chi du mental humain. Il en résulte des pensées positives qui, à leur tour, nous aident à réaliser nos objectifs et désirs personnels.

LE MERVEILLEUX CHI LIN

Le cheval dragon – ou licorne chinoise – est une créature fabuleuse de bon augure. C'est un symbole de longévité, de richesse, d'enchantement, et de grande sagesse spirituelle. Le cheval dragon a la réputation d'être une créature si spéciale que de nombreuses légendes l'associent à la naissance de Confucius et que beaucoup de sages chinois le relient à de grands événements. On dit que la mère de Confucius est tombée enceinte après avoir mis ses pas dans ceux du cheval dragon, en revenant de la montagne où elle avait vécu un an de retraite mystique. On raconte aussi qu'un cheval dragon est sorti du fleuve Jaune pour apparaître à l'empereur Fu Hsi, le premier empereur légendaire, portant sur son dos une carte magique grâce à laquelle Fu a pu développer des méthodes merveilleuses pour irriguer les moissons et pour enrichir le pays. Dans les livres bouddhiques et l'art traditionnel, le cheval dragon est dépeint comme porteur des textes de sagesse. En Chine le Chi Lin (ou Gi Lin) est considéré comme l'une des quatre grandes créatures mythiques dotées de pouvoirs surnaturels et qui sont censées apporter la fortune partout où elles apparaissent.

Les qualités du Chi Lin en ont fait depuis toujours une des représentations favorites des artistes et artisans qui, à travers les siècles, ont utilisé et affiné son image. Les Chinois aiment exposer le Chi Lin dans leur maison, car il est signe de chance et de richesse. Cette utilisation des symboles de chance associés à des créatures mythiques et à certaines divinités spéciales, est liée à la croyance que le « karma » des êtres humains n'est pas suffisamment pur pour voir ces êtres et ces créatures merveilleuses. En conséquence, l'homme doit se contenter d'en faire des représentations physiques de façon à susciter leur « présence » dans la maison. Comme ces créatures sont très puissantes, le simple fait d'exposer leur image suffit, croit-on, pour faire naître la chance partout où on les place.

La vertu principale du cheval dragon, est son extrême bienfaisance envers tous les êtres. Sa présence dans la maison va immédiatement compenser une date de naissance astrologiquement peu favorable. On l'expose toujours seul et jamais par paire. Il ne faut donc pas le confondre avec les chiens protecteurs Fu. Depuis peu, des sculptures, spécialement dessinées et fabriquées, d'un cheval dragon se tenant fièrement sur un champ de pièces de monnaies et de lingots, ont été mises sur le marché.

Placez votre cheval dragon dans la partie nord du salon pour favoriser votre carrière, à l'est pour améliorer votre santé, et au sud-est pour attirer la richesse. Vous pouvez aussi en poser une petite reproduction sur votre bureau pour attirer la chance. Le cheval dragon est un excellent cadeau à faire à une personne qui travaille sur un nouveau projet ou qui débute dans un emploi.

CI-DESSOUS : *le Chi Lin est l'un des symboles de chance majeurs dans la mythologie chinoise. On en trouve souvent dans les maisons.*

CHAPITRE CINQ : LE FENG SHUI SYMBOLIQUE

LES SYMBOLES DE BONNE FORTUNE

Il est impossible de dresser la liste de tous les symboles de bonne fortune, mais vous trouverez dans ce chapitre quelques-unes des représentations à valeur symbolique les plus populaires, que vous pourrez vous procurer sans grande difficulté.

Les principaux symboles que vous pouvez activer dans la maison sont les suivants.

- Symboles de fortune et de richesse. Ils comprennent les pièces de monnaie chinoises, le bateau à voiles, le vase de fortune, le crapaud à trois pattes, le poisson dragon, ou arrowana, le poisson rouge, la calligraphie dorée, le pot d'or, la chauve-souris rouge.
- Symboles de longévité. Le plus populaire des symboles de longévité est la grue à crête rouge, le pin immortel, la pêche de l'immortalité, le daim, Sau, dieu de la Longévité, le bambou et la cigale.
- Symboles d'amour, du romantisme et du bonheur conjugal. La puissante énergie de l'amour est activée par la pivoine, le canard mandarin, le signe du double bonheur. En plus de ces trois exemples, il existe trois autres catégories majeures de symboles de bonne fortune.
- Les Quatre Créatures Célestes de la Fortune que sont : le dragon, le phénix, la licorne et la tortue terrestre.
- Huit Objets Précieux (ou propices): le nœud magique, la conque, l'éventail, le vase, la roue, le double-poisson, la bannière de victoire.

CI-DESSUS : *le vase de richesse est un symbole de prospérité très populaire dans les foyers chinois. On le remplit souvent de petits paquets rouge porte-bonheur.*

CI-DESSUS : *une fleur de lotus est un élément très décoratif. C'est aussi un symbole de bonne fortune.*

- Fruits et fleurs symboliques. On y trouve : l'oranger, le citronnier, la grenade, la tomate, la prune et, pour les fleurs, le chrysanthème, la pivoine, l'orchidée et la fleur de prunus.
- Symboles de protection. Ceux-ci incluent le chien Fu, le tigre, l'aigle, l'éventail et divers talismans et amulettes taoïstes.

CI-DESSOUS : *un couple de canards mandarin dans la maison favorise l'amour romantique et le bonheur dans le mariage.*

LES POISSONS BÉNÉFIQUES DANS LE FENG SHUI

Le mot chinois pour désigner un poisson, « yu », signifie aussi abondance et aisance matérielle. Le poisson rouge symbolise cette abondance, sa couleur rappelle celle de l'or. Sa signification en chinois est donc : « Année après année, puissiez-vous vivre dans l'aisance ». Le double-poisson est aussi, en Chine, l'un des huit symboles majeurs de chance et de réussite financière. Le Feng Shui recommande d'installer des aquariums, qui symbolisent ces bienfaits, surtout lorsqu'on y place des poissons rouges, des arrowanas (poissons tropicaux de l'Indonésie) ou des koi, carpes japonaises très colorées. On croit aussi qu'un bassin de « poissons noirs » placé dans un secteur néfaste de la maison ou de l'immeuble a le pouvoir d'écarter le mauvais Chi causé par les flèches empoisonnées.

Le meilleur endroit dans votre maison pour placer votre aquarium est dans le salon, à proximité du mur nord, ou encore le long du mur est ou sud-est. En revanche, ne le placez jamais au sud, sauf pour une raison bien précise, par exemple pour combattre des étoiles filantes maléfiques.

- N'ayez qu'un seul arrowana. Achetez le plus beau que vous puissiez vous offrir.
- Ayez neuf poissons rouges, dont au moins un « noir ».
- Ayez beaucoup de carpes koi. Ce sont des poissons très sociaux, qui adorent la compagnie.
- Les couples de poissons favorisent l'amour et le romantisme. Les meilleurs sont les poissons rouges.

CI-DESSOUS : *un seul « arrowana », ou « poisson-dragon » dans l'aquarium, aidera à attirer richesse et réussite.*

CI-DESSUS : *neuf poissons rouges dans un aquarium, dont un noir, sont un puissant symbole de richesse.*

Rappelez-vous en outre que

- Des motifs de poissons qui pendent du toit favorisent la chance pour l'année à venir.
- La carpe appelée « Yee-sang » mangée crue le septième jour de l'année chinoise porte bonheur.
- Il ne faut jamais placer un aquarium dans la chambre à coucher ou la cuisine.
- Un aquarium doit être rectangulaire ou rond. On peut aussi élever des poissons dans une grande urne décorative en céramique.

CHAPITRE CINQ : LE FENG SHUI SYMBOLIQUE

LA PÉRIODE 7 EN COURS (ANNÉES 1984 À 2003)

CI-DESSUS : *sept éléphants dorés placés dans la partie ouest de la demeure vous porterons bonheur pendant toute la période s'étendant de 1984 à 2003.*

Dans le Feng Shui, la période actuelle est considérée comme « la période 7 » et tout ce qui vient par groupe de sept est censé créer de puissants courants d'énergie. Ce chiffre correspondant également à l'ouest, tout ce qui évoque le 7 et qui est placé dans cette direction verra donc son efficacité accrue. Ainsi, pendant toute cette période, tout ce que vous exposerez ou pendrez dans la partie ouest de la maison, surtout dans le salon, et qui, d'une façon ou d'une autre symbolisera le chiffre 7 et l'élément or, sera très bénéfique. Voici quelques exemples de symboles de bonne fortune : le dragon, le phénix, le cheval et l'éléphant. De préférence de couleur or, pour imiter l'élément métal, ils favoriseront la chance si vous les placez à l'ouest. Assurez-vous qu'il y a bien sept de chacun de ces symboles de bonne fortune.

À DROITE : *le phénix est l'une des créatures célestes de la bonne fortune. Sept de ces magnifiques animaux, attireront la richesse surtout s'ils sont dorés.*

LA SIGNIFICATION DES NOMBRES

Il est aussi utile de connaître les autres nombres favorables, quelle que soit la période de temps. Les nombres très propices sont le 1, le 6, le 7 et le 8. Ainsi, lorsque vous choisirez des objets porte-bonheur, efforcez-vous d'en acquérir une quantité correspondant à l'un de ces chiffres.

Voici quelques objets à exposer pour favoriser la chance.

- Un tableau représentant six poissons dragons sera idéal dans l'angle nord-ouest de la pièce.
- Une seule tortue terrestre au nord – le 1 est le chiffre du nord – symbolisera divers types de bonne fortune, y compris la longévité, la protection, le soutien, la durée et la richesse.
- Six pièces de monnaie suspendues au nord-ouest pour en stimuler l'effet chanceux, profiteront au père de famille. Il est toujours excellent d'activer cet endroit de la maison, car le nord-ouest symbolise également le soutien de personnes importantes. Il favorise aussi les réseaux de contact.
- Sept boules de cristal à l'ouest apporteront beaucoup de chance à toute la famille, surtout à la génération à venir. La boule de cristal représente l'élément terre qui produit l'or dans ses profondeurs. La forme circulaire est, par ailleurs, parfaite pour activer l'élément métal dont le nombre est le chiffre 7. Enfin, les boules de cristal symbolisent une progression sans heurt pour toute la famille.
- Huit lampes brillantes au nord-est. Les luminaires sont toujours synonymes de bonne fortune et le nord-est est pour eux le meilleur secteur de la maison. Ils stimulent la connaissance et protègent ainsi les habitants contre les revers de fortune causés par la stupidité ou la négligence. La lumière se révèle également excellente pour favoriser l'éducation de la jeune génération. Le 8 est le nombre du nord-est et, de la sorte, tout à fait approprié pour ce secteur de la maison ou de la pièce. En outre, le chiffre 8 est toujours considéré comme porte-bonheur, partout et en tout temps, de sorte que l'avoir sur sa voiture, son adresse ou dans son numéro de téléphone, est censé symboliser la chance.

Enfin, outre tous ces nombres favorables, il y a le plus propice de tous : le chiffre 9. Le 9 représente la direction du sud et il est également emblématique de l'étendue du ciel et de la terre. N'oubliez pas que posséder 9 objets, quel qu'ils soient, qu'il s'agisse de poissons rouges ou de pièces de monnaies, ou de tout autre chose, apportera toujours chance et prospérité.

CI-DESSOUS : *une seule tortue placée dans le secteur nord est propice.*

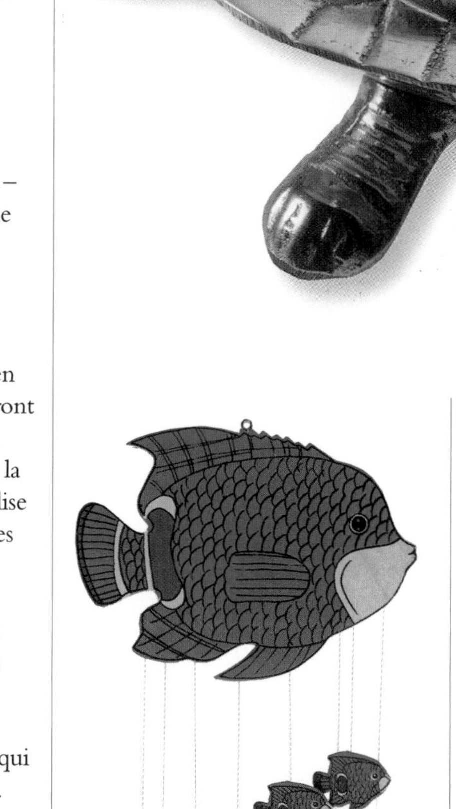

CI-DESSUS : *s'il ne vous est pas possible d'élever de vrais poissons, un mobile de 9 poissons fera aussi bien l'affaire.*

CI-DESSUS : *accrocher six pièces de monnaie au nord-ouest attirera sur vous les faveurs de personnes influentes.*

CHAPITRE CINQ : LE FENG SHUI SYMBOLIQUE

L'ACTIVATION DES SYMBOLES BÉNÉFIQUES

À DROITE : *il est possible d'ajuster l'aménagement intérieur de votre domicile de façon à profiter au mieux des éléments favorables. Notez la position du lustre, des spots lumineux, des plantes vertes – et du bassin pour les poissons rouges. Notez également l'impression d'espace dégagée par le Hall de Lumière.*

Lorsque vous aurez choisi quel symbole de bonne fortune introduire chez vous, il vous faudra d'abord sélectionner un endroit qui permette de l'exposer sans qu'il soit trop voyant. Les symboles de chance doivent se fondre dans le décor de la maison et, plus important, doivent être activés. Il faut aussi les débarrasser de toute énergie stagnante qui pourrait subsister autour d'eux. Cette remarque est particulièrement pertinente si vous avez acquis un objet ancien qui a passé de longues années chez quelqu'un d'autre ou qui a pu avoir plusieurs propriétaires.

La meilleure manière de « purifier » l'énergie d'une antiquité est de la nettoyer à fond avant de la placer chez soi. Il faut la frotter avec du sel de mer, puis l'essuyer le plus complètement possible. S'il s'agit d'un objet que l'eau ne risque pas de détériorer, laissez-le tremper dans un bain d'eau salée pendant sept jours et sept nuits.

Cela dit, vous devrez aussi penser à activer l'objet que vous introduisez dans la maison. Il existe différentes façons de le faire, mais la meilleure et la plus simple consiste à lui attacher un bout de fil ou de ruban rouge. Symboliquement, la couleur rouge réveille le champ d'énergie qui entoure l'objet et lui permet d'interagir harmonieusement avec le Chi de l'espace de vie. Vous pouvez, en cas de besoin, remplacer le fil rouge par du papier de la même couleur collé sur le fond de l'objet.

Disposer les symboles en fonction des cinq éléments

En dernier lieu, vous devrez déterminer l'endroit ou le secteur de la maison dans lequel vous poserez l'objet propice. Il est parfois difficile de

À DROITE : *pour éliminer le Chi stagnant, mettez des cristaux à tremper dans un bol d'eau salée.*

trouver l'emplacement idéal d'un tableau ou de tout objet décoratif visant à intensifier le Feng Shui dans la maison.

N'oubliez pas qu'il ne faut jamais placer des objets volumineux, susceptibles de se transformer en flèches empoisonnées. Par exemple, ne mettez jamais une statue de trop grande taille dans le champ de vision de la porte d'entrée. Cela créerait un blocage dans toute la maison. Également, ne pendez pas de carillons éoliens partout chez vous.

La meilleure façon de déterminer l'emplacement idéal des symboles de chance est d'appliquer la théorie des cinq éléments ou la théorie du Wuxing. En vous servant des arrangements du Ciel postérieur des trigrammes du Pa Kua, déterminez l'élément qui se trouve dans chaque direction, ainsi vous pourrez identifier le Chi dominant, ou l'énergie de chaque secteur de la maison ou d'une pièce en particulier. Examinez ensuite l'objet et demandez-vous quel élément il symbolise. Vous pouvez le déterminer en vous référant à la forme ou à la couleur de l'objet en question, ou à la matière dont il est fait. Par exemple, des éléphants en or devront être placés à l'ouest ou au nord-ouest tandis que tout ce qui rappelle l'eau conviendra au nord, à l'est ou au sud-est.

En utilisant les cinq éléments, vous pouvez activer et renforcer tous les secteurs de la maison. Peu importe ce que représente chacun de ces points parce que, dans l'ordre général des choses, nous voulons tous que nos vies soient bien remplies. Ainsi, lorsque nous insufflons de l'énergie dans tous les secteurs de la maison, cela procure chance et abondance dans tous les domaines de notre existence. Servez-vous du tableau ci-dessous de façon à identifier les objets qui correspondent à chacun des huit secteurs de la maison, d'après les indications de la boussole.

CI-DESSOUS : *la couleur rouge rend les objets bénéfiques, comme ce ruban au cou du dragon, ou les cache-pots rouges dans la pièce de la page de gauche.*

ACTIVATEURS

SECTEURS DE LA BOUSSOLE	ÉLÉMENT	NOMBRE	ACTIVEZ AVEC (suggestion uniquement)
Nord	Eau	1	Aquariums, étangs, bleu, vase de fortune, carillons, poissons…
Sud	Feu	9	Lumières, plantes, rouge, cheval, phénix, lotus, pivoines…
Est	Bois	3	Plantes, fruits, fleurs, dragon
Ouest	Métal	7	Carillons, lingots, grues
Nord-ouest	Métal	6	Divinités, pêches, cloches, bols
Sud-ouest	Terre	2	Double bonheur, canards, pivoines, lumière, cristaux
Nord-est	Terre	8	Cristaux, lumière, urnes, bols
Sud-est	Bois	4	Crapaud à trois pattes, bateau à voiles, chauve-souris

CHAPITRE CINQ : LE FENG SHUI SYMBOLIQUE

SYMBOLES DE PROSPÉRITÉ, SUCCÈS ET RICHESSE

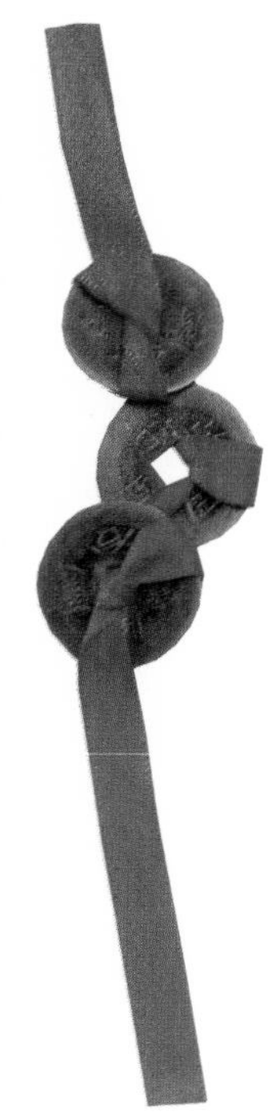

CI-DESSUS : *on se sert de pièces de monnaie chinoises liées ensemble par un ruban pour attirer la bonne fortune et améliorer les finances de la famille.*

Pièces de monnaie chinoises

Au cours de ces dernières années, beaucoup de gens ont découvert les bienfaits des pièces chinoises dans les facturiers ou les classeurs pour intensifier la chance en affaires. Les véritables pièces chinoises de l'époque impériale sont rondes, et percées d'un trou carré. Elles symbolisent l'union du ciel et de la terre. Ce côté yang a quatre caractères, tandis que le côté yin en a deux. Liez trois pièces avec un fil rouge et collez les côtés yang apparents sur vos dossiers, boutons de porte, boîtes d'archives, ou caisses enregistreuses. Gardez aussi trois pièces dans votre portefeuille ou votre sac à main pour attirer l'argent.

Pour activer l'énergie des pièces chinoises vers l'argent, vous pouvez aussi attacher 10 pièces ensemble pour simuler les 10 pièces impériales. Cela symbolise la richesse de 10 empereurs. Si vous êtes dans les affaires, suspendez ces pièces contre le mur auprès duquel vous vous asseyez, ce qui attisera la chance et favorisera vos entreprises.

Le bateau à voiles

Personnellement, c'est mon symbole bénéfique préféré. Les meilleurs sont les vieux galions qui, à l'époque des grandes découvertes, transportaient dans leurs flancs des marchandises précieuses, comme la soie et l'or. Ces modèles de bateaux sont généralement en bois. Remplissez le pont de quelque chose qui ressemble à de l'or – ou avec de l'or véritable si vous êtes assez riche. Ce bateau chargé d'or fera voguer la fortune vers vous.

Quand vous installerez ce bateau chargé d'or, assurez-vous que sa proue soit pointée vers l'intérieur. Si le bateau est tourné vers l'extérieur, cela signifiera que votre fortune s'éloigne. Ne le placez pas trop haut sur un meuble. Le meilleur endroit est une table basse du salon, près de la porte, mais sans pointer vers elle. L'idée sous-jacente est de simuler un port (la maison) où le bateau est rentré en vous apportant beaucoup d'or.

Ne choisissez pas un navire de guerre avec des canons sur le pont ; car ces bateaux sont plutôt un symbole de mort que de richesse, et les bâtiments armés introduisent chez vous des flèches empoisonnées.

À GAUCHE : *une maquette de bateau transporte symboliquement vers vous l'or des pays riches et améliore votre prospérité. Mais veillez à ce qu'il pointe vers l'intérieur de la maison.*

Le vase de fortune

Il peut s'agir d'un contenant en céramique ou en cristal (élément terre). Vous pouvez aussi utiliser des vases en métal, mais ils ne sont pas aussi efficaces. C'est parce que, dans le cycle des cinq éléments, la Terre produit l'or. La taille du vase de fortune importe peu. Certains utilisent avec beaucoup de succès de tous petits. J'en ai vu aussi qui avec des vases gigantesques, arrivaient au même résultat.

À DROITE : *un vase de fortune en cristal, contenant des symboles de prospérité, tels que des petits paquets rouges ou des pierres fines.*

CI-DESSUS : *un crapaud à trois pattes en or est un bon symbole de prospérité, facile à trouver.*

Les vases à large ouverture et au col étroit, s'élargissant à nouveau vers la base sont les meilleurs. La forme en sablier est excellente, car elle signifie que la richesse entre, mais ne peut plus sortir. Une base large symbolise une grande capacité d'accumulation de richesses. Placez à l'intérieur du vase trois pièces reliées par du fil rouge, puis remplissez-le de pierres semi-précieuses (si possible de sept variétés), de riz ou de perles de couleur. Choisissez entre quartz, malachite, lapis-lazuli, cristal, quartz rose, œil-de-tigre, turquoise, perles, corail, améthyste, citrine et topaze. Ces pierres ne sont pas très chères si elles sont semi-brutes, et n'oubliez pas que vous pouvez aussi utiliser simplement des grains de riz non cuits. Quel que soit le contenant, remplissez le vase jusqu'en haut. Enfin, si vous en avez la possibilité, ajoutez-y un peu de terre de la maison d'une personne riche, afin de lui emprunter un peu de son énergie. Il n'est pas nécessaire de la connaître personnellement ; simplement de lui demander la permission !

Placez le vase de fortune dans un placard, pour qu'il soit protégé des regards.

Le crapaud à trois pattes

À Taïwan, l'industrie a produit pour le Feng Shui un certain nombre de représentations du crapaud à trois pattes. Ils peuvent être en n'importe quel matériau, les meilleurs étant ceux qui sont dorés et dont les yeux sont constitués de pierres semi-précieuses. N'achetez pas de crapauds en bois, en étain ou en argent. Pour un symbolisme correct, il faut de l'or ou ce quelque chose qui lui ressemble. Il n'est pas nécessaire qu'ils soient très grands. Dès lors qu'ils ont l'air d'un vrai crapaud, ils attireront une grande prospérité.

Ordinairement, le crapaud est assis sur un lit de pièces de monnaie et de faux lingots d'or et tient dans sa bouche une pièce qu'il vous offre symboliquement. Ne le placez pas directement face à la porte d'entrée principale. Placez-le en biais par rapport à cette porte et à hauteur de la taille. Le crapaud est doté de deux pattes antérieures et d'une queue qui représente la troisième patte. Évitez les crapauds avec un Pa Kua sur le dos, à moins que, déjà riche, vous n'en ayez besoin que pour bénéficier de sa protection. Car si vous souhaitez que le crapaud active le Chi de la richesse, il ne faut pas qu'il ait le Pa Kua sur le dos.

CI-DESSUS : *l'arrowana attire la richesse.*

Le poisson dragon, ou arrowana

Le très populaire poisson dragon a beaucoup de succès depuis quelques années car beaucoup de gens ont découvert les importantes retombées de ce magnifique activateur de richesse. À Singapour, ces poissons font l'objet d'un élevage et les plus beaux spécimens se vendent à prix d'or.

Si vous envisager d'avoir ce poisson, ne lui donnez pas de nourriture vivante, car cela crée un mauvais karma de causer la mort de cette nourriture vivante. Nourrissez-le de crevettes décongelées. Il vaut mieux n'avoir qu'un seul poisson dragon. Assurez-vous que l'aquarium est suffisamment grand. Choisissez-en un avec la queue en pointe. Ceux qui ont une queue arrondie ne conviennent pas. Mettez ce poisson dans le salon, près des murs est, sud-est ou nord.

CI-DESSUS : *les poissons rouges procurent énormément de Chi positif et les regarder évoluer dans un aquarium est très relaxant.*

Les poissons rouges

Ils portent bonheur tout comme l'arrowana et procurent autant de Chi favorable. Élevez neuf poissons rouges dans les secteurs nord, est, ou sud-est de votre salon. Sur les neuf, ayez-en un noir. Si vous les élevez dans un bassin au jardin, ils doivent être protégés contre les oiseaux et les chats. Si l'un de vos poissons rouges meurt, ne paniquez pas. Il n'y aura pas de conséquence négative. Remplacez-le, tout simplement. Si vos poissons rouges sont placés dans le secteur nord, mettez avec eux quelques guppies rapides qui aideront à énergiser votre chance professionnelle.

CI-DESSUS : *les chauves-souris vivantes sont un puissant symbole porte-bonheur. Mais un plat comme celui-ci, figurant une chauve-souris, est presque aussi efficace.*

La chauve-souris rouge (roussette)

Peu de gens savent que la chauve-souris rouge est située en haut du Panthéon des symboles bénéfiques chinois. Qu'une bande de chauves-souris élise domicile dans une maison est considéré comme un grand porte-bonheur. Même si elles interfèrent dans votre travail, vous ne devez pas les chasser. Cela dit, si vous n'avez pas de vraies chauves-souris, il existe de nombreuses représentations en céramique de cet animal. Les exposer dans la maison est considéré comme très favorable.

VOIR AUSSI
❖ Conseils pratiques pour les entrepreneurs. pp. 277–283

CHAPITRE CINQ : LE FENG SHUI SYMBOLIQUE

SYMBOLES DE LONGÉVITÉ ET DE SANTÉ

CI-DESSUS : *depuis des siècles, en Chine, la grue est le symbole de la longévité. Le meilleur endroit pour elle est le secteur ouest du jardin.*

La grue

Après le phénix, la grue est, en Chine, le plus populaire des oiseaux porte-bonheur. Elle figure en première place de maintes légendes chinoises, et on lui attribue de nombreux pouvoirs. On la considère comme le patriarche immortel de tous les oiseaux. Il y a, dit-on, quatre types de grues : la noire, la jaune, la blanche et la bleue, la noire étant le symbole de longévité le plus puissant. La légende dit que cet oiseau peut vivre 600 ans.

Les grues ont la réputation d'être particulièrement bénéfiques aux âmes des défunts : représentée sur le cercueil, la grue aurait la capacité de faire monter l'âme du mort au Paradis. La grue est certainement le plus connu des symboles de longévité et on la représente souvent sous un pin qui est aussi signe de longévité. Dans la Chine impériale, la grue était l'emblème des officiers de cour du IVe grade.

On ne saurait trop recommander d'avoir une effigie de cet oiseau dans la maison, pour protéger la santé de tous les membres de la famille. Placez la grue dans le jardin, de préférence dans le secteur ouest.

Le pin

Parce que c'est un arbre au feuillage persistant, le pin est considéré par les Chinois comme un symbole de longévité. Il est aussi celui de l'amitié durable, et de la présence d'amis qui vous soutiendront toujours dans l'adversité. Les pins constituent également une excellente protection contre les esprits errants qui pourraient investir la maison pour en perturber les occupants. Si vous avez un jardin plantez-y au moins un pin. En Chine, certains ont la réputation d'avoir plus de 1000 ans.

La pêche

On la désigne parfois sous le nom de fruit-fée parce que c'est le symbole de l'immortalité. C'est aussi l'emblème du mariage. Le pêcher des dieux pousse, dit-on dans le Paradis Occidental de Hsi Wang Mu, où il fleurit tous les 3 000 ans et produit le fruit de la vie éternelle. Le bois du pêcher, porté en amulette, a la réputation d'offrir une protection exceptionnelle contre la maladie.

CI-DESSUS : *le pin symbolise la longévité et protège efficacement contre les esprits maléfiques.*

Il est très prisé d'avoir des pêches à profusion lors d'un mariage. Les Chinois croient aussi qu'ils peuvent garantir le futur bonheur conjugal de leurs filles en leur servant des pêches à chaque printemps. Cela revient à activer les chances de faire un bon mariage.

CI-DESSUS : *la longévité du daim provient de sa capacité à trouver le champignon de l'immortalité.*

Le daim

Une fois encore, c'est la réputation de longévité qui vaut au daim d'être si apprécié. On dit que c'est le seul animal capable de dénicher le champignon de l'immortalité.

Sau, le dieu de la Longévité

Le plus populaire de tous les emblèmes de longue vie est peut-être le dieu de la Longévité lui-

CI-DESSOUS : *manger des pêches, dit-on, favorise les mariages heureux et durables.*

À GAUCHE : *le dieu Sau protège contre les accidents et la maladie et allonge la durée de vie.*

même. Connu sous le nom de Sau, on le représente souvent sortant d'une pêche ou en compagnie de ses deux dieux associés, Fuk (du Bonheur et de la Richesse) et Luk (dieu des Hautes Dignités Sociales et de l'Abondance). Ensemble ils forment une combinaison très bénéfique.

Sau est toujours représenté souriant, avec un air doux et bon. Il a un large front, parfois il porte un bâton et est assis sur un daim. Il est souvent entouré d'autres symboles de longévité.

Un tableau du dieu de la Longévité constitue un excellent cadeau d'anniversaire pour une personne âgée, comme le patriarche de la famille. En fait, avoir chez soi une représentation du dieu de la Longévité est considéré comme l'un des meilleurs moyens de garantir une bonne santé à tous les résidents et de les protéger efficacement contre les accidents mortels et les maladies incurables.

Le bambou

Le bambou est aussi symbole de longévité, probablement à cause de sa résistance et parce qu'il reste toujours vert, même pendant les hivers les plus froids. Les tiges de cet arbre porte-bonheur ont de nombreuses utilisations en Feng Shui. Transformé en flûtes ou en carillons éoliens, il a la réputation de contrer le Shar Chi ou « souffle qui tue », qui est associé aux arêtes vives et aux angles saillants. Une tige de bambou suspendue au mur ou au plafond, et énergisée par un fil rouge, peut annuler l'effet néfaste des poutres apparentes et autres arêtes vives.

Les meubles en bambou sont considérés comme très propices et ils sont synonymes de chance durable. Si vous connaissez déjà la réussite, le fait d'avoir chez vous au moins un ensemble de meuble en bambou, placé à l'est ou au sud-est, vous portera chance pour longtemps. Il existe de nombreuses variétés de bambou en Chine et chacune d'entre elles est censée représenter une variante des aspirations humaines.

La cigale

La cigale est un des symboles majeurs d'immortalité. Elle symbolise aussi le grand retour de la chance. Quand celle-ci ne vous sourit plus depuis longtemps et que vous avez désespérément besoin qu'elle revienne, le meilleur symbole à exhiber chez vous, reste la cigale. Autrefois, des cigales en jade étaient fréquemment enterrées avec les morts, car on pensait qu'elles leur assureraient le bonheur dans l'au-delà. La cigale est aussi l'emblème du bien-être et de la jeunesse éternelle. Les jeunes gens qui entament une carrière professionnelle profiteront grandement de la présence d'une cigale dans leur bureau. Efforcez-vous d'en trouver une sculptée dans une pierre fine.

CI-DESSUS : *le bambou symbolise la longévité, mais il dégage aussi du bon Feng Shui. Les meubles et les carillons éoliens en bambou neutralisent l'énergie négative.*

À GAUCHE : *une cigale – surtout en jade – peut transformer la malchance en chance et assurer bien-être et prospérité.*

CHAPITRE CINQ : LE FENG SHUI SYMBOLIQUE

SYMBOLES D'AMOUR ET DE MARIAGE

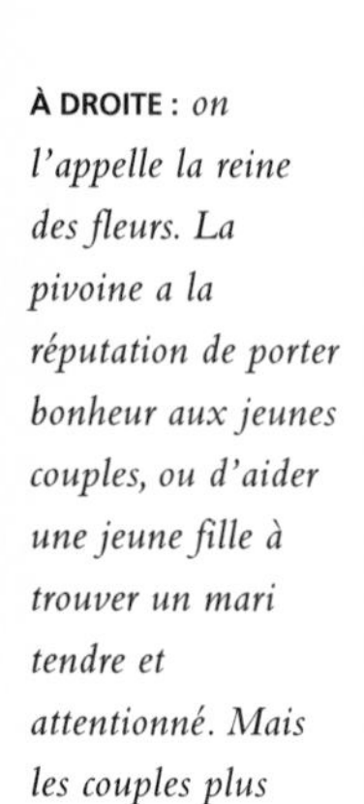

À DROITE : *on l'appelle la reine des fleurs. La pivoine a la réputation de porter bonheur aux jeunes couples, ou d'aider une jeune fille à trouver un mari tendre et attentionné. Mais les couples plus âgés doivent l'éviter de peur de donner au mari des envies de butiner ailleurs.*

La pivoine

La pivoine est la reine des fleurs. Elle symbolise l'amour conjugal. Si vous avez des jeunes filles en âge d'être mariées, un tableau de pivoines leur garantira un mari aimant qui saura prendre soin d'elles. Ainsi, la pivoine annonce-t-elle un mariage heureux, surtout lorsque sa représentation est exposée dans le secteur sud-ouest de la maison.

Mais la pivoine ne doit pas se trouver dans la chambre d'un couple marié depuis longtemps, car elle génère le Chi du nouvel amour. Il y a alors un risque que le mari se mette à papillonner.

Les canards mandarins

Un couple de canards mandarins représente aussi l'amour naissant et le romantisme. De plus, c'est un amour qui se termine bien, alors que les papillons symbolisent un amour marqué d'une pierre noire. Le canard mandarin a toujours symbolisé l'amour conjugal naissant. N'en ayez ni un seul ni trois. Ils doivent toujours aller par paire et être placés dans le secteur qui représente le mariage et l'amour, c'est-à-dire au sud-ouest. Ils peuvent également être présents dans la chambre à coucher.

Le signe du double bonheur

C'est le symbole qui est presque toujours associé au mariage. Il représente un mariage heureux, fructueux et qui durera longtemps. Il signifie donc un bonheur décuplé. Si vous êtes un de ces couples de jeunes mariés, placez ce signe dans l'ameublement de votre chambre et mieux encore faites-vous faire des alliances où est gravé le signe du double bonheur.

CI-DESSUS : *le signe du double bonheur se porte en bijou ou s'accroche dans la maison, de préférence dans la chambre à coucher, pour un mariage long et heureux.*

CI-DESSOUS : *l'anneau du double bonheur est un parfait cadeau de fiançailles ou de mariage.*

À GAUCHE : *le bonheur du jour des noces se trouvera prolongé par les symboles d'amour.*

AUTRES SYMBOLES DE CHANCE

Les Quatre Créatures Célestes de la bonne fortune

Chacune des créatures célestes de la fortune – le dragon, le phénix, la tortue et le tigre – suscitera la chance dès lors qu'elle sera exposée dans la maison.

Des quatre, le dragon est le symbole suprême. Un seul dragon portant une perle, deux dragons se battant pour une perle, ou neuf dragons sur un panneau, sont autant de symboles bénéfiques. La place idéale pour ce dragon se situe à l'est de la maison, mais placé n'importe où ailleurs, il apportera toujours la chance. Ne le mettez pas, cependant, dans la chambre à coucher. Elle deviendra trop yang et vous risquerez d'avoir des insomnies. Le dragon est aussi un excellent symbole en affaire, mais choisissez-le alors gras et prospère.

Le phénix symbolise les bonnes occasions. Placé dans la partie sud de la maison, il suscite les opportunités de gagner de l'argent ou de démarrer une carrière prometteuse. Si vous ne pouvez vous en procurer un, toute créature ailée au beau plumage pourra le remplacer.

CI-DESSUS : *la tortue est un symbole de longévité et de manière générale, de bonne fortune.*

La tortue terrestre est le meilleur symbole de chance. Elle représente tellement de choses positives que sa présence dans la maison ne peut signifier que bonne fortune et protection contre la malchance. C'est un animal qui vit très vieux et qui, dans le Feng Shui, symbolise donc la longévité. Sa carapace représente la protection contre l'adversité, la maladie, et les gens malintentionnés. Si par hasard, il advient qu'une tortue égarée arrive chez vous, accueillez-la à bras ouverts et donnez-lui à manger. Elle signifie richesse à venir, pour vous et toute votre famille.

La licorne est symbole de protection tout comme le chien Fu, et ces deux animaux remplacent avantageusement le tigre. Rappelez-vous que de tous les animaux, le tigre est celui qu'il faut craindre le plus. Il est de fait que pendant les années du tigre, beaucoup de fortunes se défont et il y a de nombreuses catastrophes naturelles. Le chien Fu et la licorne offrent aussi une protection, mais ne sont pas aussi féroces que le tigre.

À GAUCHE : *la tortue dragon, avec son petit sur le dos, est porteuse de huit types de bonne fortune, surtout de richesse matérielle.*

CI-DESSUS : *le dragon céleste tenant une perle est le plus puissant des symboles de bonne fortune.*

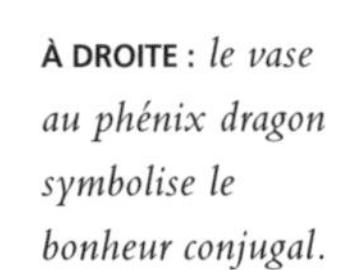

À DROITE : *le vase au phénix dragon symbolise le bonheur conjugal.*

À DROITE : *le cheval dragon apporte honneurs, richesse, célébrité et réussite.*

CHAPITRE SIX

LE FENG SHUI DE L'EAU, SOURCE DE RICHESSE

Chaque fois que l'eau jaillit, ou s'écoule, en accord avec les préceptes du Feng Shui, elle est la plupart du temps bénéfique, ce qui se traduit par un afflux de richesse. En fait, l'eau est elle-même synonyme de richesse. Lorsqu'elle est bonne, ou favorable, l'eau attire l'argent. Lorsqu'elle est mauvaise, ou néfaste, elle l'éloigne. L'eau est aussi l'une des deux composantes du Feng Shui, l'autre étant le vent. Mettre l'un et l'autre en harmonie est en conséquence synonyme de chance exceptionnelle.

Le Feng Shui de l'eau est issu du Feng Shui de la Boussole, qui donne les moyens d'analyser l'influence de l'eau. On distingue l'eau majeure (les étendues et les cours d'eau naturels) de l'eau mineure (canalisée artificiellement). Chacun de ces deux types d'eau a le pouvoir de procurer une immense prospérité à quiconque applique les techniques du Feng Shui. Il faut étudier le sens dans lequel elle coule par rapport à la porte d'entrée, les méandres qu'elle décrit à proximité de la maison, et la façon dont elle s'en éloigne et disparaît à la vue. Certaines orientations sont favorables, d'autres néfastes. Et il existe des méthodes pour orienter l'écoulement de l'eau de façon à simuler le très propice Dragon d'Eau. Si vous êtes de ceux qui ont hâte de raviver leur chance en argent, plongez-vous dans ce chapitre et découvrez comment le flux de l'eau peut être celui qui convient à votre maison.

À GAUCHE : *l'eau a la capacité d'apporter la prospérité aux adeptes du Feng Shui, chez soi comme au travail.*

CHAPITRE SIX : LE FENG SHUI DE L'EAU, SOURCE DE RICHESSE

EAU PROPICE ET EAU NÉFASTE

À DROITE : *l'eau (Feng) et le vent (Shui) sont les deux composantes essentielles du Feng Shui. Les mouvements de l'eau à la surface de la terre sont liés à ceux du Chi invisible dans l'atmosphère.*

CI-DESSUS : *réalisés selon les principes du Feng Shui, les aménagements aquatiques dans un jardin ou devant un siège social peuvent faire naître de l'énergie Chi positive.*

L'eau qui coule de façon harmonieuse à proximité d'une habitation est toujours considérée comme un élément favorable. La plupart des maîtres du Feng Shui indiquent que la présence d'eau est signe de grande prospérité et favorise les affaires et leur développement. Si elle est orientée correctement, l'eau, sous quelque forme qu'elle se manifeste, attire la chance ; le courant de l'eau est en effet supposé refléter les courants de Chi invisibles qui tourbillonnent tout autour de la terre.

Selon les textes anciens, le Chi créé par l'eau peut soit apporter la richesse en abondance soit, au contraire, emporter avec lui la fortune familiale. Bien orientée, l'eau a le potentiel d'attirer la prospérité financière, dans le cas contraire, elle peut tout aussi bien la faire disparaître.

CI-DESSOUS : *soigneusement conçu et réalisé correctement, tout aménagement aquatique a le potentiel d'attirer la chance sur la maison.*

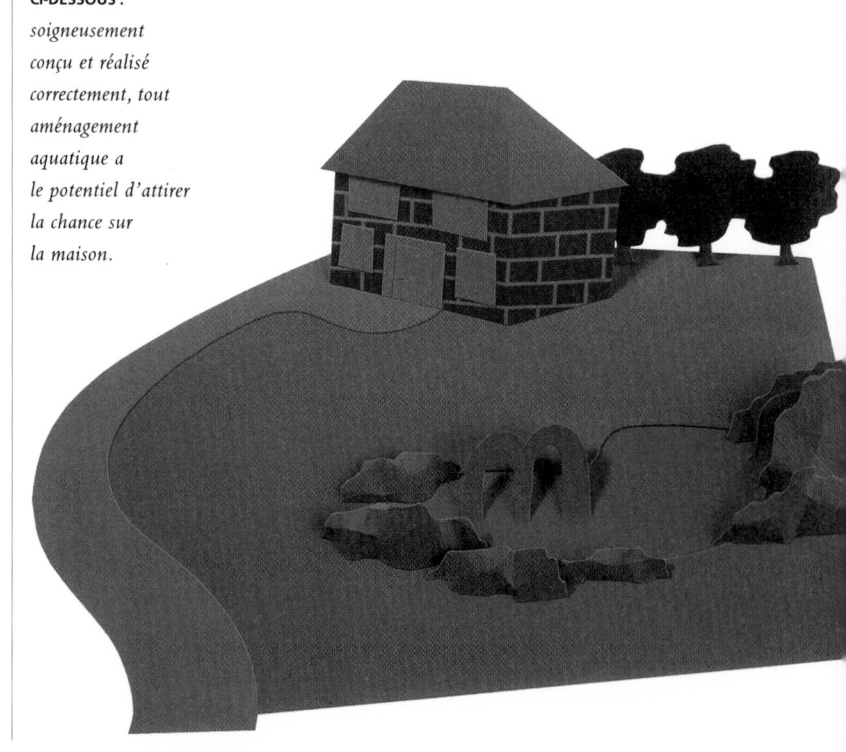

L'EAU DANS LE FENG SHUI : CE QU'IL FAUT FAIRE ET NE PAS FAIRE

Pour que l'eau soit favorable, il faut toujours qu'elle coule lentement et qu'elle soit propre. Les cours d'eau paresseux qui forment des méandres devant votre porte d'entrée sont réputés excellents. Du point de vue du Feng Shui, une rivière qui serpente paisiblement dans la plaine est par conséquent plus favorable qu'un cours d'eau au courant vif et ponctué de rapides et de cascades. Selon le Feng Shui de l'École de la Forme, la meilleure représentation possible de l'eau favorable serait une rivière « qui enlace la maison telle une ceinture de jade ».

On considère que cette configuration a le pouvoir de faire bénéficier la famille d'une bonne fortune qui durera au moins cinq générations.

Une rivière qui coule à proximité d'une habitation ne devrait jamais le faire de façon rectiligne, et en aucun cas donner l'impression de se diriger droit vers la demeure, car en ce cas, elle se transformerait en flèche empoisonnée porteuse du très néfaste Shar Chi mortel. L'eau devrait toujours donner l'impression qu'elle « embrasse la maison », et non qu'elle se précipite vers elle.

On estime aussi que l'eau ne doit jamais couler sur la partie arrière d'une maison d'habitation ou d'un immeuble, car c'est synonyme d'occasion ratée. Dans cette configuration, même s'ils ont de nombreuses opportunités d'avancement et de réussite, il sera difficile aux occupants d'en profiter. Ainsi lorsqu'une rivière coule sur l'arrière d'un immeuble, le Feng Shui n'est pas favorable.

Autre règle générale : l'eau ne doit jamais donner l'impression qu'elle s'éloigne de la maison, et tout spécialement de la porte principale. L'eau qui s'éloigne est un signe de perte. Il existe des demeures à l'environnement aquatique manifestement élaboré en tenant compte des principes ancestraux du Feng Shui mais qui, pour avoir négligé le fait que l'eau s'éloignait de l'habitation, au lieu de couler vers elle, exposent leurs habitants à des pertes sévères.

Nombreux sont les exemples dans le monde des affaires. Le building Lippo, en plein centre de Hong Kong, a été le théâtre de la faillite financière de plusieurs sociétés bien connues qui y avaient leur siège, telles que l'Alan Bond Group, la Bank of Credit and Commerce International, et Peregrine Investment, une banque commerciale de haut niveau. Or le Lippo building avait été conçu de telle façon que l'eau s'éloignait de l'immeuble et le résultat en fut calamiteux.

Le sens d'écoulement de l'eau, on le voit, est un facteur important à prendre en compte quand on l'étudie à la lumière du Feng Shui. Il est aussi crucial dans la conception des « Dragons d'Eau » du jardin et pour la mise en œuvre des diverses recommandations contenues dans le livre « *Water Dragon Classic* », célèbre traité sur l'eau connue pour détenir les secrets des orientations et des flux aquatiques propices pour 24 directions de porte différentes. Il s'agit d'une technique avancée mise en pratique par les maîtres taiwanais du Feng Shui de l'eau.

À GAUCHE : *il peut être très agréable d'habiter à proximité d'une rivière. Mais le Feng Shui d'une maison du bord de l'eau sera compromis si le cours de celle-ci est rectiligne. Par ailleurs, il faut éviter les maisons qui tournent le dos à une rivière.*

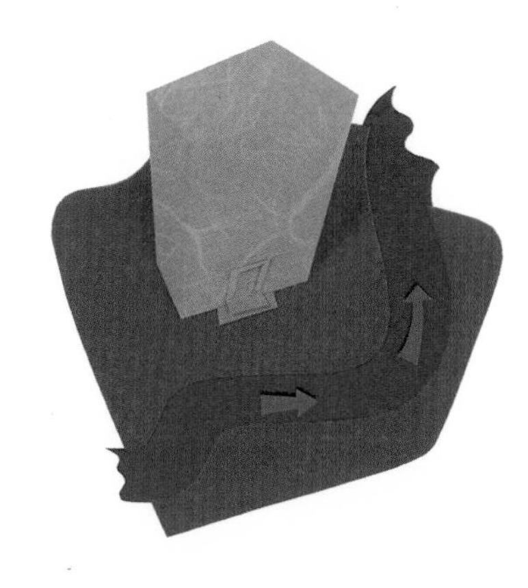

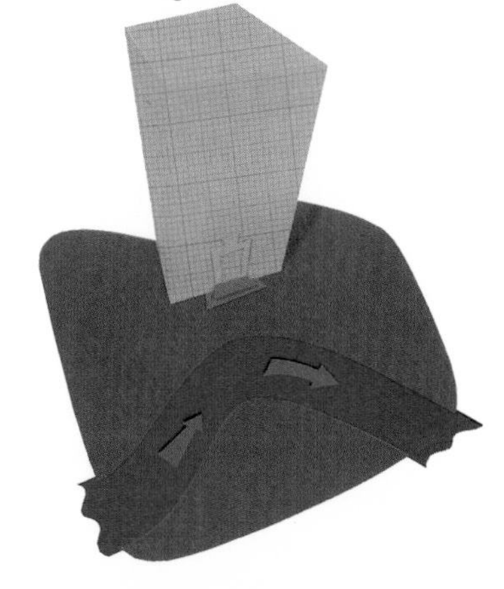

CI-DESSOUS : *le sens du courant est primordial. L'eau qui donne l'impression de fuir à l'opposé de la maison ou de l'immeuble, (à droite) est néfaste. Celle qui fait un coude autour du bâtiment, comme si elle l'embrassait, est bénéfique.*

CHAPITRE SIX : LE FENG SHUI DE L'EAU, SOURCE DE RICHESSE

EAU MAJEURE ET EAU MINEURE

CI-DESSUS : *l'eau douce naturelle, comme ce lac à Hallstat en Autriche, est très propice à la création d'énergie Chi si les habitations ou toutes autres constructions sont conçues pour en tirer avantage.*

Le Feng Shui de l'eau opère une distinction entre eau majeure et eau mineure. Le terme « eau majeure » s'applique aux cours d'eau naturels, tandis que l'eau « mineure » est créée artificiellement. Les deux types d'eau ont chacun une influence, bonne ou mauvaise, en terme de Feng Shui. Ainsi, quand un promoteur intègre dans un espace vert, un quelconque élément aquatique, il serait nécessaire qu'il se préoccupe du Feng Shui. Car dans le cas contraire, et si le sens du courant est maléfique, l'eau va tout simplement emporter votre argent.

Cependant, même si l'eau créée artificiellement a un pouvoir, celui-ci ne saurait se comparer avec celui de l'eau coulant naturellement dont le potentiel de création de richesse est grandement supérieur à celle de l'homme.

L'eau naturelle est partie intégrante du paysage et de l'environnement. On la trouve partout – sous la forme de mer, d'océan, de fleuve ou de rivière, de lac ou de chute d'eau. Le Feng Shui de l'eau, qui active le Chi propice des eaux naturelles, requiert un examen attentif des dimensions, des reliefs et des caractéristiques environnants pour que le Chi porteur de richesse de l'eau qui passe soit effectivement « dévié » vers la maison.

Il est possible de concevoir et de dessiner une maison ou un immeuble qui tire avantage de l'eau naturelle, tout simplement en suivant les conseils déjà énoncés. Mais pour être réellement efficace, la meilleure méthode consiste à appliquer les techniques du « *Water Dragon Classic* » qui procure des recommandations spécifiques pour :

- l'orientation de l'eau par rapport à la porte principale ;
- le mouvement de l'eau autour de la propriété ;
- la façon dont l'eau quitte ou sort de la maison.

Les instructions données dans le « *Water Dragon Classic* » imposent souvent que l'orientation de la maison soit modifiée pour « capter » l'eau qui passe. En Chine, autrefois, le choix de l'emplacement de la porte principale des maisons était souvent le résultat d'un calcul savant tenant compte de l'orientation d'un cours d'eau proche. Ainsi, si votre maison donne sur une rivière, il est bon d'appliquer, au minimum, les points les plus marquants de cette doctrine pour être sûr que la maison en bénéficie. N'oubliez pas que même un petit ruisseau peut être très favorable.

L'eau créée artificiellement, comme les bassins à poissons, les piscines, les cascades artificielles et les fontaines, peut se révéler aussi efficace que l'eau naturelle des rivières et des ruisseaux. De plus en plus, les parcs, espaces verts publics, et même jardins privés, s'ornent de bassins décoratifs. Ils peuvent se révéler pourvoyeurs d'excellent Chi et porter chance à tous ceux qui sont suffisamment proches pour en bénéficier.

La plupart des gens n'ont ni les moyens ni la place d'installer sur leur propriété un plan d'eau ou un bassin, mais il est possible d'appliquer les directives contenues dans le « *Water Dragon Classic* » à de simples canalisations d'eau dans votre jardin, pour créer ainsi un courant aquatique favorable. Une orientation de ces drains à ciel ouvert, est parfois plus efficace, pour attirer la bonne fortune, que des éléments essentiellement décoratifs comme le sont les bassins et les chutes d'eau artificielles dans le jardin.

CI-DESSUS : *un aménagement artificiel peut être profitable s'il respecte les principes du Feng Shui.*

L'ACTIVATION DE L'EAU MAJEURE

Les directives les plus importantes à suivre pour activer l'eau majeure sont celles qui garantissent que :

- l'orientation de la porte d'entrée principale est en rapport avec la direction vers laquelle coule l'eau majeure, soit vers la droite, soit vers la gauche ;
- l'eau est à un endroit constituant un élément compatible avec l'endroit où se trouve la porte principale.

Il est vital que l'eau majeure s'écoule soit de gauche à droite, soit de droite à gauche, et cela dépend de la catégorie de maison qui, elle-même dépend de la direction dans laquelle est tournée la porte d'entrée. Si l'eau majeure ne coule pas dans la direction adéquate, il est conseillé d'en ajuster la direction. Il n'est pas toujours possible de vivre auprès d'une eau majeure favorable. Il est souvent difficile aux habitants de zones urbaines de se « brancher » sur un cours d'eau naturel, à moins que la ville ne soit construite autour d'un lac ou qu'une rivière ne coule en son milieu. Mais pour ceux qui le peuvent, il est toujours recommandé de capter le Chi favorable créé par toute eau majeure située à proximité.

C'est particulièrement vrai pour des maisons ou immeubles situés au bord d'une rivière. Si vous vivez près d'une rivière ou de toute autre eau majeure, assurez-vous que vous êtes face à l'eau. S'il est impossible que votre porte d'entrée soit face à l'eau, construisez un mur qui va symboliquement démarquer et bloquer la vue de la rivière.

Si la vue sur une rivière est importante, la direction de son cours l'est encore plus. Ainsi, capter avec succès les influences propices d'une rivière ne se fera que si elle coule devant la maison dans la bonne direction.

CI-DESSUS : *la façade doit être tournée vers la rivière qui doit couler dans le bon sens par rapport aux portes.*

EAU COULANT DE DROITE À GAUCHE
TRÈS FAVORABLE POUR LES MAISONS DONT LA PORTE PRINCIPALE FAIT FACE À

Ting/Wei	(sud/sud-ouest)
Kun/Sen	(sud-ouest)
Sin/Shih	(ouest/nord-ouest)
Chian/Hai	(nord-ouest)
Kway/Choh	(nord/nord-est)
Gen/Yin	(nord-est)
Yi/Shen	(est/sud-est)
Shun/Tze	(sud-est)

EAU COULANT DE GAUCHE À DROITE
TRÈS FAVORABLE POUR LES MAISONS DONT LA PORTE PRINCIPALE FAIT FACE À

Ping/Wu	(sud)
Ken/Yu	(ouest)
Zen/Cher	(nord)
Chia/Mau	(est)

Les directions indiquées dans les deux diagrammes pour l'eau coulant en face de la porte principale sont fondées sur la doctrine du Dragon d'Eau. Elles sont réputées les plus propices pour chaque type de porte.

Si vous habitez près de la mer, il est préférable de vivre dans un immeuble collectif que dans une petite maison, car cela contrebalance l'effet de l'eau gigantesque représentée par la mer. La présence excessive de l'eau conduit à un déséquilibre. Cependant, si la maison n'est pas trop isolée, et que des mesures spéciales sont prises pour l'équilibrer avec d'autres éléments qui diminuent les effets d'une prédominance de l'eau, la mer sera facteur de chance.

Il est bon, aussi, de connaître la hauteur des vagues qui déferlent sur la plage faisant face à votre maison. S'il y a beaucoup de vent, avec de fréquentes tempêtes, l'effet n'est pas favorable, à moins de construire une quelconque protection symbolique.

À L'EXTRÊME GAUCHE : *suivant l'orientation de la porte d'entrée, le courant est favorable ou non.*

À GAUCHE : *les maisons ne sont pas toujours bien orientées par rapport à l'eau majeure. Il sera peut-être nécessaire de bâtir un mur de protection.*

VOIR AUSSI
- La formule de l'écoulement de l'eau *p. 254-255*

CHAPITRE SIX : LE FENG SHUI DE L'EAU, SOURCE DE RICHESSE

L'ACTIVATION DE L'EAU MINEURE

CI-DESSUS : *une cascade artificielle ajoute de l'agrément au jardin et peut aussi vous aider à améliorer votre compte bancaire. Le meilleur endroit pour une chute d'eau est, soit le coin nord du jardin, soit l'est ou le sud-est.*

Le meilleur moyen d'activer l'eau mineure dans une perspective Feng Shui est d'aligner des structures artificielles fabriquées, comme des bassins ou des mares, en s'inspirant de la formule du Dragon d'Eau, avec des drains très soigneusement étudiés. Cela dit, il est possible d'introduire d'autres structures artificielles dans le jardin si vous le souhaitez, et si vous avez suffisamment de place. Trois exemples d'aménagements artificiels – cascades, fontaines et bassins à poissons – non seulement peuvent d'améliorer le Feng Shui de la maison, mais aussi ajouter encore de l'attrait à un jardin bien conçu.

Les cascades sont parmi les exemples les plus populaires de création humaine d'eau mineure. Une petite chute d'eau artificielle dans le jardin devant la porte (mais pas directement en face), est particulièrement efficace pour susciter le bon Feng Shui. L'emplacement idéal est soit le coin nord du jardin, soit encore l'est ou le sud-est.

Si l'on s'en tient au Feng Shui, une belle cascade bien en vue depuis la porte principale crée des opportunités dans les affaires et d'avancement dans la carrière, tout comme elle attire l'argent. Si vous installez une cascade, concevez-la en rapport avec la taille de la maison. Une chute d'eau trop haute ou trop importante fera de l'ombre à l'habitation avec trop d'énergie Chi. Aussi, quand vous utiliserez des pierres et des cailloux pour la décoration, assurez-vous qu'ils ne ressemblent pas à quelque chose d'hostile, ou de menaçant qui pourrait créer du Shar Chi maléfique pour votre porte.

Ne placez pas la chute d'eau juste en face de la porte principale : cela pourrait bloquer le Chi favorable qui allait pénétrer dans la maison. Il vaut mieux placer les chutes d'eau sur le côté gauche de la porte principale, en regardant vers l'extérieur.

Les fontaines sont très populaires et aussi très efficaces pour rehausser le Feng Shui dans le jardin. Il en existe de nombreux types, qui laissent s'écouler l'eau de manière très variée. En réalité, n'importe quel modèle est satisfaisant.

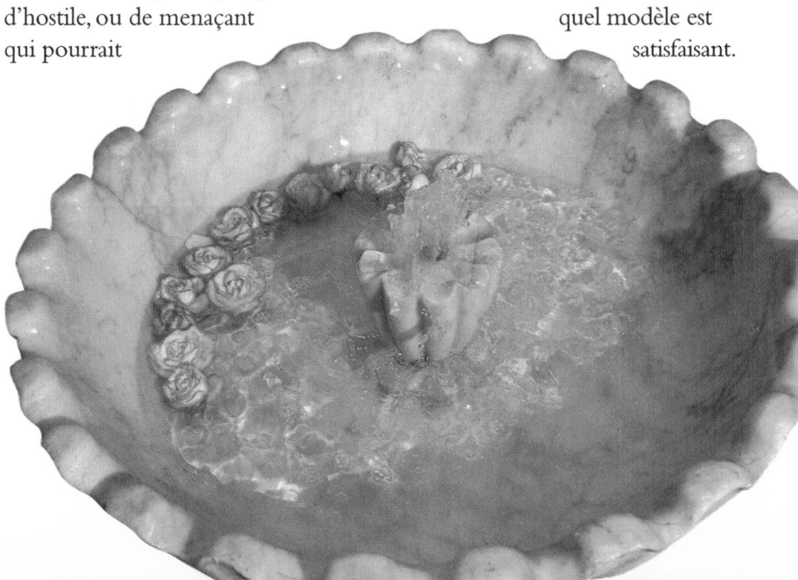

À DROITE : *cette fontaine qui « pétille » joyeusement dans son bassin sculpté est excellente en termes de Feng Shui et reflète l'accumulation positive de Chi.*

Le meilleur emplacement – et le plus efficace – pour implanter une fontaine, est dans le jardin, devant la maison, bien visible de votre porte d'entrée. Assurez-vous d'abord que vous avez assez de place pour l'installer : pour en tirer le maximum de bienfaits, il vous faut au moins 6 m à partir de la porte. Si c'est le cas, vous allez augmenter considérablement le Feng Shui de la maison. Placez de préférence la fontaine dans un secteur de la propriété symbolisé par l'élément eau (par exemple le nord), ou encore l'élément bois (c'est-à-dire l'est ou le sud-est), qui sont des directions compatibles. Si vous aimez vraiment les fontaines, vous pouvez en mettre une miniature dans la maison ou au bureau.

La société d'assurances Prudential Asia a installé avec succès une fontaine à son siège de Hong Kong, Alexandra House. Depuis le premier jour, en 1987, cette société n'a cessé de progresser. Prudential Asia est certainement aujourd'hui le plus prospère des établissements de gestion financière du secteur non bancaire.

Tout comme pour les cascades, il est très important de garder le sens de l'équilibre lorsqu'on installe une fontaine. Il ne faut pas qu'elle soit d'une taille trop imposante pour dominer complètement le jardin et vous envahir d'un trop-plein d'énergie ; cela ferait plus de mal que de bien. N'oubliez pas que l'équilibre est un aspect fondamental du Feng Shui.

Les amateurs de jardin raffolent en général des bassins à poissons. Un bassin peut constituer un très bon outil Feng Shui. C'est probablement l'une des méthodes les plus efficaces de susciter le Sheng Chi favorable.

La présence de poissons est en effet très favorable, car ils sont généralement considérés comme d'excellents symboles de chance et de richesse. Les Chinois font souvent référence aux poissons lorsqu'ils évoquent la prospérité.

Un bassin à poissons ne doit être ni trop compliqué, ni trop vaste. Il devra se situer dans le nord, l'est, ou le sud-est du jardin. Les femmes devront aussi se souvenir qu'un bassin, surtout s'il contient des poissons, ne doit jamais se trouver à droite de la porte d'entrée principale (lorsqu'on regarde vers l'extérieur). En effet, bien que bénéfique et favorisant la richesse, un tel bassin risque de faciliter de nouvelles relations. C'est-à-dire que si le bassin à poissons est situé sur le côté droit par rapport à la porte d'entrée, l'homme pourra être tenté par des aventures extra-conjugales et peut-être aller jusqu'à abandonner son épouse.

CI-DESSUS : *la meilleure place est au nord, à l'est ou au sud-ouest*

CI-DESSUS : *évitez les plans trop compliqués pour votre bassin.*

CI-DESSUS : *un bassin à poissons en forme de huit est très favorable.*

Les illustrations de cette page donnent des exemples de bassins à poissons. Il est possible, aussi, de le combiner avec d'autres éléments aquatiques favorables, comme une fontaine ou une cascade. Si vous avez l'intention d'élever des carpes koi, veillez à ce que la profondeur soit suffisante et l'eau bien oxygénée.

En général, en termes de Feng Shui, les piscines ne sont pas très positives. La plupart des maîtres Feng Shui déconseillent d'en construire une, à moins que la propriété soit très grande et dispose de beaucoup d'espace. Autrement dit, il vaut mieux qu'elle se rapproche du « country-club » plutôt que du pavillon de banlieue. La raison en est que les piscines ont tendance à dominer la maison. Une grande masse d'eau crée un déséquilibre et si, en plus, elle se trouve située dans le mauvais secteur, avec l'incompatibilité que cela suppose, il en résultera plus de mal que de bien. En outre, une piscine, surtout si elle est rectangulaire, pourrait provoquer, par ses angles vifs, du Shar Chi néfaste. Si, en plus ce dernier est dirigé contre la porte de la maison, cela pourrait être désastreux.

Si vraiment vous voulez une piscine, choisissez-la de dimensions modestes, et de préférence de forme ronde ou ovale ou encore en haricot. Si, du fait de sa forme, la piscine a l'air d'envelopper la maison, cela créera une configuration favorable de l'élément eau.

CI-DESSUS : *pour les Chinois, le 8 est un chiffre très favorable. Cela en fait une forme très bénéfique pour un bassin.*

CI-DESSOUS : *évitez les piscines aux angles vifs, car cela encourage le Shar Chi négatif. Les meilleures formes sont rondes, ovales ou en haricot.*

CHAPITRE SIX : LE FENG SHUI DE L'EAU, SOURCE DE RICHESSE

L'ACTIVATION DES CONDUITES D'EAU DE PLUIE

Le Feng Shui de l'eau ne saurait être complet si l'on ne prend pas en compte les conduites d'eau de la maison. Cela dit, on ne se préoccupera que de celles qui sont à ciel ouvert, c'est-à-dire, en général, celles d'évacuation des eaux pluviales – l'eau que l'on ne peut pas voir n'existe pas.

Même si les conduites d'eau peuvent paraître négligeables, leur influence sur les forces intangibles qui créent le bon ou le mauvais Feng Shui est parfois spectaculaire. Un écoulement favorable des eaux, tout en étant quelque chose de subtile, est très utile pour attirer le bon Feng Shui. Quiconque veut favoriser le sort devra donc s'y intéresser et l'introduire dans sa pratique. La formule qui permet de le faire correctement est à la base de la théorie du Dragon d'Eau. Dans la Chine ancienne, lorsque les riches mandarins de la cour impériale élaboraient leurs Dragons d'Eau, ils faisaient réaliser des circuits d'eau très élaborés tout autour de leur demeure. De nos jours, on peut se servir de façon tout aussi efficace du simple circuit d'évacuation.

Quand vous étudierez le potentiel d'activation favorable du Feng Shui de l'eau pour votre maison, il sera aussi nécessaire de déterminer l'emplacement des canalisations publiques extérieures par rapport à votre terrain.

Les conduites d'eau domestiques dans les habitations modernes, en particulier en Extrême-Orient, sont normalement conçues pour circuler tout autour de la maison avant de se jeter dans une canalisation publique à l'extérieur. Ces conduites du réseau public peuvent se trouver soit sur l'avant, soit sur l'arrière ou encore sur les côtés de la maison. Leur orientation, et la direction d'écoulement affectent aussi votre Feng Shui.

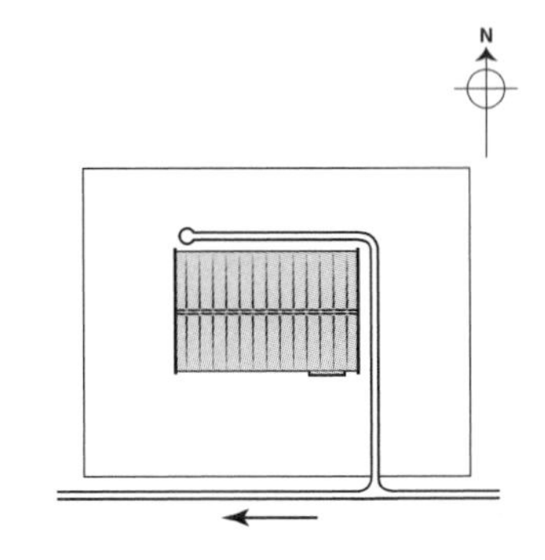

CI-DESSUS : *le sens de l'écoulement de l'eau domestique doit être vérifié en se reportant au plan de la maison.*

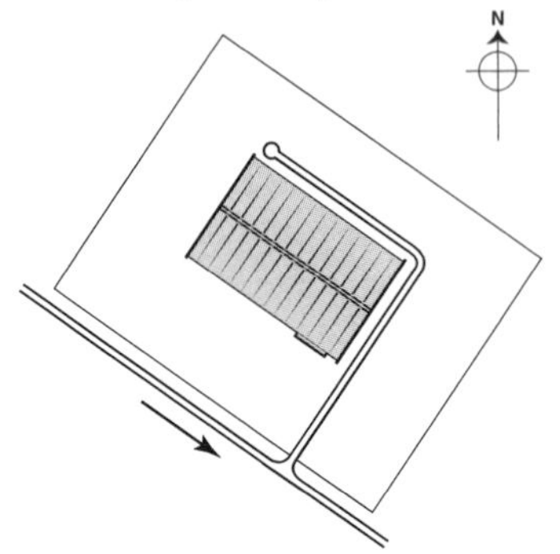

CI-DESSUS : *on peut assez facilement ajuster l'écoulement des eaux usées pour favoriser le bon Feng Shui.*

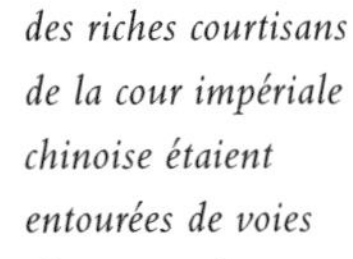

CI-DESSOUS : *autrefois, les demeures des riches courtisans de la cour impériale chinoise étaient entourées de voies d'eau creusées spécialement pour susciter le bon Feng Shui. De nos jours, on peut se servir du drainage du jardin pour le même usage.*

Par ailleurs, l'emplacement du réseau public peut parfois vous causer problème s'il ne vous permet pas d'évacuer vos eaux sanitaires dans la direction souhaitée. Quand vous chercherez à savoir si les canalisations publiques vous seront propices ou néfastes, notez la direction dans laquelle elles coulent et vérifiez si cela correspond à la direction favorable en fonction de l'orientation de votre porte principale.

N'oubliez pas que l'eau doit :

- s'écouler de gauche à droite lorsque la porte principale est tournée vers l'un des quatre coins cardinaux ;
- s'écouler de droite à gauche, lorsqu'elle est orientée dans une direction secondaire.

LE FENG SHUI DE L'EAU

On raconte que l'empereur Xia Yu, fondateur de la première dynastie chinoise, vers 4 000 de l'ère chinoise a laissé l'empreinte de ses pieds dans tout le royaume en tentant de contrôler les grands fleuves comme le Houang-ho (le fleuve Jaune), et le Yang-tseu-kiang. Il est révéré pour avoir été capable de conquérir les eaux en comprenant leur vraie nature.

Feng (le vent) et Shui (l'eau) sont les deux composantes du Feng Shui ; des deux, l'eau était la plus facile à appréhender, car elle est de nature terrestre. La Chine était déjà une société agricole où la présence de l'eau faisait la différence entre une récolte abondante et une disette. Au fil des siècles, l'eau finit donc par symboliser la quintessence de l'existence. Elle était aussi considérée comme une force imprévisible qu'il fallait comprendre et contrôler pour en exploiter les immenses bienfaits. Ainsi, avec le temps, des théories furent élaborées concernant l'emplacement et l'écoulement des eaux qui captaient le mieux, dans l'environnement, le Chi propice. La théorie du « Dragon d'Eau » décrit cinq modèles d'écoulement de l'eau, qui reflètent chacun l'un des cinq éléments. Ils sont représentés dans les illustrations ci-dessous. Servez-vous de ces dessins pour la bonne compréhension de l'eau qui coule près de votre demeure. Si l'écoulement se fait dans la bonne direction, on dit que l'eau est harmonieuse et favorable.

À GAUCHE : *dans la société chinoise, on ne tient pas l'eau pour quelque chose d'acquis, comme dans le monde occidental.*

QUELQUES RÈGLES CONCERNANT L'EAU ET VOTRE MAISON

- Évitez d'acheter une propriété où de l'eau se trouve à l'arrière de la maison : cela symbolise des pertes de chance. Le meilleur emplacement pour l'eau, sous quelque forme que ce soit, c'est devant l'habitation. Notez la direction du courant qui passe devant la porte. Ci-dessous sont représentées quelques configurations favorables.

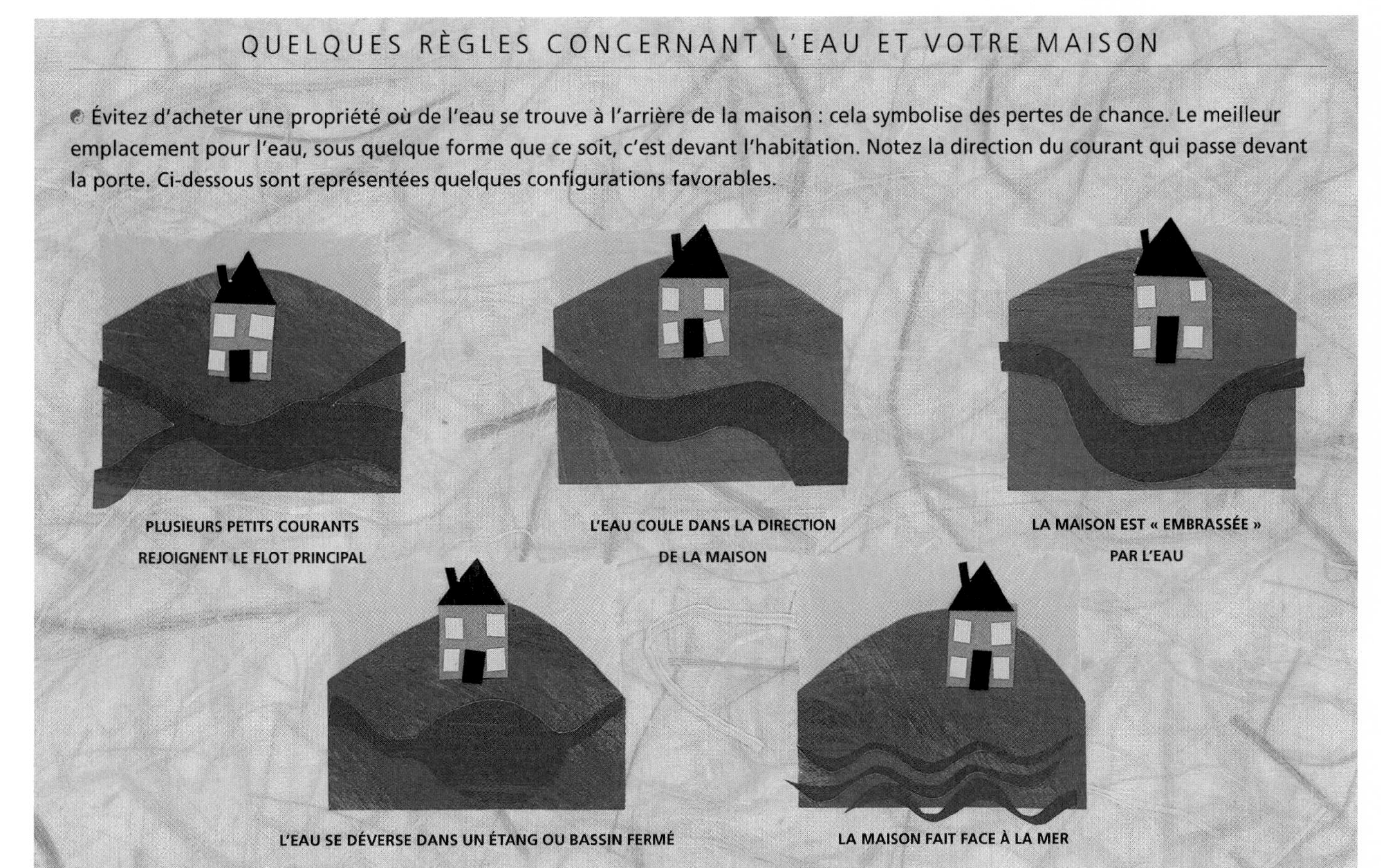

CHAPITRE SEPT

LES OUTILS DU FENG SHUI

Dans le Feng Shui, les outils de la pratique tournent tous autour du Luo Pan – la boussole traditionnelle du maître, qui révèle autant ou aussi peu que le Maître permettra au disciple de savoir ! La plupart des Luo Pan authentiques contiennent tous les secrets de l'art du Maître et chacun d'eux porte généralement les symboles clés inscrits sur la boussole selon un code. C'est pour cette raison que je conseille toujours aux adeptes débutants de se servir, pour leur travail en Feng Shui, d'une boussole ordinaire, du type de celle que l'on connaît bien en Occident. Il est en effet extrêmement facile de s'orienter avec une boussole de ce type. Les lecteurs pourront ensuite se reporter aux tables de référence qu'ils trouveront dans cet ouvrage pour connaître la signification de tel lieu et de telle direction en fonction de la situation. Bien utilisée, en combinaison avec le Pa Kua octogonal et le carré magique Lo Shu aux neuf cases, la boussole ordinaire et ses orientations révèlent un vaste champ de possibilités et d'alternatives dans la pratique de leur Feng Shui. Pour démarrer, il est conseillé au praticien débutant d'investir dans une boussole de qualité.

À GAUCHE : *un praticien Feng Shui consultant son Luo Pan.*

CHAPITRE SEPT : LES OUTILS DU FENG SHUI

LE LUO PAN OU BOUSSOLE DU MAÎTRE DU FENG SHUI

CI-DESSUS : *la boussole géomantique du Feng Shui, le Luo Pan, est constituée de plusieurs anneaux très élaborés comportant des mots et des symboles chinois codés. Les Maîtres en Feng Shui possèdent des versions personnalisées qui contiennent leurs propres formules secrètes.*

Les Chinois ont été les premiers à mettre au point la boussole Feng Shui il y a plus de 3 000 ans. Selon la légende, le Luo Pan fut présenté à l'Empereur Jaune (XXVe siècle, ère chinoise) par les déesses des Sept Ciels pour lui porter assistance dans sa lutte héroïque contre le clan du Sorcier du Mal.

Au fil des siècles, le Luo Pan s'est trouvé modifié, redéfini et redessiné en fonction de découvertes nouvelles affectant les théories des paysages et des directions par les experts Kan Yu (les maîtres du Feng Shui) des dynasties successives. Depuis, le Luo Pan est devenu un outil indispensable dans la pratique du Feng Shui.

Pendant des siècles, les maîtres du Feng Shui ont cherché, expérimenté et déchiffré les sens cachés des inscriptions des différents modèles de Luo Pan. Le sens de ces inscriptions est profond et fascinant, chaque caractère finement gravé sur le Cadran céleste (le cercle mobile du Luo Pan), contenant une partie des secrets des anciens maîtres.

Littéralement, Feng Shui veut dire « Vent et Eau ». On sait que l'eau représente la richesse, mais peu de gens savent ce que représente le vent. En Feng Shui, le vent c'est la direction. Pour que le Feng Shui ait de l'effet, il est nécessaire et d'une extrême importance d'étudier les forces de l'eau et les influences directionnelles. En même temps, la direction, à un degré près, tout autour du Luo Pan a des effets profonds et significatifs sur le Feng Shui d'un lieu précis.

Les trois types de Luo Pan

Il existe différentes écoles de Feng Shui et le secret de chacun de ces systèmes est contenu dans la plupart des Luo Pan authentiques. En général, cependant, on distingue deux catégories de Feng Shui chinois authentique : l'École San Yuan (le système des Trois Cycles) et l'École San He (le système des Trois Combinaisons). Le Fey Sing (les Étoiles Volantes) et le Xuan Kong (Temps et Espace) peuvent être classés dans l'École San Yuan.

Le Pa-Chai (la formule Kua des Huit Maisons), le Sui Long (Dragon d'Eau), le San Long (Dragon des Montagnes) et le Feng Shui de la Forme dépendent du système San He. Ce sont là des systèmes de Feng Shui traditionnels et authentiques. Les vieux maîtres se servaient de Luo Pan différents selon le système de Feng Shui qu'ils pratiquaient.

Les anneaux

Selon le système pour lequel le Luo Pan a été conçu, il peut avoir de 7 à 36 anneaux.

Chaque anneau contient des codes pour une formule ou une théorie spécifique. Par ailleurs, les différents systèmes de Feng Shui attribuent des significations variées aux divers niveaux du Luo Pan. Lorsque vous connaîtrez la signification des caractères du Luo Pan, vous serez capable de mesurer, localiser, calculer et même prédire les énergies naturelles de la terre, à la fois directionnelles et locales, dans un endroit donné.

Dans le Feng Shui tel qu'on le pratique aujourd'hui, deux modèles standardisés de Luo Pan sont très populaires parmi les adeptes de l'authentique Feng Shui chinois. Il s'agit, d'une part, du San Yuan Luo Pan et, d'autre part, du San Hup Luo Pan. Ils sont très faciles à différencier. Le San Yuan Luo Pan possède les 64 hexagrammes du *I Ching*. Le San Hup Luo Pan comporte les 3 anneaux distincts des 24 montagnes. Un troisième type standardisé de Luo Pan est une combinaison des deux autres Luo Pan. On l'appelle le Zhung Hup Luo Pan.

Une règle en huit points pour choisir un Luo Pan

1 La qualité de l'aiguille : elle doit être correctement alignée au-dessus de la ligne rouge qui se trouve dans le bas du Bassin du Ciel (la pièce ronde centrale). L'aiguille doit pouvoir s'aligner juste au-dessous de la croix axiale (les fils en Nylon entrecroisés). La tolérance ne doit pas dépasser 1/100 mm.

2 La ligne rouge du Bassin du Ciel : les deux points doivent pointer dans la direction du « Rat » (plein nord = 0°) et la pointe dirigée dans la direction du « Cheval » (plein sud = 180°)

3 Exactitude de la Croix axiale (les fils de Nylon) : la croix doit pouvoir croiser l'axe cardinal à exactement 0°, 90°, 180°, et 270° du Cadran céleste. Il ne doit pas y avoir le moindre écart, car cela rendrait le Luo Pan complètement inefficace.

4 Bonne qualité du Cadran céleste : chacun des caractères, des trigrammes, et des nombres doit être imprimé ou gravé avec netteté. Ils doivent être faciles à lire. L'impression de certains mots ou caractères peut être floue – faites une double vérification. Le cadran doit pouvoir tourner sans heurts. Il faut à la fois qu'il tourne sans trop de frottements, ni trop facilement.

5 Le Plateau de la Terre et du Niveau Spirituel doivent être carrés : le Luo Pan doit être doté d'un socle carré. Celui-ci permet de prendre les mesures par parallélisme par rapport à un mur ou une porte. Pour une parfaite précision de lecture, il doit être muni d'un « Niveau Spirituel ».

6 La qualité du matériau : en quoi est fait le Luo Pan ? En bois compressé, en bois naturel, ou en bois recyclé ? Le bois compressé résiste à des températures de 140 °C. Les articles en bois naturel ou en bois recyclé sont très bon marché. On les trouve dans les boutiques de pacotilles chinoises.

7 Mesures et dimensions : un bon Luo Pan doit être gradué très exactement à 360°. Les dimensions sont standardisées. La norme utilisée par les maîtres traditionnels est de 19 cm. Les modèles plus petits (6 cm ou 10 cm) se transportent plus facilement ; mais plus le Luo Pan est petit, plus il est facile de faire des erreurs. C'est pourquoi il ne faut jamais utiliser un Luo Pan de petit diamètre pour une consultation professionnelle à moins d'être très expérimenté. Il est conseillé aux débutants d'utiliser un modèle de 13 cm ou de 16 cm. Les professionnels du Feng Shui devront utiliser un Luo Pan de 19 cm.

8 L'esthétique : même si les sept points ci-dessus sont respectés, le dernier critère reste le test esthétique. Certains Luo Pan, bien qu'efficaces, n'ont aucun attrait pour l'œil. Ou encore, ils sont rugueux au toucher. Lorsque vous serez en quête d'un Luo Pan, n'hésitez pas à être très rigoureux. Non seulement il doit être d'excellente qualité de fabrication, mais il devra avoir le bon toucher (doux à l'apparence et au contact). Il devrait être suffisamment beau pour servir de motif énergisant sur un mur de la maison. Certains maîtres du Feng Shui n'hésitent pas à arborer fièrement chez eux leur Luo Pan. Quelques-uns le font par fierté, d'autres parce que cela leur apporte de la sérénité. Il est vrai, aussi, que de nombreux maîtres de Feng Shui actuels sont d'ardents collectionneurs de Luo Pan. Beaucoup d'entre eux croient que le Luo Pan a le pouvoir d'éloigner les esprits mauvais parce qu'ils personnifient les secrets du *I Ching*, lequel, comme on sait, contient le secret du Ba Gua Feng Shui.

Un Luo Pan de qualité doit peser de 1,3 à 1,5 kg. Le Cadran Céleste (le plateau circulaire) doit pouvoir tourner facilement, d'une main ferme et assurée. De nos jours, il est difficile de trouver de très bons Luo Pan. En Occident, des vendeurs inexpérimentés ont été victimes de marchands chinois sans scrupule qui leur ont vendu de mauvaises imitations bon marché d'un vrai Luo Pan Feng Shui. Soyez donc très vigilant sur le choix du Luo Pan que vous achetez. Demandez de préférence l'avis d'un professionnel avant toute acquisition.

Notez bien que le Luo Pan est un outil qui est en règle générale réservée à l'usage des conseillers de Feng Shui professionnels. Vous n'en aurez pas besoin à moins que vous ne prévoyiez de devenir vous-même conseiller auquel cas, lorsque vous en achèterez un, veillez bien à apprendre à le lire et l'interpréter.

CI-DESSUS : *on peut utiliser une boussole européenne pour le Feng Shui, mais il ne faut pas oublier que les Chinois situent le sud en haut.*

LE PA KUA YIN ET LE PA KUA YANG

Le Pa Kua yin

L'illustration ci-dessous montre un Pa Kua yin, qui illustre l'emplacement des trigrammes selon l'arrangement du Ciel antérieur. C'est également l'arrangement des trigrammes qui est utilisé pour le Pa Kua défensif comme antidote contre les flèches empoisonnées. C'est ce Pa Kua que vous pouvez pendre à l'extérieur de votre porte principale pour vous protéger du Shar Chi causé par des structures hostiles agressant la porte d'entrée. Étudiez soigneusement la position des trigrammes car le pouvoir du Pa Kua yin provient de leur arrangement. Beaucoup de ceux qui sont vendus dans les quartiers chinois des grandes villes du monde et sur Internet comportent des erreurs dans le positionnement des trigrammes. Il est donc nécessaire de les examiner avec beaucoup d'attention.

Le Pa Kua protecteur est agrandi sur cette page et il peut être reproduit

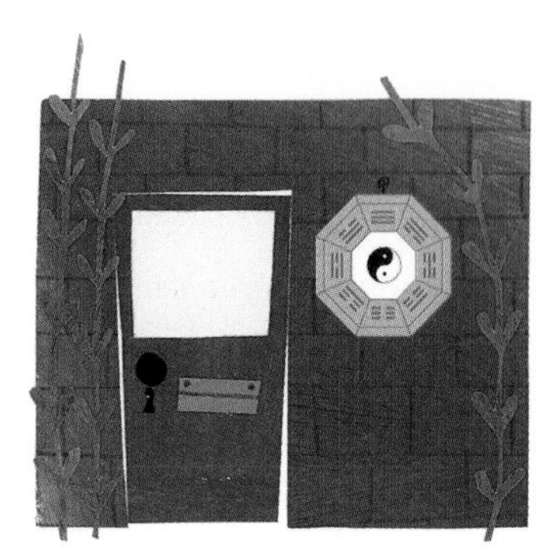

CI-DESSUS : *suspendez un Pa Kua yin à l'extérieur de votre maison pour dévier l'énergie tueuse des flèches empoisonnées.*

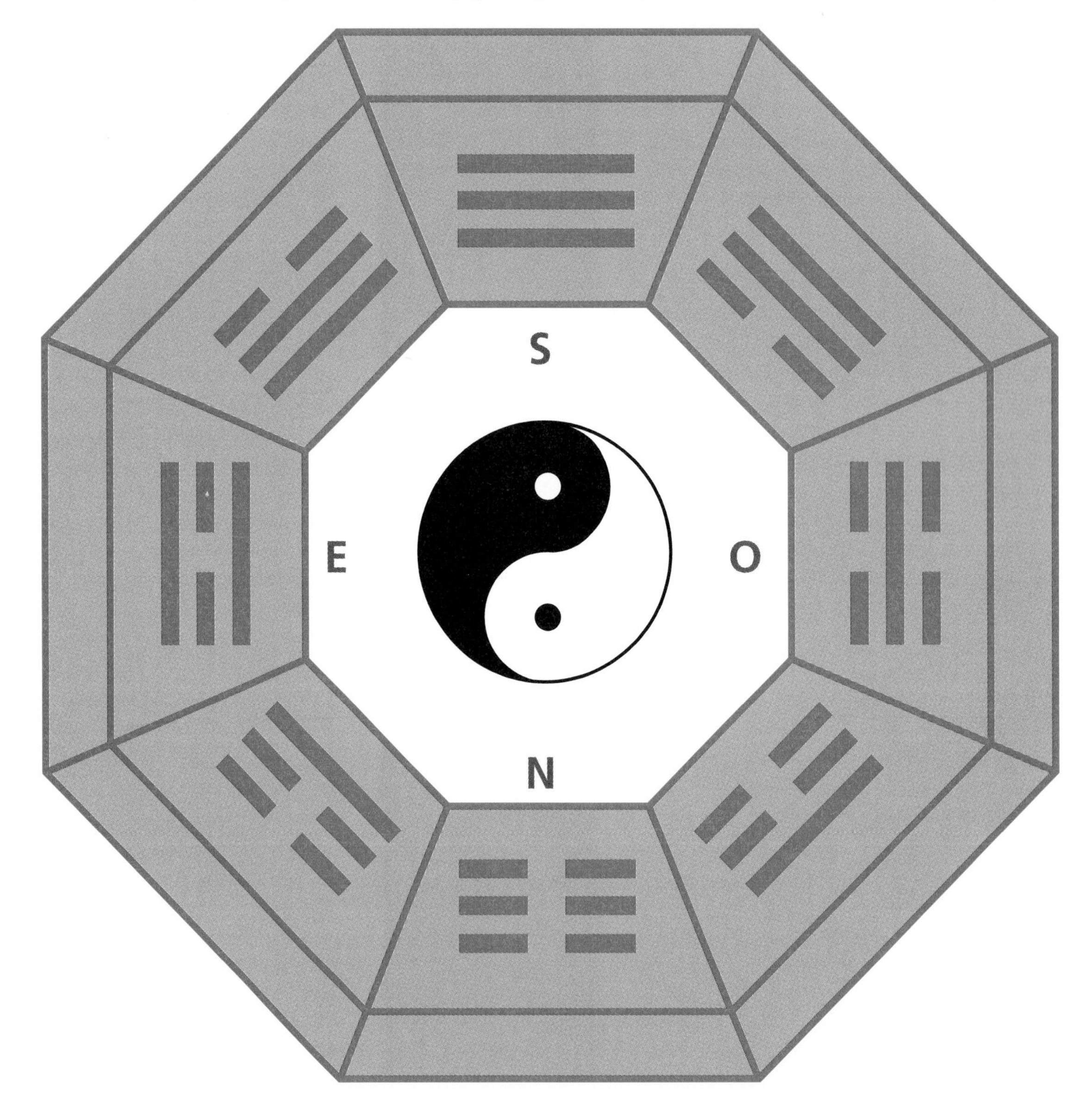

À DROITE : *l'arrangement des trigrammes est extrêmement important. Ici, dans le Pa Kua qui est souvent utilisé pour protéger la porte d'entrée principale contre les flèches empoisonnées extérieures.*

et constituer un antidote pour dévier et contrer les flèches empoisonnées qui pourraient envoyer de l'énergie hostile vers votre maison. N'oubliez pas qu'il ne faut jamais pendre un Pa Kua dans la maison, mais toujours à l'extérieur, face tournée vers l'extérieur. Si vous agissez autrement, le Pa Kua devient lui-même néfaste et source d'énergie yin mortelle. Notez chacun des trigrammes et l'endroit où ils se trouvent, de façon à pouvoir reconnaître un Pa Kua yin. Si vous désirez fabriquer votre propre Pa Kua, reproduisez l'illustration de ces pages sur un morceau de carton ou une plaque de bois, puis découpez-le en forme d'octogone. Coloriez ensuite le fond en rouge, les trigrammes en noir et collez un petit miroir rond au centre. Que le miroir soit plat, concave ou convexe n'a aucune importance.

Le Pa Kua yin est donc le Pa Kua dont on se sert pour combattre les problèmes de Feng Shui causés par des structures hostiles dans l'environnement immédiat de la maison. N'oubliez pas qu'il s'agit d'un symbole de protection. Il émet de puissantes énergies qui, si elles devaient vous atteindre, vous rendraient malade ou seraient même la cause de graves revers.

N'utilisez donc pas ce symbole à la légère. Si vous placez des Pa Kua yin un peu partout autour de la maison sans comprendre leur pouvoir, vous risquez d'aller à la rencontre de graves ennuis. On ne peut pas davantage l'utiliser à l'intérieur, comme remède Feng Shui. Laissez-le toujours dehors.

Le Pa Kua yang

C'est le Pa Kua que l'on utilise pour analyser le Feng Shui de la maison et de ses dépendances et des êtres vivants en général. Les trigrammes sont disposés selon l'arrangement du Ciel postérieur. Cet arrangement diffère grandement de celui du Pa Kua yin. Dans l'arrangement du Ciel postérieur, les deux trigrammes cardinaux, Chien et Kun, sont respectivement au nord-ouest et au sud-ouest. En tant que tel, dans un but d'analyse du Feng Shui, le nord-ouest est considéré comme la place du père de famille et la place ultime de l'énergie yang (trigramme Chien), tandis que le sud-ouest est considéré comme la place de la mère de famille et de l'ultime énergie yin (Kun). Les autres six trigrammes sont disposés selon le diagramme ci-dessous.

Chacun des huit côtés représente l'une des huit directions. Les huit trigrammes disposés tout autour du Pa Kua yang sont utilisés dans toutes les formules de Feng Shui. C'est l'arrangement utilisé dans l'analyse du Feng Shui yang avec lequel il faut vous familiariser. Les trigrammes placés dans chaque coin assignent les éléments et d'autres les associations à chacun des huit côtés, et par conséquent les huit directions de la boussole. Les plus importantes de ces associations sont montrées dans le Pa Kua (voir ci-dessous) mais il existe une foule d'autres inter-relations que l'on peut discerner en étudiant les huit trigrammes. Ces derniers – Chien, Kun, Chen, Sun, Tui, Ken, Kan et Li – sont expliqués en détail et décrit dans la première partie de cet ouvrage, parmi les concepts du Feng Shui (voir pages 30-51). Pour une compréhension plus approfondie de chacun des huit trigrammes, le mieux est de se reporter à une bonne traduction du *I Ching* (voir page 355).

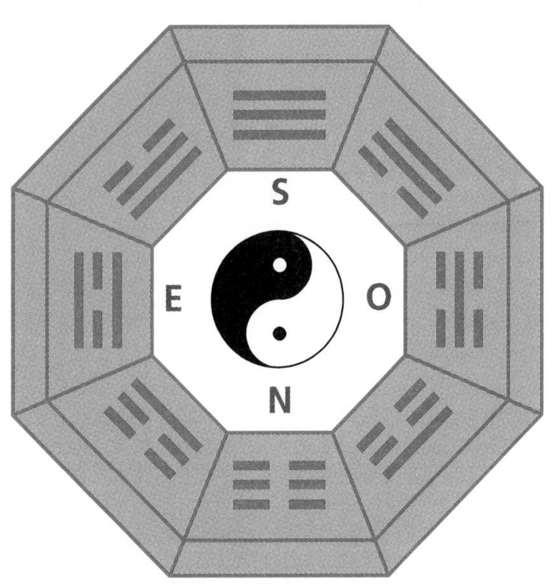

À GAUCHE : *un Pa Kua yin doit toujours être placé dehors, et tourné vers l'extérieur. Si vous ne le faites pas, le Pa Kua deviendra lui-même une source d'énergie yin malfaisante et mortelle.*

À GAUCHE : *pour faire une analyse de Feng Shui, superposez le Pa Kua yang sur le plan de votre maison.*

CHAPITRE SEPT : LES OUTILS DU FENG SHUI

L'APPLICATION DES TRIGRAMMES

Dans le Livre des Mutations, ou *I Ching*, on trouve des symboles additionnels associés à chacun des trigrammes, de même que des sentences qui précisent le sens des lignes elles-mêmes. Dans l'analyse Feng Shui, cependant, les aspects les plus importants des trigrammes se rapportent à leur direction, leur élément, le membre de la famille concerné, et les attributs de base qui les caractérisent. Ces indications doivent être suffisantes pour une recherche Feng Shui.

Comprendre la signification des trigrammes conduit à de nombreuses applications en Feng Shui. L'emplacement des trigrammes autour du Pa Kua indiquera les secteurs de la maison qui conviennent à chacun des membres de la famille. Cet emplacement nous indiquera aussi quel est le membre de la famille qui sera touché lorsque tel ou tel secteur sera affecté d'un mauvais Feng Shui. Il peut s'agir d'un coin qui manque, du heurt de deux éléments, pour ne citer que deux exemples. De même, les trigrammes nous disent quel membre de la famille pourra bénéficier des énergies favorables, et ce pour chaque secteur de la maison.

L'analyse peut aussi aller plus loin si l'on s'intéresse de près, par exemple à d'autres représentations symboliques des trigrammes. Prenons le cas du trigramme Ken. Il symbolise la montagne, dans laquelle il est possible de découvrir de nombreux bienfaits cachés (l'or), l'élément du Ken, étant la Terre, qui produit le métal et l'or. En outre, la montagne est par définition grande, imposante, silencieuse et sereine, ce qui indique une période d'attente et de préparation. Si vous habitez dans une pièce située au nord-est, c'est peut-être très bien si vous êtes étudiant, mais frustrant si vous êtes en quête d'une promotion ou de chance en affaires.

Lorsque vous aurez compris les attributions des différents secteurs d'une habitation – l'élément symbolique, le membre de la famille qu'il représente, les couleurs qui activent ce secteur, de même que l'aspiration bénéfique qui y est symbolisée, vous pourrez commencer à pratiquer la thérapie des trigrammes du Feng Shui. Cette thérapie est une combinaison subtile de tous les concepts de base du Feng Shui, et qui, si elle est bien réalisée, vous apportera énormément de courants Chi favorables, qui, en s'écoulant harmonieusement, appelleront la chance.

Le carré Lo Shu et la signification des nombres

Dans ce diagramme, un carré divisé en neuf secteurs que l'on appelle la grille Lo Shu, a été superposé sur

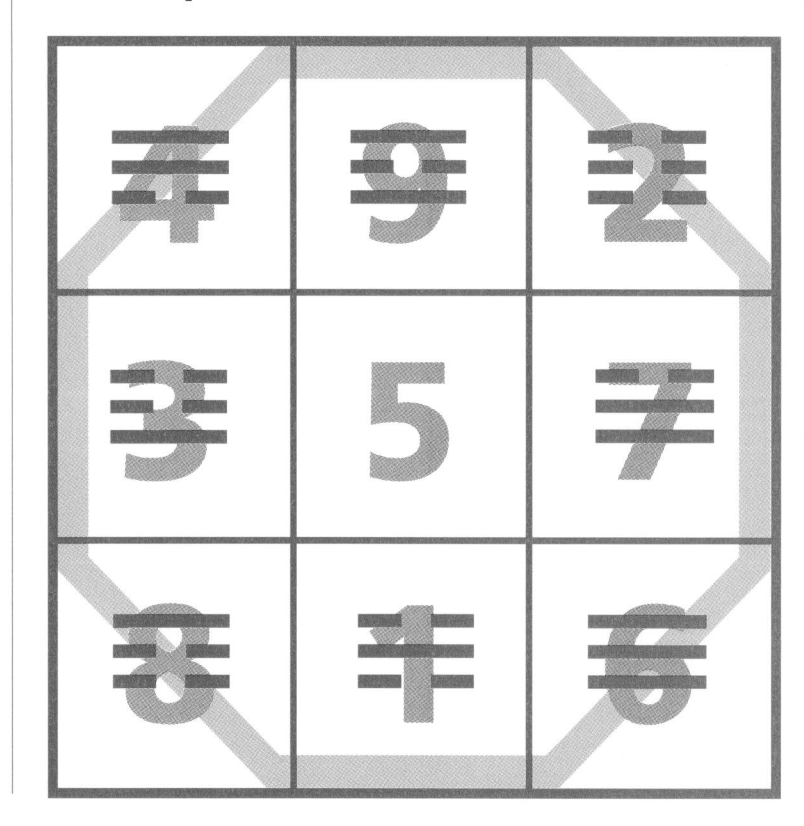

À DROITE : *en superposant le carré Lo Shu sur le Pa Kua, on affine l'analyse Feng Shui, mais aussi, ce qui est très important, on détermine l'emplacement des énergies dans la maison.*

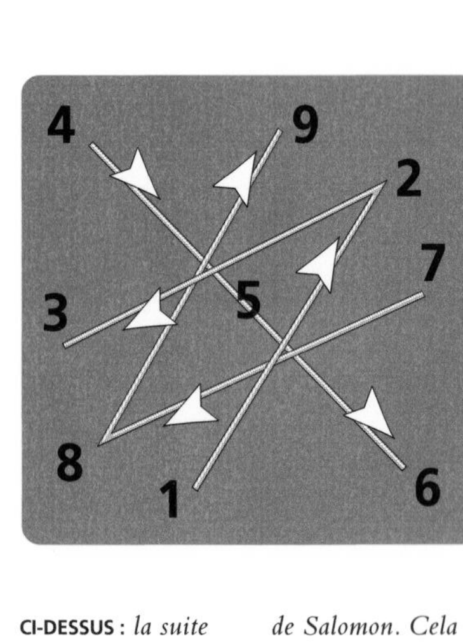

CI-DESSUS : *la suite des nombres sur le carré Lo Shu forme une figure qui rappelle le symbole hébreu du Sceau de Salomon. Cela renforce encore le caractère magique que l'on attribue déjà à ce carré.*

LES TRIGRAMMES ET LEURS ATTRIBUTS

TRIGRAMME	N°	DIRECTION	ÉLÉMENT	COULEUR
CHIEN ☰	6	Nord-ouest	Métal	Blanc
LI ☲	9	Sud	Feu	Rouge
KAN ☵	1	Nord	Eau	Noir
CHEN ☳	3	Est	Bois	Vert
SUN ☴	4	Sud-est	Bois	Vert
KUN ☷	2	Sud-ouest	Terre	Ocre
TUI ☱	7	Ouest	Métal	Blanc
KEN ☶	8	Nord-est	Terre	Ocre

le Pa Kua. C'est le deuxième outil majeur de l'analyse Feng Shui, qui comprend l'impact des nombres pour les trigrammes. Rapprocher les significations du Pa Kua avec celles des nombres du carré Lo Shu permet d'optimiser la pratique de base du Feng Shui. De cette façon, chaque trigramme comporte des directions, des éléments, des couleurs, et maintenant des affiliations de nombres. Tout cela est résumé dans le tableau ci-dessus.

Les nombres de 1 à 9 montrés à côté des trigrammes dans le tableau sont à leur tour arrangés dans le Lo Shu en une certaine suite magique, comme illustré dans le carré ci-contre. Les textes du Feng Shui font constamment référence à ces arrangements de nombres et leur ordonnancement procure des clés pour déchiffrer le sens profond des trigrammes.

Les nombres du carré Lo Shu sont disposés de telle façon que chaque série de trois additionnés horizontalement, verticalement ou en diagonale, fasse le total de 15, soit le nombre de jours qu'il faut à la nouvelle lune pour devenir pleine lune.

Le carré Lo Shu est de ce fait très utilisé pour prédire l'avenir, de même que dans le Feng Shui de l'Étoile Volante, la formule Feng Shui de la dimension temporelle (voir aussi pages 76-77).

Notez la façon dont les nombres passent de 1 à 2, à 3 en un mouvement qui forme un symbole ressemblant au symbole hébraïque connu sous le nom de Sceau de Salomon. La grille Lo Shu figure de façon significative dans certaines des formules les plus puissantes de l'École de la Boussole. On dit que le secret du Lo Shu donne accès aux sens cachés du Pa Kua et que le carré Lo Shu avec ses séries de nombres, est largement utilisé dans les pratiques « magiques » du taoïsme.

Les nombres du carré sont par ailleurs les indicateurs de l'énergie numérique des différents secteurs de la maison. Par exemple, si vous projetez de mettre chez vous une tortue ornementale, la place toute désignée de cet animal sera au nord et le nombre correspondant à ce secteur, selon le carré Lo Shu, sera le 1. Vous saurez alors que pour de meilleurs auspices, il vaudra mieux placer au nord une seule tortue, et non plusieurs.

VOIR AUSSI
❖ Le I Ching *p. 34-37*
❖ Les trigrammes *p. 38-39*
❖ La théorie des Huit Sites : formule du Pa Kua Lo Shu *p. 72-75*

CHAPITRE SEPT : LES OUTILS DU FENG SHUI

LA RÈGLE FENG SHUI : indication des dimensions favorables

CI-DESSUS : *la règle Feng Shui s'utilise de différentes façons pour déterminer les niveaux de chance dans la maison.*

Les dimensions des choses peuvent être favorables ou défavorables et les possesseurs d'une règle Feng Shui peuvent réellement mesurer leurs tables, placards, fenêtres et portes et, ainsi, vérifier si leurs dimensions sont propices ou non. La règle (ou ruban) Feng Shui comporte huit cycles de dimensions, dont quatre sont favorables et quatre néfastes. Chacun de ces cycles mesure l'équivalent de 43 cm et est divisé en 8 segments. Les cycles des dimensions propices ou néfastes se répètent à l'infini. Une fois que vous vous serez familiarisé avec la règle Feng Shui, vous pourrez l'appliquer à tout ce qui est mesurable pour déterminer la dimension favorable. Vous pourrez vous en servir pour mesurer un meuble, une porte, une fenêtre et même des enveloppes, des cartes de visite, ou un bloc-notes. Personnellement, je m'en sers tout le temps et pour tout.

CHAI

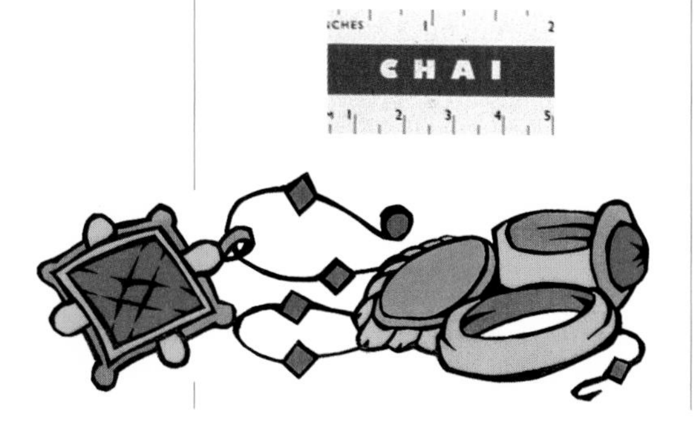

Les dimensions favorables

Chai va de 0 à 5,4 cm. C'est le premier segment du cycle, lui-même subdivisé en quatre catégories de chance. La première fait à peu près 1 cm et représente la chance en argent. La deuxième vous apportera un coffre-fort rempli de bijoux, et la troisième six différentes sortes de chances. Quant à la quatrième, elle apporte l'abondance.

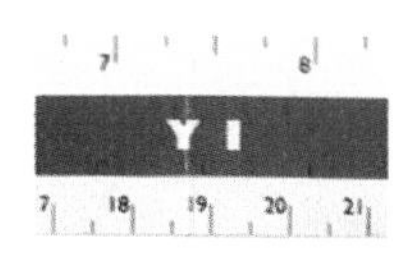

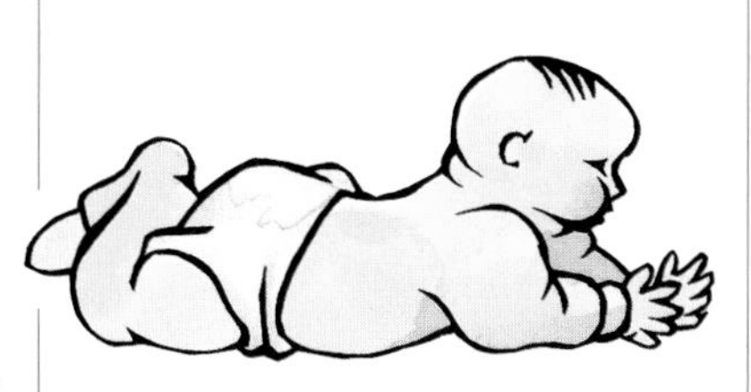

Yi est compris entre 16,2 et 21,5 cm. C'est le quatrième segment du cycle. Il favorise le soutien d'autrui et attire dans votre vie les personnes influentes. Il est aussi divisé en quatre sous-sections. La première, d'environ 1 cm, représente la chance en ce qui concerne les enfants ; la deuxième annonce une rentrée d'argent inattendue ; la troisième annonce un fils qui connaîtra la réussite. Et la quatrième procure beaucoup de chance.

Kwan va de 21,5 à 27 cm. Il favorise le pouvoir. La première sous-section représente la chance aux examens ; la deuxième prédit une chance spéciale ou spéculative ; la troisième offre une amélioration

de revenus, et la quatrième fera bénéficier toute la famille de grands honneurs.

Pun se situe entre 37,5 et 43,2 cm. La première sous-section de cet ensemble de dimensions attire vers elle des flots de richesse ; la deuxième porte chance aux examens ; la troisième vous promet beaucoup de bijoux ; et la quatrième prospérité et abondance.

Les dimensions néfastes

Pi se trouve entre 5,4 et 10,8 cm. Cette catégorie de malchance se rapporte généralement à la maladie. Cette dimension a également quatre sous-sections qui impliquent

INCHES 1 2 3 4 5 6 7 8 9

CHAI PI LI YI KW

CM 1 2 3 4 5 6 7 8 9 10 11 12 13 14 15 16 17 18 19 20 21 22 23 24 d'autres problèmes. Le premier centimètre vous prévient d'un risque de baisse financière ; le deuxième indique des problèmes juridiques potentiels ; le troisième beaucoup de malchance, peut-être même la prison ; le quatrième annonce la mort d'un conjoint.

Li se situe entre 10,8 et 16,2 cm. Cette catégorie signifie une séparation et le premier centimètre annonce une accumulation d'ennuis

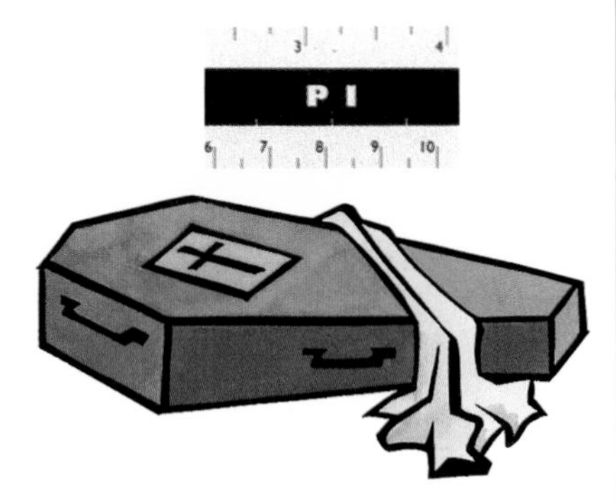

tandis que le deuxième prédit une perte d'argent ; le troisième indique une rencontre avec des personnes sans scrupule et le quatrième que vous serez sans doute victime d'un vol ou d'un cambriolage.

Chieh se trouve entre 27 et 32,4 cm, cette catégorie de dimensions néfastes signifie une perte. Le premier centimètre est

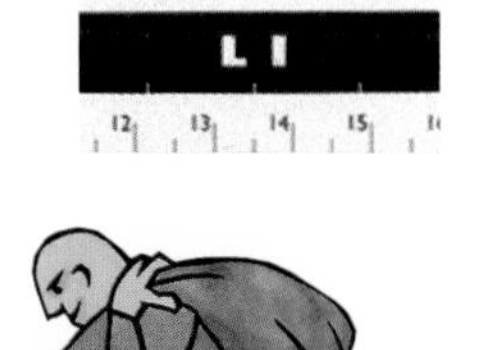

signe de décès ou de disparition ; le deuxième vous prédit que vous allez perdre quelque chose dont vous avez besoin et que vous pourriez vous

retrouver sans moyens d'existence ; le troisième vous avertit que vous serez chassé ignominieusement de votre village et le quatrième que vous devrez vous attendre à une perte d'argent importante.

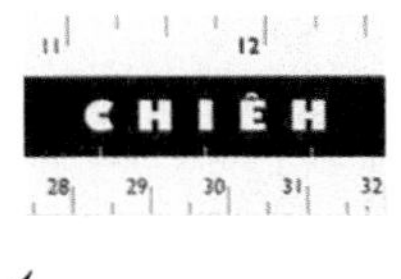

Hai va de 32,4 à 37,5 cm. Ses dimensions sont des signes de très mauvaise fortune, avec des désastres dans la première sous-section, des morts dans la deuxième,

la maladie ou la mauvaise santé dans le troisième ; des scandales et des disputes dans la quatrième.

Ces dimensions peuvent trouver leur application avec tous les objets de la maison, mais les plus importants à mesurer sont les longueurs, largeurs et profondeurs des portes, fenêtres, lits et tables.

À GAUCHE : *la règle Feng Shui peut être utilisée pour calculer les dimensions favorables de presque tout ce qui se trouve dans la maison, y compris les meubles, les portes et les fenêtres.*

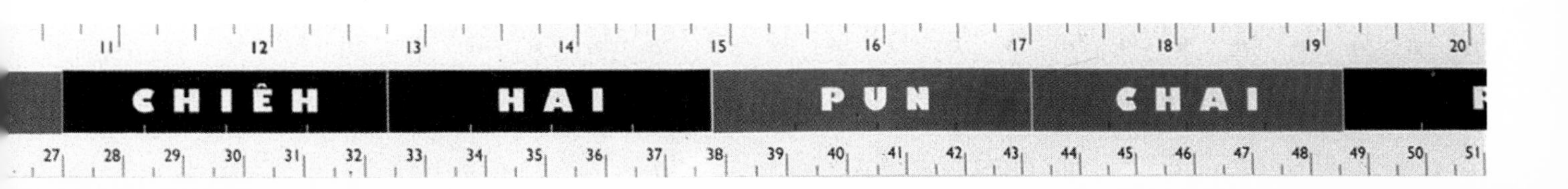

CI-DESSOUS : *la règle Feng Shui est divisée en huit cycles de dimensions mesurant chacun 43 cm. Chaque cycle est divisé en 8 sections.*

LA RÈGLE FENG SHUI

La règle Feng Shui est largement utilisée dans tout l'Extrême-Orient par les adeptes de cette discipline. Elle indique les mesures favorables ou défavorables propres aux habitations autant yin que yang. La partie supérieure indique les mesures pour les demeures yang (les maisons des vivants) tandis que la section inférieure donne les mêmes indications pour les demeures des morts (les cimetières), qui sont yin.

Servez-vous de la règle pour mesurer la longueur, la largeur et la hauteur des pièces, des portes et des meubles pour déterminer les dimensions et les proportions propres à encourager la bonne fortune.

L'unité de mesure en Feng Shui est d'approximativement 43 cm. Cette unité correspond au côté d'un carré dont la diagonale est la racine carrée de la somme des deux côtés. Les mathématiciens l'appellent le « carré magique » et les Chinois lui donnent des connotations magiques. L'unité de mesure linéaire du Feng Shui est divisée en 8 sections qui sont chacune en correspondance avec chacun des 8 trigrammes. Chaque segment représente la bonne ou la mauvaise fortune. Le tableau de la page de droite résume les dimensions favorables ou néfastes des demeures yang. Pour les dimensions plus grandes, multipliez simplement la « dimension favorable » en utilisant la règle comme un mètre de menuisier.

CI-DESSOUS : *les différentes sections de cette règle font référence aux mesures des demeures yin et yang uniquement.*

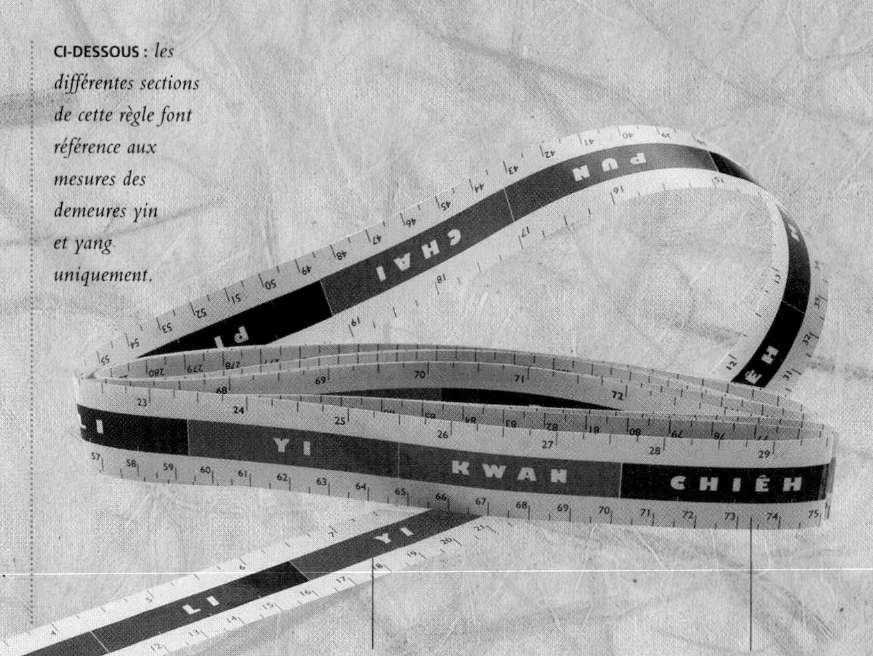

À DROITE : *vérifiez chaque pièce avec la règle Feng Shui pour estimer les proportions et voir ce qui peut être modifié afin d'améliorer le potentiel de Feng Shui.*

À GAUCHE : *faire construire une table de bureau aux dimensions de Feng Shui favorables favorisera votre carrière. Vérifiez la hauteur, la largeur et la profondeur. Ajustez également la hauteur du siège, en le rehaussant si nécessaire de façon à être en phase avec la hauteur optimale du bureau.*

DIMENSIONS (cm)	CHANCE	REMARQUES
0 – 5,4	Favorable	Prospérité
5,4 – 10,8	Néfaste	Maladie
10,8 – 16,2	Néfaste	Séparation
16,2 – 21,5	Favorable	Reconnaissance
21,5 – 27	Favorable	Promotion
27 – 32,4	Néfaste	Perte
32,4 – 37,5	Néfaste	Accident
37,5 – 43,2	Favorable	Bonheur

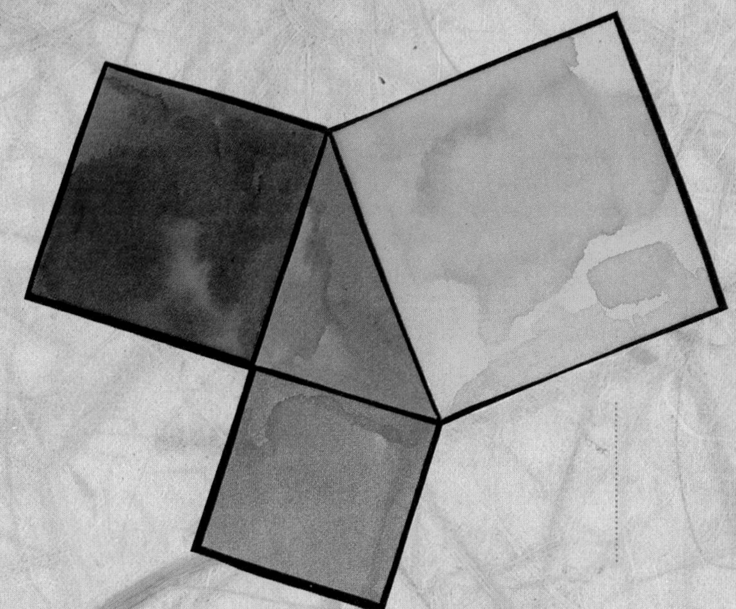

À DROITE : *le cycle de 43 cm de la règle Feng Shui est fondée sur le carré magique des mathématiciens occidentaux, où la diagonale est la racine carrée des deux côtés.*

CHAPITRE HUIT

CONSEILS POUR UNE APPLICATION PRATIQUE

En se familiarisant avec les outils du Feng Shui, on peut mieux comprendre le sens profond des orientations de la plupart des Écoles importantes. Une part essentielle de l'analyse Feng Shui repose sur la capacité à faire des relevés de boussole corrects et à superposer les grilles et les lignes sur les plans d'une maison. Il ne faut jamais bâtir l'analyse d'un lieu « à la va-vite », ou se fier à la mémoire pour connaître la direction du lever ou du coucher du soleil. Les mesures et les démarcations du sol de la maison doivent toujours être faites de façons méticuleuses. Pour cette partie de l'exercice, l'accent sera mis sur les limites de la maison et, entre ces limites, sur la lecture des relevés. En outre, on traitera du problème des diagnostics et des solutions à mettre en œuvre dans le cas de formes irrégulières, de plans déséquilibrés, de coins manquants et des secteurs en saillie. La façon de traiter ces différents problèmes dépendra du diagnostic qui, lui-même, sera fondé sur les formules utilisées. Le type de chance qui sera activé est également intéressant à prendre en compte. Dans tous les cas, restez détendu et examinez sereinement et en détail les problèmes de diagnostic.

À GAUCHE : *suivez les conseils qui vous sont donnés pour les applications pratiques du Feng Shui et familiarisez-vous avec les orientations de votre environnement immédiat pour prendre conscience du meilleur emplacement à réserver aux symboles de chance.*

CHAPITRE HUIT : CONSEILS POUR UNE APPLICATION PRATIQUE

COMMENT LIRE LA BOUSSOLE ?

CI-DESSUS : *une boussole est indispensable pour les calculs du Feng Shui de l'École de la Boussole.*

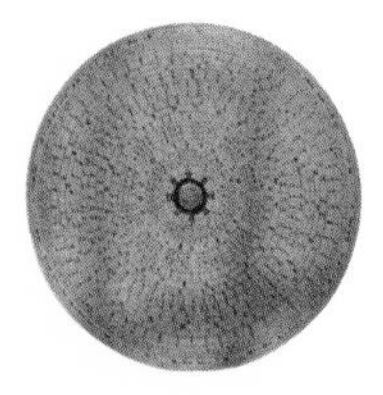

CI-DESSUS : *le Luo Pan n'est pas indispensable. Une simple boussole classique suffira.*

L'application pratique de presque toutes les recommandations du Feng Shui vous oblige à prendre les orientations de votre environnement immédiat. Avant même de commencer à analyser un morceau de terrain, vous devez d'abord être complètement familiarisé avec sa situation. Vous devrez savoir comment situer les directions cardinales, et en avoir une connaissance bien précise. Les résultats obtenus seront totalement sans valeur si, pour votre Feng Shui, vous estimez l'orientation du terrain ou de la maison d'après votre seule appréciation de l'endroit où le soleil se lève (que vous prendrez pour l'est) et se couche (que vous prendrez pour l'ouest). Ce genre d'estimation peut différer de 30 à 40 degrés par rapport à la boussole !

La première étape vers le Feng Shui pratique consistera à acheter une boussole fiable qui vous indiquera très exactement la direction du nord magnétique. Dès ce moment, vous pourrez faire vos relevés et identifier toutes les autres directions. Comme on l'a déjà indiqué dans le chapitre « Les outils du Feng Shui » (pages 110-121) une boussole classique sera tout aussi acceptable qu'un authentique Luo Pan. Une bonne boussole vous donnera instantanément votre position, ce qui est largement suffisant.

Il est important de noter que, quelle que soit la façon dont, dans cet ouvrage ou dans n'importe quel autre, on indique le nord ou le sud, en réalité le nord, le sud, l'est et l'ouest peuvent très facilement se déterminer à l'aide d'une boussole de bonne qualité. Dans la pratique du Feng Shui, toutes les références aux points cardinaux se résument à ceci : les directions déterminées par la boussole.

Un grand nombre d'ouvrages sur le Feng Shui placent le sud en haut, ce qui diffère de la convention en usage en Occident où c'est le nord qui est en haut. La chose est sans conséquence sur les orientations. En pratique, le nord est au nord et le sud est au sud, comme l'indique la boussole ! Ainsi, lorsque vous appliquerez une formule de l'École de la Boussole, vous devrez vous servir de votre boussole. Si vous tentez d'identifier les secteurs de la maison autrement qu'en vous servant de cet instrument, c'est que vous vous fiez à une autre école de Feng Shui.

L'étape suivante consiste à étudier la boussole. Notez que chaque angle est mesuré selon un nombre de degrés à partir du nord, lequel correspond à 0°. On peut aussi définir le nord à 360° qui correspond à un cercle complet. Si l'on prend les huit directions principales de la boussole, on peut les exprimer en degrés comme dans le tableau ci-dessus.

DIRECTIONS	CADRAN DE LA BOUSSOLE
Nord	0°/360°
Sud	180°
Est	90°
Ouest	270°
Nord-est	45°
Nord-ouest	315°
Sud-est	135°
Sud-ouest	225°

Chacune des huit directions représente un angle de 45° par rapport au prochain : 360° divisés par huit directions = 45°

Cela dit, prendre une direction n'est pas du tout la même chose que localiser un emplacement. Le concept des emplacements et des secteurs en fonction de la boussole sera traité plus loin. Dans l'application des formules du Feng Shui, la direction des portes n'est pas exprimée uniquement en fonction de ces huit directions.

La prochaine étape, en ce qui concerne le relevé des directions dans un but pratique, nécessite de bien noter que chacune des huit directions principales se subdivise en trois sous-sections. Pour chaque direction, il y a donc trois sous-sections. En clair, cela signifie que les 360° du cadran de la boussole peuvent s'exprimer en 24 (3 x 8 = 24) directions différentes, et que le « champ » de chaque direction n'est plus 45°, mais 15° (360 divisés par 24 = 15).

À partir de l'illustration ci-contre, vous pouvez constater que si une direction pointe, par exemple, au sud, il y a en réalité trois sous-sections de sud. Vous devez prendre le relevé exact, en degrés, pour pointer sur la première, la deuxième, ou la troisième sous-section du sud. Cela semble plutôt compliqué, mais c'est en réalité assez simple à comprendre dès lors que vous vous figurez chaque direction comme comprenant trois sous-directions. Si vous déterminez que votre porte est, par exemple, au sud, vous devez aller plus loin et déterminer si elle se trouve dans la première, la seconde, ou la troisième sous-section du sud. La même chose, bien entendu, est valable pour chacune des huit directions.

L'étape finale est de vous entraîner à traduire d'instinct ce que vous lisez sur l'instrument avec ce que vous voyez autour de vous. Ainsi, quand on dit que chaque direction de la boussole se subdivise ensuite en trois sous-sections, comment visualiser ce fait sur le terrain ?

LES SOUS-SECTIONS DE LA BOUSSOLE

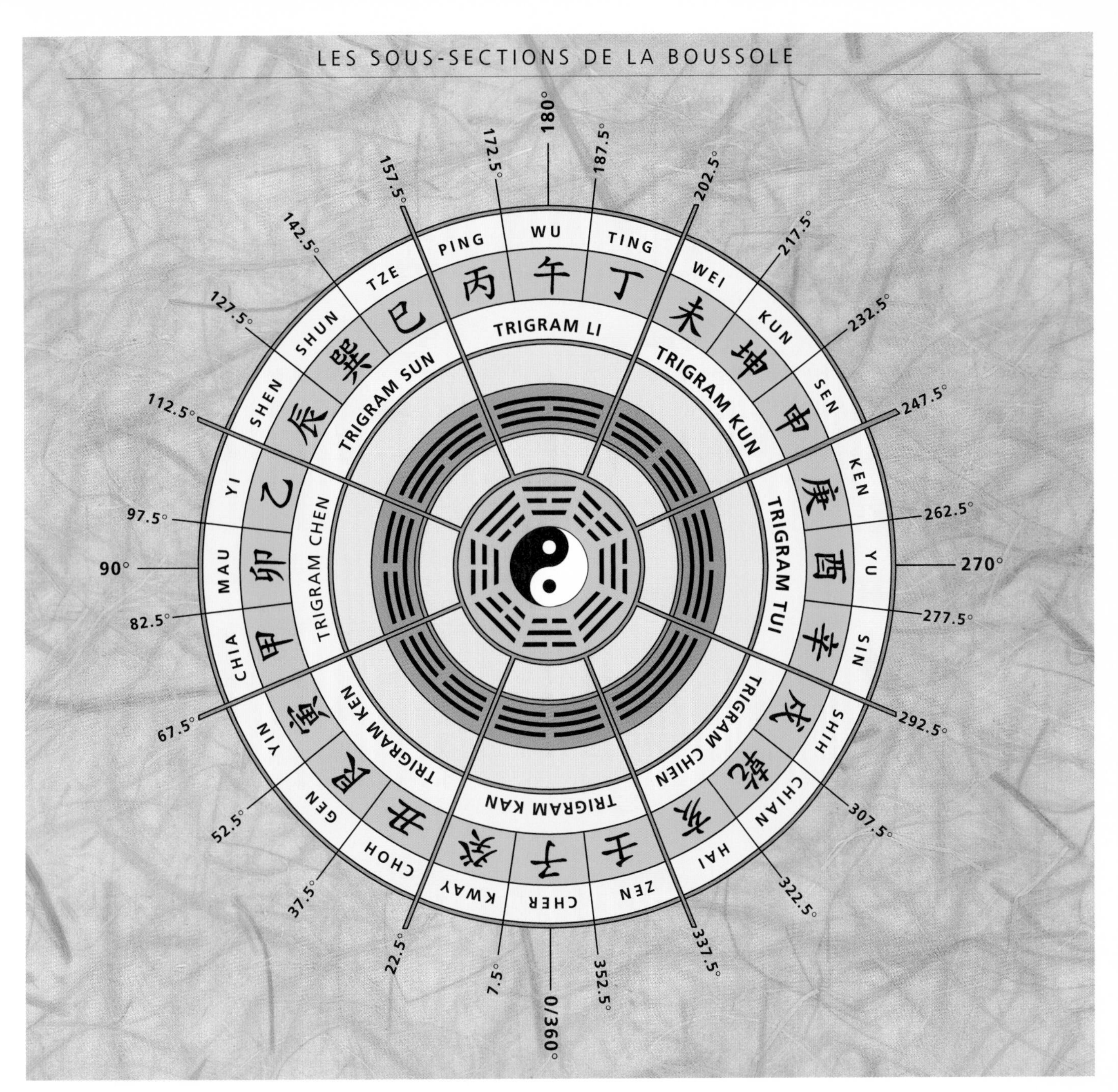

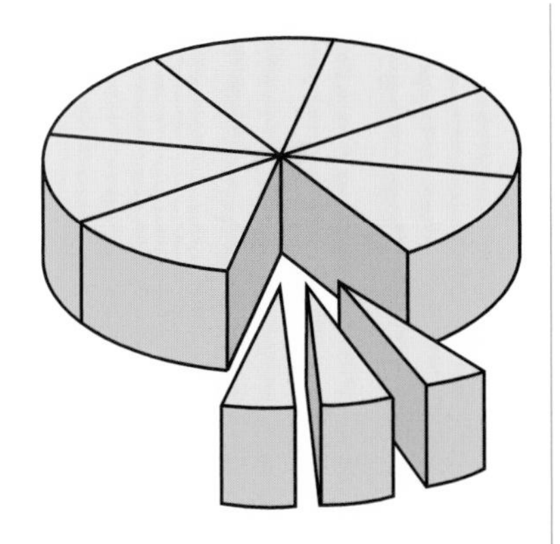

Imaginez un camembert découpé en parts, chaque direction représentant une grosse part équivalant à un huitième du fromage. Ensuite, découpez chaque grosse part en trois plus petites. Maintenant, jetez un coup d'œil sur le cadran ci-dessus.

Notez les trois sous-sections de la seule direction sud. On les appelle en chinois Ping, Wu et Ting. Tout comme le sud, chacune des huit directions se divise en trois sous-sections.

Si vous gardez à l'esprit la boussole représentée dans cette illustration, vous prendrez l'habitude de relever à chaque fois vos directions avec un œil plus exercé.

Lorsque vous saurez exactement ce que vous recherchez à partir de votre boussole, vous pourrez la lire sans difficulté. L'illustration ci-dessus correspond en fait aux premiers cercles concentriques de la boussole géomantique.

À GAUCHE : *la boussole est comme un fromage découpé en huit parts représentant chacune l'une des huit directions principales. Chacune de ces huit directions se divise elle-même en trois sous-sections.*

CHAPITRE HUIT : CONSEILS POUR UNE APPLICATION PRATIQUE

COMMENT LIRE LES RELEVÉS ?

CI-DESSOUS : *prendre des relevés de boussole est un art, mais avec de l'entraînement, vous acquerrez habilité et précision et vous aurez les bases nécessaires pour de bonnes analyses Feng Shui.*

Une fois que vous saurez comment utiliser la boussole, l'étape suivante consiste à se familiariser avec la technique de prise des directions. Avant de commencer, voici quelques suggestions utiles.

À quel endroit doit-on se tenir pour prendre des relevés à l'aide de la boussole ? À côté de la porte, au milieu de la pièce ou au centre de la maison ? En fait, vous pouvez vous mettre n'importe où. Peu importe l'endroit où vous vous trouvez dans la maison ; vous devez théoriquement trouver la même chose. Le nord et le sud, comme n'importe quelle autre direction, ne vont pas changer d'emplacement tout simplement parce que vous vous déplacez pour faire un relevé. Pour prendre vos directions, mettez-vous à l'endroit où vous vous sentez le plus à l'aise ce qui facilite l'analyse, où que ce soit dans la pièce ou la maison.

Pour parvenir à un résultat précis, il faut toujours un minimum trois relevés, puis prendre la moyenne des trois, dans un souci d'exactitude. Les mesures peuvent varier légèrement en raison de la présence, dans l'atmosphère, de différents types d'énergie, qui ont une influence sur la boussole. Il peut arriver que la variation atteigne 10°. Cependant, il ne faut pas s'alarmer, à moins de constater une différence de 15° et plus, ce qui est alors excessif. Une variation aussi importante veut généralement dire que les énergies n'arrivent pas à s'harmoniser correctement. Il suffit souvent, pour régler le problème, de déplacer quelques meubles, ou de modifier l'orientation de la télévision ou de la chaîne stéréo. Les appareils électroniques émettent des signaux puissants qui agissent sur le fonctionnement de la boussole.

La meilleure méthode pour relever les directions dans une perspective Feng Shui est la suivante :

- faites un premier relevé sur le seuil de la porte d'entrée, tourné vers l'extérieur ;
- effectuez une deuxième mesure en vous reculant d'environ 1 m de la porte ;
- faites enfin une troisième mesure à environ 5 m à l'intérieur de la maison, toujours en regardant au dehors.

Pour faire ces relevés, posez la boussole sur une surface plane. Si elle est munie d'une règle intégrée, il vous sera plus facile de bien la positionner et de la caler fermement par terre ou sur une table. Faites la moyenne entre les trois relevés si vous voulez vérifier la direction de la porte d'entrée. Vous pouvez aussi prendre vos mesures pendant un changement de saison. Là encore, vous constaterez des différences à chaque lecture. Elles sont dues à des déplacements naturels du champ magnétique terrestre lorsque l'on passe d'une saison à l'autre. Cela dit, ces variations, en général, ne sont pas très importantes.

Comment démarquer l'espace intérieur ?

L'étape suivante consiste à décider de la méthode à utiliser pour démarquer votre espace de plancher. La plupart de maîtres en Feng Shui sont très tatillons dans la prise des mesures, pour délimiter de la manière la plus exacte possible les différents secteurs de boussole. D'autres, au contraire, sont parfaitement détendus en faisant cette démarcation. Une chose est sûre, s'agissant du Feng Shui de la Boussole : c'est qu'il nécessite beaucoup de précision, car la démarcation des secteurs doit être faite le plus précisément possible afin d'être sûr que, lorsqu'on superpose le carré Lo-Shu, chacun des neuf secteurs différents se trouve nettement délimité.

Il existe principalement deux méthodes de démarcation qui sont le plus couramment utilisées par les praticiens sérieux du Feng Shui. La première se fonde sur la boussole ronde divisée en huit sections, puis superposée sur le plan de l'étage. Les illustrations ci-contre, montrent le même plan de maison avec les deux méthodes de démarcation. Elles ont une grande influence sur la façon dont vous appliquerez les principes du Feng Shui. Selon la manière dont vous

À DROITE : *une pièce découpée en secteurs avec la boussole. Chaque secteur est délimité et démarqué dans l'optique Feng Shui, mais on n'arrive pas toujours à un résultat idéal.*

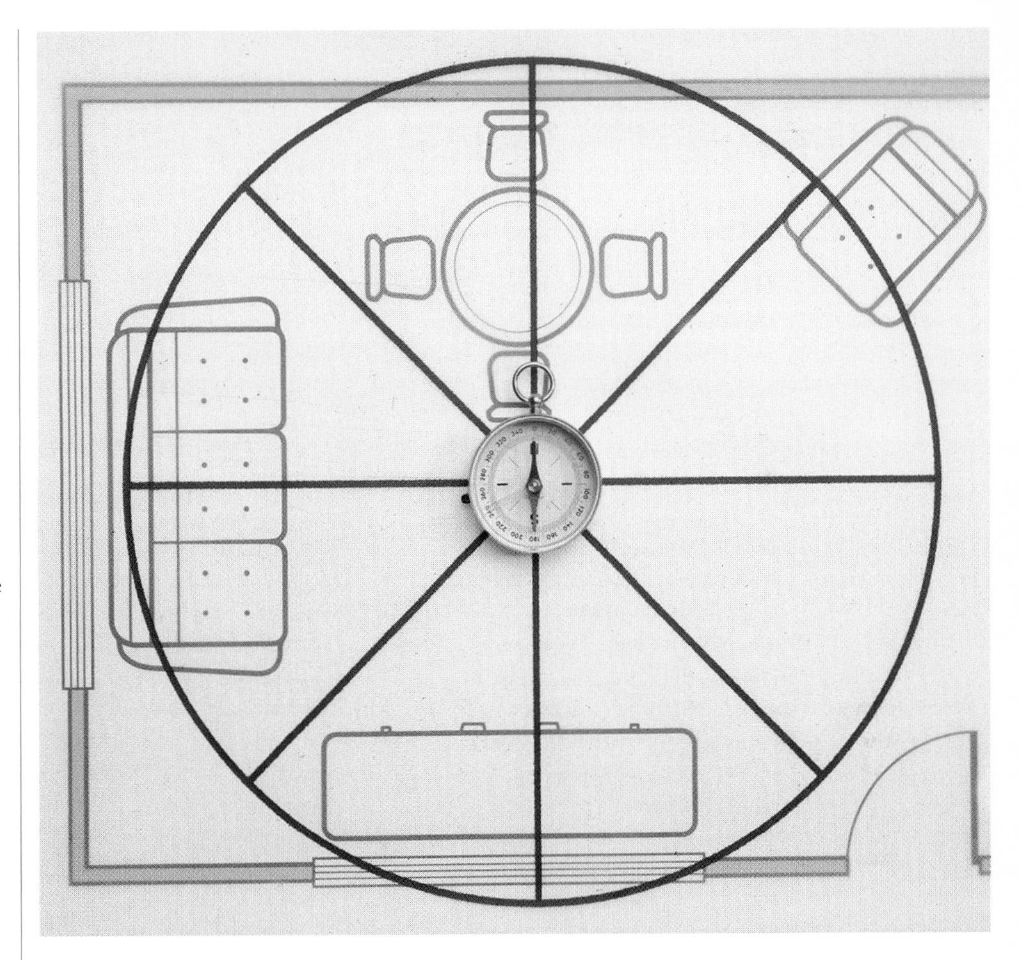

marquerez les différents secteurs de la maison, l'application des cinq éléments pour activer l'énergie pourrait bien être différente pour la même pièce.

La démarcation des pièces de la maison sera différente selon que vous choisirez d'utiliser la méthode du carré Lo Shu ou celle de la boussole. Les maîtres Feng Shui de Hong Kong utilisent la boussole pour démarquer et identifier chaque secteur. À Taiwan, en Malaisie et à Singapour, les adeptes de l'École de la Boussole préfèrent faire appel à la méthode de la grille Lo Shu. C'est aussi celle que je préfère, car le Lo Shu figure dans presque toutes les formules du Feng Shui. Autant en ce qui concerne le Feng Shui de l'Étoile Volante que dans le Feng Shui des Huit Maisons, on ne pourra jamais trop insister sur l'importance de la grille Lo Shu.

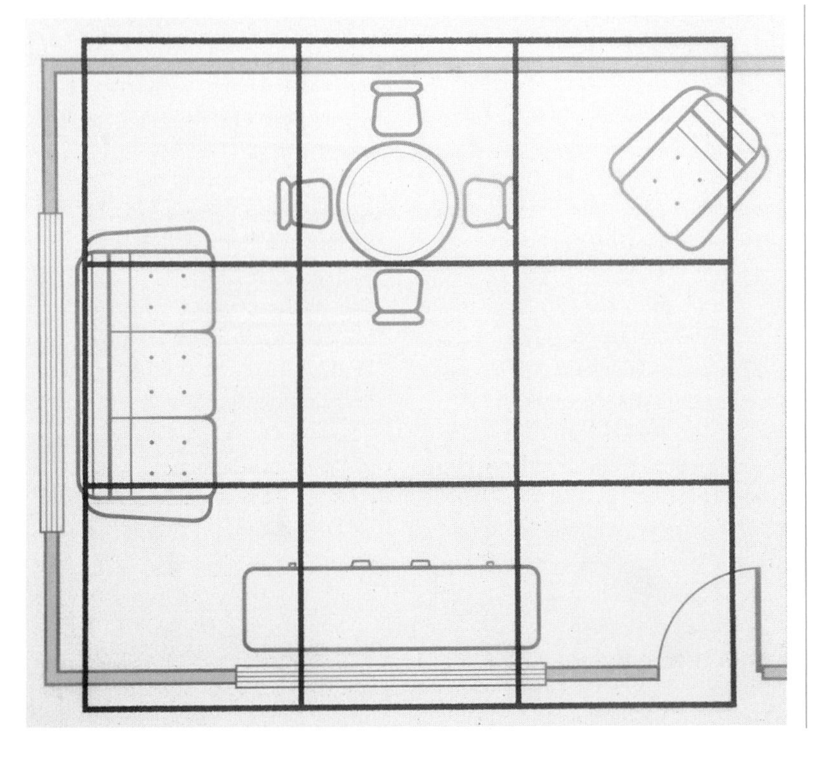

Par ailleurs, la grille Lo Shu est davantage représentative du plan d'une maison que la boussole. Enfin, d'un point de vue pratique, il est plus facile de travailler avec le carré (ou le rectangle) Lo Shu qu'avec le cadran d'une boussole. On ne peut donc que recommander d'avoir recours à la méthode de la grille Lo Shu.

Pour ceux dont la maison a plusieurs niveaux, la démarcation de chacun d'entre eux suit la même procédure. Vous pouvez donc activer tel ou tel secteur de la boussole, quel que soit l'étage.

À GAUCHE : *de nombreux praticiens du Feng Shui préfèrent avoir recours à la méthode du carré Lo Shu, plutôt qu'à la boussole, car il est plus facile de démarquer chaque secteur d'une pièce par cette technique.*

COMMENT DÉTERMINER LES LIMITES EN FENG SHUI ?

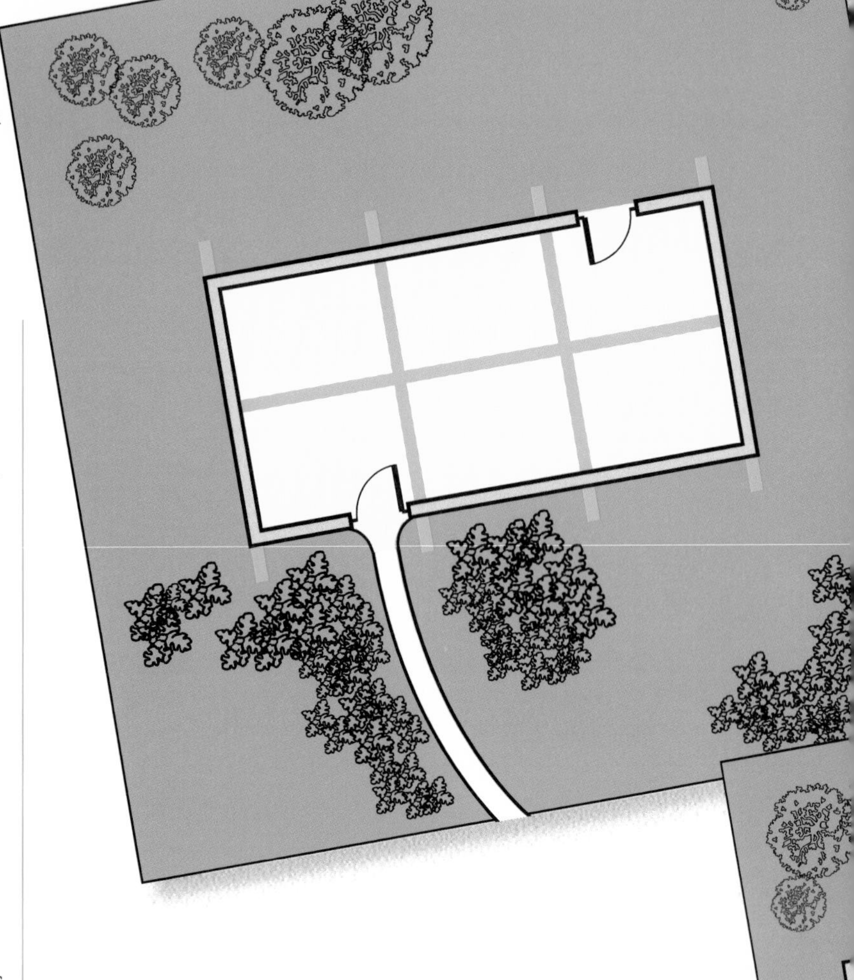

Outre la démarcation du plan de la maison, vous devez également trouver la meilleure méthode pour déterminer les limites dans le cadre duquel vous prendrez vos mesures. S'il est relativement facile de repérer les points cardinaux, en revanche, très peu d'habitations sont orientées de façon cardinale. Cela peut poser problème. Lorsque je me trouve confrontée à cette sorte de difficulté, je tente « d'ajuster » le carré Lo Shu de façon à faire correspondre chacune des directions le plus exactement possible avec les grilles. Le résultat n'est pas toujours exact, mais il me donne une base raisonnable à partir de laquelle je peux entreprendre mon analyse.

Ensuite, il y a le problème des maisons aux formes irrégulières ou celui de la conception de certains appartements. Devant des cas difficiles, la seule façon d'aborder le problème et de déterminer vos limites Feng Shui en recherchant les zones manquantes et les extensions de certaines zones. Si ces dernières représentent une surface importante, on pourra les considérer comme séparées du corps de la maison. La règle générale consistera à considérer chaque pièce modulaire comme une grille distincte. Ceux qui habitent une très grande maison adopteront cette méthode, surtout si les différents modules ne sont pas reliés par un toit ou un corridor. Les garages, par exemple, seront considérés comme des extensions s'ils sont dans ce cas.

Pour déterminer les limites d'une maison dans une analyse Feng Shui, on peut se référer au plan de la maison lui-même. Par exemple, si votre habitation est tout en longueur et très étroite, avec une grande pièce, un corridor et une annexe, il serait stupide d'accoler trois grilles Lo Shu. Dans un tel cas, la plupart des spécialistes ignorent totalement les deux éléments extérieurs de la grille et ne se servent que du panneau central pour analyser le Feng Shui de la demeure.

De même, lorsqu'il n'existe que deux pièces l'une derrière l'autre sur la largeur de la maison, les experts négligent la grille centrale et n'utilisent que les panneaux latéraux pour rechercher le caractère propice de la maison.

Chacun pouvant être confronté à ce genre de difficulté, il n'est pas inutile de consacrer un peu de temps de réflexion aux méthodes de démarcations présentées ici avant d'entreprendre une application de l'une ou l'autre de ces formules.

CI-DESSUS : *une petite maison comme celle-ci nécessitera peut-être une approche un peu différente si vous utilisez le Lo Shu. Il ne sera sûrement possible de se livrer à une analyse Feng Shui que sur une partie de l'immeuble.*

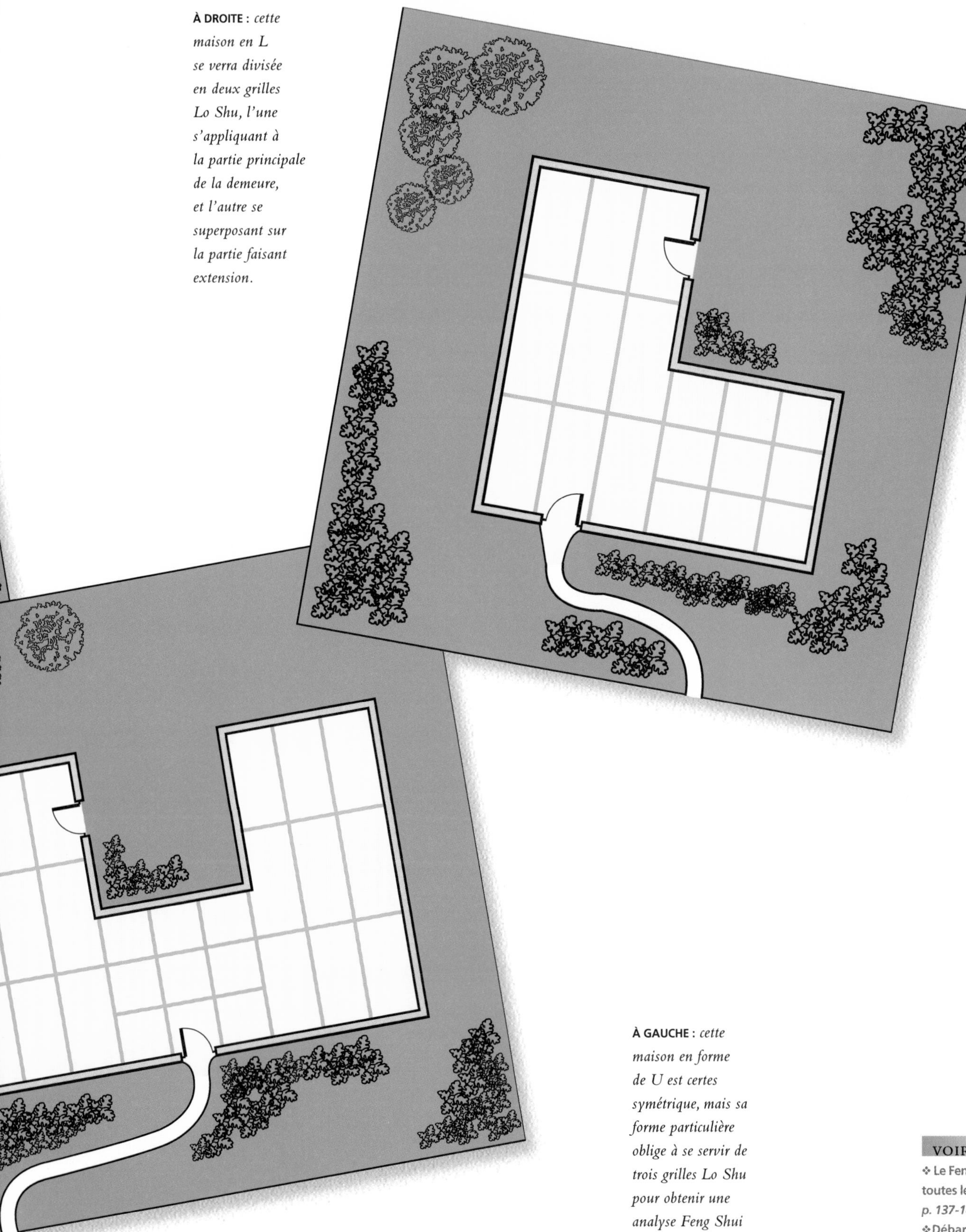

À DROITE : *cette maison en L se verra divisée en deux grilles Lo Shu, l'une s'appliquant à la partie principale de la demeure, et l'autre se superposant sur la partie faisant extension.*

À GAUCHE : *cette maison en forme de U est certes symétrique, mais sa forme particulière oblige à se servir de trois grilles Lo Shu pour obtenir une analyse Feng Shui suffisamment précise.*

VOIR AUSSI
❖ Le Feng Shui pour toutes les maisons *p. 137-145*
❖ Débarras, escaliers et Garage *p. 188-189*

CHAPITRE HUIT : CONSEILS POUR UNE APPLICATION PRATIQUE

COMMENT SUPERPOSER LE CARRÉ LO SHU ?

La meilleure méthode pour superposer la grille Lo Shu consiste à d'abord identifier une direction de référence qui sera de préférence un point cardinal. Tenez-vous au centre de la maison et identifiez la direction et l'emplacement de la porte principale. Dès lors que le but recherché est la réalisation du carré Lo Shu, l'emplacement est bien plus important que la direction car une fois que vous aurez déterminé l'emplacement de boussole de la porte, il sera facile de tracer tout le carré Lo Shu en superposition du plan de la maison. Ensuite, vous pourrez ajouter les directions ainsi que les symboles de Pa Kua en rapport avec chacun des secteurs de la maison.

Identifier les secteurs avec précision

C'est une étape essentielle. C'est à ce moment que les relevés de boussole prennent toute leur importance, mais la méthode que vous utiliserez pour mesurer et dessiner les secteurs sera aussi cruciale. N'oubliez pas qu'il est toujours plus facile de travailler avec les points cardinaux.

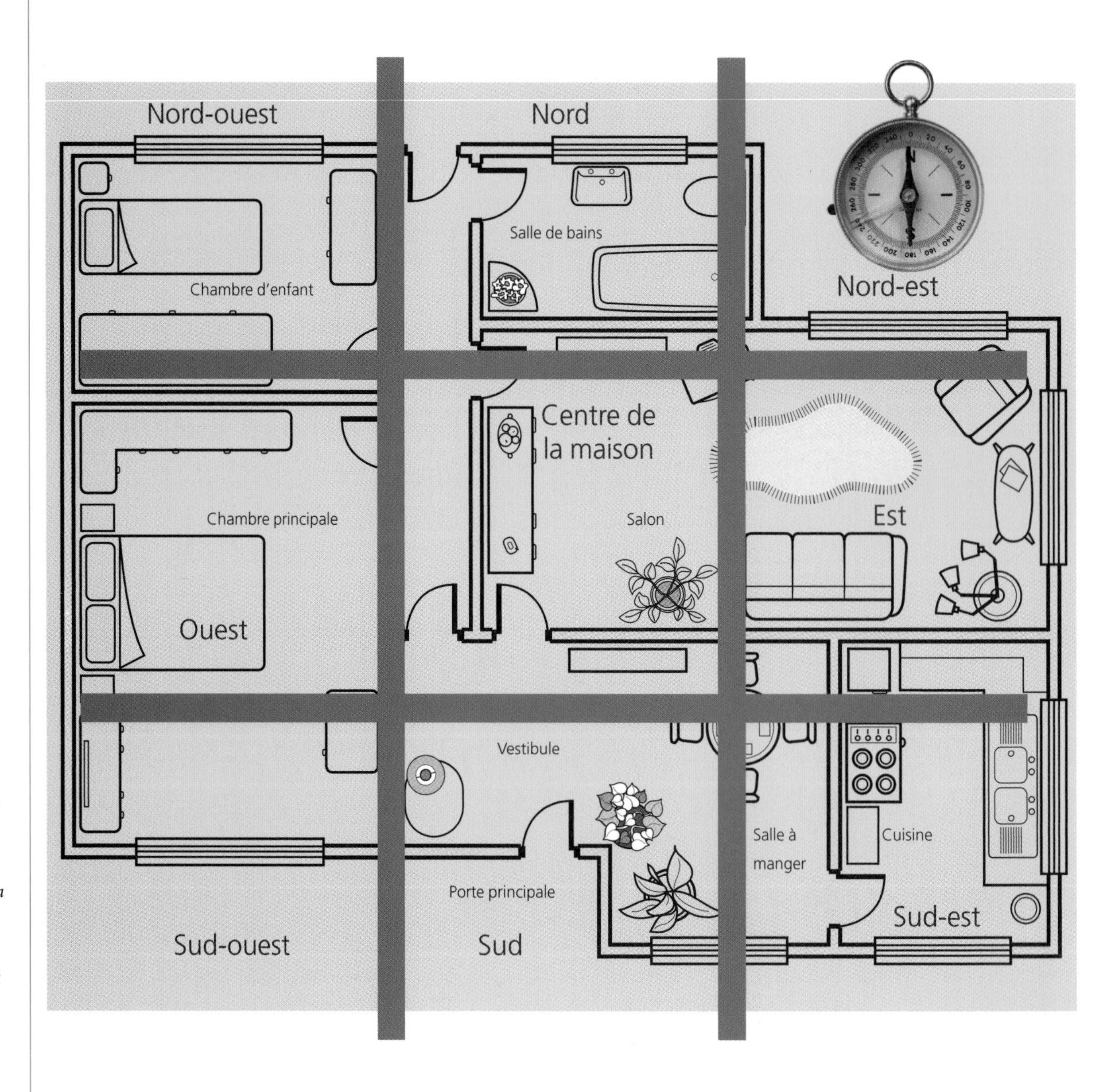

À DROITE : *à l'aide de la boussole, effectuez d'abord le relèvement de la porte principale, puis superposez le carré Lo Shu et enfin, complétez avec les autres emplacements de boussole.*

COMMENT APPLIQUER LES FORMULES À VOTRE MAISON ?

Dans cet ouvrage, vous trouverez plusieurs formules, en rapport avec différentes parties de la maison et les différents niveaux de pratique du Feng Shui. Il n'est pas nécessaire d'essayer toutes les formules. Par ailleurs, sachez qu'il n'est pas possible d'arriver à un Feng Shui parfait à 100 %. Personne ne saurait tabler sur un tel taux de réussite. Il y a trop d'impondérables pour que tout se passe toujours parfaitement bien. En même temps, certaines recommandations sont apparemment contradictoires ; il n'est pas étonnant, dans ces conditions que les adeptes amateurs se sentent parfois « déboussolés ». Les tentatives d'intégration du Feng Shui dans l'ensemble des pratiques « New Age » ajoutent à la confusion. Mon conseil sera donc : allez-y doucement.

Expérimentez par vous-même et appliquez ce qui marche bien pour vous. Ne vous laissez pas impressionner par les « nouvelles » méthodes et techniques de Feng Shui qui ont vu le jour et qui laissent les spécialistes eux-mêmes perplexes.

Étudiez bien les techniques qui vous sont proposées et posez-vous la question de savoir si certaines recommandations valent la peine d'être mises en œuvre. Sans doute serez-vous réticent – et on peut le comprendre – à abattre des cloisons ou à entreprendre des transformations importantes. Optez pour un Feng Shui qui n'oblige pas à faire de gros travaux et entre deux alternatives, choisissez la solution qui cause le moins de perturbations dans votre vie de tous les jours et qui sera facile à réaliser. Des trois formules de Feng Shui dont je me sers habituellement, ma préférée est la méthode des Huit Maisons pour la personnalisation des directions et des emplacements. C'est par ailleurs la plus puissante des trois et elle ne m'a jamais déçue, tout comme elle n'a jamais failli envers ceux que j'ai aidé. Choisissez donc cette méthode pour commencer car c'est la plus facile.

Il est passionnant, aussi, de suivre les aspects divinatoires des méthodes de l'Étoile Volante et de voir l'eau apporter la richesse. Votre maison elle-même vous montrera la voie, car il n'est pas possible, dans une même demeure, de pratiquer toutes les méthodes. Laissez-vous guider par les contraintes de l'espace et, aussi, par celles de votre budget.

CI-DESSUS : *définissez d'abord ce que vous attendez du Feng Shui. Si vous cherchez la richesse, vous préférerez sans doute mettre en œuvre les formules de l'Eau et introduire chez vous des éléments aquatiques.*

À GAUCHE : *votre approche du Feng Shui pourra faire appel aux supports d'énergie – tableaux, plantes ou cristaux – ou à l'équilibre du yin et du yang par le jeu subtil de la lumière et des couleurs.*

CHAPITRE HUIT : CONSEILS POUR UNE APPLICATION PRATIQUE

COMMENT DISPOSER LES SYMBOLES DE CHANCE ?

Si vous n'êtes pas capable de déterminer les orientations, il vous sera impossible de mettre en pratique le Feng Shui symbolique, par la disposition, dans les différentes pièces de la maison, des symboles de chance. Cette mise en place doit être faite en fonction des courants d'énergie des cinq éléments qui parcourent la demeure.

La disposition correcte des symboles porte-bonheur dans toute la maison est certainement la plus simple et la plus facile des méthodes d'activation du bon Feng Shui. Les personnes qui placent correctement ces symboles remarqueront rapidement – même les plus sceptiques – des changements heureux dès qu'ils auront activé les secteurs de leur maison en fonction des cinq éléments.

Avant toute mise en pratique du Feng Shui des symboles, commencez par bien identifier chaque secteur de la maison, du salon ou de la salle de séjour. Démarquez bien, par exemple, le salon en le divisant selon la grille sectorielle Lo Shu, puis marquez les directions correspondantes. En d'autres termes, identifiez le mur est, puis le mur ouest, puis placez dans chacun des secteurs des objets porte-bonheur en rapport avec l'élément de ce secteur.

Ne faites pas de « surexposition » de cristaux, carillons éoliens ou crapaud à trois pattes. Normalement, l'emplacement de chaque objet porte-bonheur doit être symbolique. Cependant, il est parfaitement acceptable d'activer l'énergie de chacun des secteurs. Parce que chacun d'eux représente, d'une façon ou d'une autre, une certaine part de chance, il n'y a pas de mal à se laisser un petit peu aller à énergétiser tous les coins d'une pièce.

À GAUCHE : *disposez des symboles Feng Shui de fortune, de prospérité et de chance dans chaque secteur d'une pièce pour en activer l'énergie et favoriser le développement du bien-être (dans tous les sens du terme) de ses occupants.*

QUESTIONS ET RÉPONSES

Question. Est-il vraiment nécessaire d'assimiler toutes les théories relatives au Feng Shui étudiées dans ce livre ?

Réponse. Il n'est pas facile de comprendre de prime abord toutes théories concernant le Feng Shui. Vous pouvez, si vous le voulez, passer directement aux derniers chapitres qui vous donnent des conseils rapides (voir pages 302-327), que vous pouvez appliquer immédiatement. Mais si vous ne vous sentez pas sûr, ou si l'illustration ne correspond pas exactement à votre situation personnelle, il devient essentiel de pouvoir vous référer aux concepts théoriques. Il n'est donc pas indispensable de comprendre tout tout de suite. Mais il faut prendre le temps de réfléchir si vous vous trouvez embarrassé.

Question. Le Pa Kua est-il un symbole religieux ou spirituel ?

Réponse. Je considère que ce n'est pas un symbole religieux, bien que je pense que l'usage du Pa Kua en tant que symbole protecteur ait des connotations spirituelles. Je sais que les Chinois aiment faire bénir leur Pa Kua au temple avant de l'installer au-dessus de la porte de leur maison. Je n'utilise le Pa Kua qu'en dernier ressort. Je n'y attache pour ma part aucune signification religieuse ou spirituelle.

Question. Quelle est la signification du sceau de Salomon que l'on forme par arrangement des nombres du Lo Shu ?

Réponse. C'est une base de spéculation qui permettrait de déduire que le Feng Shui est une pratique qui pourrait se rapporter aux croyances hébraïques ou à d'autres cultures. Je pense que les Chinois n'ont pas l'exclusivité de ces techniques liées à l'environnement et porteuses de tant de promesses. Il est probable que d'autres cultures ont mis au point quelque chose de comparable au Feng Shui. Mais peut-être que ces connaissances n'ont pas été suffisamment conservées et préservées.

Question. Existe-t-il d'autres associations et d'autres significations que vous ayez décidé de ne pas mettre dans cet ouvrage ?

Réponse. Bien sûr ! Si vous lisez le *I Ching* avec attention et si vous étudiez les multiples significations des trigrammes et des hexagrammes, vous allez découvrir des quantités d'informations. Si vous êtes très intéressé, essayez de mettre la main sur la traduction de Richard Wilhelm, car c'est la plus complète. N'essayez pas d'étudier le *I Ching* à partir d'une version édulcorée. C'est un texte trop profond pour le lire à la légère.

Question. Quelle est l'importance du Pa Kua dans la pratique du Feng Shui ?

Réponse. Le Pa Kua est l'un des outils analytiques les plus importants du Feng Shui. C'est aussi un antidote puissant servant à écarter la mauvaise fortune provoquée par des structures physiques qui font penser à des flèches empoisonnées dirigées contre l'habitation. Si l'on utilise le Pa Kua comme outil de défense, il faut bien en connaître les conseils d'utilisation. Placer le Pa Kua au mauvais endroit – et notamment à l'intérieur de la maison – peut être cause de problèmes majeurs. Il est important de connaître la différence entre les deux types de Pa Kua.

Question. Pourquoi l'arrangement des nombres dans le Lo Shu est-il si important en Feng Shui ?

Réponse. Dans le Feng Shui, la grille Lo Shu est la base et le fondement des puissantes formules de la Boussole. Les taoïstes se servent de la grille de façon magique. Il est donc important de se familiariser avec les nombres de cette grille. Dans cet ouvrage, j'ai insisté sur deux puissantes formules de Feng Shui qui prennent le Lo Shu comme base de calcul. C'est la formule des Huit maisons et celle de l'Étoile Volante. J'ajouterai qu'un troisième champ de pratique du Feng Shui, dans lequel le Lo Shu est important, est le calcul des jours favorables ou néfastes. Il s'agit là d'une partie très pointue du Feng Shui qui n'est pas encore très connue en Occident.

Question. Utilise-t-on toujours la boussole dans le Feng Shui ?

Réponse. Oui la boussole est fondamentale dans la pratique de l'authentique Feng Shui chinois. Elle est le fondement de toutes les recommandations du Feng Shui.
Les spécialistes du Feng Shui doivent savoir comment lire et utiliser le vrai Luo Pan chinois, mais pour un usage personnel limité à l'habitation, une boussole occidentale classique est suffisante. Il n'est pas nécessaire de permuter les directions si vous habitez dans l'hémisphère Sud.
Le faire, serait une erreur.

木火土金水

TROISIÈME PARTIE

3

LE FENG SHUI À LA MAISON

CHAPITRE NEUF

LE FENG SHUI POUR TOUTES LES MAISONS

Les demeures spacieuses disposant d'une surface importante sont potentiellement plus aptes à capter l'énergie bénéfique. La raison en est que l'espace permet le libre déplacement des courants Chi positifs. Il est donc plus aisé d'améliorer une grande maison. L'idéal, bien sûr, serait que chacun puisse disposer d'une demeure parfaitement carrée, dotée de nombreuses pièces et permettant toutes les orientations possibles. Ce serait la maison idéale selon l'idée Feng Shui, mais la réalité du monde actuel est différente. La plupart du temps, on remarque de nombreuses formes irrégulières : dispositions déséquilibrées des pièces et petites surfaces sont monnaie courante. L'œil exercé des maîtres permet de reconnaître le Feng Shui imparfait, mais ils ont le pouvoir de le rendre parfait. Ils doivent être capables de créer, rehausser, ou corriger le Feng Shui de la plupart des habitations. Le Feng Shui doit pouvoir s'appliquer utilement à tous les espaces de vie, du vieux chalet aux nombreux angles saillants et aux poutres apparentes, au minuscule studio d'étudiant où l'espace manque terriblement pour apporter des corrections. Le chapitre suivant va traiter des différents types de domicile, en passant en revue diverses situations et analyse de scénarios alternatifs pour la ville et la campagne.

À GAUCHE : *ce chapitre propose des idées pour créer, rehausser, ou corriger le Feng Shui dans divers types d'habitations, du chalet aux maisons de campagne et aux tours d'habitation.*

CHAPITRE NEUF : LE FENG SHUI POUR TOUTES LES MAISONS

DEMEURES ET MAISON DE MAÎTRE

Plus une maison est vaste et plus son potentiel permettra d'opter pour des solutions qui susciteront un excellent Feng Shui.

Ainsi, les demeures et les maisons de maître entourées d'un grand terrain permettent de créer des flux favorables de Chi, autant dans la maison que tout autour. Une grande propriété permet aussi de construire le « Dragon d'Eau » grâce auquel l'eau va pouvoir s'écouler d'une façon idéale. Ainsi, les occupants peuvent capturer ou créer un certain nombre d'effets favorables.

- L'effet du « Hall de lumière ». Il s'obtient en s'assurant que la porte principale ouvre sur un espace dégagé où rien ne bloquera le flux de Sheng Chi vers la maison. Cet effet de « Hall de lumière » assurera la richesse pour toutes les générations futures, comme pour toute la famille. Si vous avez une grande propriété, voire une maison de maître permettant d'avoir une entrée de lumière, la pelouse doit être parfaite. Évitez d'y placer quoi que ce soit qui risquerait de freiner le courant bénéfique du Chi, l'empêchant d'entrer dans la maison. Ce « Hall de lumière » est l'un des éléments les plus puissants du Feng Shui. Il ne peut que procurer de grands bienfaits.
- L'effet de la « colline du phénix ». Pour le créer, il suffit d'avoir devant la porte d'entrée un discret monticule. La bosse de terre symbolise le phénix céleste qui suscite d'excellentes opportunités de carrière et de richesse. Il doit se trouver à 30 m minimum de la porte. Votre terrain doit donc être vaste.

CI-DESSUS : *la résidence d'un riche homme d'affaires. Malheureusement, le terre-plein triangulaire érigé juste en face de la maison a eu sur elle des effets négatifs.*

- Pour susciter la chance (si la porte ouvre au sud-ouest ou au nord-est), placez non loin de celle-ci un tas de pierres peintes en or, de taille moyenne : il figure un tas d'or symbolique à proximité de la porte d'entrée.

À DROITE : *tous ceux qui ont la chance de posséder une grande propriété peuvent profiter de l'espace pour faire des aménagements fondés sur les principes Feng Shui.*

À GAUCHE : *bon exemple d'allée sinueuse, qui rafraîchira la maison par un courant de Chi positif.*

CI-DESSOUS : *un grand escalier est plus bénéfique qu'un petit, mais il faut éviter qu'il débouche en face de la porte d'entrée.*

Une cascade d'or dans la direction du sud-est. C'est une variante du tas d'or. Si vous construisez une petite cascade artificielle dans votre jardin, ajoutez dans le bassin quelques pierres peintes en doré. Cela signifiera que l'eau qui s'écoule conduit l'or jusqu'au seuil de la maison ; c'est extrêmement bénéfique.

Pour rehausser votre Feng Shui, vous pouvez aménager au jardin un bassin ou un cours d'eau en rapport avec la formule du Dragon d'Eau. Il n'est pas nécessaire que la maison soit très grande ; il suffit d'un petit bout de terrain pour simuler la présence d'un Dragon d'Eau, ce qui sera très bénéfique.

Ceux qui vivent dans une grande maison à la campagne accèdent souvent à la porte par de longues allées rectilignes. J'en ai vu beaucoup de ce type et, après avoir étudié l'historique de telles demeures, j'ai souvent entendu de tristes histoires sur les familles qui y avaient vécu. Les allées longues rectilignes sont la forme la plus puissante de flèche empoisonnée. Elles peuvent être cause de mort, de graves maladies, d'accidents, et parfois provoquer la destruction complète de tout une famille. En Feng Shui, il n'existe rien de pire qu'une flèche empoisonnée de ce genre.

Il est facile de corriger un accès trop rectiligne, s'agissant le plus souvent, d'un chemin appartenant au propriétaire de la maison. Ceux qui ont chez eux un élément aussi néfaste seront avisés d'y remédier d'urgence.

Autre trait commun des grandes demeures et des châteaux : le grand escalier menant aux étages. Il apporte en général de la chance, sauf lorsqu'il débouche juste en face de la porte principale. Dans ce cas, l'escalier a pour effet d'accélérer le Chi qui se déplace alors beaucoup trop vite et le transforme en Chi mortel.

EXTRÊME GAUCHE : *autrefois, les portes principales des riches demeures chinoises étaient ornées de la représentation de dieux protecteurs.*

CHAPITRE NEUF : LE FENG SHUI POUR TOUTES LES MAISONS

LES PAVILLONS ET MAISONS INDIVIDUELLES

À DROITE : *les bâtiments situés à gauche de l'habitation, qui représentent le dragon vert, doivent être plus hauts que ceux de droite.*

Presque tout ce qui vient d'être évoqué pour rehausser le Feng Shui d'une demeure ou d'une maison de maître, est applicable pour un pavillon ou une petite maison de campagne. La bonne nouvelle pour les occupants, c'est qu'une petite maison a de grandes chances d'être moins souvent sujette aux problèmes qu'une demeure imposante du fait de sa taille qui la rend aussi plus facile à aménager. Pour qu'un pavillon bénéficie d'un bon Feng Shui, il faut d'abord qu'il soit plus profond que large. Les maisons qui ont de la profondeur ont la capacité de retenir les biens de ceux qui l'occupent, alors que celles qui sont tout en largeur ont tendance à dissiper la richesse. Par « profondeur », il faut entendre au minimum trois pièces entre la porte de devant et la porte de derrière. Une profondeur de six pièces est l'idéale, mais il est vrai qu'alors, on aurait affaire à une très grande maison ! Voici quelques autres principes à respecter soigneusement.

CI-DESSUS : *une porte de devant et une porte arrière bien placées sont essentielles pour qu'une maison basse bénéficie d'une énergie positive.*

- La maison doit avoir des portes principales et arrières bien définies. Elles ne doivent pas se trouver en alignement. La porte d'entrée principale doit aussi être la plus grande porte de la maison.
- Les maisons de forme régulière sont infiniment supérieures à celles qui sont irrégulières.
- Le terrain situé sur l'arrière doit toujours être plus élevé que celui de devant, et cela quelle que soit l'orientation par rapport aux points cardinaux, pour qu'il constitue un bon support arrière.
- Le terrain de devant doit être au moins de niveau et de préférence plus bas que le sol de la maison.
- Il ne doit pas y avoir de route passant à la fois devant et derrière la maison. Pour le Feng Shui, cela constituerait une grave anomalie qui ne pourrait se rattraper qu'en plantant un rideau d'arbres derrière la maison de façon à former un support. Lorsqu'une maison se trouve prise en sandwich entre deux routes, inutile de tenter de contrer le problème par deux entrées, l'une sur le devant, l'autre sur l'arrière.
- La partie de terrain située sur la gauche sur le pas de la porte en regardant à l'extérieur doit être plus haute celle située sur la droite : le terrain de gauche est en effet le dragon, et celui de droite le tigre, quelle que soit par ailleurs l'orientation géographique. Si le côté dragon est plus bas, installez une lumière brillante.
- La maison elle-même doit être située dans la moitié antérieure du terrain. Si elle est construite trop en avant, vous ne pouvez bénéficier de l'effet « Hall de lumière », ce qui est dommage.
- Un terrain irrégulier devra être corrigé avec des remèdes Feng Shui. Pour cela, placez une lumière brillante à proximité de tout coin manquant pour créer une extension symbolique.
- Ne construisez pas de mur ou de palissade trop élevés ou trop près de la maison. Laissez assez de place au Chi pour qu'il puisse circuler. Il doit y avoir au moins 2,50 m de libre. Par ailleurs, il est préférable de se trouver plus près du dragon que du tigre. Si le mur de séparation entre votre voisin et vous se trouve trop près de votre maison, plantez des fleurs pour permettre au bon Chi de circuler et de s'accumuler.

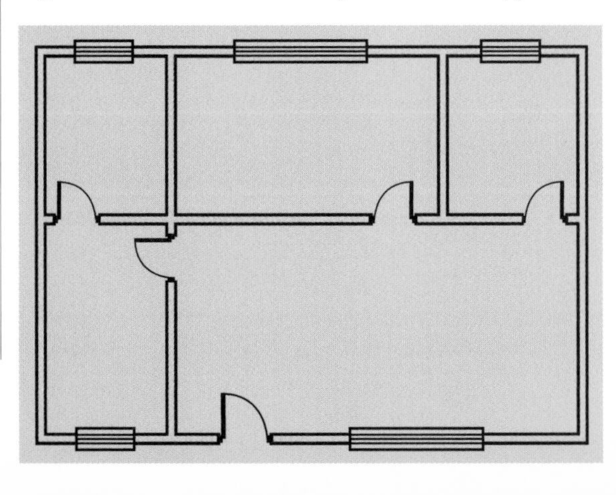

À GAUCHE : *il est toujours préférable d'habiter une maison de forme régulière, même si elle fait penser à une « boîte ».*

MAISONS JUMELÉES

Pour ceux qui vivent dans une maison jumelée, l'une des meilleures choses dont vous puissiez bénéficier est la profondeur. Les maisons accolées sont souvent longues et étroites et même si la façade peut souffrir d'être trop étriquée, la chose est rattrapée par la profondeur ou la longueur. Pour un bon Feng Shui, toute maison devrait avoir au moins trois pièces dans le sens de la profondeur, l'idéal étant de pouvoir en avoir six.

Le problème habituel, en matière de Feng Shui, avec ce type d'habitation (surtout celles qui ont été construites au début du XXe siècle), est que l'escalier est souvent juste en face de la porte d'entrée. C'est très néfaste pour le Feng Shui. Si c'est possible, l'espace libre entre la porte et la première marche de l'escalier doit, soit être doté d'un paravent, soit être très éclairé par un lustre ou une belle suspension. On peut aussi le rendre moins agressif en installant des plantes de façon stratégique, pour créer une sorte de barrière visuelle.

Les habitants d'une maison jumelée doivent se garder, en principe, d'appuyer leur lit, ou un bureau contre un mur derrière lequel pourraient se trouver des toilettes. Leur sommeil et leur travail pourraient s'en ressentir.

Ceux qui vivent en ville doivent aussi se préoccuper de ce qui se trouve au-dessus de la porte principale. Par exemple, des toilettes situées juste au-dessus représentent une menace directe qui, le plus souvent, ne peut se contrer qu'en déplaçant la porte. Si cela s'avère impossible, installez une lumière brillante au-dessus de la porte.

CI-DESSUS : *les maisons accolées sont souvent « profondes », d'où un Feng Shui excellent.*

À GAUCHE : *un escalier débouchant sur la porte d'entrée est nuisible au Chi positif. Éclairez l'entrée avec des lampes et placez des plantes décoratives.*

CI-CONTRE, À GAUCHE : *le tigre blanc niche à droite de la maison.*

CHAPITRE NEUF : LE FENG SHUI POUR TOUTES LES MAISONS

APPARTEMENTS ET RÉSIDENCES

À DROITE : *un immeuble collectif construit à mi-pente bénéficiera de l'énergie positive de la colline du dragon sur l'arrière et d'un petit monticule du phénix sur l'avant.*

CI-DESSOUS : *une piscine sur le toit représente la grande vie, mais aussi l'argent qui s'en va ! La présence de l'eau en hauteur comme dans cette illustration symbolise l'imminence d'un débordement.*

Il est plus difficile de contrôler le Feng Shui d'un appartement que celui d'une maison. Si vous préférez vivre en appartement, vous avez tout intérêt à le choisir avec soin. Reportez-vous aux principes du Feng Shui pour examiner l'environnement proche, en faisant très attention à l'entrée principale de l'immeuble, au plan et à la disposition des différents logements. Assurez-vous que votre entrée n'est pas attaquée par l'appartement d'en face (risque de flèches empoisonnées), ou par celui du dessus (des toilettes ou une cuisine au-dessus de votre porte seraient nuisibles). Ce genre de problème est aussi néfaste que si votre porte ouvrait dans une direction en opposition avec votre nombre Kua.

Un appartement vaste, spacieux et bien aéré sera naturellement préférable à un logement étriqué. Les grands appartements ont généralement peu de coins resserrés et sont la plupart du temps mieux conçus et mieux distribués. Il y aura

moins de poutres porteuses apparentes contrairement aux logements bon marché et à l'architecture médiocre. Toutes les grosses poutres sous plafond en béton devront être camouflées, sinon la santé des occupants en souffrira ; et la maladie qui en résultera débouchera sur le malheur.

Les appartements mansardés du dernier étage ne bénéficient pas forcément d'un meilleur Feng Shui. Cependant, en étant tout en haut, vous pouvez au moins être sûr que rien de néfaste ne se trouve au dessus. Si au contraire, vous êtes au rez-de-chaussée, tout ce qui est « mauvais » au-dessus se trouve probablement répété autant de fois qu'il y a d'étages. C'est-à-dire que les effets malfaisants des poutres, toilettes, cuisines, etc. qui sont juste au-dessus de votre lit ou de votre table à manger se trouvent multipliés d'autant.

S'il y a d'autres immeubles situés plus haut derrière votre appartement, ou s'il y a des collines à proximité, il est préférable d'habiter au dernier étage. Les immeubles adossés à des collines ou qui sont à mi-hauteur d'une pente, sont les meilleurs.

Si vous habitez tout en haut d'un immeuble, surtout, n'ayez pas de piscine. J'ai connu un certain nombre d'hommes d'affaires très riches qui vivaient dans « un château près du ciel ». Ils occupaient les deux ou trois derniers étages d'un building de grand standing. Ils s'étaient tous fait construire imprudemment une piscine intérieure sous le toit. Tous ont connu dans les six ans de graves difficultés financières et deux d'entre eux ont même été mis en liquidation judiciaire.

Dans une copropriété, mieux vaut se contenter d'aller nager dans la piscine commune s'il en existe une. Il est essentiel de ne construire ni piscine, ni bassin à poissons artificiel à l'intérieur d'un immeuble. Cela porterait malheur autant à vous-même qu'à vos voisins.

Le *I Ching* insiste sur les dangers de l'eau sur un toit. L'eau est excellente tant qu'elle ne monte pas à son zénith. Quand son niveau est trop haut, l'eau fait sauter les digues et déborde. Et lorsqu'elle déborde, surtout à partir d'un endroit élevé, elle devient le symbole de l'argent qui s'en va.

Il est en général préférable de demeurer à mi-hauteur. C'est aussi plus sécurisant, selon le Feng Shui, qui recommande de vivre au milieu des courants ou des flux. Habiter le rez-de-chaussée ou les étages inférieurs n'est pas mauvais, car, selon les principes de cet art, les vallées bénéficient généralement d'un bon Feng Shui. Ce sont des endroits où l'eau coule de toutes les directions. Il ne sera pas bon d'habiter un rez-de-chaussée s'il est à proximité de routes, de lignes de chemin de fer ou autres échangeurs qui risqueraient de causer un grand déséquilibre d'énergie tout autour de l'immeuble. Mais un appartement au rez-de-chaussée peut être rendu extrêmement favorable dès lors qu'il sera entouré d'un espace vert correctement dessiné.

Enfin, il est important de savoir si l'immeuble est construit sur des piliers, ou des pilotis, avec des espaces libres au niveau du sol. Un parking en sous-sol, ou au niveau du sol, constitue un espace vide juste au-dessous des appartements, ce qui est synonyme d'un manque total de fondations et de support. Il n'est pas conseillé d'habiter dans ce genre d'immeuble. Même si cela ne signifie pas nécessairement une vie de malheur, la chance ne s'y posera pas souvent. Un palliatif consisterait à habiter au dernier étage.

CI-DESSUS : *cet appartement clair et bien aéré au dernier étage d'un immeuble bénéficie sans doute d'un très bon Feng Shui, car il ne peut rien y avoir de nuisible au-dessus.*

CHAPITRE NEUF : LE FENG SHUI POUR TOUTES LES MAISONS

STUDIOS ET CHAMBRES D'ÉTUDIANT

CI-DESSOUS : *dans le papier peint, tout motif suggérant quelque chose de pointu ou de coupant créera du Shar Chi négatif.*

Pour ces espaces restreints, il faut un traitement Feng Shui spécial, tout simplement parce que la surface d'un tel local représente la totalité du Lo Shu. Les studios posent souvent un dilemme parce que le lit se trouve dans la même pièce que tout le reste. Je propose donc de démarquer nettement la zone de sommeil. Si vous disposez d'un canapé-lit, où d'un lit-placard, vous considérerez l'appartement comme une pièce à vivre plutôt que comme une chambre à coucher. Mais même dans ce cas, vous devrez veiller à ce que le lit soit orienté de façon que votre direction de sommeil soit favorable.

Les petits appartements du type F2 sont plus faciles à traiter car la chambre se trouve séparée du reste du local.

D'une manière générale, les petits appartements bénéficient souvent soit d'un très bon, soit d'un très mauvais Feng Shui. C'est parce qu'ils ne comportent qu'un ou deux « compartiments » et lorsque l'on fait le calcul des Étoiles Volantes, en fonction de l'orientation de la porte d'entrée, les nombres d'un seul carré suffisent pour s'appliquer au local entier. Cela signifie que si vous vous rendez compte que le Feng Shui du studio est néfaste, le mieux est de ne pas renouveler le bail à son expiration.

Il faut replier le canapé-lit pendant la journée

Veillez à ce que le canapé-lit soit orienté dans une direction favorable

Chaque matin rendez son statut de salon à la « chambre à coucher »

CI-DESSUS : *même si l'espace de votre appartement de célibataire est limité, séparez bien les aires de vie et de sommeil. Si vous essayez de combiner les deux, vous obtiendrez un mauvais Feng Shui.*

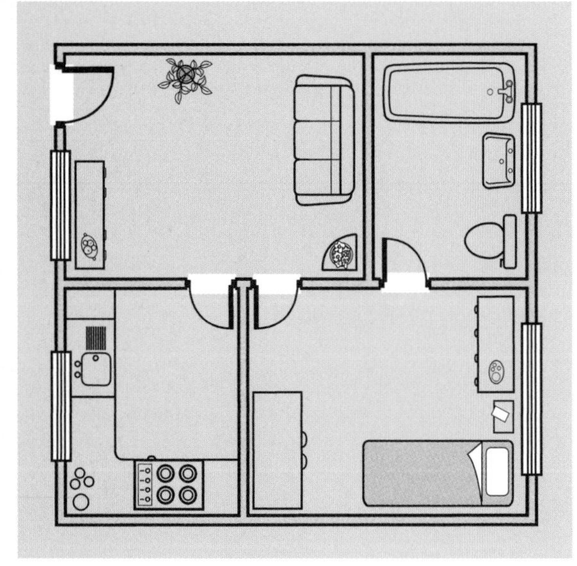

CI-DESSUS : *même dans un petit appartement, il faut veiller à ce que l'aire de sommeil soit clairement délimitée et démarquée de l'aire de vie.*

LES APPARTEMENTS DE DEUX OU TROIS PIÈCES

Si vous vivez, ou projetez d'emménager dans un appartement de taille moyenne, il faut prêter une grande attention au plan et à la disposition des pièces. Je recommande toujours un plan le plus régulier possible, avec une grande pièce qui puisse faire en même temps salon, salle à manger et entrée. Ce type d'espace suffisamment vaste est parfait pour mettre en pratique les principes du Feng Shui.

La façon dont les pièces sont compartimentées et divisées est également d'une grande importance quand on applique les principes de l'Étoile Volante. C'est parce que cette méthode de Feng Shui prend en considération le nombre de pièces et la façon dont elles sont divisées, pour procéder à l'analyse des aires favorables et défavorables. C'est pourquoi les maîtres en Feng Shui recommandent presque toujours d'abattre les cloisons et de revoir la disposition des pièces.

Vous serez heureux d'apprendre que, pour ma part, je recommande très rarement de procéder à des modifications qui entraînent une rénovation massive des lieux. Ceci étant, notez qu'un grand espace bien aéré est préférable à plusieurs petites pièces.

Si vous avez un couloir étroit dans l'appartement, il est recommandé de le peindre de couleurs vives et de l'éclairer brillamment. Les petits appartements jouiront toujours d'un meilleur Feng Shui s'ils sont bien clairs et ensoleillés, ce qui réduit l'excès d'énergie yin de l'immeuble. Veillez à ce que le papier peint n'ait pas de motifs pointus ni d'angles vifs, qui suggèrent la création secrète de Shar Chi. Enfin, il est aussi conseillé d'assortir les couleurs et motifs de la tapisserie à l'élément correspondant des murs.

CI-DESSOUS : *un grand espace ouvert est bénéfique dans un appartement de taille moyenne. En combinant salon et salle à manger, vous allez y optimiser le potentiel de Feng Shui.*

Un bon éclairage accentue l'impression d'espace

Salon et salle à manger réunis pour optimiser l'espace

Fleurs rouges porte-bonheur

Couleurs claires

VOIR AUSSI
❖ Le Feng Shui de la chambre à coucher *p. 160-171*
❖ Le Feng Shui du salon *p. 172-180*

CHAPITRE DIX

LE FENG SHUI POUR LES INTÉRIEURS

Pour les intérieurs, le Feng Shui est comme une grande toile sur laquelle l'adepte amateur pourra donner libre cours à son imagination créative. Les façons d'arranger et de décorer un intérieur sont très variées et offrent de multiples possibilités. Le Feng Shui en propose une approche dynamique. La « clé » consiste à suivre le courant de Chi. Représentez-vous un cours d'eau qui serpente lentement, tranquille et sans obstacle. Prenez en compte ce mouvement paisible quand vous placez vos meubles.
La circulation intérieure doit se faire selon de délicates lignes courbes plutôt que de brutales et hostiles lignes droites. Prenez conscience de l'énergie qui remplit vos pièces. Qu'elle soit propre et fraîche, légère plutôt que lourde ; et vibrante plutôt que stagnante. Quand vous choisirez les coloris, les tissus, laissez-vous guider par l'harmonie, qui permettra au yin et au yang de s'équilibrer. Portez une grande attention à l'entrée principale de votre logement. L'énergie yang doit régner en maître dans cette antichambre du foyer intime. L'entrée elle-même doit être spacieuse afin d'offrir suffisamment de place pour que le Chi s'y installe et s'y accumule. Étudiez avec soin toutes les choses contre lesquelles vous devrez préserver la porte principale. Car en protégeant votre porte, vous protégez en même temps votre Feng Shui.

À GAUCHE : *pour la décoration, l'analyse Feng Shui porte sur l'aménagement des pièces, leur disposition, leur forme, la position des meubles, toutes choses qui ont un effet sur l'énergie de la maison.*

CHAPITRE DIX : LE FENG SHUI POUR LES INTÉRIEURS

LE FENG SHUI DES MAISONS EN RÉNOVATION

Si vous envisagez de faire chez vous des travaux de rénovation qui impliquent des coups de marteau, et peut-être l'abattage de cloisons, vous devrez d'abord vous préoccuper du grand-duc Jupiter. Son lieu de résidence change chaque année et il est important de ne pas l'incommoder à l'endroit où il se trouve, par le bruit des travaux. Perturber le grand-duc porte malheur et la première chose à faire est donc de bien repérer l'endroit où il se trouve dans l'année où vous allez faire vos travaux. Pour le localiser, reportez-vous au tableau ci-dessous.

La deuxième chose à faire avant de commencer des travaux de décoration intérieure, c'est de trouver où se cache le terrible « 5 jaune ». Le principal conseil à donner est de n'entreprendre aucune rénovation là où se trouve le « 5 jaune » s'il est situé dans la cuisine, il vaut bien mieux remettre les travaux à l'année prochaine quand il se sera déplacé vers une autre case, et donc un autre endroit de la maison. Pour l'année lunaire 2000, cette manifestation de mauvaise énergie se situe au nord. Cela veut donc dire que le nord de la maison sera affligé de chance négative pendant toute l'année. Pour contrer cet effet néfaste, pendez un carillon à cinq branches, de préférence un qui représente une pagode. Notez bien que si vous entreprenez des travaux de rénovation massive dans la maison entière, les tabous centrés autour du grand-duc et du « 5 jaune » n'ont pas à être pris en considération.

LIEU DE SÉJOUR DU GRAND-DUC

ANNÉE	ANNÉE LUNAIRE			EMPLACEMENT DU GRAND-DUC JUPITER
Rat		2008	2020	Nord
Bœuf		2009	2021	Nord/nord-est
Tigre		2010	2022	Est/Nord-est
Lièvre	1999	2011	2023	Est
Dragon	2000	2012	2024	Est/Sud-est
Serpent	2001	2013	2025	Sud/Sud-est
Cheval	2002	2014	2026	Sud
Mouton	2003	2015	2027	Sud/Sud-ouest
Singe	2004	2016	2028	Ouest/Sud-ouest
Coq	2005	2017	2029	Ouest
Chien	2006	2018	2030	Ouest/Nord-ouest
Cochon	2007	2019	2031	Nord/Nord-ouest

ANNÉE	EMPLACEMENT DU « 5 JAUNE »
1999	Sud
2000	Nord
2001	Sud-ouest
2002	Est
2003	Sud-est
2004	Centre
2005	Nord-ouest
2006	Ouest
2007	Nord-est
2008	Sud

LE DEVANT DE LA MAISON

ACCÈS DÉFAVORABLES

Allées rectilignes
Le coin d'un autre immeuble
Un lampadaire isolé
Un sol élevé
L'entrée principale
Terrain de derrière en pente descendante

ACCÈS FAVORABLES

Allée sinueuses
Allées circulaires
Allées larges

Pour un bon Feng Shui de l'entrée principale :

- assurez-vous que la porte principale n'est pas face à une intersection en T ou en Y juste devant la maison ;
- vérifiez que la porte n'est pas située en face d'un cimetière, un poste de police, une entreprise de pompes funèbres ou toute construction avec un toit triangulaire pointé vers l'entrée de votre habitation ;
- la porte principale ne doit pas faire face à un grand arbre ou à un lampadaire isolés ;
- la maison ne doit pas se trouver au fond d'un cul-de-sac.

Bloquez les énergies négatives par des haies, des plantes ou des arbres ou encore suspendez un miroir Pa Kua. Vous pouvez aussi peindre votre porte en rouge vif.

CI-DESSUS : *cette maison dispose d'un accès favorable : une large allée qui serpente et ne fait pas directement face à la maison.*

CONSEILS ADDITIONNELS POUR LE DEVANT DE LA MAISON

- La maison doit se trouver au même niveau ou à un niveau plus élevé que la route.
- La maison ne doit pas paraître prise en tenaille entre deux immeubles de hauteur supérieure.
- La clôture autour de la maison doit être partout de la même hauteur.
- Il ne doit pas y avoir de palissade ou de mur trop proche de la maison.
- Un mur ne doit pas faire ressembler la maison à une prison.
- L'allée ne doit pas faire face directement à la porte principale.
- Ne mettez jamais de fil de fer barbelé au-dessus du portail d'entrée.
- Si la porte d'entrée principale est constituée de deux battants, ceux-ci doivent être de même taille.

Une situation néfaste : la maison est prise en sandwich entre deux immeubles plus élevés

CHAPITRE DIX : LE FENG SHUI POUR LES INTÉRIEURS

LES COURANTS DE CHI À L'INTÉRIEUR DE LA MAISON

Le Feng Shui pour les intérieurs s'intéresse aux courants de Chi dans l'habitation, à la disposition des pièces, à leur forme, aux flux de circulation intérieure et à la façon dont les meubles sont placés par rapport aux portes, fenêtres, ou escaliers. Tout cela influe sur la qualité de l'énergie dans la maison. L'aménagement et la décoration de l'habitation doivent donc être soigneusement conçus, organisés et réglés de manière à prendre en considération les implications que tout cela va avoir sur le Feng Shui de l'espace de vie immédiat.

Le Feng Shui des intérieurs est aussi important que celui de l'environnement extérieur. Il ne sert à rien de jouir d'un excellent Feng Shui externe si l'intérieur de la maison doit souffrir d'un Chi stagnant et que les occupants sont soumis tous les jours à des courants d'énergie déséquilibrés. De même, il n'est pas sain d'introduire dans l'habitation une énergie pernicieuse et mortelle parce qu'il existe tout autour des arêtes vives. Il faut aussi savoir que le bon Feng Shui intérieur se trouve complètement neutralisé si l'environnement envoie de l'énergie tueuse vers la maison à partir des structures extérieures. La pratique du Feng Shui relevant à la fois du dedans et du dehors, tous les deux doivent être traités avec la même attention.

Pour commencer, prenez les orientations du Feng Shui de votre maison en utilisant le diagramme comme guide. Tracer le plan, puis placez une feuille de papier calque avec une grille à neuf carrés (le Lo Shu) sur le plan. Quand vous en viendrez à la démarcation réelle des secteurs (carrés), il est important que les cotes soient aussi précises que possible. Vous devez donc inclure toutes les parties couvertes de la maison. Les parties du carré qui tombent sur les aires qui ne font pas partie de la maison indiquent des secteurs manquants. Ensuite, il faut relever les directions avec la boussole et identifier les différents secteurs géographiques de la maison (voir page 126-131).

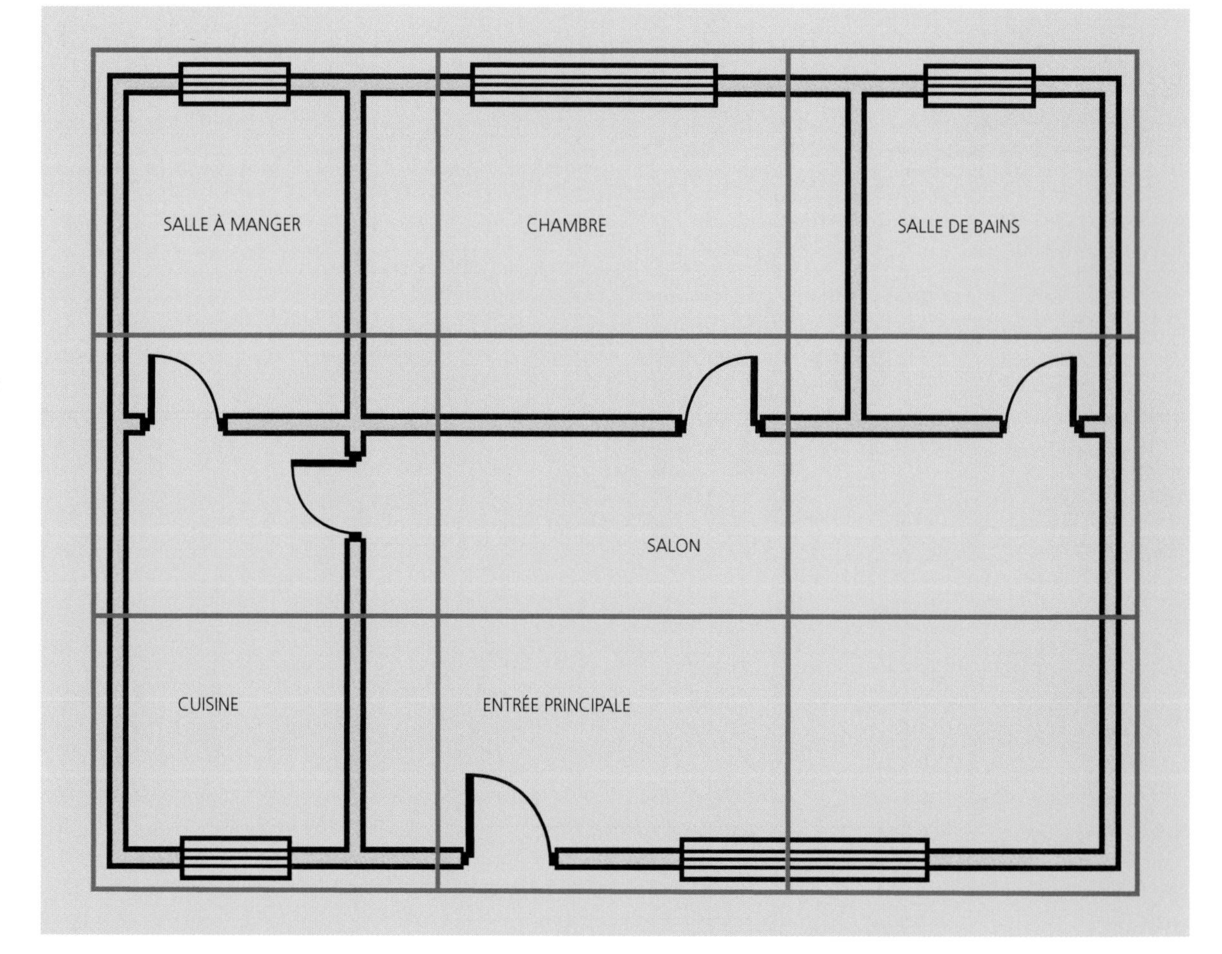

À DROITE : *en vous servant de la grille Lo Shu, vous pouvez déterminer comment optimiser le courant de Chi de pièce en pièce. Ici, le flux de Chi est sinueux et donc très favorable.*

L'AGENCEMENT DES PIÈCES

Quelle que soit la forme de votre maison ou de votre appartement, la moitié « interne » et la moitié « externe » sont déterminées par l'emplacement de la porte d'entrée principale. La moitié externe est la partie antérieure, où vous ne devez situer aucune pièce purement privée. La moitié interne est l'arrière de la maison. Quand vous dessinez ou prévoyez le plan de votre maison et que vous déterminez l'emplacement des pièces, prenez en compte un certain nombre de conseils.

- La cuisine et les chambres ne doivent pas se trouver dans la partie avant si la maison est d'un seul niveau. S'il y a plusieurs étages, la cuisine ne doit pas davantage être à l'avant, mais ce n'est pas un problème si les chambres s'y trouvent.
- La salle à manger devra être de préférence au milieu de la maison, ni trop en arrière, ni trop près de l'entrée. Si vous disposez de deux salles à manger, celle qui sert à recevoir pourra être placée dans la partie avant de la maison.

Travaillez de façon à permettre la circulation des flux en évitant la ligne droite comme indiqué dans le schéma ci-dessus.

Le Feng Shui favorable doit toujours avoir la possibilité de se déplacer doucement et lentement à travers toute la maison. Pour cela, le mieux est que la circulation à travers les pièces se fasse en ondulant. Les longs couloirs et les angles vifs ne sont pas recommandés.

L'illustration ci-dessous montre un agencement avec un long couloir donnant sur plusieurs pièces. Le flux de Chi est bien trop rapide et trop fort et cela n'est donc pas favorable. Il y aura beaucoup de disputes dans cette maison. Le problème serait encore pire si la porte d'entrée donnait directement sur le couloir ce qui aurait pour effet d'augmenter encore la vitesse du Chi. C'est un tabou en Feng Shui. Il en résulterait une flèche empoisonnée provoquée par l'agencement des pièces et l'emplacement des portes les desservant.

CI-DESSOUS : *cet agencement de pièces n'est pas réussi. Le Chi peut se déplacer bien trop vite et avec trop de force entre les pièces. Le long couloir en est responsable.*

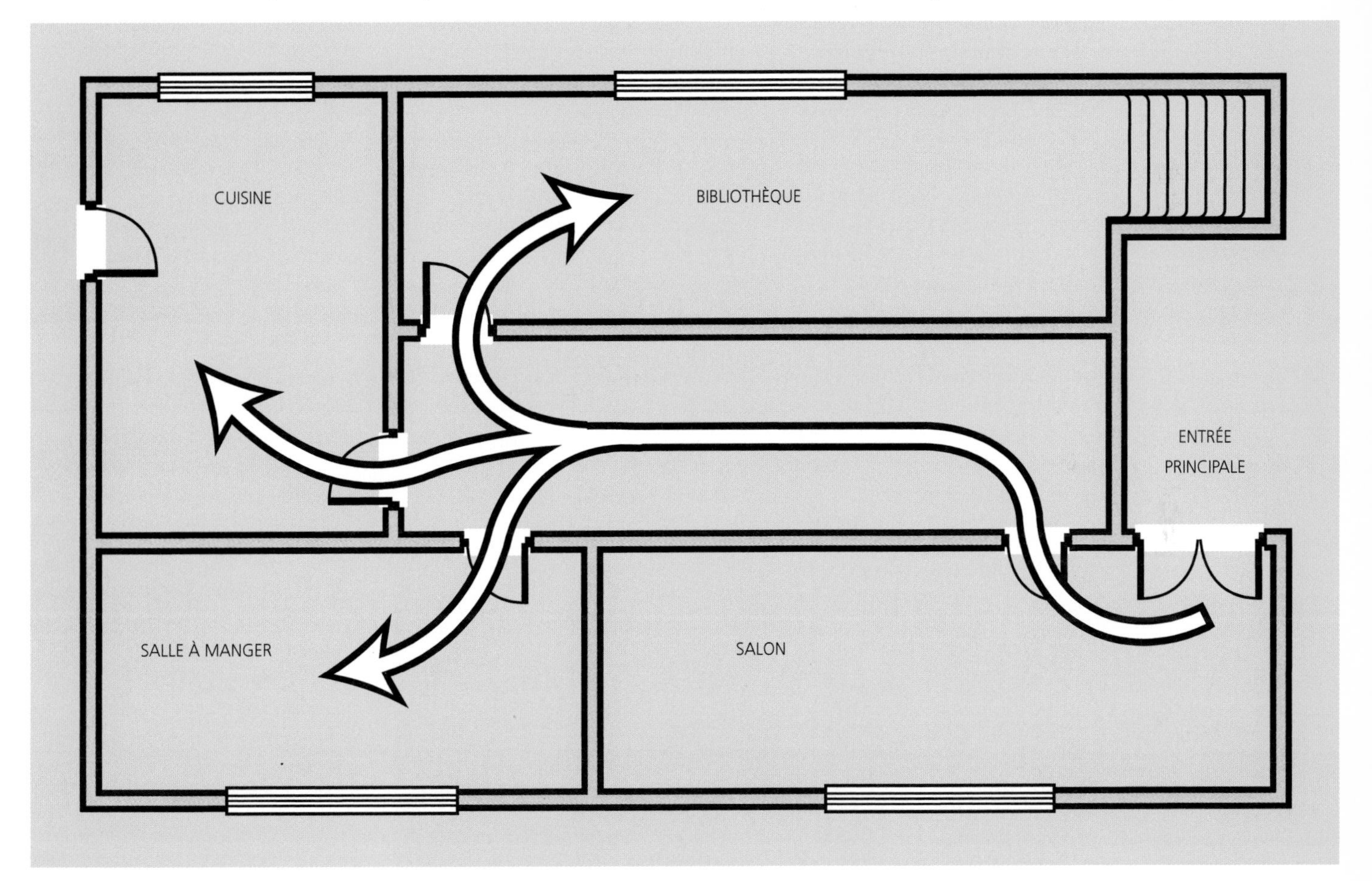

VOIR AUSSI
❖ Le concept du Chi : le souffle cosmique du dragon *p. 32-33*
❖ Le Feng Shui pour la famille *p. 192-199*

CHAPITRE DIX : LE FENG SHUI POUR LES INTÉRIEURS

LE FENG SHUI DE LA PORTE PRINCIPALE

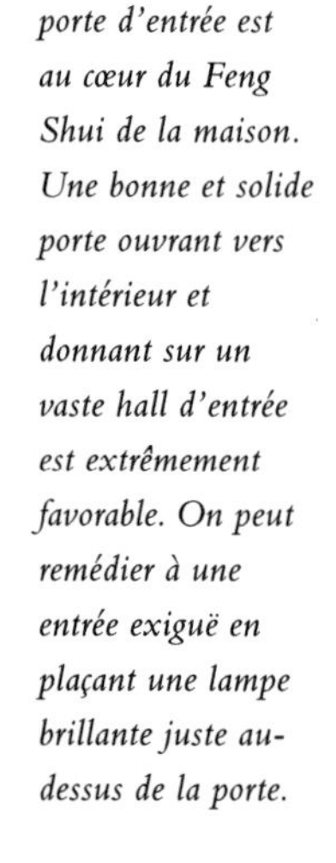

CI-DESSOUS : *la porte d'entrée est au cœur du Feng Shui de la maison. Une bonne et solide porte ouvrant vers l'intérieur et donnant sur un vaste hall d'entrée est extrêmement favorable. On peut remédier à une entrée exiguë en plaçant une lampe brillante juste au-dessus de la porte.*

Le Feng Shui de la porte principale est le point crucial de votre Feng Shui général. Cette porte représente le Kou, la bouche de la maison. C'est par elle que pénètre dans la demeure le bon ou le mauvais Chi. Détruisez le Feng Shui de la porte d'entrée de quiconque et vous détruisez en même temps son Feng Shui général. C'est la raison pour laquelle il faut toujours protéger les portes principales des flèches empoisonnées, à la fois du dehors et du dedans.

Il existe beaucoup de tabous dans la pratique du Feng Shui. Ils sont le plus souvent en rapport avec l'emplacement, les proportions, les dimensions et les caractéristiques des portes principales et il est utile de les passer en revue l'un après l'autre.

Les portes d'entrée principale doivent s'ouvrir vers l'intérieur et sur un grand espace plutôt que sur un couloir étroit et resserré. S'il existe un vestibule, et que celui-ci est minuscule, il vaut mieux le supprimer.

Remèdes

- Si la porte s'ouvre sur l'extérieur, changez le sens des gonds.
- Si le vestibule est trop exigu, suspendez une lampe brillante au-dessus de la porte et gardez-la allumée pendant au moins 3 heures chaque soir. Si le vestibule est aussi sombre qu'exigu, n'hésitez pas à laisser la lumière allumée tout le temps.
- Vous pouvez aussi installer un miroir pour créer une illusion d'espace. Mais ne le placez pas directement en face de la porte.
- La porte d'entrée ne doit être ni trop petite, ni trop grande, mais elle doit être la plus importante de la maison, en accord avec le principe essentiel d'équilibre. Pour les appartements, utilisez pour guide la taille et la hauteur du salon. Une trop petite porte est indésirable, car elle ne permettra pas à la chance de pénétrer dans la maison. La porte doit être suffisamment haute pour que le plus grand des membres de la famille la franchisse sans difficulté ; elle doit être proportionnée à la pièce. Si elle est trop grande, elle portera malheur à la famille. Le plafond, lui non plus, ne doit donc pas être trop bas. Si c'est le cas, c'est l'annonce d'une perte financière pour les occupants.

Les portes pleines seront préférées à celles en verre. Les portes principales doivent être solides et de préférence en bois ou en tout autre matériau solide. Elles ne doivent pas être en verre clair ou dépoli, qui suggère la fragilité et n'offre pas de protection pour la maison et la famille. Les portes à claire-voie ne conviennent pas pour l'entrée principale, mais elles peuvent aller partout ailleurs.

Faites attention aux flèches empoisonnées, autant à l'intérieur qu'à l'extérieur de la porte ! La façon la plus facile de neutraliser les structures malfaisantes du dehors, consiste à réorienter la porte, de manière que les arêtes, les angles aigus ou tout autre objet hostile ne viennent plus la frapper directement. Il existe beaucoup de structures différentes pouvant nuire à la porte d'entrée. Elles sont étudiées dans le chapitre consacré aux flèches empoisonnées dans l'environnement (voir pages 317-327).

La porte principale peut aussi être affectée par des éléments caractéristiques dans la maison, qui sont montrés dans les schémas des pages suivantes.

Pour déterminer si la porte principale est vraiment affectée par l'un des éléments qui viennent d'être évoqués, placez-vous dehors, porte ouverte, dos à celle-ci, et regardez devant vous. Si l'un des éléments cités est visible du seuil, votre Feng Shui est affecté négativement et il est recommandé, soit d'enlever complètement l'objet, soit de le cacher par un paravent ou tout objet faisant écran. Un rang de plantes en pot est également efficace.

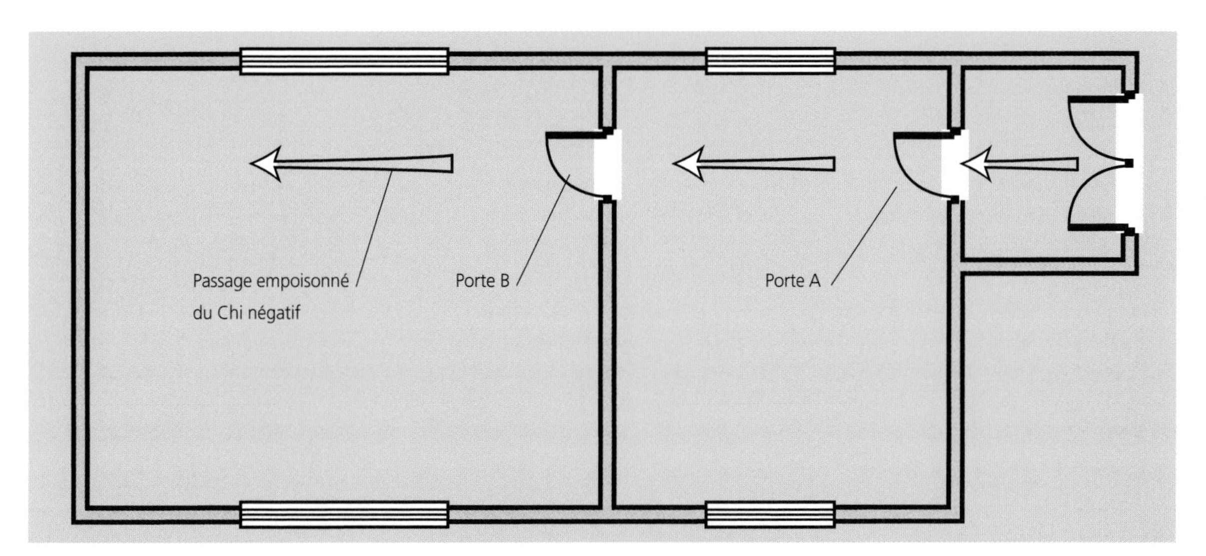

À GAUCHE : *quand la porte principale ouvre directement sur d'autres portes situées juste en face, la ligne droite encourage l'accélération du Chi négatif. Cette disposition est très mauvaise.*

Si les éléments néfastes sont situés de côté par rapport à la porte, ils ne sont pas nuisibles.

La porte principale ne doit pas ouvrir sur des toilettes. Si c'est le cas, ne laissez jamais la porte de celles-ci ouverte et fermez l'abattant. Étudiez la possibilité de condamner cette porte définitivement et d'en aménager une autre permettant d'accéder aux toilettes par une autre cloison. Chaque fois que les toilettes sont en face de la porte d'entrée, elles envoient de l'énergie Chi très négative qui empêche l'énergie positive de pénétrer dans la maison. C'est un problème très sérieux qui doit être traité dès que possible.

Les portes en alignement sont un tabou classique.

Si la porte d'entrée fait directement face à une seconde porte, ainsi qu'à une troisième, toutes alignées, cela crée une voie de Chi empoisonné qui attaque votre Feng Shui. La solution consiste à déplacer la porte marquée (A) sur le plan ci-dessus. Cela a pour effet de transformer le Chi rectiligne en un Chi sinueux favorable.

Il n'est pas non plus recommandé d'avoir une fenêtre juste en face d'une porte. Les fenêtres doivent être décalées par rapport à la porte et ne jamais lui faire face.

Le Feng Shui de la porte principale – bon ou mauvais –

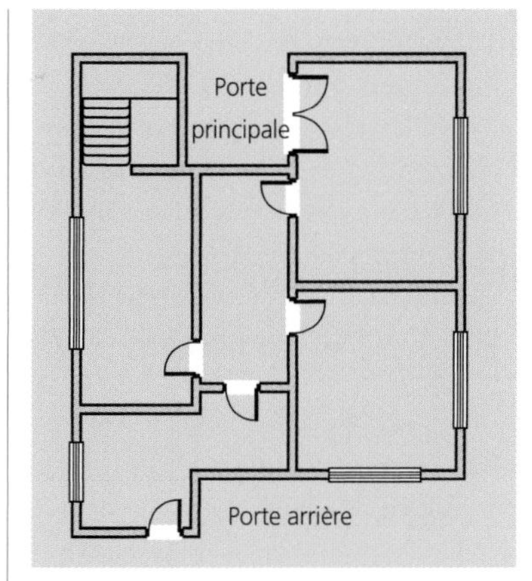

CI-DESSUS : *la porte principale de cette maison est plus grande que les autres. Ce plan régulier encourage le déplacement ondulatoire du Chi.*

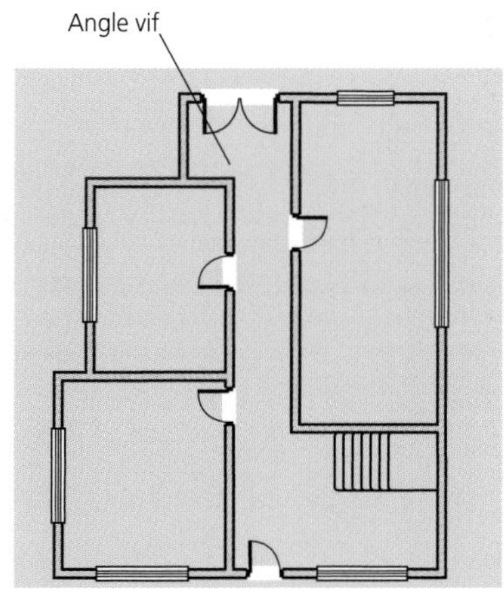

CI-DESSUS : *mauvais emplacement de porte. La porte de devant et la porte de derrière sont alignées et il y a un angle vif dirigé vers la porte principale.*

dépend souvent du plan général de toute la maison. Les deux schémas ci-contre montrent des portes avec bon et mauvais Feng Shui.

Pour une porte d'entrée favorable

- La porte principale doit être plus grande que la porte de derrière.
- La porte principale doit ouvrir sur un salon large et spacieux.

Le plan ci-contre (en haut), est régulier et équilibré. L'emplacement de la porte principale est excellent, car il force le Chi à sinuer et à tourner de pièce en pièce. Chaque côté de la porte principale est spacieux et confortable.

Une mauvaise porte d'entrée principale

- La porte d'entrée est en alignement avec la porte de derrière. Cela constitue un tabou majeur qui doit être évité à tout prix.
- Il existe un angle vif et mortel qui pointe directement vers la porte d'entrée, marqué dans le schéma.
- Pour être favorables, les portes d'entrée doivent toujours ouvrir sur l'espace. Si l'entrée est exiguë, soit dehors soit dedans, le Feng Shui de la maison est affecté négativement. Une règle cardinale veut que la porte principale ne soit jamais affectée par une configuration, une disposition, ou

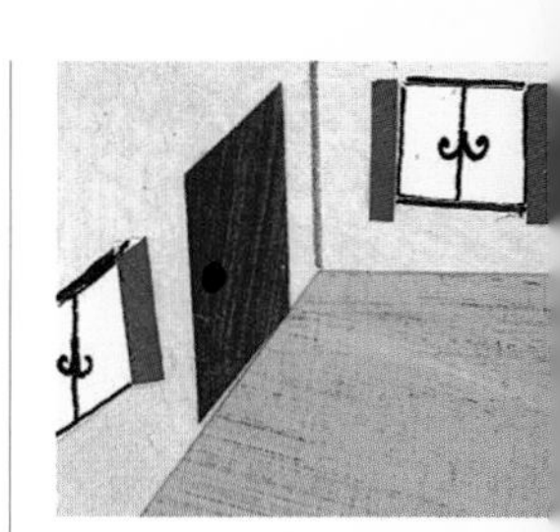

CI-DESSUS : *le Chi favorable s'échappe par les fenêtres situées en face de la porte d'entrée. Les fenêtres doivent être de chaque côté de la porte.*

VOIR AUSSI
❖ Le devant de la maison *p. 149*
❖ Comment rendre la porte d'entrée propice *p. 290-291*
❖ Les portails d'entrée *p. 260*

À DROITE : *un symbole de bonne fortune placé près de la porte principale activera l'énergie Chi positive.*

CI-DESSOUS : *l'illustration ci-dessous est un exemple de mauvais emplacement de porte principale. Le Feng Shui offre des antidotes pour atténuer les effets du Chi négatif.*

une structure qui bloque le flux de circulation vers l'intérieur. Le schéma ci-dessous est un exemple de très mauvais emplacement de porte. Il faudra faire certains ajustements pour corriger le Feng Shui existant.

Vous pouvez aussi optimiser le Feng Shui de la porte principale. Enterrez trois vieilles pièces de monnaie, liées par une ficelle rouge juste derrière la porte. S'il ne vous est pas possible de les enterrer, placez-les simplement sur le sol, recouvertes d'un tapis. Ces pièces cachées symbolisent le fait de marcher sur de l'or chaque fois que vous franchissez le seuil. De nombreux experts recommandent cette pratique qui relève davantage de la superstition que du Feng Shui. Vous pouvez toujours essayer et voir si ça marche…

Suspendez un tableau représentant un objet propice près de la porte pour optimiser l'énergie favorable de la porte d'entrée. Pivoines, chrysanthèmes, fleurs de prunus, et autres fleurs de bonne fortune constituent d'excellents énergisants. Accrochée près de ma porte d'entrée, j'ai une magnifique peinture du cheval tribut de la dynastie Sung qui symbolise les présents comblant ma demeure.

Il est aussi excellent de positionner de chaque côté de la porte d'entrée deux belles plantes bénéfiques (comme des branches d'arbre aux quarante écus). Elles attirent l'énergie yang et font entrer le Chi favorable dans la maison. Les plantes à feuilles larges et rondes sont meilleures que celles aux feuilles longues et pointues. Les plantes avec épines doivent être rejetées.

Faites attention à ce qui se trouve au-dessus de la porte principale. Si,

Le parvis forme un T et représente une flèche empoisonnée dirigée contre l'entrée principale. Pour en dévier les effets, placez des plantes vertes sur l'un des côtés de la porte

La porte principale ouvre sur une petite entrée. Les trois marches menant à l'antichambre réduisent visuellement la taille de l'entrée

Les trois marches menant au sous-sol sont dommageables à la porte d'entrée

La porte des toilettes est nettement visible de l'entrée. Les trois marches menant au sous-sol en sont très proches. Mettez un paravent pour la cacher

L'élément le plus défavorable est cet escalier, qui fait directement face à la porte d'entrée. Il monte droit sur environ douze marches, avant de tourner. Ajoutée aux trois marches menant au sous-sol, cette configuration est particulièrement néfaste et provoque la maladie et toutes sortes d'autres problèmes

par hasard, les toilettes de l'étage s'y trouvent situées, cela détruit complètement le Feng Shui de l'entrée de la maison, avec souvent de sérieuses conséquences.

Quand il y a d'autres portes à proximité de l'entrée, cela induit de multiples effets dont certains peuvent être interprétés comme néfastes. On a déjà relevé la mauvaise influence de toilettes situées près de la porte principale. Les portes principales qui font face à d'autres portes donnant sur la cuisine ou sur une chambre peuvent aussi être source de problèmes, surtout lorsque les deux portes sont en vis-à-vis.

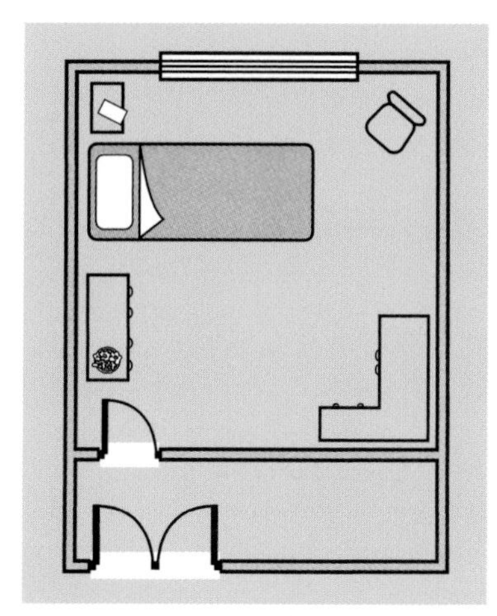

CI-DESSUS : *cette disposition de portes est cause d'énergie négative. Des flèches empoisonnées sont dirigées vers le lit.*

Dans le diagramme ci-dessus, une telle disposition nuit autant à la porte principale qu'à la personne qui dort dans le lit. Celle-ci aura peu de chance de réussite. Cette disposition aura aussi pour effet de rendre l'occupant de cette pièce paresseux et indolent. Le Feng Shui de la chambre n'est certainement pas propre à apporter le succès.

La solution consistera soit à déplacer la porte de la chambre pour qu'elle ne soit plus en vis-à-vis avec la porte d'entrée, soit à placer un paravent entre les deux portes, ou encore à suspendre un carillon éolien devant la porte, si celle-ci se trouve dans le coin ouest ou nord-ouest de la maison. On peut aussi déplacer le lit de façon qu'il se trouve placé en diagonale par rapport à la porte.

Enfin, faites en sorte que la porte principale n'ouvre pas sur des étagères (agissant comme un couperet qui tranche dans la bonne fortune), ou bien un évier ou une cuisinière (qui compriment la bonne fortune), ou encore des balais ou des brosses (qui balaient la chance au loin).

La bonne direction pour la porte d'entrée

Selon le *« Classique des habitations Yang »* la direction la plus favorable pour une porte principale est le sud. Cette recommandation découle des considérations tirées du Feng Shui de la Boussole, formulées bien avant même l'avènement de cette École.

Le portail principal de la Cité interdite de Pékin fait face au sud. Cette orientation aurait été choisie pour protéger des vents froids soufflant de Mongolie, porteurs d'une grande quantité de poussière jaune. À Pékin, beaucoup de gens évitaient, pour la même raison, de placer leurs fenêtres au nord. Même de nos jours, la plupart des maisons de la capitale chinoise n'ont pas de fenêtres exposées au nord.

Certains experts en Feng Shui considèrent que la direction du nord-est correspond à l'entrée de l'enfer. Ils l'appellent la Porte du Diable et la dépeignent comme la direction par laquelle les Esprits affamés descendent sur terre au septième mois de chaque année pour semer la perturbation parmi les humains. Ces mêmes experts en Feng Shui considèrent aussi que le sud-ouest (la direction opposée au nord-est), est la « porte de derrière », de l'enfer.

Personnellement, je ne vois pas d'objection à placer une porte au nord-est. Le nord-est est représenté par le trigramme Ken qui est le signe de la montagne, dont on dit qu'elle abrite de l'or caché. Il symbolise aussi le plus jeune des enfants mâles, qui est traditionnellement considéré comme le plus précieux de toute la famille. Ainsi, le nord-est symbolise des choses qui sont chères à la famille.

CI-DESSUS : *des étagères en face de la porte principale transpercent l'énergie positive et la détruisent.*

À GAUCHE : *selon le Feng Shui de l'environnement, la direction la plus propice pour une porte principale est celle du sud. La Grande Porte de la Cité interdite à Pékin lui fait face, ce qui la protège du mauvais Feng Shui des vents du nord.*

CHAPITRE DIX : LE FENG SHUI POUR LES INTÉRIEURS

AUTRES PORTES : alignements, dispositions et modèles

L'étape suivante dans le Feng Shui des intérieurs, consiste à examiner les autres portes à l'intérieur de la maison. Tout comme pour les portes principales, toutes celles en vis-à-vis sont un tabou classique. Elles ont pour effet de transformer le Chi sain et favorable en Chi agressif parce que les lignes droites font qu'il se déplace trop vite. Il vous faudra créer une barrière, ou une diversion quelconque pour forcer le Chi à ralentir et perdre un peu de son « agressivité ». Pour cette raison, les experts en Feng Shui mettent sérieusement en garde contre trois portes en enfilade.

Les portes coulissantes, les portes-fenêtres, et les portes de patio ne doivent pas se trouver alignées avec la porte principale. Cela fait trop de « bouches » dans la maison et amène querelles et discorde. Si vous avez ce type de disposition, laissez les portes secondaires fermées en permanence ou suspendez des rideaux. Vous pouvez

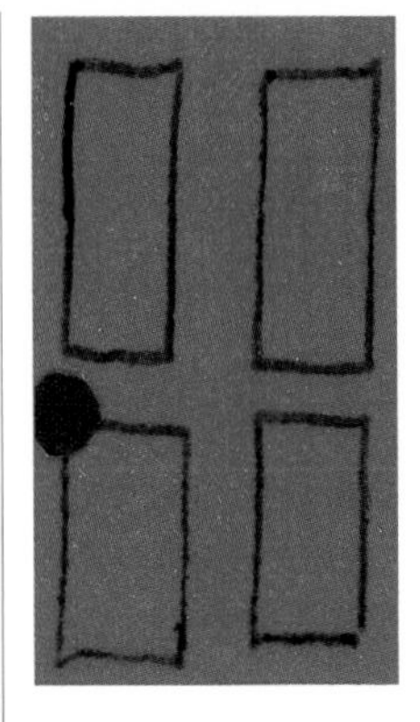

À GAUCHE : *la porte principale doit être plus grande que les autres portes. Trop petite, elle ne générera pas assez de chance.*

également vous abstenir d'utiliser les portes coulissantes secondaires et en faire des fenêtres basses.

Autre point à noter, la porte d'entrée principale doit aussi être la plus grande porte de la maison. Elle peut éventuellement être de la même dimension que les autres, mais jamais plus petite. Si c'est le cas, essayez d'y remédier. En effet, cela signifierait que votre ambition est trop grande pour que votre chance puisse suivre. Si vous voulez au contraire que la chance s'accorde avec vos ambitions, assurez-vous que la porte principale ne vous laisse pas tomber. Cela signifie bien entendu aussi que toutes les autres portes à l'intérieur de la maison doivent être plus petites que la porte principale.

De même, il n'est pas bon d'avoir trop de portes dans un long couloir, comme dans l'illustration ci-dessous. Une telle disposition, à nouveau, crée trop de bouches à nourrir et apporte dans la maison un manque d'harmonie général. Entretemps, la pièce située au bout du couloir souffrira de malchance et ceux qui l'occupent de mauvaise santé. C'est parce que cette pièce se trouvera à l'aboutissement de la flèche empoisonnée créée par le long couloir lui-même.

Les portes intérieures ne doivent pas être orientées bizarrement. Les portes placées l'une près de l'autre et qui s'ouvrent vers l'arrière encouragent l'énergie négative, car elles finissent par se heurter. N'oubliez pas qu'une porte doit toujours s'ouvrir vers l'avant. Si dans un tel arrangement une porte est plus grande qu'une autre, les utilisateurs de la porte la plus petite seront dominés et souffriront du déséquilibre du Chi. Deux portes alignées ne sont pas une bonne chose et on gagnera à placer un meuble entre elles.

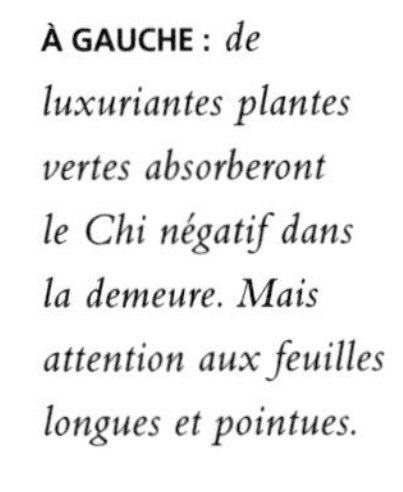

À GAUCHE : *de luxuriantes plantes vertes absorberont le Chi négatif dans la demeure. Mais attention aux feuilles longues et pointues.*

À DROITE : *trois portes alignées sont autant de « bouches » ouvertes dans lesquelles le Chi négatif s'engouffre. Laissez-les fermées autant que possible.*

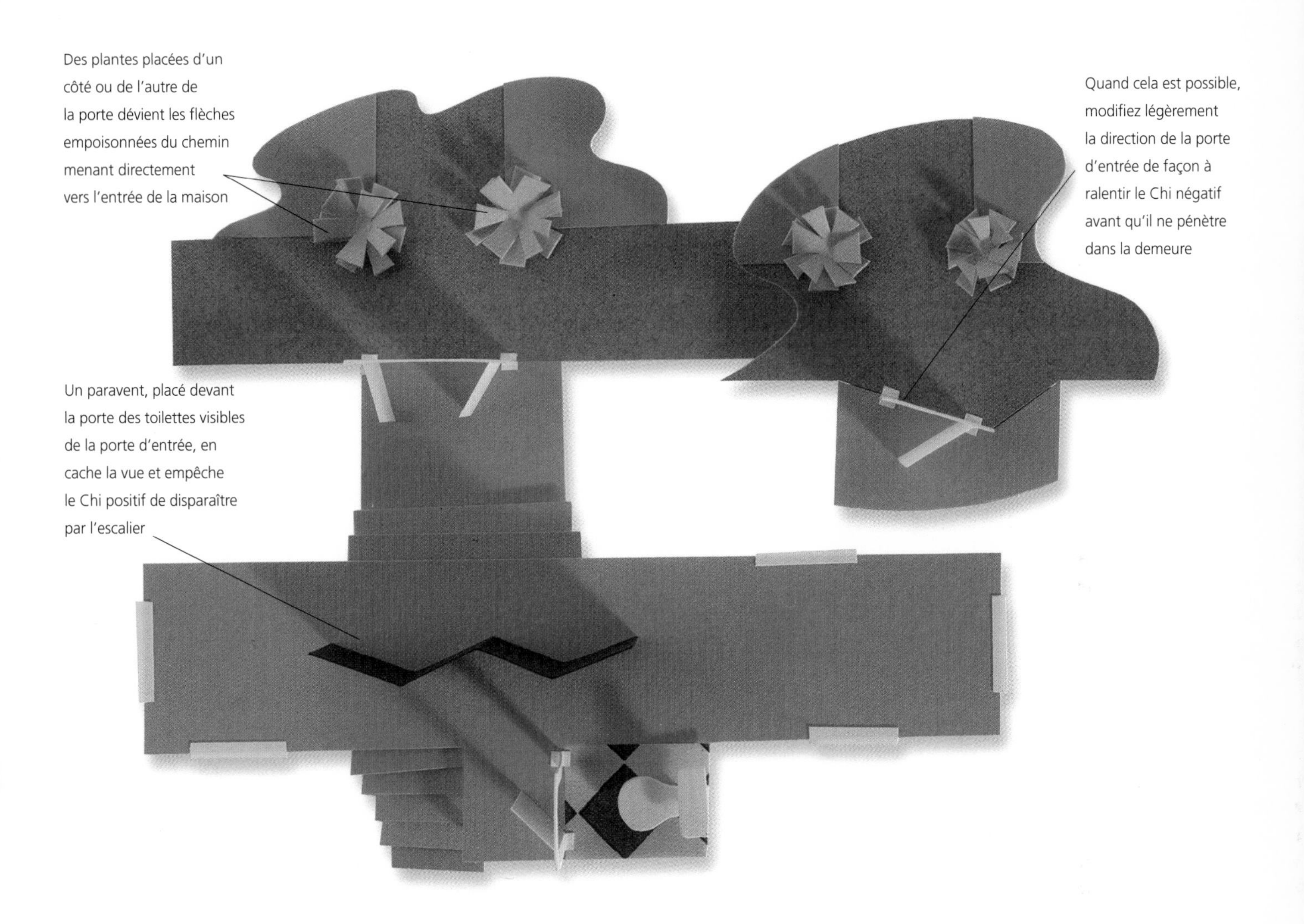

La pratique du Feng Shui exige d'avoir conscience des subtils mouvements d'énergie dans l'espace de vie. Avec de la pratique, de l'habitude, cela devient une seconde nature. Soyez attentifs aux portes dans la maison, sur quelle sorte de pièce elles ouvrent, et vice versa. Soyez aussi conscient de ce qui fait directement face à la porte elle-même et quelles sont les premières choses que vous voyez, chaque fois que vous ouvrez une porte sur une pièce.

Dans ce contexte, notez aussi que tout ce qui peut faire du mal à la porte principale peut aussi faire du mal aux autres portes dans la maison, bien que cela soit souvent limité à l'occupant de la pièce à laquelle appartient la porte « affectée ». Ainsi, les salles de bains, escaliers, l'arête vive des coins et les colonnes, apporteront tous de la malchance et une mauvaise santé.

Si l'une de vos portes souffre de cette sorte de problème de Feng Shui, ne suspendez pas de Pa Kua. Ce point a déjà été mentionné dans la partie intitulée « Les outils du Feng Shui » (voir pages 111-121), mais il n'est pas inutile d'insister à nouveau sur ce point. Suspendez toujours le Pa Kua au dehors, et tourné vers l'extérieur. J'ai rencontré plusieurs cas, en Australie et en Grande-Bretagne où des experts avaient en fait conseillé à des gens de pendre le Pa Kua à l'intérieur de la maison.

Pour optimiser le Feng Shui de votre maison, placez un rideau, un écran, ou des plantes pour adoucir les effets du mauvais Chi. S'il est possible d'enlever la structure ou l'objet nuisible, c'est la meilleure solution. Mais ce n'est pas toujours possible. Parmi les autres objets déconseillés du point de vue du Feng Shui, il y a les peintures abstraites avec des formes angulaires, mais aussi les étagères. Votre porte ne doit pas non plus être en face d'un des objets indiqués ci-dessus.

Si l'une de vos portes fait face directement à un « objet hostile », enlevez-le aussitôt. Les poubelles,

CI-DESSUS : *une mauvaise disposition des portes créatrice de mauvais Feng Shui, se corrige par l'application judicieuse de remèdes appropriés.*

VOIR AUSSI
❖ Se servir de miroirs pour dévier la mauvaise énergie *p. 310*
❖ Les bonnes plantes Feng Shui *p. 244*

POUR UN ALIGNEMENT CORRECT DES PORTES

Les portes, et plus particulièrement les portes principales, doivent s'ouvrir vers l'intérieur, de façon à permettre au Chi favorable de pénétrer dans la maison puis dans les pièces. Les illustrations ci-dessous montrent quelles sont les ouvertures de portes favorables et défavorables, de même que la façon correcte de les orienter. Quand vous étudiez l'emplacement de vos portes, vous devez avoir en tête plusieurs points clés.

- Une porte ouverte ne doit pas sembler « suspendue » au milieu de la pièce.
- Les portes doivent s'ouvrir vers l'intérieur, face au mur de la pièce.
- Les portes intérieures ne doivent pas être bizarrement orientées.
- La porte principale doit toujours être plus grande, ou au moins de même dimension que les autres.

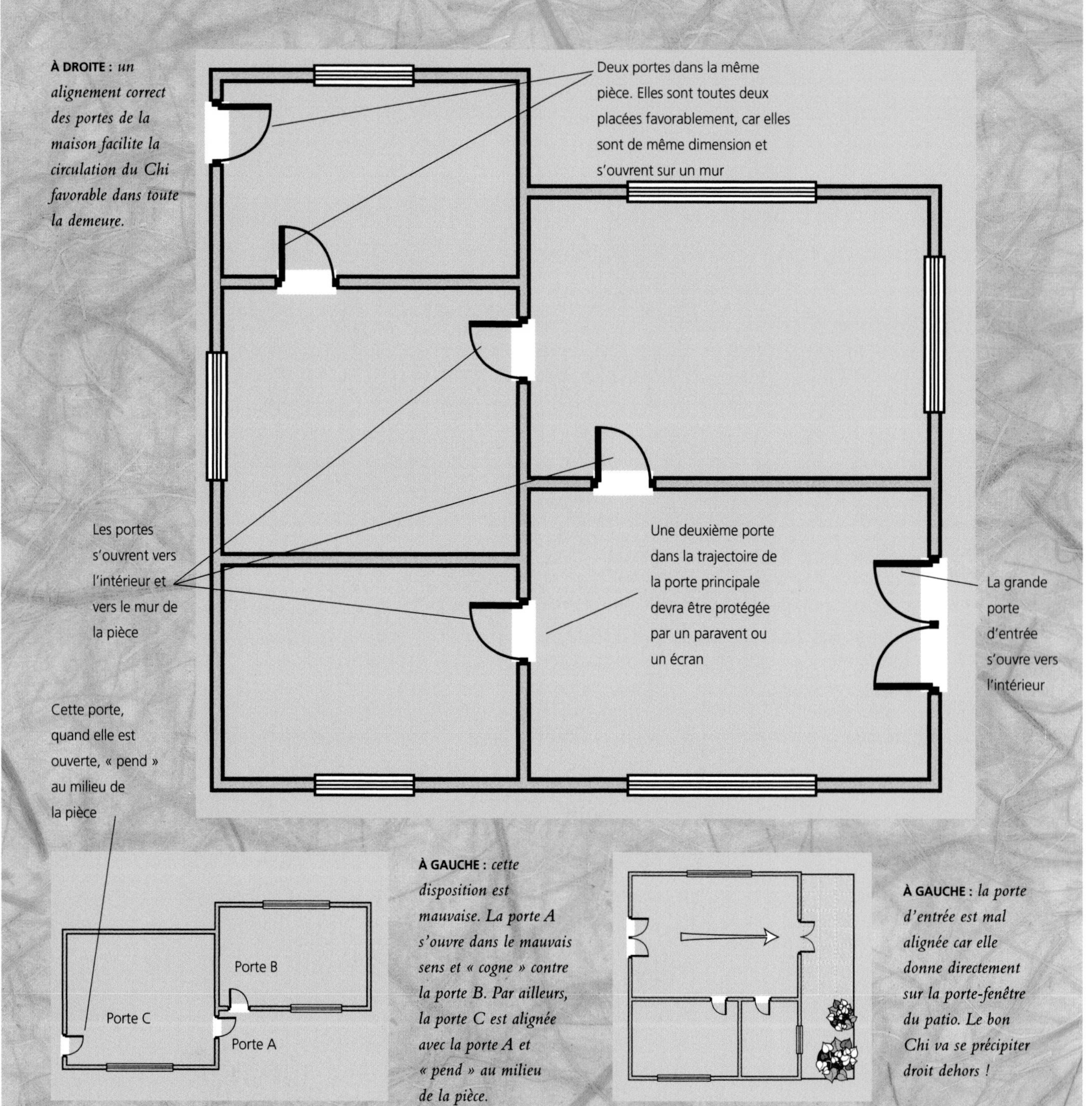

À DROITE : *un alignement correct des portes de la maison facilite la circulation du Chi favorable dans toute la demeure.*

À GAUCHE : *cette disposition est mauvaise. La porte A s'ouvre dans le mauvais sens et « cogne » contre la porte B. Par ailleurs, la porte C est alignée avec la porte A et « pend » au milieu de la pièce.*

À GAUCHE : *la porte d'entrée est mal alignée car elle donne directement sur la porte-fenêtre du patio. Le bon Chi va se précipiter droit dehors !*

LES FENÊTRES : le bon et le mauvais

Dans votre étude du Feng Sui des fenêtres de la maison, notez d'abord que le « ratio », ou la proportion, des fenêtres par rapport aux portes ne doit pas excéder 3 à 1. Si vous avez trop de fenêtres, le Chi favorable pourra difficilement trouver sa place et se fixer dans la maison. Il sortira par une fenêtre avant d'avoir eu le temps de faire du bien.

Chaque pièce doit avoir au moins un mur sans ouvertures. Ce mur devra de préférence se situer directement en face de la porte, ainsi qu'indiqué dans l'illustration. Il faut éviter qu'une fenêtre soit directement en face d'une porte.

Les fenêtres surmontées par un arc de cercle sont acceptables. Mais le plus souvent, ce genre de fenêtre comprend une flèche pointée vers le bas. Il vaut mieux l'éliminer. Si vous trouvez une flèche pointée vers le bas sur la barre d'appui ou le garde-corps, il vaut mieux aussi essayer de l'enlever.

Lorsqu'une fenêtre ouvre directement sur un immeuble de grande taille, celui-ci devient une flèche empoisonnée qui menace les occupants de la pièce. S'il s'agit de la fenêtre de votre chambre à coucher, vous aurez du mal à trouver le sommeil et vous risquez des problèmes de santé.

La meilleure manière de traiter le problème des vues agressives ou nocives qui font naître le mauvais Feng Shui, est de bloquer ces vues par d'épais rideaux. Par définition, une vue créatrice de mauvais Feng Shui, est censée représenter une flèche empoisonnée.

Enfin, ne laissez aucun arbre grandir trop près des fenêtres de votre chambre à coucher, surtout si ces fenêtres sont à l'ouest. Si la fenêtre de la chambre d'un de vos enfants s'ouvre directement sur un arbre trop proche, le Feng Shui de cet enfant sera bloqué. N'oubliez pas que pour leur croissance, ils ont besoin de beaucoup d'énergie yang qui est bloquée par les arbres lorsqu'ils sont trop rapprochés. Il faut alors élaguer l'arbre. S'il y a trop d'arbres près de la maison, taillez-les au maximum et si c'est possible, n'hésitez pas à en couper un ou deux.

Si le mur ouest de la maison se trouve caché par des arbres, ou bien envahi de plantes grimpantes, ce mur est « étranglé » et l'énergie yang affaiblie. L'ouest est important pour le développement de vos enfants et si vous voulez qu'ils bénéficient d'un Feng Shui favorable, gardez sous contrôle arbres et plantes grimpantes.

À GAUCHE : *une fenêtre qui fait face à l'angle d'un immeuble attire les flèches empoisonnées.*

À GAUCHE : *une fenêtre en arc de cercle est favorable, mais il faudra revoir les flèches pointant vers le bas.*

À GAUCHE : *les fenêtres à battants sont préférables aux fenêtres à guillotine.*

À DROITE : *les arbres sont trop près de cette maison et les plantes grimpantes risquent d'étouffer les murs en restreignant le flux d'énergie yang.*

CHAPITRE ONZE

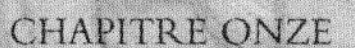

LE FENG SHUI DE LA CHAMBRE À COUCHER

La chambre à coucher occupe une place si importante dans l'existence que le Chi doit pouvoir contribuer à y rendre la vie aussi heureuse que possible. D'une manière générale, il convient de prêter une attention particulière à la chambre des parents, car cette pièce est déterminante quant à la chance du père de famille. Elle gouvernera donc le bien-être financier et patrimonial de la famille. Mais la fortune « matriarcale » sera également influencée, c'est-à-dire le bonheur de toute la famille, sur le plan spirituel, mais aussi d'une manière plus générale. Le Feng Shui de la maîtresse chambre, c'est-à-dire de la chambre principale – celle des parents – est donc très important. Le Feng Shui de la chambre à coucher insiste sur la pièce elle-même et sur l'emplacement du lit. La direction dans laquelle on dort a d'extrêmes conséquences sur la chance de l'occupant. Il faut prendre en compte la direction de boussole, mais aussi l'orientation pendant le sommeil par rapport aux structures et aux formes, aux portes et aux fenêtres de la chambre. Le côté vers lequel pointent la tête ou les pieds a des implications sur le Feng Shui. Les miroirs causent des ravages. Les postes de télévision créent des problèmes et un éclairage excessif produit un déséquilibre. Les éléments eau dans la chambre sont synonymes de perte, et les plantes ne sont pas recommandées. Enfin, il faut noter avec soin les tabous de la chambre à coucher.

À GAUCHE : *il est important d'évaluer l'effet général de la chambre principale sur l'ensemble de la maisonnée. Vous trouverez dans ce chapitre bon nombre d'indications pour un bon Feng Shui dans la chambre à coucher.*

CHAPITRE ONZE : LE FENG SHUI DE LA CHAMBRE À COUCHER

LA CHAMBRE PRINCIPALE

Le Feng Shui de la chambre à coucher principale, celle qui est occupée par le père et la mère de famille – ou par le couple, s'il n'a pas d'enfants –, est d'un effet considérable sur l'harmonie de la maisonnée, sur son bien-être, et sur les finances de la famille. Le Feng Shui de la chambre à coucher recouvre différents aspects. Les formes sont importantes, de même que l'emplacement des meubles et des objets décoratifs. L'équilibre entre le yin et le yang est également important, et le bon équilibre entre ces deux forces cosmiques n'est pas le même que dans les autres pièces. Idéalement, la composante yin, qui suggère calme et tranquillité, doit prédominer dans la chambre à coucher, parce que c'est un lieu de repos, de détente et de récupération. Le plan de votre chambre a ainsi d'importantes implications sur le Feng Shui, mais cela seul ne suffit pas pour qu'il soit bon. Les directions du sommeil sont aussi essentielles, d'où le recours à la méthode de la boussole pour décider de la place du lit.

Certaines lignes directrices doivent être observées.

- Tout d'abord, la forme idéale d'une chambre à coucher est rectangulaire ou carrée. Certaines chambres sont en L à cause d'une salle de bains ou d'un dressing adjacents, mais cette disposition n'est pas favorable. Il est bon d'installer un paravent, comme dans l'illustration ci-contre, de façon à rendre à la chambre une forme plus régulière. Si la forme de votre chambre à coucher est inhabituelle, essayez de la rendre plus « normale » en vous servant de paravents décoratifs, ornés de symboles de chance. N'utilisez jamais de miroir comme remède pour la chambre à coucher. Ils y font souvent plus de mal que de bien.

CI-DESSUS : *pour corriger une chambre en L, installez un paravent décoré de motifs de chance. Ce paravent doit être tendu, et non en zigzag comme dans l'illustration.*

CI-DESSOUS : *une analyse du Feng Shui de la chambre à coucher permet d'y améliorer le flux de Chi et de créer équilibre et harmonie dans votre existence.*

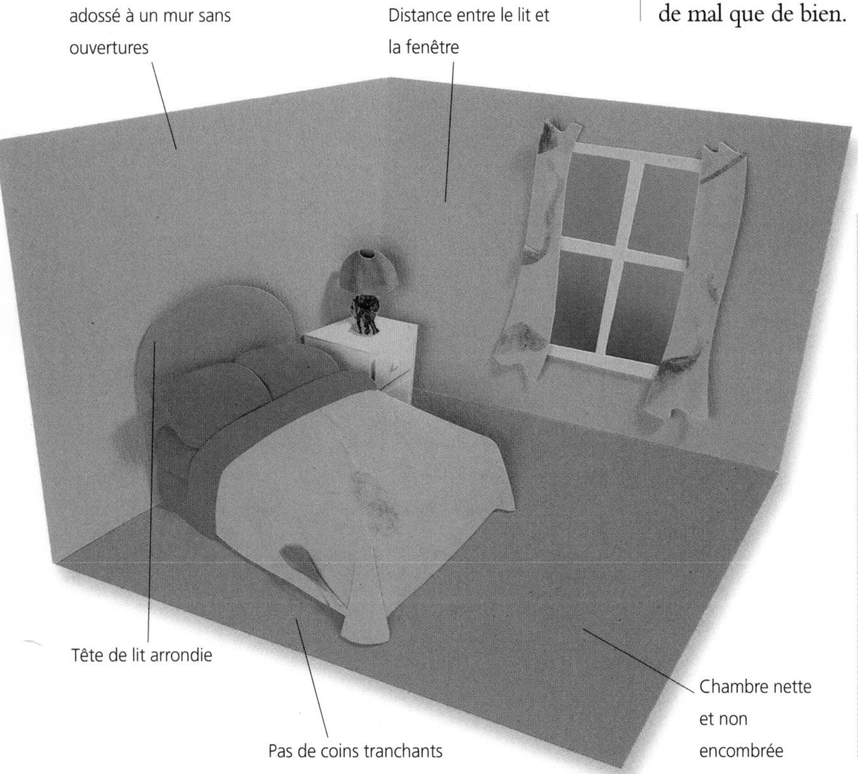

CI-DESSOUS : *exemple de chambre en L corrigée par l'installation de placards intégrés.*

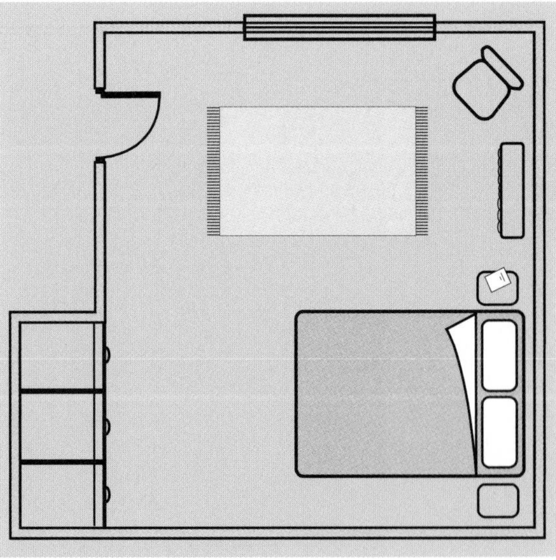

LE LIT : LES EMPLACEMENTS FAVORABLES

La meilleure façon de placer le lit est de le mettre en diagonale par rapport à la porte (voir le shéma en bas à droite). Même si cela ne permet pas de capter la meilleure direction, les emplacements proposés dans les deux autres dessins permettent la création d'un bon Feng Shui.

QUELQUES POINTS À RETENIR

- Ne pas mettre le lit juste en dessous d'une poutre apparente.
- Le lit doit bénéficier d'un appui solide, tel un mur.
- Ne positionnez pas le lit en face d'une autre porte.
- Ne placez aucun miroir (mural ou coiffeuse) en face du lit.
- Le lit ne doit pas se trouver entre deux portes.
- Ne placez pas le lit en face d'un angle saillant.
- La tête de lit doit s'appuyer contre le mur, sans « flottement ».
- Ne déplacez jamais le lit d'une femme enceinte.
- Une chambre à coucher ne doit jamais se trouver au-dessus d'un espace vide, garage ou pièce de rangement. Cela provoque le symbolisme du vide et le manque de fondations pour les occupants. Si vous dormez au-dessus du garage, vous manquerez de chance. La réussite vous échappera, et vos projets tomberont à l'eau.
- Une chambre à coucher ne doit pas, non plus, être située au-dessus de la cuisine ou de la salle à manger. Cela cause énormément de malchance. Dormir au-dessus de la nourriture cuisinée pour la famille est très mauvais, mais avoir le feu au-dessus est également désastreux. Si c'est le cas, le lit ne doit pas se trouver juste au-dessus d'une chaudière ou des fourneaux.
- Un escalier qui débouche en face de la porte de la chambre à coucher est également néfaste. C'est d'ailleurs un des tabous les plus sérieux en Feng Shui. Vous devrez donc tenter de déplacer la porte de la chambre. Si c'est trop difficile, essayez de mettre un paravent ou un objet faisant écran entre le haut de l'escalier et la porte.

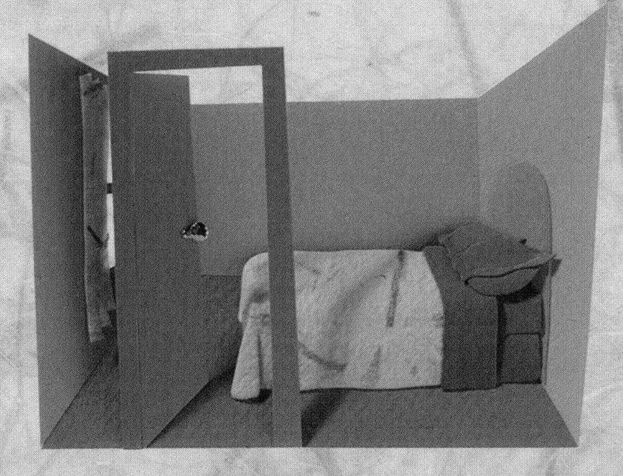

CI-DESSUS : *le lit ne doit jamais se trouver face à la porte. Il vaut mieux qu'il soit décalé pour éviter d'être touché par le Chi négatif qui entre par cette ouverture.*

CI-DESSUS : *dans cette disposition, le lit n'est pas directement face à la porte et on a laissé un espace entre le lit et la fenêtre pour éviter les attaques du Chi malfaisant.*

Une bonne partie du Feng Shui de la chambre à coucher est consacrée au lit lui-même, et plus précisément à sa position et à son orientation. Non seulement la position du lit n'est pas sans conséquences, en termes de Feng Shui, mais les meubles et objets qui sont placés autour ont également un impact sur le Feng Shui des occupants.

Si le lit est mal placé, le ménage et la vie de famille seront souvent les premiers à en souffrir. Il y aura des disputes pour des futilités et de l'incompréhension. Un mauvais Feng Shui de la chambre à coucher aura aussi des conséquences sur d'autres domaines de votre vie. Vous aurez l'esprit agité et manquerez de concentration. C'est parce que le Chi négatif que vous subirez pendant votre sommeil continuera d'agir sur vous pendant la journée.

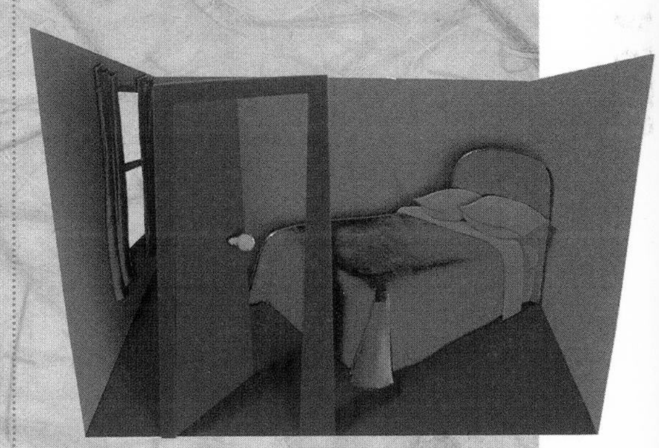

CI-DESSUS : *la tête de lit est placée dans un coin. Pour bénéficier d'un bon Feng Shui, elle devrait être appuyée contre un mur, pour un meilleur soutien.*

CHAPITRE ONZE : LE FENG SHUI DE LA CHAMBRE À COUCHER

LES TABOUS DE LA CHAMBRE À COUCHER

CI-DESSUS : *un escalier débouchant juste devant la porte de la chambre va activer de l'énergie négative.*

Il existe de nombreux tabous de la chambre à coucher et il faut les connaître. Il doit y avoir un mur ou une cloison sans ouvertures derrière le lit pour faire soutien et procurer un sentiment de sécurité. Cette règle est importante, mais peut-être aurez-vous envie de vous brancher sur une direction particulièrement propice ? Vous devrez alors peser le pour et le contre. Il n'est pas possible d'avoir un Feng Shui du lit correct à 100 %.

Si votre lit se trouve juste au-dessous d'une fenêtre, le soutien fera sérieusement défaut. Si vous êtes dans l'impossibilité de repositionner le lit et de l'appuyer contre un mur en dur, fermez les fenêtres et tirez les rideaux quand vous vous endormez.

Ne mettez jamais un lit entre deux portes. Cet arrangement est source d'énergie destructrice pour le dormeur. Pour y remédier, placez un paravent devant une des portes ou repositionnez votre lit. Quand la chambre est exiguë, la seule solution est de garder les portes fermées tout le temps. L'emplacement du lit par rapport à la porte de la chambre est extrêmement important. Si le lit se trouve directement en face d'une porte, il en résultera pour les occupants de graves maladies. C'est parce que cette position est symbole de mort. Si la porte en question est celle de la salle de bains ou des toilettes, l'effet est encore pire. Déplacez le lit pour qu'il soit décalé par rapport à la porte.

Ne placez jamais un lit contre un mur derrière lequel se trouvent des toilettes.

Ne dormez pas dans une pièce qui se trouve juste en dessous de toilettes. Si la chambre à coucher se trouve sous une salle de bains à l'étage supérieur, assurez-vous au moins que le lit n'est pas directement au-dessous du siège des toilettes. L'effet serait le même que d'avoir de l'eau (et dans le cas précis de l'eau sale) au-dessus de la tête. De

CI-DESSUS : *un lit placé face à une porte sera dans la ligne de mire du mauvais Chi.*

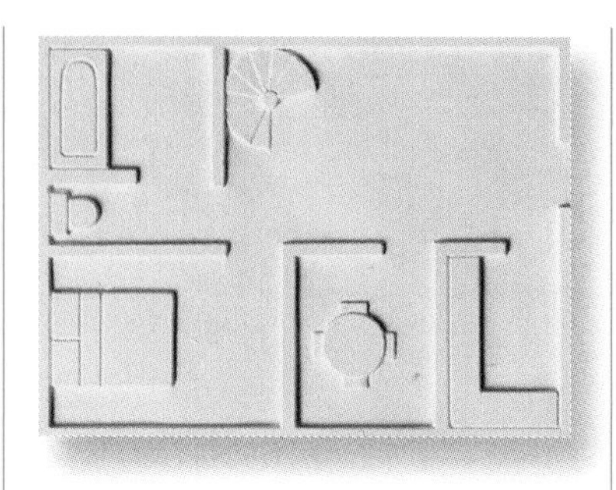

CI-DESSUS : *si la chambre est à côté d'une salle de bains ou des toilettes, faites attention que la tête de lit ne s'appuie pas contre la cloison d'une de ces pièces.*

l'eau trop près du lit veut dire danger et pertes potentielles. C'est pourquoi il faut aussi éviter d'avoir dans la chambre un ballon d'eau chaude, ou tout autre élément aquifère.

Ne mettez pas un lit directement sous une poutre apparente. Ce genre de poutre est toujours néfaste, mais dans la chambre à coucher, l'effet en est particulièrement négatif. Au minimum, avoir une poutre au-dessus du lit provoquera des maux de tête et affectera la santé des personnes qui y dorment. Les

À GAUCHE : *une chambre à coucher au-dessus d'un garage provoque une impression néfaste de vide.*

poutres perpendiculaires à la position du lit seront causes de ruptures ou de graves maladies nécessitant une opération. Déplacez le lit ou posez un faux plafond pour cacher les poutres.

Méfiez-vous d'un lit qui se trouverait dans la « ligne de mire » d'un angle saillant. L'énergie tueuse dégagée par ces arêtes pourra être détournée en installant dans chaque coin de la pièce un carillon éolien. Choisissez-les avec un décor de pagode.

CI-DESSUS : *toute image d'eau, placée dans la chambre attirera danger et difficultés financières.*

Évitez également les décors fantaisistes en arc de cercle qui se terminent par des pointes ou des triangles surtout en face du lit. Ils représentent des flèches empoisonnées dans la chambre. Si vous avez ce genre d'élément décoratif, il faut vous en débarrasser.

Les miroirs situés dans la chambre à coucher ont une influence très néfaste sur le mariage ou sur toute relation amoureuse. Ils symbolisent en effet l'intrusion d'un tiers au milieu du couple. La situation peut devenir très mauvaise s'il s'agit d'un grand miroir et si l'image du lit s'y reflète, qu'il soit placé directement devant, sur le côté, ou même au dessus. Il est donc important de faire disparaître ces miroirs au plus vite si vous ne voulez pas de problèmes dans votre vie conjugale. S'il y a une coiffeuse dans la chambre, faites en sorte que le miroir ne reflète pas le lit. Mieux encore, mettez-la dans une autre pièce. Une glace à l'intérieur d'une armoire ou d'un placard ne fera pas de mal ; en revanche, évitez les carreaux de miroir qui n'ont rien à faire dans une chambre à coucher.

Assurez-vous du bon équilibre entre le yin et le yang dans la chambre. N'oubliez pas que dans cette pièce, destinée au repos et à la relaxation, c'est l'énergie yin qui doit dominer. Il faut utiliser des couleurs et un éclairage doux. N'y placez pas de poste de télévision. Cela étant, il ne faut pas qu'il y ait tant d'énergie yin dans la chambre qu'elle annihile complètement l'énergie yang. Faites tout simplement preuve de bon sens et utilisez votre capacité de jugement pour votre évaluation du Feng Shui dans la chambre à coucher. Si, par exemple, vous avez l'impression d'être indolent, mou, apathique, allez acheter des draps rouges ! Mettez de la musique douce, mais n'exagérez pas dans la décoration de la chambre. N'oubliez pas que c'est un endroit pour dormir, pas un salon. C'est pourquoi une lampe avec abat-jour sera plus indiquée qu'un spot brillant, et un petit lecteur audio qu'un équipement stéréo sophistiqué.

Vous pouvez activer l'énergie de la chambre pour le bonheur conjugal, pour la chance en amour et pour valoriser votre vie sentimentale. Voici pour cela quelques suggestions.

- Une lumière tamisée, rouge ou rose, améliore la vie amoureuse. Des bougies parfumées font dit-on le même effet, mais cela peut-être dangereux quand les deux partenaires s'endorment. Les bougies sont plus efficaces dans le coin sud-ouest.
- Des draps roses, pêche ou lilas dégagent de subtiles énergies yang qui développent l'amour et le romantisme.
- Un couple de canards mandarins améliorent le sentiment amoureux chez un jeune couple. Mais il faut absolument éviter d'en mettre un seul ou trois. Un seul symbolise la solitude et trois l'intrusion d'un tiers.
- D'autres symboles d'amour, tels que des cœurs placés dans le coin sud-ouest sont également d'une grande efficacité.
- Le meilleur des emblèmes de l'amour conjugal est très certainement le symbole du Double Bonheur.
- Pour un jeune couple, le meilleur symbole pour une vie sexuelle épanouie, est sans aucun doute une magnifique pivoine. Mais ne l'utilisez pas si vous êtes un couple d'âge mûr. Cette fleur symbolise aussi la femme jeune et désirable. Cela peut donner des idées au mari.

Même si le Feng Shui de la chambre à coucher doit toujours observer les tabous concernant les orientations, les vues, les structures, les formes, on attire la chance en choisissant une bonne direction lorsqu'on dort. Essayez toujours de vous endormir la tête pointée vers au moins une des quatre directions personnelles. Pour trouver vos directions favorables, reportez-vous pages 66-79. En vous branchant sur votre direction la plus favorable, essayez toutefois de ne rompre aucun des tabous de la chambre.

QUELQUES TABOUS ESSENTIELS DE LA CHAMBRE À COUCHER

- Les miroirs, on l'a vu, sont généralement considérés comme le tabou majeur. Si vous en avez dans votre chambre à coucher, couvrez-les d'un rideau ou plus radicalement décrochez-les.
- Il est aussi très mauvais que la chambre à coucher se trouve située au-dessus de la cuisine, du garage ou des toilettes. Chacun de ces trois positionnements est créateur de mauvaise chance par vide ou manque de substance. Ne dormez jamais au-dessus de quoi que ce soit d'hostile, ou d'un vide. Pour exactement la même raison, la porte de la chambre ne doit jamais se trouver en face d'un escalier, d'une porte de salle de bains ou de cuisine.
- Ne mettez jamais de plantes en pot ou un aquarium dans la chambre. Vous ne devez pas suspendre un tableau ou une gravure représentant de l'eau ! C'est signe de Feng Shui malfaisant. Les plantes sont contre-indiquées dans la chambre car ce lieu de repos est yin. Les plantes sont trop « yang » pour elle. La présence d'eau dans la chambre provoque une perte financière ou un risque de cambriolage.

À GAUCHE : *une poutre au-dessus du lit projette des flèches empoisonnées directement vers votre aire de sommeil. Il pourra en résulter des maladies ou des problèmes relationnels.*

- Évitez les poutres au-dessus d'une table de travail ou au-dessus du lit. Leur présence sera un lourd poids à porter pour la personne assise en dessous et lui provoquera des migraines. L'un des remèdes consiste à installer un faux plafond. Si ce n'est pas possible, suspendez un carillon éolien pour annuler l'effet nocif de la poutre.
- Évitez toutes les flèches empoisonnées qui prennent la forme d'angles aigus, comme par exemple des meubles aux contours saillants ou des étagères qui sont comme des couteaux pointés vers le lit.
- La porte de la chambre ne doit pas faire face à une porte ouvrant sur une autre pièce ou à l'escalier.

CHAPITRE ONZE : LE FENG SHUI DE LA CHAMBRE À COUCHER

LES AUTRES CHAMBRES

CI-DESSUS : *dans la Chine ancienne, les conseils Feng Shui pour l'emplacement des chambres étaient observés à la lettre. Ainsi, les concubines des palais de la Cité interdite avaient-elles leurs pièces attitrées.*

Les chambres sont conçues différemment selon qu'elles accueillent des enfants ou les membres les plus âgés de la famille. L'ajustement du Feng Shui à chaque chambre permettra aux occupants de profiter d'un maximum d'avantages. Dans les palais de la Cité interdite, les chambres des jeunes princes étaient très différentes, par leur conception et leur décoration, des palais occupées par les vieilles concubines de l'empereur. D'une manière générale, les chambres d'enfants doivent être placées à l'est pendant la prime enfance, puis à l'ouest à partir de l'âge de raison. Les chambres des membres plus âgés de la famille seront de préférence du côté ouest.

Il s'agit ici, cependant de conseils généraux. Si l'on se réfère au Feng Shui de la Boussole, l'emplacement des chambres à coucher se détermine également en fonction des directions favorables personnelles à chacun, lesquelles se calculent à partir de la date de naissance et du sexe de chaque enfant. De plus, vous pouvez attribuer les chambres en fonction des trigrammes Pa Kua placés autour des huit directions de l'arrangement du Ciel postérieur. En fonction de cet arrangement, les huit secteurs qui correspondent aux huit directions de la boussole sont représentés chacun par un membre de la famille. Dans le Feng Shui, la cellule familiale comprend un patriarche (le père), une matriarche (la première femme), trois fils et trois filles. Si vous n'avez qu'une seule fille, elle est considérée comme fille aînée. Le même principe vaut pour un fils. Les enfants adoptés officiellement sont comptés comme enfants de la famille, mais les enfants illégitimes, nés hors du mariage, ne le sont pas. Le tableau ci-dessous indique pour chacun des membres de la famille sa direction correspondante.

CI-DESSUS : *chaque membre de la famille dispose d'une direction de boussole précise pour désigner sa chambre. Les mêmes règles de Feng Shui s'appliquent à chacune d'elles.*

En général, les tabous principaux s'appliquant à la chambre à coucher principale sont également valables pour toutes les autres chambres en particulier ceux qui s'appliquent aux formes, aux flèches empoisonnées, et toutes autres orientations structurelles qui provoquent des problèmes de Feng Shui.

SECTEUR DE LA BOUSSOLE	COMPATIBILITÉ
Nord-ouest	Patriarche. Chambre principale
Sud-ouest	Matriarche. Chambre familiale
Est	Fils aîné
Ouest	Fille benjamine
Sud	Fille cadette
Nord	Fils cadet
Sud-est	Fille aînée
Nord-est	Fils benjamin

LE LIT : EMPLACEMENTS FAVORABLES ET DÉFAVORABLES

Pas d'escalier donnant sur la porte de la chambre ou sur un lit.

Ne mettez pas le lit sous une poutre apparente.

La porte des toilettes ne doit pas être face à la chambre.

La porte d'entrée principale ne doit jamais ouvrir sur la chambre à coucher.

Les meubles de la chambre ne doivent pas avoir d'angles dirigés vers le lit.

La porte de la chambre ne doit pas faire face à un four, un poêle ou un réfrigérateur.

Ne mettez pas de poste de télévision en face du lit.

Évitez les armoires à glace faisant directement face au lit.

Évitez tout objet pointu dirigé vers le lit.

Pour bien dormir, il faut tourner la tête du lit dans votre direction la plus propice, déterminée par la formule des Huit Maisons qui dépend de votre nombre Pa Kua. Cela dit, vous devez aussi vous assurer que, ce faisant, votre lit ne se trouve pas dans une des positions néfastes illustrées ci-dessus. En Feng Shui, il faut toujours avoir une approche défensive. Si vous devez faire un choix, préférez toujours l'option qui vous protège, même si cela implique de renoncer à retenir votre position la plus favorable.

Voici quelques exemples supplémentaires d'orientations structurelles qui peuvent être causes de problèmes. La porte de la chambre à coucher ne doit pas se trouver face à :

- un escalier ;
- un pilier ;
- un angle aigu ;
- un coin saillant ;
- des toilettes ;
- la porte d'entrée principale ;
- la porte de derrière ;
- un four ou un poêle ;
- un réfrigérateur ;
- un objet pointu ;
- le lit lui-même.

CHAPITRE ONZE : LE FENG SHUI DE LA CHAMBRE À COUCHER

LES CHAMBRES D'ENFANT

CI-DESSUS : *rangez les jouets guerriers dans un placard après usage.*

À DROITE : *une chambre claire et colorée fournit l'énergie yang aux jeunes enfants.*

Aussi longtemps qu'ils grandissent, les enfants sont généralement débordants d'énergie. Les experts en Feng Shui recommandent alors davantage d'éléments yang que de yin. Ce qui veut dire plus de lumière et plus de bruit ! Une chambre d'enfant doit être plus éclairée et d'une manière générale, plus « vivante » en ce qui concerne les couleurs et les niveaux d'énergie. Donc, si votre enfant agrafe des posters de chanteurs au mur, s'il met la musique à fond, ou s'il laisse le téléviseur ou la radio branchés pendant toute la journée, tout cela est plutôt signe de bon Feng Shui. Non seulement ses niveaux d'énergie et de santé seront généralement plus forts et vigoureux, mais il verra augmenter sa part de chance.

Il faut cependant se garder d'activer les composantes yang au point de provoquer un manque total d'énergie yin, c'est-à-dire une absence de repos, de moments de solitude ou de couleurs sombres. Les posters aux murs doivent être sympathiques plutôt qu'agressifs. C'est ainsi qu'un gentil dauphin dont l'image est souvent associée à l'intelligence et au bonheur, est un meilleur symbole de Feng Shui qu'un alligator à l'air féroce, image hostile et inamicale.

Les symboles de guerre et de combat – chars d'assaut, bateaux de guerre ou avions de chasse – génèrent dans une chambre d'enfant énormément d'énergie négative qui ralentit le flux d'énergie harmonieuse qui est si nécessaire pour assurer un sommeil paisible. Rangez ces jouets hors de la chambre.

Peu de parents se rendent compte que le Feng Shui de la chambre de leur enfant, et en particulier l'emplacement de son lit et de sa table de travail, peut bouleverser sa santé et ses résultats scolaires autant que son comportement quotidien.

Si vous voulez faire bénéficier votre enfant d'un Feng Shui favorable, suivez d'abord toutes les règles du Feng Shui de la chambre à coucher. Assurez-vous que l'emplacement du lit et la position de sommeil de votre enfant sont corrects. Si l'enfant a la possibilité de dormir dans sa direction la plus propice, c'est l'idéal !

- Placez son bureau de telle façon qu'il regarde dans sa direction la plus favorable. Cela lui donnera aussi de la chance pour ses examens.
- Il ne faut jamais qu'une porte ou une fenêtre se trouve juste derrière la chaise du plan de travail.
- Évitez absolument de laisser pousser un arbre trop près de la chambre de votre enfant.
- Attention aux climatiseurs ou aux poutres apparentes au-dessus du bureau de l'enfant : le Shar Chi apporterait la malchance !
- Attention aux atteintes des angles aigus des placards et piliers ou des coins saillants qui se trouveraient à proximité !

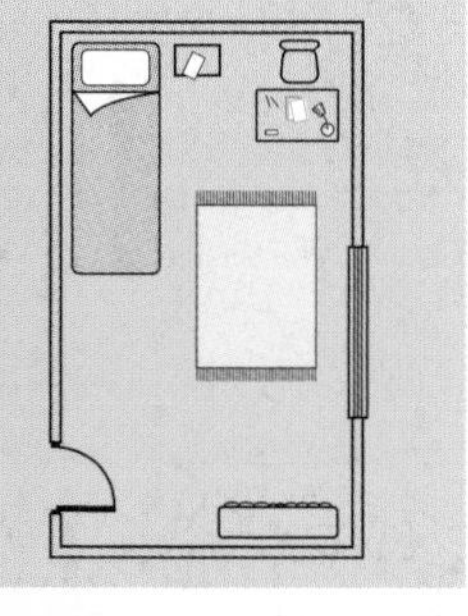

CI-DESSUS ET CI-DESSOUS : *le lit et le bureau doivent être orientés dans une direction favorable.*

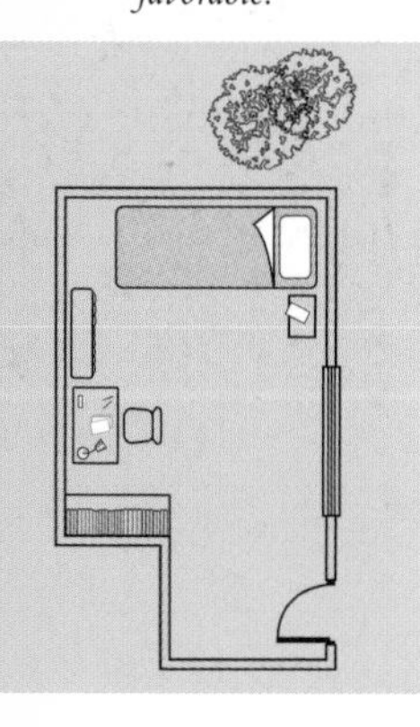

À GAUCHE : *les images sympathiques sur le mur de la chambre d'enfant génèrent de l'énergie positive.*

LES CHAMBRES D'ÉTUDIANT

Les jeunes qui sont à l'université ou en pensionnat peuvent énormément profiter du Feng Shui. Même si leurs chambres ou leurs studios sont de petites dimensions, un emplacement et une disposition intelligente du lit et de la table de travail suffisent à satisfaire deux facteurs importants : la position de sommeil et la direction assise. Il faut éviter d'activer l'énergie de la chambre par une profusion d'objets décoratifs et porte-bonheur qui créeraient un déséquilibre dans une petite pièce. Par ailleurs, les étudiants doivent se garder de donner trop d'importance aux activateurs de richesse, car ils ne sont pas encore sur le marché du travail. Au contraire, la finalité du Feng Shui appliqué à une chambre d'étudiant doit être de lui garantir une bonne santé et des conditions favorables d'étude, de travail et de sommeil. Ses notes ne peuvent que profiter d'un bon Feng Shui et ses entretiens de sélection et d'embauche devraient déboucher, grâce à ce bon Feng Shui, sur des réponses positives.

Dans l'aménagement de leur chambre, les étudiants devront observer les conseils de base du Feng Shui, surtout dans la disposition du mobilier. Concentrez-vous sur le lit et assurez-vous de vous tourner dans la direction de votre Fu Wei. Celle-ci est favorable aux études. Quand vous étudiez, faites-le face à votre direction du Fu Wei.
Ne dormez ou ne travaillez jamais le dos à une porte. Si vous en avez la possibilité, ne prenez pas une chambre avec un évier, en dépit du confort qu'il procure. La présence de l'eau dans la chambre à coucher est signe de perte ou de manque.

Dans cette page, vous trouverez quelques exemples de bons et de mauvais aménagements de chambre d'étudiant.

Efforcez-vous toujours de suivre les conseils de base du Feng Shui pour meubler votre chambre.

Une disposition défavorable

Il y a plusieurs choses qui ne vont pas dans cette chambre.

- La porte et la fenêtre sont alignées.
- Le lit se trouve entre la porte et la fenêtre.
- Le bureau est entre la porte et la fenêtre.
- L'étagère envoie des « couteaux » vers la personne assise au bureau. Fermez-la par des portes.
- Ne vous asseyez jamais dos à la porte : le principe est de toujours garder la porte en vue.

CI-DESSUS : *tout pour avoir un mauvais Feng Shui est ici réuni.*

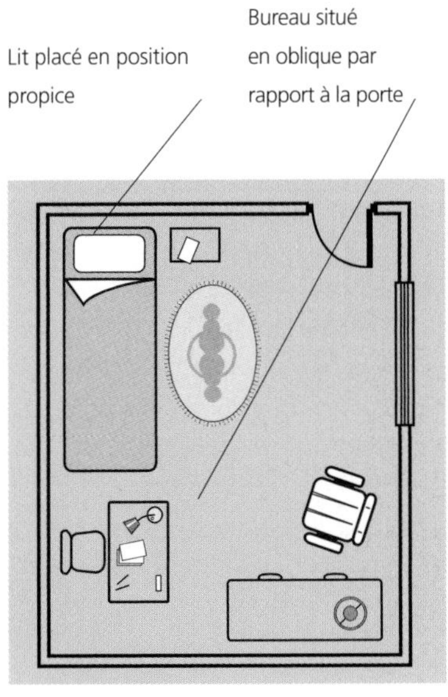

DISPOSITION FAVORABLE

CI-DESSUS : *dans cet aménagement, le bureau est placé loin de la porte, contre un mur sans ouverture qui sert de support. Ne vous asseyez jamais dos à la porte.*

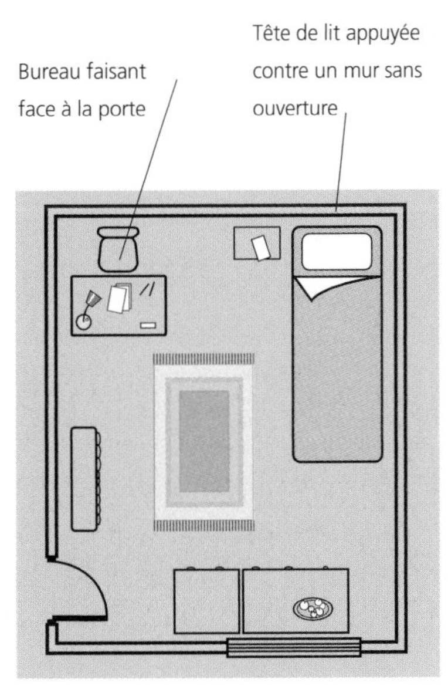

DISPOSITION FAVORABLE

CI-DESSUS : *l'étudiant s'efforcera de placer son lit et son bureau dans les directions les plus favorables de façon à garantir une bonne santé et la réussite dans les études.*

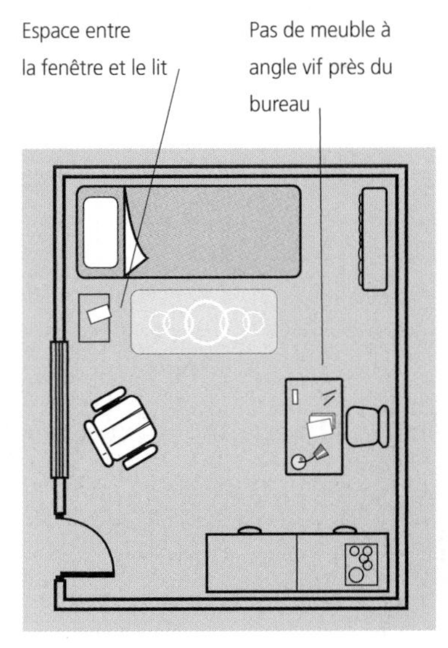

DISPOSITION FAVORABLE

CI-DESSUS : *le mobilier d'une chambre d'étudiant doit toujours être disposé selon les règles du Feng Shui – évitez les flèches empoisonnées.*

CI-DESSUS : *des carillons éoliens contribueront à neutraliser toute énergie négative dans la pièce.*

CI-DESSOUS : *des décors de dragon dans les secteurs est et sud-est favoriseront la chance.*

Pour créer la chance en études

Il existe plusieurs méthodes pour apporter, dans la chambre à coucher de votre enfant la chance propre aux études et aux examens. Elles consistent à activer les secteurs adéquats de la pièce. La première de ces méthodes est universelle. Il s'agit de créer de l'énergie favorable dans le coin nord-est de la chambre. Le coin nord-est est représenté par le trigramme Ken qui symbolise une montagne et une période de préparation.

Ken signifie qu'il existe une réserve de choses favorables caché dans la montagne. Avec une préparation spécifique, ces bonnes choses se dévoileront.

Le trigramme Ken

S'il existe des toilettes dans le coin nord-est de la chambre de votre enfant il est préférable de lui trouver une autre chambre pour tout le reste de son enfance. Autrement, placez une grosse pierre dans la salle de bains ou les toilettes adjacentes pour écraser symboliquement la malchance ainsi créée. Vous pouvez aussi suspendre un carillon éolien en métal pour épuiser l'énergie malfaisante. Divisez la pièce en neuf carrés égaux de façon à déterminer exactement l'espace correspondant au secteur que vous cherchez.

- Énergisez le nord-est par des lampes ou des objets appartenant à l'élément terre.
- Placez un globe sur une table au nord-est et pendez une lampe multicolore (de style Tiffany) très vive pour activier l'énergie du secteur.
- Suspendez un cristal taillé pour capter la lumière. C'est excellent pour attiser la chance aux examens et dans les études.

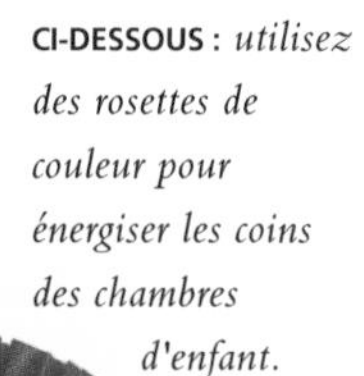

CI-DESSOUS : *utilisez des rosettes de couleur pour énergiser les coins des chambres d'enfant.*

Si vous lisez le chapitre sur le Feng Shui de la Boussole (voir pages 66-79) vous pourrez déterminer les directions de la réussite de votre enfant en fonction de sa date de naissance et de son sexe. Une fois que vous connaîtrez la direction de sa réussite personnelle, vous pourrez l'intégrer dans le Feng Shui de la pièce. Cette formule est d'un usage très large. Dans le Feng Shui élémentaire, en revanche, tout ce dont vous avez besoin, c'est de veiller à ce que votre fils ou fille dorme, travaille et étudie en faisant face à sa direction de réussite personnalisée.

Vous pouvez aussi énergiser le coin de réussite personnel en incorporant à votre pratique la théorie des Cinq Éléments. Si, par exemple, la direction de réussite est l'est, vous devrez activer ce secteur est de la pièce en y plaçant du bois, qui est l'élément de l'est. Cela dit, puisqu'il s'agit ici d'une chambre à coucher, on sait qu'il n'est pas conseillé de placer des plantes dans le secteur est. En revanche, vous pourrez y mettre des panneaux de bois, ou du lambris, un meuble en bois, ou encore incorporer dans le décor de la couleur verte ou marron.

Plusieurs choses permettent d'énergiser les différents secteurs de la chambre à coucher.

- Énergisez le coin est avec un petit dragon en porcelaine ou en bois, ou tout autre objet en bois. C'est également valable pour le sud-est.
- Énergisez le nord avec un tableau ou une image de tortue de préférence à l'élément eau lui-même. N'oubliez pas que la présence d'eau dans la chambre peut être cause de cambriolage.
- Placez des rosettes décoratives avec des rubans de différentes couleurs qui symboliseront la réussite. Utilisez le rouge pour le sud, le sud-ouest et le nord-est ; des teintes ocrées pour le sud-ouest ou le nord-est ; le vert pour l'est ou le sud-est ; le bleu pour le nord, et l'or ou l'argent pour l'ouest ou le nord-ouest.

Les trophées et coupes métalliques doivent être placés dans les secteurs du métal. Ils seront particulièrement bénéfiques aux personnes du groupe de l'ouest.

Flèches empoisonnées secrètes

Pendant quelques mois, je me suis demandée pour quelle raison mon neveu avait tellement de mal à obtenir de bonnes notes à l'école. Je lui avais tellement donné de conseils précis sur la meilleure façon de dormir, comment il devait s'asseoir pour travailler et faire ses devoirs, comment arranger sa chambre et même quelle chambre il devait occuper chez lui. Je n'arrêtais pas de le lui dire et je suis certaine qu'il suivait mes instructions à la lettre.

Et pourtant, alors qu'il donnait l'impression de travailler dur, il n'avait pas de bons résultats. Ses notes étaient toujours décevantes. Un jour, je lui rendis visite inopinément. Je découvris alors dans sa chambre des flèches empoisonnées . Les solutions que j'ai préconisées méritent d'être suivies par les lecteurs qui entendent veiller à ce que le même Chi malfaisant ne puisse circuler dans la pièce où l'enfant travaille.

CI-DESSUS : *une montagne dans le secteur nord-est symbolise le trigramme Ken, qui signifie une abondance de bonnes choses à venir.*

Des étagères placées directement au-dessus du bureau, des clous, des crochets, tous ces objets représentent des flèches empoisonnées.

Mon neveu avait une étagère au-dessus de son bureau avec le chant qui lui arrivait juste au niveau du front. Comme si ce n'était pas suffisamment, il avait aussi enfoncé des clous dans le chant « pour pouvoir pendre des choses », m'avoua-t-il tout penaud ! Il ne savait pas que l'étagère et les clous représentaient des flèches empoisonnées secrètes. Nous avons immédiatement démonté l'étagère et, bien entendu, ôté les clous. Les notes de mon neveu firent un bond prodigieux après cette opération de Feng Shui.

À DROITE : *en créant un environnement propice sur le lieu d'étude, vous éliminez les flèches empoisonnées secrètes.*

CHAPITRE DOUZE

LE FENG SHUI DU SALON

Le salon est la meilleure pièce que l'on puisse énergiser pour attirer un maximum de chances. Que ce soit pour favoriser la réussite, la richesse, ou la célébrité, pour améliorer les relations sociales et rapprocher du cercle de famille les gens influents, il n'existe pas de meilleur endroit pour faire opérer la magie du Feng Shui. Cette pièce est celle qui bénéficie le plus de l'énergie yang et des symboles de bonne fortune. Mais l'introduction des activateurs d'énergie du Feng Shui devra être subtile et discrète. Les éléments de la décoration se rapportant au Feng Shui ne devront jamais se manifester avec excès car cela sera toujours interprété comme étant de trop. L'équilibre et l'harmonie devront toujours être le critère dominant du bon Feng Shui. Il est recommandé de mettre l'accent sur la chance relationnelle, car cette pièce à vivre est celle où les visiteurs passent le plus de temps. Cela dit, la salle à manger est encore plus importante que le salon, car c'est dans cette pièce que la nourriture destinée à toute la famille est servie et appréciée. Il devra donc toujours y avoir pour optimiser le lieu des miroirs et des objets porte bonheur.

À GAUCHE : *le Feng Shui est capable d'activer toutes sortes de chances dans le salon, particulièrement celles favorisant les relations, les réseaux de travail, et le soutien de personnes influentes.*

CHAPITRE DOUZE : LE FENG SHUI DU SALON

LA DISPOSITION DES MEUBLES

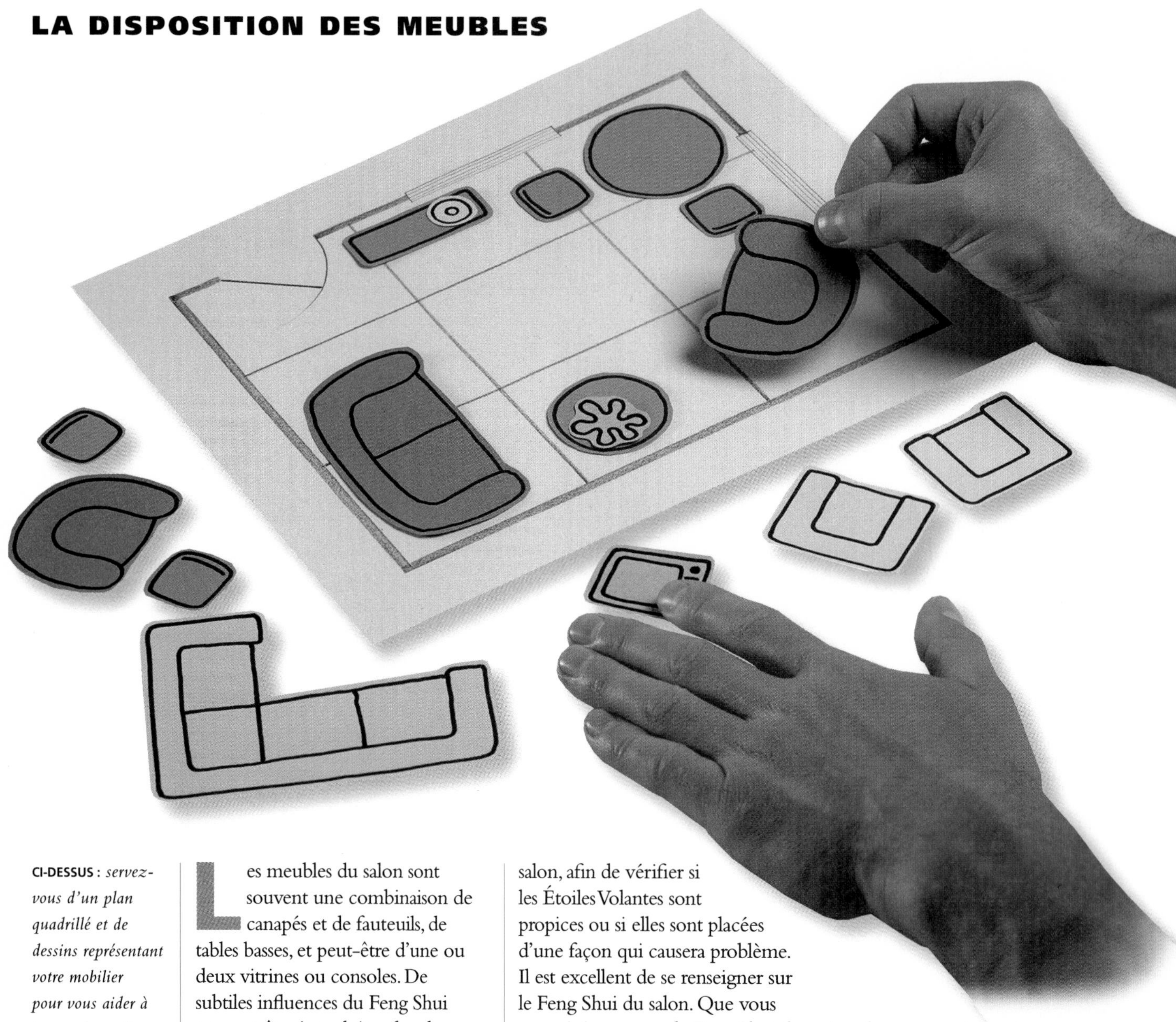

CI-DESSUS : *servez-vous d'un plan quadrillé et de dessins représentant votre mobilier pour vous aider à trouver le meilleur agencement.*

Les meubles du salon sont souvent une combinaison de canapés et de fauteuils, de tables basses, et peut-être d'une ou deux vitrines ou consoles. De subtiles influences du Feng Shui peuvent être introduites dans la disposition de ce mobilier pour améliorer le flux des énergies dans la pièce et créer un équilibre et une harmonie pour promouvoir une impression de chaleur et d'accueil. Il y a de bons et de mauvais arrangements : selon le cas, ils apportent un flux de bonne volonté de la part des amis, des employeurs et des collègues de travail, ou bien ils créent des situations de vive incompréhension.

Je conseille habituellement de contrôler d'abord l'Étoile Volante du salon, afin de vérifier si les Étoiles Volantes sont propices ou si elles sont placées d'une façon qui causera problème. Il est excellent de se renseigner sur le Feng Shui du salon. Que vous connaissiez ou non le Feng Shui de l'Étoile Volante, essayer de dominer toute étoile qui apporte la discorde et l'incompréhension dans vos relations. Il peut arriver que des étoiles néfastes soient présentes. Pour ne pas vous tromper, combattez l'éventualité de mauvaises étoiles par la présence d'eau calme et mineure. En clair, cela signifie avoir un petit bol en porcelaine rempli d'eau dans le salon, ou bien un petit bac à poissons (sans bulleur et sans filtre, de façon que l'eau reste calme). Placez ce bol le long de la cloison nord, sud-est ou est. Les poissons rouges constituent un bon choix, car ils sont des porte-bonheur et ils ont une influence apaisante.

Par ailleurs, disposez canapés et fauteuils dans le salon dans la meilleure configuration possible pour simuler le Feng Shui du paysage. Cela a pour effet de créer immédiatement un bon Feng Shui. Les illustrations des quelques pages suivantes proposent quelques arrangements et plans, de Feng Shui favorable et vous mettent en garde contre les dispositions qui créent de problèmes.

LE BON FENG SHUI DU SALON

Le salon est la pièce de la maison qui représente la face externe de la famille. C'est la pièce dans laquelle elle passe la plus grande partie de son temps de loisirs. Contrairement à la pièce à vivre, qui est le reflet de l'intimité familiale, le salon en est l'extériorisation. Tous nos rapports avec les personnes extérieures au cercle familial et qui sont amenées à fréquenter la maison – particulièrement les personnes influentes – sont touchés par le Feng Shui du salon. C'est donc la pièce de la maison qu'il faut avant tout énergiser pour améliorer la situation professionnelle, la réputation et la réussite.
Le salon doit être de forme régulière, carrée ou rectangulaire. Les salons en L ou de forme irrégulière devront être symboliquement « régularisés » par des miroirs qui vont casser les angles et remplir les recoins vides. Ce sera particulièrement le cas si le secteur manquant est le coin sud-ouest, si essentiel.

QUELQUES CONSEILS DE BASE

- Le salon doit être de forme régulière.
- Il ne doit être ni la plus grande, ni la plus petite pièce de la maison. Il doit être situé sur la partie avant de la maison.
- Pendez dans le salon un grand portrait de la famille de façon à insister de manière symbolique sur son importance dans ses relations avec les personnes extérieures.
- Le salon ne doit pas se trouver sur un plan plus élevé que la salle à manger.
- Un miroir mural situé dans le salon ne devra pas refléter la porte d'entrée principale.
- Bloquez l'énergie néfaste émise par les angles saillants du salon avec des plantes de grande taille.
- Si vous meublez votre salon avec des antiquités, n'oubliez pas de « nettoyer » symboliquement ces meubles anciens de toute énergie résiduelle des propriétaires précédents avec de l'encens et avec un « bol chantant » spécial, constitué de sept types de métaux différents.
- Ne placez aucun meuble sous une poutre apparente.
- Ne placez aucun tableau ou sculpture représentant un animal féroce ou agressif.
- Disposez les meubles de salon (canapé, fauteuils) en carré ou en rectangle, ou encore selon le Pa Kua, pour une meilleure harmonie.
- Optimisez les éléments de chaque coin du salon en y plaçant des énergiseurs d'éléments.

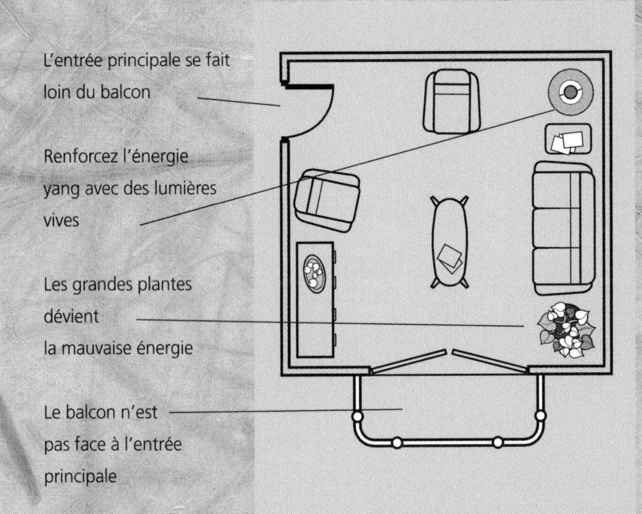

CI-DESSUS : *un salon énergétisé selon les principes Feng Shui garantira une chance excellente dans les rapports sociaux ou politiques, ainsi qu'en amitié.*

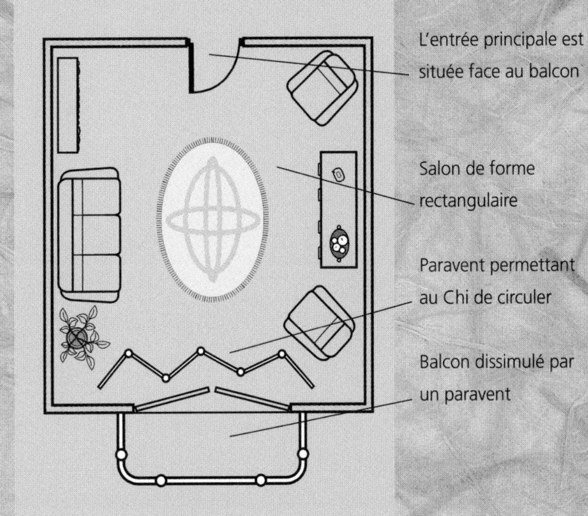

CI-DESSUS : *si l'entrée principale d'un salon – par ailleurs jouissant d'un bon Feng Shui – ouvre sur le balcon, utilisez un paravent pour prévenir la fuite du Chi favorable.*

CHAPITRE DOUZE : LE FENG SHUI DU SALON

LA BONNE DISPOSITION DU MOBILIER DANS LE SALON

CI-DESSUS : *en disposant le mobilier du salon selon la forme octogonale du Pa Kua, vous pourrez énergétiser chacun des huit angles.*

À DROITE : *simulez la Tortue Noire en appuyant le canapé principal contre un mur.*

CI-DESSUS : *recréez la forme du Pa Kua avec les meubles du salon.*

Simulation du Pa Kua. Il s'agit d'organiser l'espace de conversation autour d'une table basse circulaire, pour recréer la forme octogonale du Pa Kua. Il en résulte une disposition plutôt carrée, avec de petites tables occupant, en diagonale, l'espace entre les sièges. Cette distribution est très propice et permet d'énergétiser chacun des huit angles placés tout autour de cet arrangement et qui correspondent aux huit directions de la boussole. De plus, cet aménagement sera équilibré et harmonieux. Il y a un carré complémentaire de la table ronde formant le centre, ce qui symbolisera l'union du Ciel et de la Terre, organisation donc très favorable. Cette disposition restera positive si deux tables seulement occupent deux des espaces libres entre les sièges.

Le Dragon Vert, Tigre Blanc. Un grand canapé à trois ou quatre places disposé contre un mur sans ouverture domine cet arrangement. Il représente la Tortue Noire qui symbolise le soutien tangible et crée la chance protectrice des carrières et des entreprises. Si vous avez cette disposition, les personnes qui sont en affaires avec vous ou qui sont vos supérieurs hiérarchiques vous apporteront leur aide au lieu de s'opposer à vous. Près du canapé, sur la droite, mettez une simple chaise qui simulera le Tigre Blanc et sur la gauche, pour représenter le dragon, mettez un canapé à deux places. Directement en face du grand canapé, placez un petit pouf ou un repose-pieds. La table basse placée au centre devra être rectangulaire. Cette disposition est très propice. Assurez-vous que les canapés et les fauteuils ont de solides dossiers. Ils doivent aussi avoir des bras.

Utilisez au mieux les murs sans ouverture et les fenêtres. C'est un facteur extrêmement important à prendre en compte dans la disposition de votre mobilier de salon. Il est toujours recommandé d'appuyer le canapé contre un mur sans ouvertures, de préférence, situé face à la porte qui donne accès à la pièce. Les autres fauteuils peuvent être placés devant une fenêtre. Si la vue n'est pas belle, il faudra mettre des rideaux pour la cacher.

Il ne doit pas y avoir trop de portes. S'il y a plus de deux portes donnant sur une pièce, il est conseillé d'en laisser quelques-unes fermées. Dans le salon, qui se trouve le plus souvent près de la porte d'entrée, les flux de Chi causés par un trop grand nombre de portes se déplacent alors dans la confusion et au hasard : la chance deviendra également hasardeuse. Corrigez le problème en disposant des paravents et des écrans.

Il ne doit pas y avoir trop de fenêtres. La proportion des fenêtres par rapport aux portes ne doit pas excéder 3 : 1. Le nombre de fenêtres dans le salon doit respecter cette proportion. S'il y a trop de fenêtres, il faut mettre des rideaux et des stores pour cacher leur présence.
Si, au contraire, il n'y a pas de fenêtre dans le salon, il faut simuler leur présence. Une pièce sans fenêtre est incomplète. L'idéal est que les fenêtres se trouvent sur le mur formant un angle droit (90°) par rapport au mur dans lequel est percée la porte d'accès. Il n'est pas bon qu'une série de fenêtres se

trouve face à la porte, car le Chi qui entre dans la pièce en sort aussitôt.

Un salon en deux parties. Une salle de réception composée de deux pièces (que la première soit l'entrée, une annexe ou une entrée) donne de la profondeur à la maison, ce qui est très favorable. Une maison ayant de la profondeur sera marquée durablement par la chance et bénéficiera aux générations à venir.

Mettez un grand canapé contre un mur sans ouvertures en face de la porte.

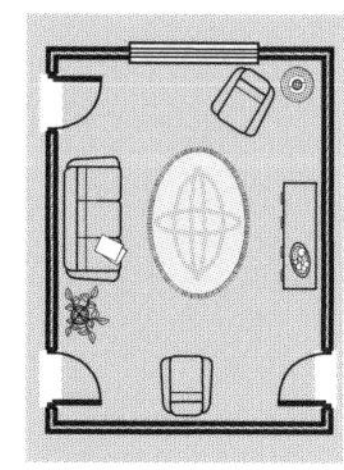

Trop de portes provoque une disharmonie dans les flux de Chi.

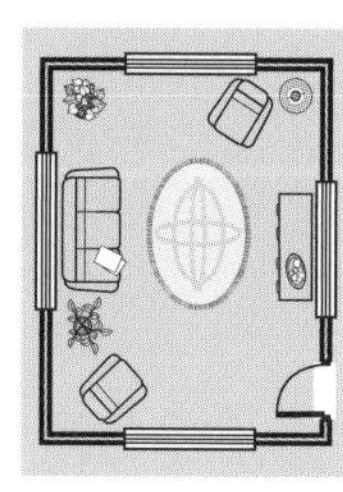

Trop de fenêtres font s'échapper le bon Chi.

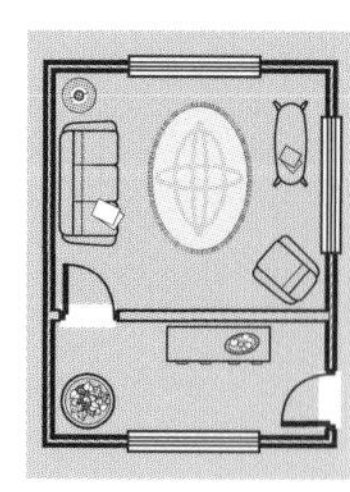

Un salon divisé en deux favorise la chance.

LA MAUVAISE DISPOSITION DU MOBILIER DANS LE SALON

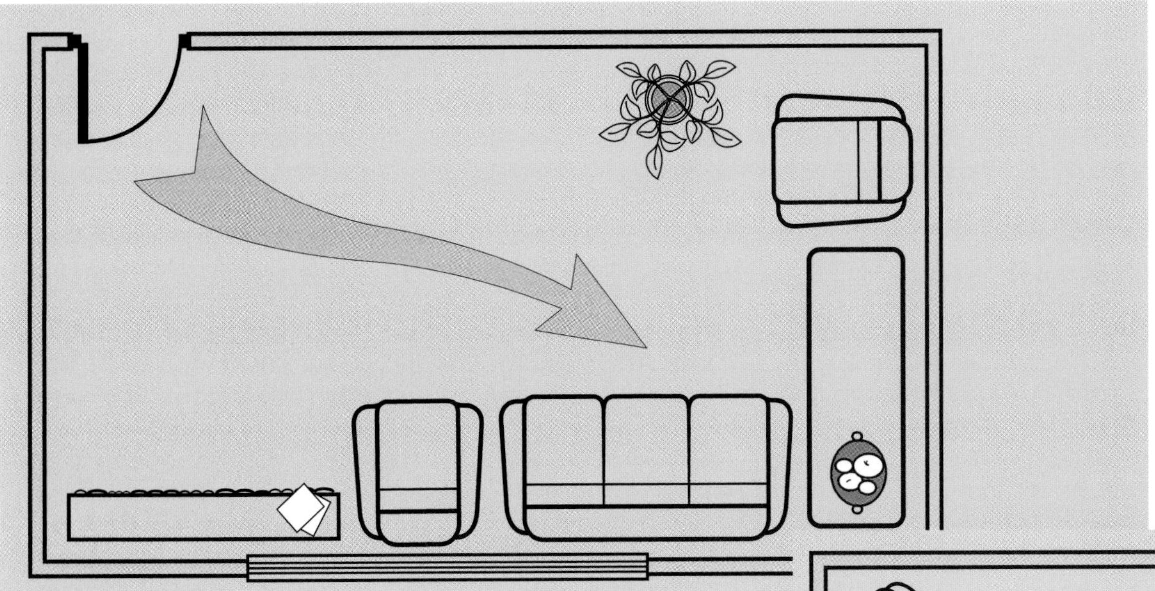

À GAUCHE : *une disposition des canapés et sièges en L évoque une pointe de flèche et crée une disharmonie.*

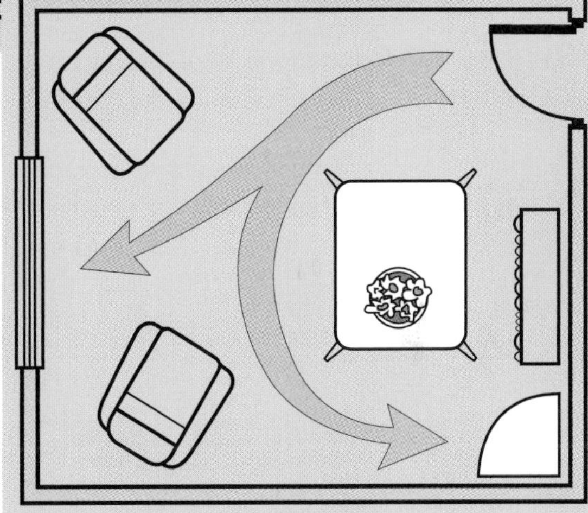

CI-DESSOUS : *une disposition flottante signale un manque de cohérence qui empêche de générer de l'énergie propice.*

Disposition en L. Non seulement cette forme fait penser à une pointe de flèche, mais elle est en plus incomplète et déséquilibrée, donc défavorable.

Disposition disjointe, sans point focal. Les meubles disposés de manière désordonnée évoquent un esprit qui l'est aussi. En terme de chance, il n'attire pas la bonne fortune. Il faut toujours disposer les meubles de façon régulière. Autrement, le Chi se déplace aussi au hasard dans la pièce.

Disposition flottante. C'est exactement la même chose que de ne pas avoir de plan d'ensemble ou de disposition précise. Lorsque les meubles donnent l'impression de « flotter » dans la pièce, c'est-à-dire de ne pas s'appuyer sur un mur ou une cloison, la chance de la famille repose sur un terrain instable. Les amitiés et les relations de travail seront aussi sur un sol mouvant, et les amis ne seront pas dignes de confiance.

Trop de meubles. Un encombrement de la pièce bloque le flux du Chi. Cela se produit lorsqu'il y a trop de meubles. Le Chi et bloqué et l'énergie stagne. C'est bien sûr très mauvais, tout simplement parce que la chance ne peut pas entrer pour profiter à la famille.

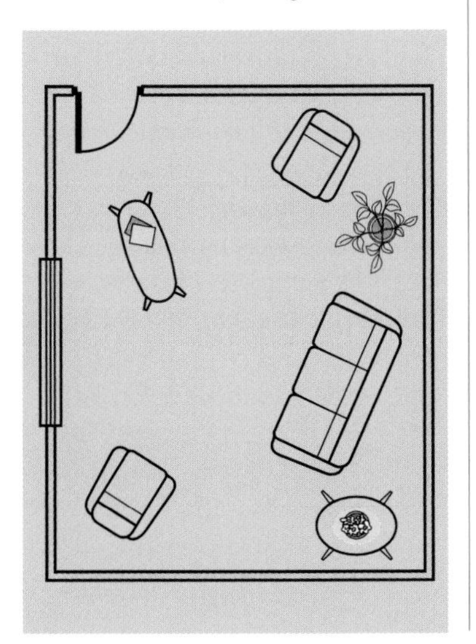

À GAUCHE : *une disposition sans ordre et sans point focal n'encourage pas un flux de Chi favorable permettant d'attirer la bonne chance.*

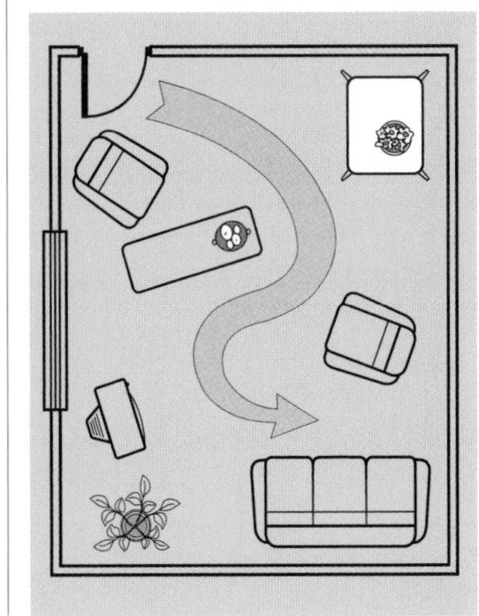

À GAUCHE : *le chemin du bon Chi est ralenti et bloqué par un plan encombré et négligé.*

VOIR AUSSI
❖ L'agencement des pièces *p. 151*

CHAPITRE DOUZE : LE FENG SHUI DU SALON

LES MIROIRS DANS LA DÉCORATION INTÉRIEURE

Les miroirs ont réellement la faculté d'optimiser le Feng Shui dans le salon, surtout lorsqu'ils sont placés de manière à refléter de belles vues de l'extérieur. Symboliquement, cela attire le Chi favorable. C'est particulièrement le cas lorsqu'ils reflètent de l'eau. On peut aussi se servir de miroirs pour agrandir un mur ou un secteur favorables. Pour y parvenir, la meilleure méthode consiste à créer un mur de miroirs, ou du moins un miroir suffisamment grand et imposant pour que l'on ressente sa présence.

Les murs de miroirs sont très favorables dans le salon et dans la salle à manger, où ils ont la potentialité de dupliquer les aliments servis à table. N'oubliez pas que la nourriture symbolise toujours l'abondance et que c'est donc un bon énergiseur de richesse. Multiplier par deux les plats sur la table équivaut à multiplier par deux la bonne fortune.

Voici maintenant, résumés ci-dessous, quelques conseils sur la manière de disposer des miroirs dans le décor intérieur de la pièce dans laquelle vous recevez.

- Un miroir mural doit être de taille suffisante pour refléter l'image des membres de la famille les plus grands. Il ne faut pas que les têtes ou les pieds soient coupés, car cela n'est manifestement pas très bon.
- Les miroirs d'une seule pièce sont meilleurs que les miroirs en carreaux pour faire une surface réfléchissante plus grande. Si les carreaux de mosaïque sont trop petits, ils coupent symboliquement en la distordant l'image des gens.
- Assurez-vous toujours que les miroirs sont assez épais et de bonne qualité. Les glaces de mauvaise qualité sur lesquelles on voit des taches noires et qui déforment les images sont cause de déséquilibre et ne sont pas favorables. Changez ces miroirs immédiatement.
- Il ne faut jamais qu'un miroir reflète la porte principale, car la bonne fortune serait renvoyée vers l'extérieur. La pire situation se produit lorsqu'un miroir mural se trouve directement en face de la porte, reflétant l'image de celle-ci. Cela peut rendre malade le père de famille (le plus souvent affections du foie ou des reins). Ce genre de miroir attire la malchance sur toute la famille.
- Un miroir mural ne doit jamais refléter la porte des toilettes, car cela double l'effet d'une chose profondément néfaste.
- Il ne faut jamais placer un miroir mural en face d'un escalier, que ce soit en montée ou en descente. Cela aurait pour effet d'augmenter la vitesse du Chi et de le transformer en énergie malfaisante.
- Un miroir dont le cadre et orné de motifs dorés est très favorable dans une pièce de l'élément métal car il suggère la combinaison propice de l'or et de l'eau. Dans le Cycle de Production, le métal créé l'eau et l'eau symbolise l'or. Les miroirs sont aussi supposés symboliser l'eau.
- Il ne faut jamais placer un miroir en face de la porte de la cuisine et il est très néfaste qu'une cuisinière se reflète dans une glace. Si un miroir dans la salle à manger reflète la nourriture, ceux qui sont placés dans la cuisine ne reflètent pas réellement la nourriture en train de cuire, mais le four ou la gazinière c'est-à-dire le feu qui la cuit. Or, refléter le feu est un des signes de danger du Feng Shui.
- Les miroirs dans un salon ne doivent pas refléter des poutres ou des colonnes, ce qui reviendrait à multiplier par deux des éléments négatifs et néfastes.

À DROITE : *une nourriture abondante symbolise la richesse. Un miroir dans la salle à manger multiplie cet effet par deux et augmente les chances de prospérité.*

COMMENT OPTIMISER LES ÉLÉMENTS FENG SHUI ?

Quel que soit l'élément qui domine dans votre salon, et la façon dont celui-ci a été décoré, certains objets ont la faculté d'apporter du Feng Shui favorable lorsqu'ils s'y trouvent. Nous vous proposons quatre suggestions allant dans ce sens. Reportez-vous aussi au chapitre sur le Feng Shui symbolique (voir pages 80-99) pour d'autres exemples de rehausseurs de Feng Shui.

Parmi les meilleurs rehausseurs de Feng Shui, il y a le bateau à voile, que l'on aura symboliquement rempli d'or. Depuis quelques années, on peut facilement trouver de faux lingots d'origine chinoise et taiwanaise. Le choix du bateau est important. N'achetez surtout pas un bateau de guerre muni de canons car cela ne manquera pas de causer des problèmes. Les meilleurs sont ces vaisseaux de commerce qui, à partir de la Renaissance, ramenaient vers le Vieux Continent les richesses des colonies. Faites en sorte que l'avant du bateau soit pointé vers l'intérieur de la maison et non vers l'extérieur, car cela signifierait que votre richesse s'en va. Préférez un bateau en bois, muni de bonnes voiles propres à prendre le vent. Placez-le de préférence sur une table basse. Évitez de l'exposer sur une étagère très en hauteur.

Un gros vase de fortune bien joufflu, respirant l'abondance et la prospérité est très recommandé. Recherchez plutôt un vase à large bouche, en cristal, en céramique ou en métal. Placez au fond du vase trois pièces de monnaie chinoise reliées par un fil rouge. Remplissez ensuite le vase avec sept sortes différentes de pierres fines, grosses ou petites, à votre convenance. Les meilleures et les plus belles sont celles d'Afrique du Sud. Choisissez entre les améthystes, citrines, quartz, topazes, œils-de-tigre, malachites, corail, lapis-lazuli, sodalites, cornalines, jade, etc. Remplissez le vase à demi ou à peu près, puis complétez avec un peu de terre provenant de chez un homme riche. Symbolisant la fortune cachée de la famille, ce genre de vase est très favorable.

Placez près de la porte d'entrée principale un crapaud à trois pattes. Il doit se trouver assez bas, sur le plateau inférieur d'une table basse, par exemple. Il est préférable qu'il regarde indirectement la porte d'entrée. Certains préconisent qu'il regarde directement la porte le jour et qu'il soit placé dans l'autre sens pour la nuit. Je suis, face à ces recommandations, d'une grande tolérance. Il suffira de savoir que j'ai toujours été impressionnée par les bienfaits du crapaud à trois pattes. Ils ne sont pas difficiles à trouver de nos jours et ils peuvent être en pierre fine, en cuivre, en laiton et en étain.

Un aquarium avec des poissons rouges, placé dans le secteur de l'eau de la pièce est aussi bon rehausseur de Feng Shui du salon. Choisissez huit poissons rouges et un noir et mettez-les dans un bocal rond ou dans un aquarium classique avec des plantes aquatiques et nourrissez vous-même les poissons régulièrement. C'est un élément très favorable dans le salon, car s'il symbolise l'abondance, il produit aussi de l'énergie yang. Nourrir les poissons quotidiennement est aussi excellent pour votre karma. Veillez à ce que l'aquarium reste propre et l'eau claire.

À GAUCHE : *si vous recherchez abondance et prospérité, placez dans votre salon un bateau à voiles rempli de faux lingots d'or. Mais veillez à ce que sa proue pointe vers l'intérieur de la maison, sinon, votre richesse risque de prendre le large.*

CI-DESSUS : *il est aujourd'hui facile de trouver un crapaud à trois pattes et de le placer au bon endroit, il attirera la richesse.*

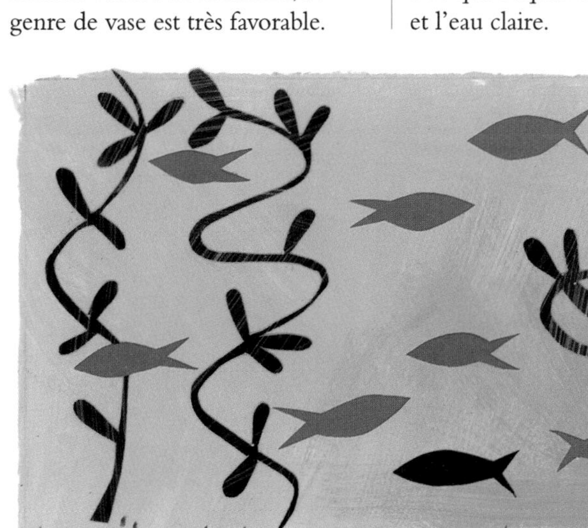

À GAUCHE : *les poissons rouges constituent d'excellents activateurs de fortune et pour que la chance soit la meilleure possible, veillez à en avoir neuf, dont un noir.*

CHAPITRE DOUZE : LE FENG SHUI DU SALON

LA NEUTRALISATION DE FLÈCHES EMPOISONNÉES

CI-DESSUS : *une plante grimpant autour d'un pilier est un moyen efficace de dévier les flèches empoisonnées.*

Dans le salon, deux sortes de flèches empoisonnées doivent être désactivées :
– les angles vifs des piliers à section carrée ou de tout coin saillant ;
– les poutres apparentes à angle droit.
Ces deux éléments doivent faire l'objet d'un traitement spécifique si vous voulez y bénéficier d'une énergie favorable.

Dans le salon, la meilleure méthode pour neutraliser les angles vifs des piliers et des coins saillants consiste à placer une plante verte bien feuillue et bien haute. Les plantes grimpantes sont aussi efficaces. N'oubliez pas qu'elles ne survivront pas éternellement à l'assaut des flèches empoisonnées. Elles aussi souffrent de leurs atteintes et il vous faudra les remplacer régulièrement, peut-être tous les trois ou quatre mois. Pour pallier cet inconvénient, vous pouvez utiliser des plantes artificielles. J'y ai souvent eu recours, mais me suis rendue compte qu'elles perdent aussi de leur efficacité au bout d'un certain temps et qu'il valait mieux les remplacer chaque année.

Le fait de disposer des miroirs tout autour d'un pilier de section carrée, en le faisant en quelque sorte disparaître et se fondre dans la pièce, est également un moyen de neutraliser les flèches empoisonnées. Le seul danger est qu'il disparaisse si bien que vous alliez vous cogner dedans ! Même si vous mettez des miroirs tout autour, placez une plante verte tout près de l'angle vif du pilier.

Un carillon éolien constitué de cinq bâtons creux ou des clochettes Feng Shui, suspendus dans l'angle hostile, émettront de l'énergie positive capable d'annihiler le Chi malfaisant généré par les angles vifs. C'est un remède particulièrement efficace si les angles vifs sont situés dans les coins est ou sud-est du salon. Cependant, ils ne sont pas aussi efficaces contre les piliers libres. Les carillons éoliens sont excellents pour optimiser les coins ouest et nord-ouest, mais n'ont guère d'efficacité en tant qu'antidote en ces endroits. Si vous suspendez des carillons éoliens dans les coins de métal, ils doivent compter six ou sept bâtons pour un effet maximum.

CI-DESSOUS : *le son d'un carillon éolien est apaisant et il disperse les flèches empoisonnées, surtout dans les secteurs est ou sud-est d'une pièce.*

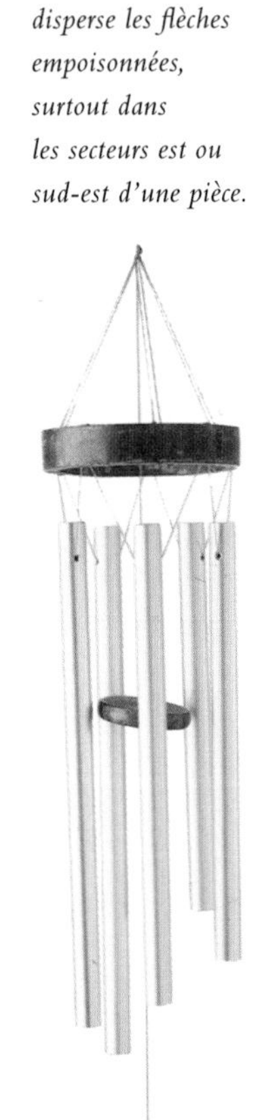

Les poutres apparentes ne sont pas faciles à traiter. La meilleure solution – et la plus facile – consiste à disposer les sièges de telle façon que personne ne se trouve jamais assis directement sous une poutre. Au cas où cela serait très difficile, arrondissez les angles de la poutre et placez éventuellement des carillons éoliens à cinq branches de façon à réduire la pression.

Vous pouvez également installer un faux plafond pour cacher les poutres. Un plafond en plâtre est idéal, à condition qu'il ne soit pas trop bas. La hauteur sous plafond idéale est d'au moins 2,75 m, un plafond trop bas étouffant le Chi.

Une autre méthode pour contrer l'effet négatif des poutres apparentes, consiste à les draper de tissu ou à coller sur les angles vifs des plantes artificielles en plastique. Cependant, si cette méthode peut être efficace, l'effet, est plutôt kitsch.

DOUBLES NIVEAUX ET PLANCHERS

D'une manière générale, le salon doit se situer à un niveau inférieur par rapport aux autres pièces de la maison. Il doit être plus bas que les chambres à coucher et au moins au même niveau que la salle à manger. Le salon est la pièce dans laquelle on accueille les invités et les membres de la famille y sont symboliquement plus importants. La salle à manger symbolise le bol de riz de la famille et si son niveau est inférieur à celui du salon, ce n'est pas favorable.

En général, le Feng Shi n'encourage pas les niveaux multiples. D'un point de vue architectural, ils peuvent être esthétiques, mais font que les flux de Chi deviennent inégaux et désordonnés. En fait, les familles qui habitent des maisons à niveaux multiples ou avec des mezzanines risquent de se trouver entraînées dans des démêlés judiciaires ou de rencontrer de regrettables problèmes de carrière ou des déboires dans leurs affaires.

Lorsque, dans la maison, les planchers d'un même étage sont d'un niveau différent, la meilleure façon de traiter le problème, du point de vue du Feng Shui, est d'essayer d'estomper ces différences par une décoration intérieure intelligente. Il est par ailleurs essentiel de réserver les pièces les plus en hauteur pour les repas de la famille. Les niveaux inférieurs seront pour la détente.

LA SALLE À MANGER

L'idéal est que la salle à manger se trouve dans la case centrale ou au cœur de la maison. Les habitations qui manquent de profondeur, c'est-à-dire qui n'ont pas au moins deux pièces dans le sens de la largeur, sont peu favorables. Les demeures les plus bénéfiques sont celles qui en ont au moins trois. Lorsque c'est le cas, celle du milieu servira de salle à manger. Quand il y en a quatre, elle devra se trouver dans la partie arrière de la maison par rapport à l'entrée. Le Feng Shui de la salle à manger sera toujours favorable si elle donne l'impression que la nourriture est toujours disponible.

Ainsi, des tableaux représentant des fruits appétissants ou tout ce qui suggère une table bien mise, seront bien plus propices que tout autre symbole. On a vu aussi qu'un miroir reflétant les aliments sur la table constituait un excellent rehausseur de Feng Shui.

La salle à manger est un lieu extrêmement propice pour accueillir les trois dieux vedettes que sont Fuk, Luk et Sau. En plus, certaines familles placent dans cette pièce un Bouddha rieur et bien dodu qui porte un grand sac destiné à recueillir toutes les misères de la famille.

Le Bouddha rieur jouit d'une grande popularité parmi les hommes d'affaires chinois, et plus particulièrement chez les restaurateurs, car le ventre rebondi du Bouddha symbolise l'abondance. De fait, en Chine, on dira de toute personne d'âge mûr – homme ou femme – qu'elle est « prospère » si elle a le ventre un peu replet. Cet embonpoint est censé refléter l'abondance de Chi favorable dans leur corps.

Le fait de manger, et toute association avec les aliments, symbolise l'abondance. C'est pourquoi une table chichement mise est un signe néfaste. Une bonne table chinoise respirera la prospérité. Le réfrigérateur sera toujours plein et le pot à riz jamais vide.

À GAUCHE : *le Bouddha rieur apporte la joie dans une maisonnée. Son ventre rebondi symbolise la richesse et l'abondance.*

La table

Une forme ronde est idéale car elle suggère l'élément ciel. Mais les tables carrées ou rectangulaires sont également propices. Les nombres qui représentent traditionnellement la table – 6, 8 et 10 – sont des nombres de chance. Si vous envisagez d'acquérir une table pour 4, mieux vaut essayer d'aller jusqu'à 6. De même, une table pour 10 est beaucoup mieux qu'une table pour 12.

Sur une table ronde, un plateau tournant est très favorable. La partie supérieure rotative, destinée à recevoir les mets, est très bénéfique surtout si elle est décorée de symboles de chance. Mon propre plateau tournant est en verre, avec deux carpes gravées, ce qui est un symbole de chance extrêmement puissant. Tout image ou objet figurant l'abondance et la chance associé aux aliments et à l'abondance, est censé rehausser le Feng Shui de la nourriture.

Les personnes dont la table est rectangulaire peuvent placer au centre un plateau surélevé de forme également rectangulaire et de préférence, aussi, décoré de symboles propices. Cependant, contrairement à ceux de forme circulaire, les plateaux rectangulaires ne peuvent tourner.

La salle à manger et plus particulièrement la table, ne doivent pas être situées sous les toilettes de l'étage du dessus. Il faut aussi éviter de placer dans la pièce un meuble trop imposant, comme un piano, ou une lourde armoire. Les personnes vivant en appartement auront davantage de contraintes pour choisir l'emplacement de la table à manger, mais devront malgré tout y apporter du soin. Enfin, il n'est pas souhaitable que les toilettes soient placées directement à côté de la salle à manger. En plaçant un miroir sur la porte des toilettes, vous les ferez « disparaître » symboliquement.

CI-DESSOUS : *le plateau tournant de l'auteur, en verre délicatement gravé. Les deux carpes sont un puissant porte-bonheur.*

VOIR AUSSI
❖ Les miroirs dans la décoration intérieure *p. 178*

CHAPITRE TREIZE

CUISINES, SALLES DE BAINS ET DÉBARRAS

Autrefois, le Feng Shui de la cuisine était presque toujours centré sur le poêle, et la direction de sa « gueule » avait la réputation d'influer sur la bonne fortune du patriarche de la maison ; par extension, sur le destin de la maisonnée tout entière. Il est moins facile de déterminer la « gueule » des cuisinières ou des plaques chauffantes qui trônent dans nos cuisines modernes. Je considère pour ma part que l'orientation correcte doit être fondée sur la direction de la source d'énergie qui fait cuire les aliments. Cela dit, le feu nu qui brûle dans le poêle ou la cuisinière est censé être si puissant qu'il brûle et détruit toute chance favorable dans le secteur qu'il occupe. C'est la raison pour laquelle il est préférable que la cuisine soit située dans un secteur néfaste. Le même principe s'applique aux toilettes et aux débarras. Qu'ils écrasent donc la malchance ! Les toilettes sont un endroit dont l'emplacement à l'intérieur de l'habitation peut être cause de problèmes divers et d'intensité variable. Il est utile de savoir comment les traiter.

À GAUCHE : *la cuisine, les toilettes ou les débarras sont des pièces ayant une influence mineure sur le Feng Shui global de l'habitation. Néanmoins, il est nécessaire de les prendre en compte si l'on tient à ce que celui-ci soit satisfaisant.*

CHAPITRE TREIZE : CUISINES, SALLES DE BAINS ET DÉBARRAS

PLANS ET DISPOSITIONS DE LA CUISINE

Pour le Feng Shui, la cuisine est la pièce de l'habitation la plus appropriée pour « écraser » la mauvaise fortune. C'est la raison pour laquelle une cuisine est censée bénéficier d'un excellent emplacement dès lors qu'elle est située dans un secteur réputé néfaste.

Certains secteurs de l'habitation, comme le veut la méthode de la Boussole, sont en effet négatifs pour certains individus. Par ailleurs, en application de la formule des Huit Sites qui est fondée sur les calculs faits à partir des nombres du Kua, certains secteurs de la maison sont également néfastes en fonction de la date de naissance ou du sexe d'une personne. Si votre cuisine se trouve située dans l'un de ces secteurs négatifs, c'est une excellente chose. En effet, elle va annihiler les influences négatives et créer en même temps pour vous des influences positives.

De même, si la cuisine se trouve dans un secteur représentant le terrible « 5 jaune » du Feng Shui de l'Étoile Volante, elle écrasera littéralement les influences négatives qu'ils dégagent. En 1999, « le 5 jaune » était situé au sud.

CI-DESSOUS : *du fait de son association avec la puissante énergie de l'élément feu, la présence d'un poêle ou d'un fourneau dans une partie réputée néfaste de la maison a un effet bénéfique.*

Le pouvoir d'écraser la malchance provient du très puissant élément feu du poêle de la cuisine. Il est nécessaire de toujours le garder sous contrôle. Ainsi, il faut veiller à ne jamais charger le poêle d'énergie supplémentaire ou de la renforcer par la présence d'un miroir, par exemple. La cuisinière est, par ailleurs, l'un des objets les plus forts en terme de Feng Shui. Orienté correctement, il fait bénéficier la famille d'une chance exceptionnelle.

Cela signifie, en conséquence, que la force qui pénètre la cuisinière doit provenir de la direction personnelle du père de famille la plus propice. Les directions favorables et défavorables sont fondées sur la formule du Kua ; l'une des plus puissantes applications de la formule consiste à énergétiser la cuisinière en consommant de la nourriture cuite dans un fourneau orienté de façon bénéfique. Autrefois, cela voulait dire que la « gueule » de la cuisinière devait être tournée dans la bonne direction. De nos jours, où tout fonctionne au gaz ou à l'électricité, il est plus difficile de déterminer avec précision la source de chaleur qui est fournie par des câbles ou des conduites le plus souvent invisibles. Les Chinois et la plupart des peuples asiatiques se servent souvent de leur autocuiseur à riz comme du meilleur moyen de bénéficier de la direction favorable de leur nombre de Kua.

Les cuisines qui bénéficient du meilleur Feng Shui sont toujours conçues en tenant compte de l'orientation de la cuisinière (ou fourneau, ou four). La cuisinière ne doit jamais être placé soit immédiatement à côté, soit en face du réfrigérateur ou de l'évier. Cela à cause de l'incompatibilité entre les éléments eau et feu. L'eau éteint le feu. Placer une table entre la cuisinière et l'évier est une manière de traiter l'antagonisme qui s'établit entre ces deux éléments.

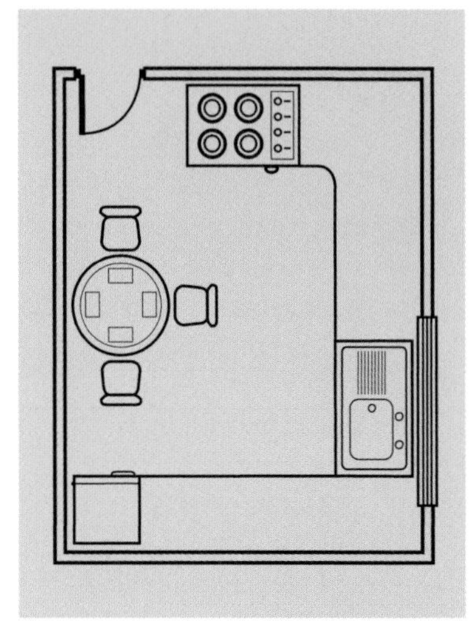

CI-DESSUS : *en planifiant la cuisine, veillez à ce que le réfrigérateur, l'évier et le four soient espacés de façon régulière et bien orientés.*

Quelques autres directives importantes quant à l'arrangement de la cuisine sont à respecter.

- La cuisine doit être située plus près de la porte de derrière que de l'avant de la maison.
- La cuisine ne doit jamais se trouver au centre de la maison.
- La cuisine et plus particulièrement la cuisinière, ne doivent jamais être placés au nord-ouest. On dit que c'est « le feu à la porte du Ciel », ce qui est très néfaste. La mauvaise fortune se manifestera sous la forme d'un réel danger pour l'habitation elle-même et pour le chef de famille. Si la cuisine est située au nord-ouest, ce dernier risque d'être licencié ou de perdre la confiance de son employeur, ou de subir une grosse perte sur un contrat. Il est possible de corriger tout cela en modifiant l'orientation de la cuisinière.
- La cuisinière ne devra jamais être placé en face des toilettes. Cette situation aurait un effet négatif sur la cuisson des aliments et susciterait la malchance pour toute la famille. Au minimum, laissez la porte des toilettes fermée tout le temps. Une autre solution consisterait à la peindre en rouge.

LE FENG SHUI DE LA CUISINE

En Feng Shui, la cuisine représente deux facteurs opposés. D'un côté elle personnifie le bien-être familial car c'est l'endroit où l'on prépare et cuit la nourriture. D'un autre côté, faisant quotidiennement appel à l'élément feu, elle est censée posséder le pouvoir « d'écraser » la chance dont bénéficie le secteur qu'elle occupe. Si ce dernier est maléfique, l'emplacement de la cuisine est donc censé être excellent, et inversement. En organisant votre cuisine, vous devez tenir compte de deux éléments opposés : la cuisinière, qui symbolise l'élément feu, l'évier et le réfrigérateur, qui représentent tous deux l'élément eau. Le feu et l'eau s'affrontant, il est donc nécessaire d'établir entre eux un parfait équilibre.

Dispositions défavorables

Le Feng Shui conseille d'abord que la cuisinière ne soit pas face à la porte principale, mais face à l'intérieur pour ne pas laisser échapper la chaleur de l'élément feu.

Dispositions favorables

La cuisine doit être bien éclairée. Elle doit aussi être spacieuse et bien aérée. Sur l'illustration, vous constaterez un espace entre l'évier et la cuisinière, ce qui est très bien. L'évier représente le yin, c'est-à-dire l'élément eau, et celui-ci ne doit pas se trouver trop près de la cuisinière (la distance minimale est de 60 cm), qui dépend de l'élément feu, qui est yang. Si la taille de la cuisine ne vous permet pas de disposer de cet espace minimum, laissez de toute façon un vide entre les deux.

La direction de la cuisinière

L'un des points les plus importants soulevés dans les ouvrages anciens sur les directions du Feng Shui – et la formule des Huit Sites – est la direction de la cuisinière avec laquelle on cuit la nourriture familiale. Elle est décrite comme vitale pour le bien-être et le bonheur de la famille. Ces ouvrages insistaient sur le fait que la « gueule ouverte » des anciens fourneaux devait absolument se trouver en ligne avec la direction la plus propice du père de famille. Cette direction est en effet définie comme la source d'énergie qui fait cuire la nourriture. Elle doit donc provenir de la direction la plus favorable. Savoir comment déterminer la « gueule du fourneau » relève du défi. Cherchez la source d'énergie (électricité ou gaz) qui arrive à la cuisinière ou au four. Les Chinois se contentent de se référer à la marmite à riz, car il est à la base de leur nourriture.

CI-DESSUS : *la disposition de la cuisine doit être aérée, bien éclairée et bien dégagée. Il faut veiller à laisser un espace de 60 cm entre la cuisinière (élément feu), et l'évier ou le réfrigérateur (élément eau).*

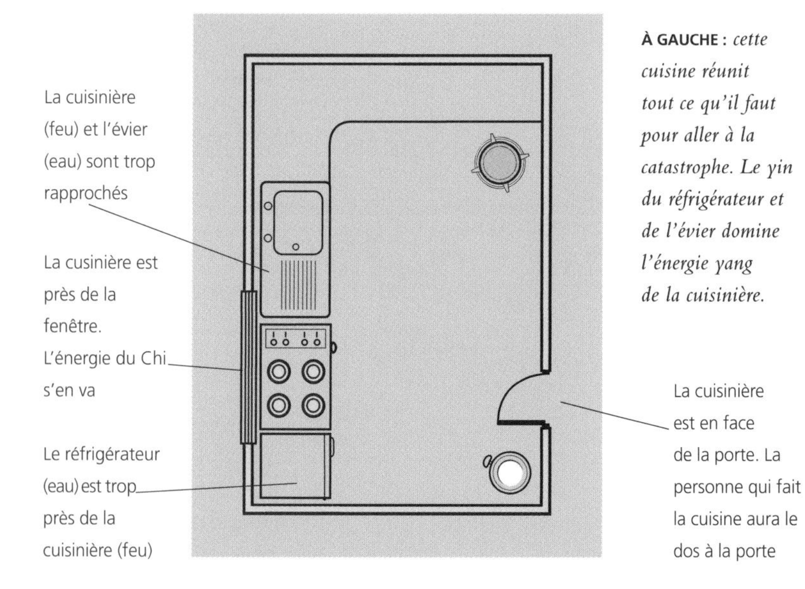

À GAUCHE : *cette cuisine réunit tout ce qu'il faut pour aller à la catastrophe. Le yin du réfrigérateur et de l'évier domine l'énergie yang de la cuisinière.*

QUELQUES CONSEILS POUR L'EMPLACEMENT DE LA CUISINIÈRE (OU DU FOUR)

- Jamais en face de la porte principale.
- Jamais en face de la porte des toilettes.
- Jamais en face de la porte d'une chambre.
- Jamais au centre de la maison.
- Jamais sous une poutre nue.
- Jamais sous une cage d'escalier.
- Jamais sous les toilettes situées à l'étage au-dessus.

Dans l'idéal, le plafond doit être plan, ni trop haut, ni trop bas. Servez-vous de la règle Feng Shui pour mesurer la hauteur (qui doit se situer entre 3 et 3,50 m). Un plafond trop bas provoque l'étouffement du Chi tandis qu'un plafond trop haut empêche les occupants de la pièce d'en bénéficier.

À DROITE : *le rayonnage, ajouté à l'arête vive de la partie surbaissée du plafond, envoie de l'énergie négative vers l'aire de sommeil.*

On peut remédier à une poutre apparente en la cachant sous un plafond en plaques de plâtre ou en dormant dans un lit à baldaquin. Le ciel de lit, qui peut être en tissu, doit recouvrir toute la surface du couchage.

À GAUCHE : *les poutres du plafond envoient des flèches empoisonnées droit vers le lit. Vous pouvez les dévier en suspendant une couverture sous la poutre, qui forme un ciel de lit.*

Quand le plafond est mansardé (comme ici, à droite), il est conseillé de dormir la tête sous la partie la plus haute du plafond. Chaque fois que c'est possible, il vaut mieux installer un faux plafond qui égalise toute cette surface.

À DROITE : *il est très mauvais de dormir ou de travailler sous ou à proximité d'un plafond mansardé. Pour en réduire l'effet, dormez ou travaillez sous la partie la plus haute.*

LA SALLE DE BAINS

Autrefois en Chine, peu d'habitations disposaient de salles d'eau ou de toilettes intérieures. Les riches mandarins et les officiers de la cour se faisaient apporter leur « toilettes » dans leur chambre et les serviteurs les remportaient aussitôt après usage de façon à ne jamais laisser de déjection humaine dans aucune partie de maison. Dans les habitations les plus modestes, les toilettes étaient toujours construites à l'extérieur. C'était certes en partie pour des raisons d'hygiène, mais aussi parce que les « commodités » ont des connotations négatives.

On ne peut concevoir une maison moderne sans salle de bains ni W.-C. Le problème, c'est que quel que soit l'endroit où elles se trouvent, les toilettes risquent de perturber le Feng Shui. Par ailleurs, plus la salle de bains ou les toilettes sont luxueuses et plus elles attirent le mauvais sort.

Dans le nord, elles peuvent affecter la carrière et causer des problèmes avec l'employeur ou les collègues de travail. Les promotions seront plus difficiles. Pour pallier ces inconvénients, placez une grosse pierre dans la salle d'eau, ou mieux encore une pagode en céramique à sept étages. Laissez la porte toujours fermée. Enfin, évitez les décors, ou même les serviettes de toilette dont les motifs ou la couleur dominante contiennent du bleu ou du noir.

CI-DESSUS : *une grosse pierre dans la salle de bains protège contre les incidents de carrière.*

Dans le sud, les toilettes provoqueront des ragots qui affecteront la réputation de la famille. Ce problème pourra être contré en y plaçant un vase rempli d'eau et en laissant une lumière douce allumée.

À GAUCHE : *un vase rempli d'eau protège des ragots indélicats.*

À l'est, elles auront des effets désastreux sur le destin de vos fils. Si vous êtes sans enfant, vous aurez du mal à concevoir un garçon. Et si vous avez déjà des fils, ils risquent d'être rebelles et de vous causer de problèmes. Pour combattre cette affliction, suspendez dans les toilettes un carillon éolien à cinq branches. Mais n'y mettez ni plantes ni fleurs car cela ne ferait qu'empirer les choses.

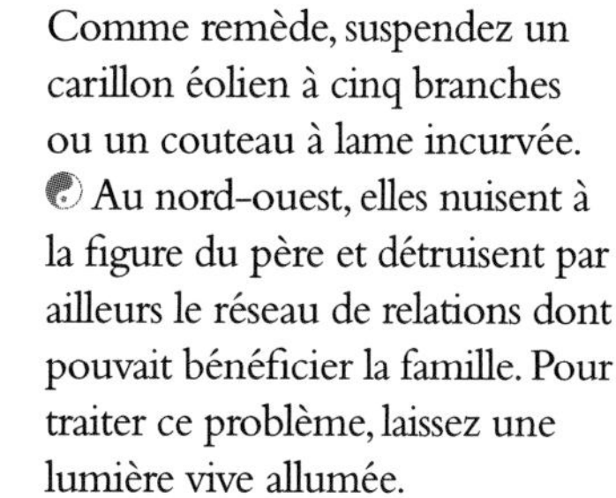

CI-DESSUS : *un carillon éolien à cinq branches corrige les mauvaises vibrations dans les secteurs est et sud-est.*

À l'ouest, les toilettes causent des problèmes à tous les enfants de la famille et ont un effet négatif sur la santé des occupants. Pour corriger ces effets, peignez la porte en rouge vif. Ne suspendez aucun carillon éolien, et ne peignez pas les murs en blanc.

Au sud-ouest, les toilettes nuiront aux projets de mariage ou à la bonne entente conjugale. Mettez dans cette pièce des plantes et des fleurs, mais n'utilisez aucun pot en cristal ou en céramique.

Au nord-est, les toilettes créent des problèmes scolaires aux enfants. Une plante en pot peut en réduire les effets.

À DROITE : *une salle de bains installée dans le secteur nord-est de l'habitation cause des problèmes scolaires. Pour y remédier, mettez-y une plante en pot.*

Au sud-est, elles causent des pertes financières et une baisse de revenus. Comme remède, suspendez un carillon éolien à cinq branches ou un couteau à lame incurvée.

Au nord-ouest, elles nuisent à la figure du père et détruisent par ailleurs le réseau de relations dont pouvait bénéficier la famille. Pour traiter ce problème, laissez une lumière vive allumée.

Une salle de bains ou un W.-C. situés juste au-dessus de la porte d'entrée principale affectent négativement le sort de toute la maisonnée. Modifiez alors l'emplacement de la porte. Évitez d'acheter une maison qui aurait ce problème, car il est réellement difficile à régler. Vous réduirez provisoirement ces effets négatifs en installant une lampe brillante devant la porte.

Il est aussi très mauvais d'avoir une salle de bains ou des toilettes, en face de la porte d'entrée, d'une cuisinière, d'un lit ou de la table de salle à manger.

Pour éviter que leur surface n'occupe tout un secteur de boussole, les W.-C. seront le plus petit possible. Il faut cependant savoir que si d'un côté les toilettes ou la salle de bains détruisent la chance positive, lorsqu'elles sont dans un secteur favorable de la maison, d'un autre côté, elles écrasent la malchance quand elles sont dans un secteur défavorable. Ma façon de régler le problème de l'influence négative des salles d'eau est de les faire aussi petites et discrètes que possible. Enfin, elles sont totalement invisibles de mon entrée.

CI-DESSUS : *les fleurs attirent le mauvais sort si on en met dans une salle d'eau située au nord-est.*

CI-DESSUS : *pour protéger les relations familiales, placez un spot lumineux très brillant dans une salle de bains située au sud-est.*

CI-DESSUS : *un couteau à lame incurvée sert à contrer les pertes financières que provoquerait une salle d'eau placée au sud-est.*

CI-DESSUS : *la porte de la salle d'eau porte malheur si elle fait face à une autre porte, un lit, une cuisinière, etc.*

Chapitre treize : cuisines, salles de bains et débarras

DÉBARRAS, ESCALIERS ET GARAGES

À DROITE : *un dessous d'escalier constitue un bon emplacement pour un débarras. Cela en restreint l'influence négative et le Chi des chambres situées à l'étage n'en sera pas affecté.*

Les débarras, comme les cuisines, doivent être placés de préférence dans les secteurs néfastes de l'habitation car ils ont aussi pour effet d'écraser la chance négative. On peut installer un débarras sous un escalier ou à proximité des toilettes. Il doit toujours être bien rangé.

Dans l'idéal, il faut éviter de mettre un débarras sous une chambre à coucher pour que ses occupants ne soient pas obligés de dormir au-dessus des balais, des brosses, et autres ustensiles peu favorables.

Les garages produisent le même effet que les débarras. Évitez d'en avoir un sous une chambre, car cela voudrait dire qu'elle se trouve au-dessus d'un vide.

Les garages et les débarras séparés de la maison ne doivent pas être considérés comme en faisant partie quand on en démarque les secteurs à l'aide de la grille Lo Shu. Leur impact sur l'habitation est fondé sur l'emplacement et la direction de la porte principale. Ainsi, un garage isolé situé à l'est ou au sud-est aura un effet favorable sur une maison dont les portes principales sont au sud. À l'ouest ou au nord-ouest, il sera bénéfique pour les portes du côté nord. Au sud-ouest ou au nord-est, pour des portes à l'ouest ou au nord-ouest. Placé au sud, sur les portes principales du sud-ouest et du nord-est. Au nord, sur celles qui sont à l'est ou au sud-est.

CI-DESSOUS : *garages et débarras doivent être pris en compte dans la démarcation des secteurs de la maison quand vous vous servez de la grille Lo Shu*

4	9	2
3	5	7
8	1	6

Les escaliers font passer le Chi d'un niveau à l'autre de l'habitation. En général, on considère qu'un escalier droit oblige le Chi à se déplacer trop vite, ce qui n'est pas favorable. Un escalier sinueux ou qui change de direction à chaque étage est donc préférable.

Les escaliers les plus propices sont larges et sinueux. Ils laissent monter le Chi gracieusement et en douceur. Il faut qu'ils soient munis de contremarches pleines pour éviter que l'énergie ne se dissipe en montant vers les chambres. Si les marches donnent l'impression d'un manque de solidité, cela signifie que tout l'argent qui rentre dans la famille en sortira tout aussi vite.

Un escalier étroit n'est jamais aussi propice qu'un large, mais il est possible de l'améliorer en accrochant au mur des miroirs et des tableaux, ce qui a aussi pour effet de ralentir le flux de Chi. S'il y a un palier ou si l'escalier tourne à mi-hauteur, cela permettra d'en compenser l'étroitesse. Mais il vaut mieux éviter les escaliers trop droits, trop hauts et trop raides.

CI-DESSUS : *le Chi négatif créé par un escalier étroit sera « adouci » par un palier ou par un tournant.*

CI-DESSOUS : *un escalier en spirale est très néfaste car il fait penser à un tire-bouchon qui perce le cœur de la maison.*

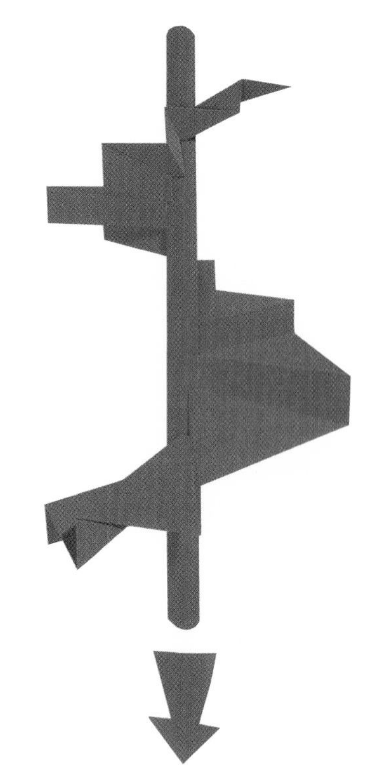

Il faut qu'un escalier soit bien éclairé et qu'il y ait toujours une lampe au-dessus du palier. Une cage d'escalier doit toujours donner une impression de solidité. Évitez les rampes ou mains courantes plus ou moins branlantes.

Les escaliers en colimaçon sont très déconseillés, car leur forme spiralée les fait ressembler à un tire-bouchon qui s'enfonce au cœur de la maison. Si en outre les marches sont recouvertes d'un tapis rouge, l'effet est absolument mortel et le malheur est assuré.

Le haut et le bas de l'escalier ne doivent pas déboucher sur une porte. Si la porte principale ouvre sur un escalier, le Chi ira trop vite. C'est encore pire si la porte d'entrée donne sur un escalier avec un côté qui descend et l'autre qui monte. Il faut alors envisager de déplacer la porte, car son Feng Shui en serait très affecté.

QUESTIONS ET RÉPONSES

Question : quelle est l'importance du Feng Shui de l'habitation par rapport au Feng Shui du lieu de travail ?

Réponse : quels que soient l'importance que vous donnez à votre activité professionnelle, et le nombre d'heures que vous passez chez vous, l'essentiel de votre Feng Shui dépend de la qualité du Chi du domicile. Même quand les enfants ne sont plus à la maison, (s'ils sont internes, par exemple), le Feng Shui de leur chambre à la maison continue à jouer un rôle déterminant pour la qualité de leur chance personnelle. Il est donc très utile d'investir un peu de son temps dans le Feng Shui de la demeure familiale afin qu'il soit favorable pour tous les occupants.

Question : est-il préférable de choisir les chambres à coucher par la formule des Huit Sites qui indique les emplacements favorables, ou à l'aide des arrangements de trigrammes autour du Pa Kua ?

Réponse : vous aurez sans doute remarqué que les différentes formules du Feng Shui qui sont indiquées dans cet ouvrage se recoupent parfois et qu'il arrive même que des contradictions entre les différentes recommandations vous obligent à faire un choix entre certains emplacements, directions ou secteurs. Si vous avez un doute, mon conseil est de choisir la recommandation la plus simple à mettre en œuvre ou bien celle qui représente la moindre exposition aux flèches empoisonnées. Dans l'application du Feng Shui, vous serez souvent amené à choisir entre deux ou plusieurs solutions possibles. Faites preuve avant tout de bon sens.

Question : si je découvre que l'emplacement de la porte principale de mon habitation est maléfique, mais qu'il m'est absolument impossible de le modifier, que puis-je faire ?

Réponse : voyez si une autre porte ne peut pas faire office de porte principale. Il y aura peut-être des inconvénients, si cela vous oblige à faire le tour de la maison ou bien si la nouvelle porte est vitrée, ce qui la rendrait moins propice pour une entrée principale. Mais si vous estimez que cette porte vous permet de pénétrer dans l'habitation par la direction la plus favorable et vous évite d'être exposé à de dangereuses flèches empoisonnées, il vaut mieux faire ce choix. Pour en faire une porte principale, il suffit de l'utiliser souvent. Par ailleurs, laissez l'ancienne porte d'entrée fermée aussi souvent que possible.

Question : quelle est l'importance des couleurs dans le Feng Shui de la décoration intérieure ?

Réponse : les couleurs n'ont pas une importance primordiale. Mais lorsqu'elles sont harmonieusement combinées et qu'elles s'accordent avec les énergies élémentaires des différents secteurs de la maison, elles améliorent la circulation paisible de ces énergies. Il est plus important de savoir quelles sont les couleurs à éviter. Par exemple, ne mettez pas de rouge vif dans les coins ouest et nord-ouest ; évitez le noir et le bleu au sud, le blanc et les couleurs métal à l'est et au sud-est, et le vert au sud-ouest et au nord-est. Il existe de nombreuses associations propices : le vert s'accorde bien avec le bleu, le noir avec le blanc et le vert, le rouge avec le jaune, et le blanc avec le bleu.

Question : y a-t-il une bonne et une mauvaise façon de disposer les meubles ?

Réponse : dans le Feng Shui, la décoration intérieure a moins d'importance que le plan et l'agencement des pièces, car cela contrôle la circulation du Chi. Cela dit, si vous disposez vos meubles de façon à faciliter le passage du Chi dans toute la maison, cela favorise aussi son harmonie. Mais n'oubliez pas que si le Feng Shui de votre jardin ou de l'environnement proche est négligé, tout ce que vous pourrez faire à l'intérieur de la maison sera insuffisant pour contrebalancer le Feng Shui négatif du dehors.

Question : quel est l'effet du désordre sur le Feng Shui ?

Réponse : je suis toujours surprise de voir à quel point ce mythe se perpétue. Le fouillis ne crée pas de mauvais Feng Shui. Je puis vous assurer que j'ai vu des maisons parfaitement tenues et dont le Feng Shui était très mauvais et inversement. Cela dit, c'est une très bonne idée que de nettoyer la maison au moins une fois par an pour se débarrasser des énergies vieillissantes. Il est bon, aussi, de commencer l'année avec quelque chose de nouveau. Mais si vous faites partie de ces maniaques de la propreté chez qui tout est toujours « nickel », sachez que du strict point de vue du Feng Shui, cela n'a pas d'importance.

Question : comment puis-je utiliser le Feng Shui dans mon tout petit appartement ?

Réponse : servez-vous de la formule du Kua et mettez-en œuvre toutes les recommandations de la formule des Huit Sites. Quand vous aurez pu améliorer l'état de vos finances grâce à ces techniques, trouvez-vous un appartement moins étriqué. Focalisez-vous sur vos directions de sommeil ou de travail assis et protégez votre porte principale.

QUATRIÈME PARTIE

LE FENG SHUI INDIVIDUEL ET CELUI DE LA FAMILLE

CHAPITRE QUATORZE

LE FENG SHUI ET LA FAMILLE

Plus encore que pour la richesse, la prospérité et la longévité, le Feng Shui est efficace quand il s'agit d'accroître la chance de la famille, considérée dans sa globalité. Il se révèle particulièrement puissant pour garantir l'harmonie entre frères et sœurs et entre les membres des différentes générations constituant la famille proche. Le Feng Shui attire aussi la chance sur la famille élargie si elle vit sous le même toit. Le bien-être et la chance du chef de famille concernent surtout la bonne santé financière de la famille, alors que la chance de la mère se rapporte essentiellement aux aspects relationnels, composantes essentielles du bien-être familial. Les enfants profitent également d'éléments bénéfiques du Feng Shui, la chance des descendants étant aussi une préoccupation majeure dans le Feng Shui. Pour un Chinois, le bien-être des fils de la famille est une chose essentielle. Ne dit-on pas en Chine, en se référant au Feng Shui, qu'un héritier mâle est une chance pour une famille, une condition essentielle de chance. Autrefois, en Chine, si l'épouse ne parvenait pas à faire des garçons, le chef de famille pouvait introduire une seconde épouse ou une concubine dans la maison ce qui, d'ordinaire, ne diminuait du reste en rien l'importance de la première épouse. Si aujourd'hui les choses ont changé, on n'en continue pas moins à avoir recours au Feng Shui pour favoriser la chance ses descendants.

À GAUCHE : *la connaissance du Feng Shui s'est transmise de génération en génération, et chaque membre de la famille peut bénéficier des méthodes du Feng Shui.*

CHAPITRE QUATORZE : LE FENG SHUI ET LA FAMILLE

LA PLACE DU PÈRE : le nord-ouest

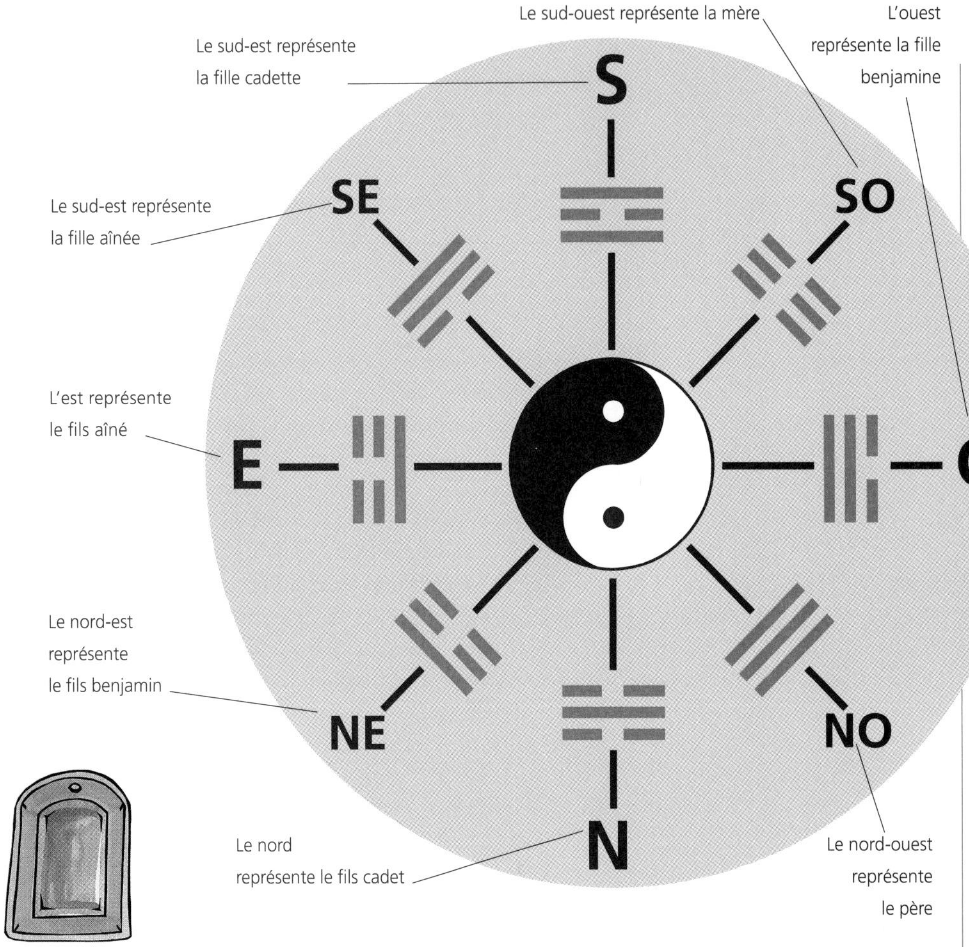

À GAUCHE : *la direction la plus bénéfique pour le père ou le chef de famille est le nord-ouest. Ceci est de la plus grande importance puisque la famille tout entière se trouve affectée par sa chance.*

CI-DESSUS : *s'il n'y a pas de secteur nord-ouest, utilisez un miroir pour restituer le coin manquant.*

CI-DESSUS : *si le père fait partie des « maisons de l'est » la porte de la chambre doit se trouver face au nord, au sud, à l'est ou au sud-est.*

Le Feng Shui se concentre essentiellement sur la famille. Les huit côtés du Pa Kua symbolisent l'essence de la famille dans sa globalité, comprenant le père, la mère, les trois fils et trois filles. Chaque individu se voit attribuer une direction qui sert de premier repère pour indiquer l'endroit spécifique de la maison convenant le mieux à chaque membre de la famille. À partir de ces éléments, les maîtres du Feng Shui se fixent pour objectif de vérifier si chacun de ces secteurs est affecté par des particularités physiques de l'environnement immédiat, et s'il convient à la personne concernée, en se fondant sur la date de naissance et en consultant les formules des Huit Sites. Une analyse plus poussée fait appel à l'analyse numérologique de ces secteurs, fondée sur la formule de l'Étoile Volante, tout autant que sur les indices indiquant la présence d'étoiles à l'influence néfaste ou mortelle, pendant certains jours, certains mois ou certaines années du calendrier. Tout ce processus de vérification Feng Shui peut donc s'avérer des plus complexes. C'est ainsi que doit procéder un spécialiste du Feng Shui, quand vous faites appel à lui pour mettre votre maison en conformité avec ces principes. Pour mener à bien un examen vraiment approfondi, qui demandera beaucoup de temps et d'efforts, il n'est pas absolument besoin de faire appel à un maître du Feng Shui.

Pour les débutants, cependant, je conseille toujours de s'en tenir aux principes de base et de se concentrer sur le secteur spécifique qu'indique le Pa Kua quand ils pratiquent eux-mêmes le Feng Shui. Gardez à l'esprit que les principes Feng Shui simples fonctionnent tout aussi bien que les plus compliqués. En utilisant l'illustration ci-contre, vous pourrez déterminer le secteur convenant à chaque membre de la famille. L'affectation des secteurs en fonction des membres de la famille, fondée sur le Pa Kua et les points cardinaux de la boussole, se trouve ici résumée. Notez qu'il faut utiliser la boussole pour délimiter les secteurs correctement. Selon le système du Feng Shui chinois, la détermination des secteurs se fait non pas par rapport à la porte d'entrée, mais grâce à la boussole : ainsi, les points cardinaux restent les mêmes, où que l'on se trouve.

La place du père est signifiée par le trigramme suprême yang, Chien, qui veut dire également ciel, chef ou « celui qui crée ». Trois lignes droites ininterrompues, fermement tracées, représentent Chien. Ceci correspond au secteur nord-ouest de la maison. Ce secteur, que l'on identifie comme masculin, par conséquent d'une importance vitale pour toute la maison, est à relier à la disposition des trigrammes du Ciel postérieur. N'utilisez pas la disposition des trigrammes du Ciel antérieur pour chercher des interprétations Feng Shui à l'intérieur et à l'extérieur de la maison. Il est dit clairement dans les textes classiques que la disposition des trigrammes du Ciel postérieur s'emploie pour interpréter les éléments de Feng Shui dans les maisons des vivants (par opposition aux demeures des morts, ou cimetières).

D'après le Feng Shui, si vous prenez soin du coin nord-ouest et vous occupez correctement de ses énergies, le père de famille aura beaucoup de chance. Puisqu'en général c'est lui qui subvient aux besoins de la famille et en est le chef, le succès qu'il connaît s'étend à la famille tout entière. Ceci donne au nord-ouest son importance primordiale. Voici ce qu'il faut noter quant à cette direction.

- Il est utile de s'assurer que le secteur nord-ouest est bien présent. Lorsque ce n'est pas le cas, la chance du père s'en trouve affectée et il vaut mieux alors procéder à une extension (c'est-à-dire construire et aménager ce secteur) ou suspendre un miroir sur l'un des murs pour ajouter de la profondeur et créer l'illusion de l'existence de ce secteur. Puis, vous stimulez les énergies de l'image renvoyée par le miroir comme s'il s'agissait du secteur. Vous ne pouvez opter pour cela que si le mur réfléchi par le miroir se trouve, soit dans le salon, soit dans la salle à manger. Vous ne pouvez pas le faire si le mur est situé dans l'une des chambres, parce que les glaces, surtout murales, y sont très néfastes.
- Il faut s'assurer que ni la cuisine, ni la cuisinière, ni les toilettes ne se trouvent dans le secteur nord-ouest. Si c'est le cas, la chance du mari ou du père s'en trouve sérieusement diminuée. Le seul remède consiste à ne plus utiliser les toilettes et à éloigner la cuisinière du nord-ouest. Si on ne peut déplacer la cuisine, veillez à ce qu'elle soit toujours bien éclairée et suffisamment lumineuse pour diluer la force de la mauvaise influence.
- Si la chambre principale se trouve au nord-ouest, elle sera bénéfique pour le père, et la chance se trouvera multipliée par deux si le nord-ouest correspond à une de ses directions fastes. Ceci signifie qu'il doit appartenir au groupe ouest selon la formule Kua des Huit Sites. Si le père appartient au groupe est, il est nécessaire de s'assurer que la porte de la chambre est face à l'une des directions du groupe est (nord, sud, est ou sud-est). En couchant à l'endroit qui représente le trigramme Chien, le maître de maison bénéficie d'une excellente énergie yang, ce qui apporte beaucoup de chance d'habitude. Cela ne joue pas si les nombres de l'Étoile Volante influent négativement sur le nord-ouest, et c'est le seul cas. Néanmoins, la mauvaise influence des Étoiles Volantes ne dure pas longtemps, pas plus que les incidents qu'elle occasionne, en général.
- C'est une excellente chose que d'activer l'énergie du nord-ouest pour que le père de famille ou le mari en bénéficie. Il existe plusieurs moyens de le faire, sans qu'il soit nécessaire de les employer tous. D'ordinaire, si l'on utilise un seul symbole ou si l'on suspend un seul objet décoratif engendrant un bon Chi, le secteur se trouvera correctement activé. Ceci est vrai de chaque secteur. Pour le nord-ouest, souvenez-vous que l'élément est le métal. L'objectif est de renforcer ainsi l'élément du secteur. Exposer à la vue quelque chose qui symbolise l'élément grande terre fait l'affaire, peut-être une montagne, un globe, ou une image suggérant la première ou le second. La grande terre engendre beaucoup de métal. Les métaux précieux tels que l'or et l'argent se trouvent dans le sol. La présence d'une « montagne » au nord-ouest fait bénéficier la maisonnée du soutien de la montagne. Le *I Ching* suggère que la montagne recèle aussi beaucoup de richesses, se manifestant sous la forme de gemmes et de métaux précieux. Ceci apporte donc de la chance au secteur. Le globe représente l'univers et c'est un symbole puissant de la grande terre.
- Si vous préférez employer le métal pour compléter l'élément du secteur nord-ouest, suspendez un carillon éolien métallique. Il ne doit avoir aucune décoration, telle qu'un dauphin ou un oiseau : veillez à ce qu'il soit creux et comporte six tubes. 6 est le nombre du nord-ouest, et c'est un chiffre porte-bonheur, donc ce genre de carillon s'avère excellent pour le nord-ouest, vous pouvez aussi placer un bol chantant de le nord-ouest. Vous ne regretterez pas ce type d'investissement. Placé au nord-ouest et mis en vibration avec un maillet traditionnel en bois, il apportera une chance exceptionnelle au père de famille.
- Il faut éviter d'activer le nord-ouest avec l'élément feu. On ne doit pas y trouver trop de sources de lumière. Il ne faut pas le peindre en rouge. Les pièces situées au nord-ouest doivent être de couleur blanche ou évoquant la terre. Évitez l'eau au nord-ouest à moins que cette direction ne soit affectée par des Étoiles Volantes néfastes. L'eau épuise l'énergie du nord-ouest et porte ainsi atteinte à la chance. Mais si les nombres du secteur nord-ouest sont affectés, l'eau servira à neutraliser une part de l'énergie néfaste.
- Placez un fauteuil à l'aspect imposant au nord-ouest, car il symbolise le succès, l'influence, le pouvoir et l'autorité pour le chef de famille. Mettez une pile de pièces de monnaie chinoises dans ce coin, ou bien peut-être le crapaud à trois pattes. Utilisez toutes sortes d'objets bénéfiques pour y activer la chance ayant trait à la richesse. Plus ce secteur est placé sous le signe de la chance, plus le chef de famille en bénéficiera.

Si vous vous apercevez que le nord-ouest n'est pas une bonne direction pour le chef de famille, en vous fondant sur la formule Kua, vous pouvez tout de même l'activer. Même si en vous fondant sur la date de naissance du père, le secteur nord-ouest n'est pas bon, il convient cependant d'en activer les énergies puisqu'il représente la chance globale du père. La chambre où il dort ne doit pas se trouver au nord-ouest, pas plus que tout endroit de la maison qu'il est susceptible d'occuper dans le cadre de ses activités.

CI-DESSUS : *le métal est l'élément du nord-ouest. Un carillon éolien métallique activera le secteur.*

CI-DESSUS : *la terre active le métal : exposez un objet symbolisant la terre pour augmenter le pouvoir de l'élément*

CI-DESSUS : *un fauteuil à l'aspect imposant placé dans le coin nord-ouest suggère le pouvoir, l'influence et le succès.*

CI-DESSUS : *veillez à ce que la lumière soit tamisée dans le secteur nord-ouest, sinon il y aura un déséquilibre de l'énergie yang.*

CHAPITRE QUATORZE : LE FENG SHUI ET LA FAMILLE

LA PLACE DE LA MÈRE : le sud-ouest

À DROITE : *si votre salle de bains se trouve au sud-ouest, la mère pourra connaître des problèmes. Les qualités bénéfiques de tiges de bambou auxquelles on aura attaché un ruban ou du fil rouge neutraliseront le Chi négatif.*

D'après le Feng Shui, il est tout aussi important de s'occuper de la mère que du père. La place de la mère est au sud-ouest et il s'avère encore plus crucial à maints égards de protéger ce secteur que le nord-ouest. Ceci parce que la mère se trouve au centre de la famille. La chance globale de la famille dépend de la qualité du secteur de la maison qui se rapporte à la mère parce que le trigramme Kun représente tout ce qui a un rapport avec la considération dont jouit la famille. Le sud-ouest régit également les relations entre parents et enfants et entre frères et sœurs. Si vous désirez que la famille reste unie vous devez par conséquent protéger le sud-ouest. Ce faisant, vous préserverez par la même occasion la santé du mariage et celle de l'unité familiale. Voici ce qu'il faut noter concernant le sud-ouest.

- Assurez-vous de la présence du secteur sud-ouest et abstenez-vous si possible d'habiter une maison où il est absent. Dans ce cas, il faut essayer d'utiliser des miroirs ou des sources de lumière de manière à « prolonger » le mur adéquat visuellement et symboliquement pour donner l'illusion que vous avez créé le secteur. Si vous avez assez de terrain et les moyens de mettre la maison aux normes Feng Shui en construisant un coin sud-ouest, tant mieux. Si cela n'est pas possible, essayez le remède du miroir ou dirigez une source de lumière vive à l'extérieur du coin sud-ouest. Même quand le sud-ouest semble souffrir de l'influence de mauvaises Étoiles Volantes, l'absence de ce secteur est souvent un handicap à long terme.
- Veillez si possible à ce que la cuisine et la salle de bains ne soient pas situées dans cette partie de la maison. Les toilettes sont cause de maladie et de problèmes pour la mère ; elle manquera d'énergie et le mariage peut en pâtir. Si le sud-ouest se trouve sérieusement affecté par une mauvaise influence, le mariage peut également souffrir. Ceci prendra peut-être la forme de relations extra-conjugales, ou d'une maladie grave touchant l'épouse ou la mère de la famille. Si des toilettes au sud-ouest causent pareils problèmes, une solution consiste à placer de grosses tiges de bambou creuses dans la salle de bains. Liez ces tiges avec du fil rouge pour en activer l'énergie. La présence de la cuisine au sud-ouest donne naissance à l'élément bois dans la cuisine qui tend à dominer l'élément terre.
- Il faut que la chambre de la mère se trouve au sud-ouest. On pourrait également suspendre dans ce secteur une image de montagne ou de jument, puisque la femelle du cheval symbolise la maternité. Le sud-ouest relève de l'élément terre et le feu engendre la terre. Activer l'élément feu serait un excellent moyen de renforcer le sud-ouest. Peignez le coin d'une couleur de feu (rouge) ; éclairez-le bien et, si possible avec des lustres de cristal. Des lumières au sud-ouest constituent un très bon Feng Shui parce qu'elles impliquent de nombreux bienfaits pour les occupants.

CI-DESSUS : *si vous n'avez pas de coin sud-ouest, essayez d'utiliser un miroir pour créer l'illusion.*

À DROITE : *activez le secteur sud-ouest, endroit idéal pour la chambre de la mère, en suspendant une image représentant une montagne.*

CI-DESSUS : *de vives lumières et un lustre scintillant activeront l'élément feu, ce qui augmente le pouvoir de l'élément terre du secteur sud-ouest.*

LA PLACE DES FILS : l'est

On estime que l'est représente le meilleur endroit pour les fils de la famille. Si vous avez un fils, c'est donc là qu'il faut l'installer. Et si vous en avez plusieurs et que votre maison est assez grande, vous pouvez tous les y loger.

À l'intérieur des palais de la Cité interdite, les jeunes princes (ceux que l'on considérait comme les potentiels héritiers du trône) avaient leurs appartements dans l'aile est du palais, dont on activait l'énergie pour eux. Même le toit de leurs appartements était peint en vert pour simuler l'élément bois de l'est.

Les fils sont toujours censés être les dragons de la famille, c'est-à-dire la manifestation terrestre du dragon céleste. Le dragon est aussi la créature céleste de l'est. Ainsi, on dit que placer des images de dragon au-dessus du toit dans le secteur est, ou décorer des pièces à l'est avec des représentations de dragons, renforce la chance des descendants de la famille.

Si des toilettes se trouvent à l'est, leurs effets négatifs ne sont pas trop fâcheux, mais suspendre un carillon éolien muni de cinq tubes devrait dissoudre tout Chi néfaste. Si la cuisine se trouve à l'est, ceci peut se répercuter gravement sur la chance affectant les descendants de la famille (pour les garçons plutôt que pour les filles). On peut facilement apporter des corrections en suspendant un carillon éolien à cinq tubes dans la cuisine.

Si d'aventure l'est n'est pas une bonne direction pour votre fils ou vos fils, en vous fondant sur la formule Kua, cela vaut quand même la peine de protéger ce secteur de la maison et d'activer son essence. Il est aussi possible d'installer la chambre de votre fils à l'est, mais il faut veiller à ce qu'il dorme la tête orientée vers l'une des directions qui lui sont favorables plutôt que vers l'est. En d'autres termes, vous activez le coin est tout en stimulant simultanément la chance de ses Huit Sites Kua.

Si vous avez deux fils ou plus, il faut que l'aîné dorme à l'est et les plus jeunes dans les autres secteurs désignés de la maison.

CI-DESSOUS : *d'après les légendes chinoises, les fils de la famille sont l'incarnation du dragon en ce bas monde. Des motifs de dragon à l'est, dans l'endroit favorable aux fils, garantiront leur chance. Les fils nés l'année du dragon sont particulièrement favorisés.*

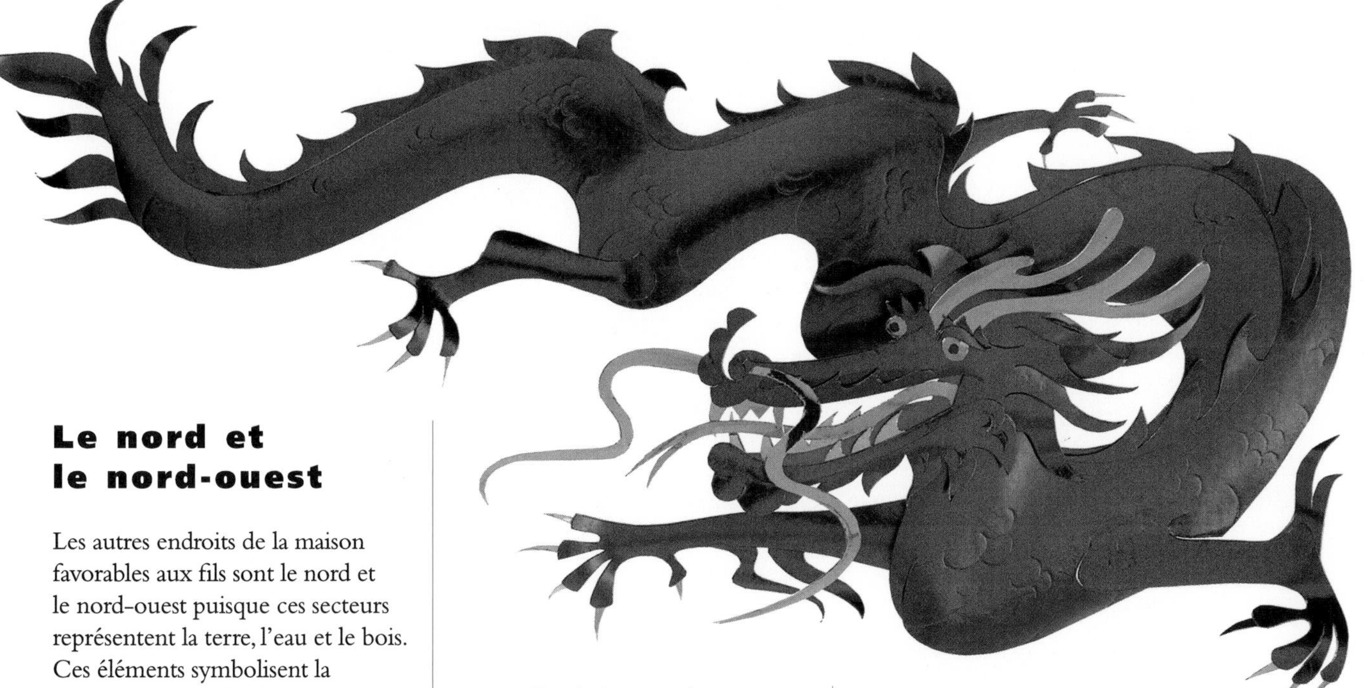

Le nord et le nord-ouest

Les autres endroits de la maison favorables aux fils sont le nord et le nord-ouest puisque ces secteurs représentent la terre, l'eau et le bois. Ces éléments symbolisent la continuité de la famille. Sans eau et sans terre, le bois ne saurait pousser. Le bois, seul élément doué de vie et capable de croissance, représente la continuité du nom de la famille, transmis de génération en génération. Le bois est l'élément fondamental de la famille.

Installez le benjamin entre l'aîné et le cadet, le benjamin doit être au nord-est entre son aîné à l'est et son cadet au nord. Activez l'énergie du nord-est à l'aide d'éléments terre tels que des cristaux et des montagnes. Activez l'énergie du nord avec la tortue. Ne mettez jamais d'eau dans la chambre, mais si la partie nord de la maison ne comporte pas de chambre, une installation faisant appel à l'eau serait très bénéfique.

CHAPITRE QUATORZE : LE FENG SHUI ET LA FAMILLE

LA PLACE DES FILLES : le sud, le sud-est et l'ouest

CI-DESSOUS : *la chance de la fille aînée, de la benjamine et de la cadette se trouve augmentée respectivement par les éléments bois, métal et feu.*

Le sud, le sud-est et l'ouest sont les trois secteurs qui conviennent aux filles de la maison. Dans les familles chinoises, on tient pour la plus importante la fille aînée et on l'installe donc au sud-est, qui représente aussi le précieux élément bois. La fille née après elle se voit attribuer le sud et la benjamine l'ouest. Le sud et l'ouest appartiennent à ceux des cinq éléments les plus décoratifs. Le sud est le feu : il chasse l'obscurité de la terre avec de l'énergie yang, et l'ouest est le métal ou l'or. Ainsi, les filles de la famille constituent-elles l'ornement de la famille.

Installées dans ces secteurs de la maison, elles attirent une chance de nature à s'étendre aux fils par la suite ; car c'est seulement grâce aux ornements que sont les minéraux, et grâce au soleil précieux, que le bois peut s'enraciner et s'épanouir.

Les filles installées aux endroits que l'on suggère verront leur bien-être et leur bonheur accrus considérablement. Il ne s'agit pas tant de la chance concernant la richesse et le succès professionnel que de la chance attirant la reconnaissance, l'admiration et l'amour d'autrui.

LES TABOUS DANS LA MAISON

Le bien-être de la famille suppose que certaines choses, qui pourraient porter préjudice à la génération suivante, soient interdites dans la maison. Le Feng Shui identifie plusieurs interdictions absolues dans la maison, ainsi que des éléments susceptibles de nuire directement au bien-être des enfants.

N'installez jamais directement sous l'escalier un système utilisant de l'eau. Ceci attirera la malchance sur les fils et les filles de la famille. Si leur heure de naissance astrologique est néfaste, ceci pourrait aller jusqu'à entraîner une mort précoce. Débarrassez-vous donc des petites cascades et des bassins à poissons placés sous un escalier.

Ne mettez jamais d'eau sous quelque forme que ce soit sous la chambre des enfants. Ceci représente dormir sur des fondations instables et affectera leur développement. Il peut en résulter des maladies qui peuvent prendre une mauvaise tournure.

N'installez jamais la chambre des enfants, surtout leur lit et leur bureau, directement sous des toilettes ou près d'une cloison les en séparant. Leur concentration, leur motivation et leur énergie s'en trouveront affectées. Leur travail scolaire en souffrira. Ils deviendront de plus en plus difficiles. Éloignez les bureaux et dirigez une source de lumière vive vers les toilettes, afin de contrer l'énergie négative.

N'enjambez jamais le moindre de leurs manuels scolaires. Faites-y bien attention si vous voulez que vos enfants travaillent bien à l'école et quand ils font leurs devoirs. Si vous le faisiez, il y aurait formation d'un champ de force négatif autour des livres. La malchance qui en résulte peut s'avérer difficile à surmonter. On peut facilement purifier les livres qui ont été enjambés avec un parfum ou des bâtonnets d'encens.

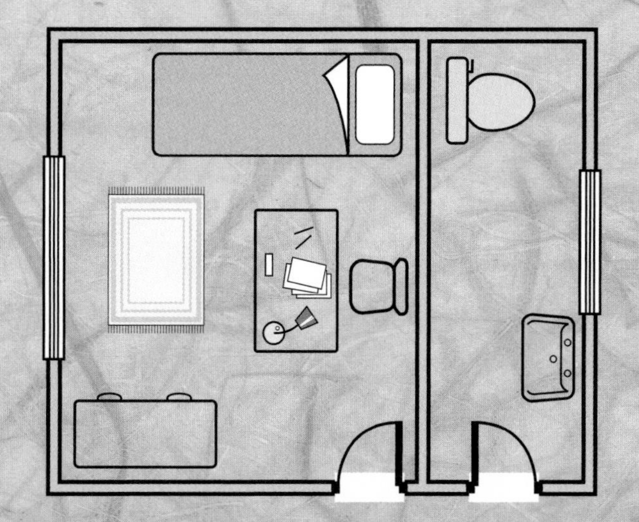

À DROITE : *placer le lit contre le mur des toilettes est un tabou Feng Shui à ne jamais transgresser. Cela peut entraîner des ennuis de santé pour les enfants et amener la malchance sur tous les membres de la famille.*

À GAUCHE : *la malchance poursuivra les fils et les filles de la maison si on place sous l'escalier tout système utilisant de l'eau.*

À DROITE : *enjamber les manuels scolaires de vos enfants peut avoir des conséquences négatives et affecter leurs résultats scolaires.*

CHAPITRE QUINZE

LE FENG SHUI : L'AMOUR ET LE MARIAGE

Dans le langage Feng Shui l'amour et le mariage sont synonymes de chance pour la famille, et beaucoup des recommandations Feng Shui destinées à activer ce domaine, notamment concernant la manière d'arranger son intérieur, se recoupent. C'est parce que d'après le Feng Shui, amour et famille désignent la même chose. Il n'y a ainsi aucune place pour des motivations frivoles. Ceux qui désirent activer les énergies de leur foyer pour attirer la chance concernant le mariage doivent être conscients qu'ils prennent l'engagement de vivre une vie de famille. Le Feng Shui peut se révéler très efficace pour renforcer les perspectives de mariage chez les célibataires. Mais s'il peut les réaliser, il n'assure pas le parfait amour à vie et ne peut en aucun cas garantir à coup sûr que le couple sera idéalement assorti. Le Feng Shui peut assurément créer ce que les Chinois appellent Hei See (l'occasion heureuse) et un mariage se situe dans ce cas de figure. Pour ceux qui sont déjà mariés et ont besoin de chance pour améliorer une union qui bat de l'aile, le Feng Shui fournit aussi des recommandations s'avérant souvent incroyablement efficaces. Ainsi le Feng Shui promet d'apporter le bonheur là où peut-être prévalaient la solitude et l'insatisfaction.

À GAUCHE : *des techniques Feng Shui peuvent aider à filer le parfait amour s'il est sincère.*

CHAPITRE QUINZE : LE FENG SHUI : L'AMOUR ET LE MARIAGE

LE FENG SHUI ET L'AMOUR

À GAUCHE : *le Feng Shui ne peut vous apporter infailliblement l'amour de votre vie, mais il peut de nombreuses manières enrichir des relations existant déjà et améliorer les chances d'avoir une liaison amoureuse.*

Le Feng Shui peut apporter le bonheur personnel sous la forme d'une excellente chance gouvernant l'amour et les liaisons, aidant ainsi les gens à atteindre la plénitude dans leur mariage et leurs relations amoureuses. Il aborde le besoin d'amour universel et donne des conseils précis permettant à tout un chacun de capter des énergies bénéfiques qui apportent l'amour dans leur vie, améliorent leurs relations amoureuses… renforcent l'entente conjugale entre les partenaires, et sauvent même des mariages en difficulté.

Les Chinois considèrent que l'entente conjugale constitue le double bonheur par excellence. Ils pensent que la satisfaction spirituelle et physique est un élément important d'une vie réussie. Pour les Chinois, une vie amoureuse agréable favorise la santé et la longévité. Autrefois pourtant, les Chinois ne s'en tenaient pas à la monogamie. Les hommes avaient souvent plusieurs épouses, et pour nombre de jeunes femmes à l'époque, avoir de la chance en amour signifiait devenir l'épouse principale d'un mari prospère, et se retrouver à la tête d'une maisonnée qui incluait des concubines et des épouses secondaires. Ainsi, le statut d'épouse principale représentait la chance pour les femmes, et avoir plusieurs femmes cohabitant de manière harmonieuse représentait la chance pour les hommes. Dans le contexte du XXe siècle, ceci veut dire qu'il faut ajuster le Feng Shui pour garantir que les époux et les amants restent fidèles.

Jadis, en Chine, c'est la marieuse qui s'occupait des jeunes hommes et des jeunes femmes constituant un parti. De bons principes Feng Shui garantissaient que le couple soit bien assorti, ce qui engendrait une chance familiale. Ceci signifiait le bonheur pour la mariée avec ses beaux-parents, faisant qu'elle et ses enfants étaient bien traités. Un bon mariage se caractérisait aussi par la naissance de nombreux fils robustes ! Aujourd'hui, ceci reste valable. Une chance de mariage entraîne une union qui procure le bonheur à tous les partis concernés.

Lorsqu'il est question d'activer la chance concernant une liaison, en utilisant le Feng Shui, c'est de la chance matrimoniale et des relations amoureuses qu'il s'agit. On peut employer efficacement le Feng Shui pour améliorer les perspectives de mariage et apporter le bonheur conjugal et le respect entre époux. Le Feng Shui ne peut promettre la fidélité à vie, mais il peut renforcer l'unité de la famille et, ce faisant, procurer harmonie et paix dans les foyers.

Le principe du yin et du yang symbolisant des énergies opposées et complémentaires, exerce une influence importante sur la mise en œuvre du Feng Shui en matière amoureuse. Le yin et le yang constituent des forces primitives qui représentent le masculin et le féminin. Pour atteindre au bonheur suprême dans son intégrité, le yin et le yang doivent coexister harmonieusement.

Équilibrer les forces yin et yang au sein des rapports du couple suggère l'harmonie de l'énergie mâle et femelle. Ainsi, par exemple, la passion tumultueuse doit se trouver contrebalancée par le sang-froid ; l'agression par la réceptivité et la force, par la faiblesse. C'est seulement à ce moment que peut s'instaurer l'harmonie. Où l'un mène, l'autre suit : il ne peut y avoir deux principes dominants, sinon on dit que le rapport est excessivement yang. De même, il ne peut y avoir deux principes dominés, car une telle configuration sera trop yin. Les deux cas de figure présentent un déséquilibre et ne sont donc pas favorables.

Le yin et le yang agissent par interaction, créant ainsi une dynamique du changement. L'équilibre entre les partenaires sera obtenu si chacun assume alternativement le rôle de yin et de yang. Le Feng Shui concernant la vie amoureuse vise à réaliser cet équilibre entre mari et femme et entre amants. Et dès que les enfants de la famille sont en âge de se marier, le Feng Shui régissant une bonne vie amoureuse renforce leur chance de trouver un bon parti qui puisse mener à une relation amoureuse ou à un mariage heureux et fécond, perpétuant ainsi tout le cycle de la vie.

On active le Feng Shui gouvernant de bonnes relations et un mariage heureux quand l'espace habité bénéficie du souffle favorable du dragon, et quand les énergies mortelles engendrées par des structures et des symboles agressifs se trouvent complètement éliminées de l'espace habité, ou déviées.

L'harmonie yin et yang se trouve inclue dans d'autres principes fondamentaux du Feng Shui pour stimuler activement la chance concernant les liaisons. On peut ranimer sa vie amoureuse, améliorer ses chances de rencontrer le partenaire adéquat, et même raviver un mariage fatigué.

Il existe diverses manières d'activer la bonne fortune en amour ; il convient donc de sélectionner celles qui s'appliquent le plus facilement à la maison ou à la chambre, si elle représente le mieux votre espace d'habitation personnel. N'oubliez pas que dans le domaine du Feng Shui, « plus » ne signifie pas « mieux ». Il est inutile d'employer toutes les méthodes sans exception pour renforcer votre chance. Souvent, il suffit d'utiliser une seule méthode correctement pour changer ou améliorer sa chance.

À GAUCHE : *transmises d'une génération à l'autre, les notions de yin et de yang symbolisent le rapport harmonieux entre les énergies masculines et féminines.*

Chapitre quinze : Le Feng Shui : l'amour et le mariage

ACTIVER LA DIRECTION SUD-OUEST

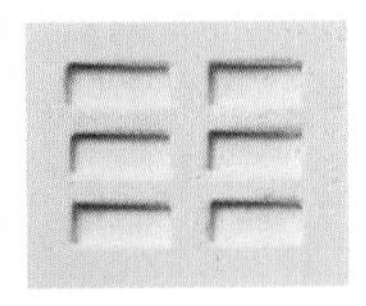

CI-DESSUS : *on associe le trigramme Kun, placé au sud-ouest, à la chance qu'il apporte dans le domaine des relations.*

Le trigramme représentant l'amour et les relations amoureuses est le trigramme yin appelé Kun et, d'après la disposition du trigramme du Ciel postérieur, on le place au sud-ouest. C'est le secteur de toute maison ou de toute pièce qui représente les liaisons, l'amour et le mariage. Si ce coin est conforme au Feng Shui, les aspirations au mariage et à l'amour des membres de la famille seront positivement stimulées. Si tel n'est pas le cas, en revanche, le mariage sera placé sous le signe de la malchance, entraînant divorce, solitude, insatisfaction et anéantissant pratiquement toute occasion de mariage pour les jeunes fils et les jeunes filles de la famille.

Le trigramme Kun

Ce trigramme se compose de trois lignes yin interrompues. Kun est le trigramme qui symbolise la terre-mère. Il désigne la mère de famille idéale, le principe féminin réceptif, le cœur de l'énergie yin. Le Kun symbolise la personne qui accepte toutes les responsabilités de la famille, et remplit les fonctions essentielles : donner naissance, élever les enfants, dispenser de l'amour et de la douceur, et garder la famille unie, malgré tous les durs efforts que cela comporte. Comme la terre, la mère est créatrice de vie et c'est à elle que tout retourne. La terre porte les montagnes, abrite les océans et perdure. C'est donc un trigramme puissant. L'une de ses meilleures représentations est une montagne. Un tableau montrant une montagne, suspendu dans le secteur Kun, apporte une merveilleuse bonne fortune en matière de liaison amoureuse.

CI-DESSUS : *un cristal communique de l'énergie à l'élément terre dans le coin sud-ouest du foyer et apportera beaucoup de chance dans vos relations. L'améthyste à l'état brut est très bénéfique pour ce secteur, comme le quartz et le quartz rose.*

L'élément du coin sud-ouest est la terre (symbolisée par des cristaux, des pierres, des rochers et tout ce qui provient du sol). Repérer l'élément adéquat qu'il faut activer est un aspect crucial de la mise en application du trigramme. Mettre un rocher dans le coin sud-ouest favorisera les occasions de mariage et de liaison amoureuse.

Pour renforcer l'élément du sud-ouest, on peut user de tout objet qui symbolise à la fois la terre et le feu, et il faut éviter à tout prix tout ce qui appartient à l'élément bois. La terre-mère elle-même représente le sud-ouest. Ceci suggère que l'esprit de l'énergie tellurique y est fort, puissant et difficile à dominer. La terre dans toute sa richesse signifie aussi la présence d'or ou de quelque chose de précieux à l'intérieur. Aussi est-il bénéfique d'introduire dans le secteur les cinq éléments afin de garantir la plénitude de la terre.

Puisque l'équilibre s'avère crucial dans la pratique du Feng Shui, les cinq éléments se renforcent mutuellement de manière complexe. En ce qui concerne le coin Kun, on peut efficacement utiliser des attributs subtils des cinq éléments. Ainsi activée, la bonne fortune régissant les liaisons amoureuses gagnera en profondeur et en substance.

Les cristaux

Les cristaux constituent certains des minéraux les plus adaptés pour activer le sud-ouest, surtout les cristaux naturels extraits du sol. L'améthyste à l'état brut, le quartz, la cornaline et autres cristaux naturels entrent en harmonie avec le secteur sud-ouest. D'autres minéraux ou métaux extraits du sol sont également efficaces, bien que l'énergie dégagée par l'exposition de cristaux soit irrésistiblement positive.

On peut aussi employer des cristaux artificiels, sous la forme de presse-papier, ou bien de symboles de bonne fortune faits de cristal. On peut les exposer sur des tables ou sur des étagères.

Les beaux objets de cristal à facettes sont particulièrement efficaces lorsqu'on les associe à des sources de lumière. Ainsi, les lustres de cristal attirent puissamment la chance. Suspendus dans le coin sud-ouest d'une pièce, ces lustres apportent la chance matrimoniale. Les lustres faits de boules de cristal à facettes conviennent également à d'autres coins d'une pièce. Quand on les suspend au centre de la maison, ils l'auréolent d'une chance familiale. Ceci parce que le centre de toute maison doit représenter la zone de concentration maximum de Chi, puisqu'il s'agit du cœur de la demeure. L'élément terre désigne aussi le centre. En même temps le Feng Shui interdit de situer la cuisine, les débarras et les toilettes dans la partie centrale d'une maison. De grandes jattes ou pots de terre décoratifs de forme

CI-DESSUS : *quelques petits cailloux polis et quelques fleurs coupées dans un bol rempli d'eau, où flotte une bougie augmenteront les chances de mariage de votre fille.*

arrondie sont excellents pour le secteur sud-ouest d'une pièce. Mettez-y des plumes de paon, des fleurs artificielles en soie, ou des fleurs fraîchement coupées. N'exposez en aucune manière de fleurs ou de plantes séchées ou mortes, pas même du bois ramassé sur la grève, à l'aspect décoratif. Le bois mort et les plantes séchées signifient l'échec et la mort des relations entre partenaires.

Un globe symbolise la terre-mère. Il est très efficace quand il s'agit de stimuler le coin sud-ouest d'une pièce. Placez-en un sur une table et activez-le quotidiennement en le faisant tourner sur son axe. Ceci a pour effet de créer une merveilleuse énergie yang qui équilibre particulièrement bien le yin du coin sud-ouest.

Une astuce spécifique pour activer le coin sud-ouest, souverain pour attirer les prétendants vers toute maison où vivent des filles en âge d'être mariées, consiste à placer des petits cailloux ronds dans une coupe ou un bol de cristal, en y faisant surnager quelques fleurs, et à mettre une bougie flottante au centre. Cette disposition concentre une variété d'éléments et le rite consistant à allumer la bougie chaque jour attire dans le coin une énergie vitale.

L'élément terre s'active également en employant des tons et des nuances évoquant la terre, et donc les couleurs sont importantes. Il faut alors que les rideaux du sud-ouest, les dessus de lit, les tapis et le papier peint contiennent surtout des couleurs rappelant la terre. Faites preuve d'autant d'imagination que vous voulez lorsque vous suivez ces conseils, qui n'ont rien de dogmatique. Certains préfèrent activer ce coin avec des peintures représentant un paysage de montagne (qui ne doit pas comporter d'eau). Quoi que vous utilisiez, cependant, n'en faites pas trop.

L'élément feu

Dans le Cycle de Production des éléments, le feu engendre la terre. Ceci veut dire qu'il faut mettre en œuvre le feu au sud-ouest pour activer la chance matrimoniale. Pour les Chinois, le rouge (qui appartient à l'élément feu) représente toujours le bonheur et la célébration. C'est pourquoi les mariées chinoises sont toujours en rouge.

Il faut toujours bien éclairer le secteur sud-ouest de la maison, et si possible, le décorer avec des luminaires en cristal. Les sources de lumière constituent un puissant outil Feng Shui utile pour travailler l'équilibre des éléments. Assurez-vous toujours qu'il y ait une source de lumière vive dans le secteur sud-ouest. Faire en sorte qu'il soit bien éclairé en toutes circonstances empêchera l'énergie de stagner, et le Chi favorable créé circulera toujours. Il est possible par ailleurs d'ajouter à ces dispositions des motifs dénotant la terre ou le feu, que l'on peut dessiner sur les murs sud-ouest du salon, ou intégrer dans la décoration murale, ou des éléments de l'ameublement tels que des coussins.

Le soleil est un puissant symbole de l'élément feu, qui placé au sud-ouest, complète très bien l'élément terre.

Le nœud (ou lacs) d'amour tracé en rouge est extrêmement efficace disposé dans le coin sud-ouest. C'était un des symboles préférés des dames chinoises de jadis, quand on l'employait pour signifier l'amour éternel. Le nœud est conçu de manière à n'avoir ni début ni fin.

Le Feng Shui et le mariage

On considère que le mariage est chose peut-être plus sérieuse qu'une liaison amoureuse et le meilleur moyen de garantir un bon équilibre Feng Shui dans le mariage est d'utiliser la formule Kua donnant les directions, en fonction du sexe et de la date de naissance d'un individu. Le nombre Kua peut se calculer en usant d'une formule spéciale. Connue aussi sous le nom de Huit Sites, cette méthode pour rechercher les directions favorables à la chance matrimoniale et familiale a été transmise au maître de Feng Shui de l'auteur par un vieux grand-maître taiwanais de Feng Shui. Il expliquait que l'on peut activer la direction de la famille pour attirer une très grande chance à la famille dans le domaine des relations, et non seulement entre le mari et la femme, mais aussi entre les parents et les enfants. Les couples ayant des problèmes de stérilité peuvent aussi utiliser la formule pour s'orienter dans la bonne direction lorsqu'ils dorment, ce qui corrigera le problème. Et surtout, la formule est très utile pour garantir que les époux connaîtront un bonheur commun sans séparation.

CI-DESSUS : *les motifs symbolisant l'élément feu, tel le soleil, communiquent bien l'énergie au secteur sud-ouest.*

CI-DESSOUS : *les mariées chinoises portent traditionnellement du rouge, associé à l'élément feu, pour symboliser la joie et la célébration. Notez également le double nœud du bonheur sur la balustrade en bois.*

CHAPITRE QUINZE : LE FENG SHUI : L'AMOUR ET LE MARIAGE

LA FORMULE KUA

Afin de déterminer l'orientation relative à votre famille et à votre mariage, trouvez d'abord votre nombre Kua (voir page 72). Cherchez votre année de naissance chinoise fondée sur le calendrier lunaire et utilisez-la pour obtenir votre nombre Kua. Le tableau ci-dessous montre la direction vous concernant quant à votre orientation matrimoniale et familiale Lo Shu. Une fois que vous connaissez votre direction matrimoniale personnelle, il existe plusieurs manières de mettre en harmonie vos énergies personnelles et celles de l'environnement.

VOTRE NOMBRE KUA	VOTRE ORIENTATION MATRIMONIALE ET FAMILIALE
Un (1)	Sud, hommes et femmes
Deux (2)	nord-ouest, hommes et femmes
Trois (3)	sud-est, hommes et femmes
Quatre (4)	Est, hommes et femmes
Cinq (5)	nord-ouest, hommes ; Ouest, femmes
Six (6)	sud-ouest, hommes et femmes
Sept (7)	nord-est, hommes et femmes
Huit (8)	Ouest, hommes et femmes
Neuf (9)	Nord, hommes et femmes

Votre nombre Kua vous fournit votre direction la plus favorable garantissant la protection de votre bonheur personnel. Il fixe aussi le lieu le plus favorable pour votre vie amoureuse. La chance dont il est ici question concerne le mariage et les relations familiales. Lorsque vous activez votre direction personnelle et le lieu relatif à la famille vous renforcerez votre bonne fortune en matière de relations.

Essayez de situer votre chambre à l'endroit correspondant à votre chance matrimoniale et familiale et faites votre possible pour dormir la tête orientée dans la bonne direction.

Ne dormez jamais avec un miroir en face de votre lit. On assimile une télévision à un miroir car elle reflète également votre image. S'il s'en trouve une dans la chambre, veillez à la recouvrir quand elle ne sert pas. Un miroir dans la chambre constitue un des éléments Feng Shui les plus nocifs. Si vous souhaitez avoir des rapports harmonieux avec l'être aimé, fermez les portes de placard comportant un miroir et déménagez la coiffeuse (avec son miroir) hors de la chambre.

Ne dormez jamais sous une poutre apparente. Son degré de nocivité dépend de l'endroit où elle surplombe le lit. Si elle partage le lit en deux, elle sépare symboliquement le couple dormant en dessous, tout en causant de sévères migraines. Si la poutre domine la tête du couple, elle causera des chamailleries qui dégénéreront en querelles plus graves. Si la poutre surplombe le bord du lit, son effet se trouve réduit. Donc, si le lit tombe sous l'influence d'une poutre, changez-le de place. En cas d'impossibilité, essayez de la camoufler d'une manière ou d'une autre.

Ne dormez jamais dans un lit faisant face à la porte de la chambre. Quelle que soit votre direction, (que votre tête ou que vos pieds soient orientés vers la porte), cette position est néfaste. La mauvaise santé affectera un des partenaires, ou les deux. Il n'y aura plus de place pour l'amour et vous aurez des problèmes de santé. Faites en sorte que le lit ne se trouve plus face au seuil ou masquez-le avec un paravent.

Ne dormez jamais avec l'arête d'un coin saillant pointée vers vous. C'est un problème très fréquent. Beaucoup de chambres comportent ce type d'encoignure, tout aussi néfaste que des piliers non encastrés. Les coins anguleux font partie des flèches empoisonnées les plus mortelles qu'envoie Shar Chi, le souffle de mort. La solution consiste à boucher ou à dissimuler l'angle néfaste. Si dans le salon, les plantes sont idéales pour cela, elles conviennent moins dans la chambre. Mieux vaut se servir d'un meuble pour condamner l'encoignure anguleuse.

Veillez à ce que le lit occupe un endroit favorable en fonction des principes de l'École Feng Shui de la Forme, avant d'essayer de tirer partie de votre direction personnelle la plus favorable. On conseille toujours de commencer par se protéger des flèches empoisonnées invisibles. Concentrez-vous ensuite sur l'endroit où installer le lit dans la chambre.

Si vous et votre partenaire avez différentes directions porte-bonheur, dormez dans des lits jumeaux ou adoptez la direction du partenaire le plus important. Notez que le lit se place en diagonale par rapport à la porte, la meilleure disposition dans une perspective Feng Shui.

L'organisation de la chambre compte beaucoup pour garantir l'harmonie du couple.

CI-DESSOUS : *pour augmenter vos chances de mariage, dormez la tête orientée dans la bonne direction.*

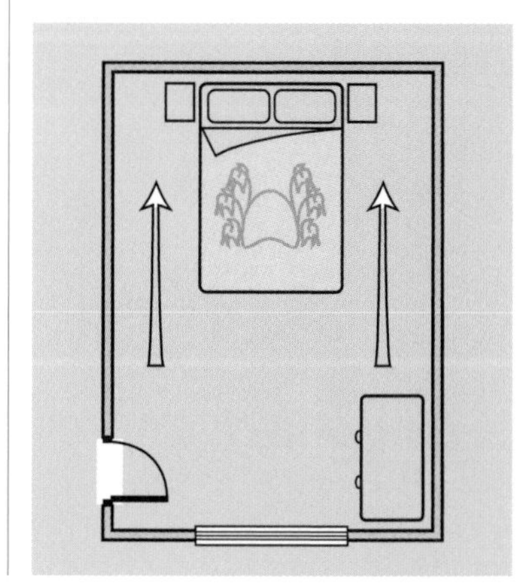

L'INFLUENCE DES TOILETTES

Les maîtres de Feng Shui de l'École de la Boussole des Huit Maisons considèrent que si des toilettes se trouvent dans l'un des endroits qui vous sont favorables, elles anéantissent la bonne fortune spécifique induite par ce lieu. Donc, si la salle de bains contiguë à la chambre se trouve dans le coin correspondant au mariage et à la famille, les toilettes pèsent négativement, causant l'affliction et l'insatisfaction au sein de votre union ou dans vos relations. Si une personne célibataire occupe la chambre et si les toilettes sont situées, soit dans la direction familiale ou matrimoniale de l'occupant, soit au sud-ouest (le secteur que l'on dit consacré à la liaison amoureuse pour tout le monde), toutes les occasions de mariage possibles se tarissent.

Les toilettes créent beaucoup d'énergie néfaste : la porte doit donc en rester fermée. Les toilettes doivent être aussi petites que possible.

Deux autres orientations à proscrire par rapport au lit et à la chambre.

- Il ne faut pas que le lit se trouve contre un mur contigu à des toilettes, ce qui bloque l'énergie positive qui le traverse.
- Il ne faut pas que le lit se trouve directement au-dessous de toilettes à l'étage supérieur, et surtout pas exactement sous la cuvette, celle-ci déversant son influence néfaste sur les dormeurs.

LA SITUATION DES TOILETTES

La situation des toilettes attire la malchance dans tout secteur de la maison. En ce qui concerne votre mariage ou vos relations, le pire endroit est le sud-ouest, et si ce secteur se trouve être votre direction matrimoniale ou familiale, la malchance peut être multipliée par deux. Des toilettes à l'ouest peuvent aussi affecter les chances de mariage des enfants. Heureusement, certaines mesures peuvent en limiter les effets néfastes.

- Rabattre toujours l'abattant.
- Veillez à ce que la porte des toilettes reste fermée.
- Assurez-vous que ce local soit petit et discret, les toilettes luxueuses occupant une grande superficie aggraveront tout problème.
- Érigez un écran ou une cloison entre la salle de bains et les toilettes afin de les dissimuler.

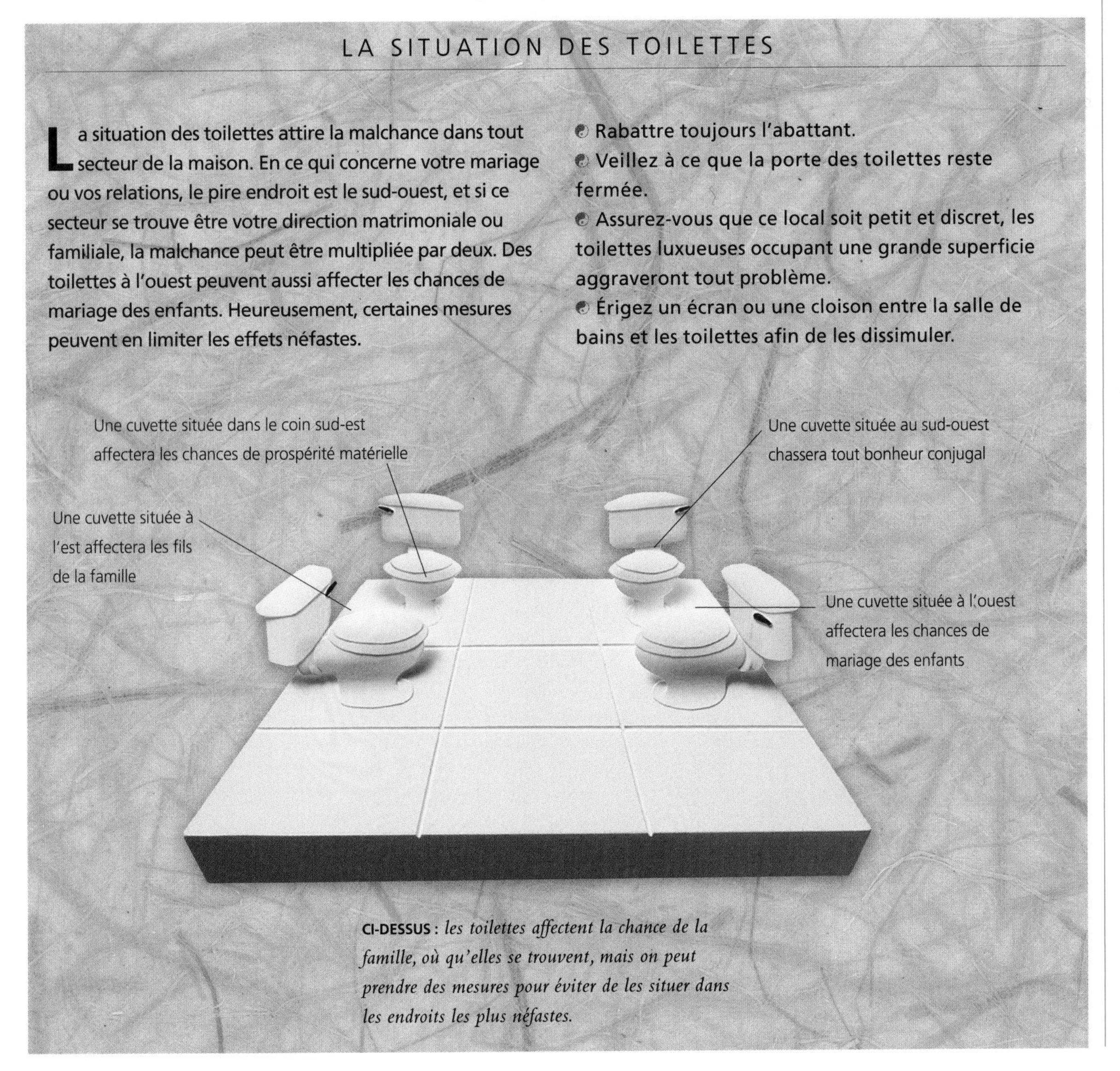

CI-DESSUS : *les toilettes affectent la chance de la famille, où qu'elles se trouvent, mais on peut prendre des mesures pour éviter de les situer dans les endroits les plus néfastes.*

VOIR AUSSI
❖ La salle de bains *p. 187*
❖ Les tabous de la chambre à coucher *p. 164-165*

CHAPITRE SEIZE

LE FENG SHUI ET LA SANTÉ

Le Feng Shui ne prétend pas guérir, mais plutôt prévenir. Il s'inscrit dans le large corpus traditionnel chinois touchant tout à la fois au bien-être, à la santé du corps et de l'esprit et donc à la sagesse, pour ne pas dire, souvent, à l'élémentaire bon sens. Il n'y a pas de remèdes ni de pharmacopée Feng Shui, mais seulement l'application d'un certain nombre de précautions visant à protéger contre les menaces d'un environnement pouvant se révéler hostile et contre les déséquilibres du yin et du yang, source d'ennuis de santé. La quête de l'immortalité, que le sage transformera en recherche de longévité, est au cœur de la culture chinoise. Il s'agit en effet pour les Chinois de vivre le plus longtemps possible en bonne santé et en bonne forme intellectuelle et physique. L'activation d'éléments favorables conjuguée avec une hygiène physique exemplaire, fondée sur des gymnastiques traditionnelles, est là pour y contribuer de façon significative. On retrouve donc pour la santé des conseils proches de ceux prodigués pour obtenir la fortune, l'amour et de bons résultats professionnels ou scolaires. L'organisation Feng Shui de la salle à manger, mais surtout du lit, issue des préceptes du Feng Shui de la Forme, tient évidemment une grande place dans cette recherche du mieux-être et du mieux-vivre.

À GAUCHE : *« Le printemps de la fleur de pêcher » par Wen Zhenming. La pêche est l'un des symboles chinois de longévité.*

CHAPITRE SEIZE : LE FENG SHUI ET LA SANTÉ

LONGÉVITÉ ET VIE EN BONNE SANTÉ

La longévité et la bonne santé ont toujours constitué des préoccupations majeures pour les Chinois. Depuis longtemps leur psychisme a intégré ces deux éléments conçus comme objet d'espoir raisonnable, et la tradition chinoise regorge de doctrines et de techniques traitant de ce domaine.

Beaucoup de légendes et de récits populaires décrivent la quête de l'immortalité. On dit que des empereurs des temps anciens avaient envoyé des émissaires dans tout le pays pour trouver l'élixir d'immortalité. On raconte que l'empereur Huang Ti envoya 3 000 garçons et filles vierges vers l'est pour trouver les îles où poussait le pêcher de l'immortalité. Bien entendu, ils ne revinrent jamais, mais certains pensent qu'ils sont les ancêtres du peuple japonais. On trouve aussi quantité de légendes populaires tournant autour des aventures des Huit Immortels, personnages considérés comme des saints, dont les visages figurent dans les intérieurs chinois, symboles de longue vie pour les habitants de la maison.

CI-DESSOUS : *d'après une légende chinoise, l'empereur Huang Ti envoya 3 000 garçons et filles vierges en quête de la pêche de l'immortalité.*

Cependant, les siècles passant, la quête de l'immortalité a cédé la place à des objectifs plus réalistes, et on a mis au point des techniques et des pratiques destinées à allonger la durée de vie humaine. Ces méthodes s'inspiraient du concept chinois du Chi. Des sages chinois ont décrété que non seulement le Chi se trouvait dans l'environnement naturel, mais que c'était aussi la force qui définissait la vie même, celle qui animait le corps. Quand il y avait harmonie entre l'environnement et le Chi humain, les habitants d'une maison auraient une vie longue et heureuse.

De plus, si ce Chi humain était vigoureux, le corps serait en excellente santé. Si le flux du Chi se trouvait bloqué, il en résulterait des affections et des maladies, et quand le Chi disparaissait, la mort surviendrait.

Cette manière d'envisager la santé physique a donné naissance à la mise au point de tout une série de mouvements exerçant les muscles tout aussi bien que les cinq organes vitaux internes du corps. On comparait les organes aux cinq éléments : ainsi on assimilait le cœur au feu, les poumons au métal, les reins à l'eau, le foie au bois, et la rate, à la terre. Les exercices tels que le Chi Kung, le tai-chi-chuan et les techniques taoïstes de revitalisation ont pour but de créer un équilibre harmonieux entre ces organes, et elles sont encore mises en pratique aujourd'hui.

Beaucoup de techniques de méditation ont aussi vu le jour. Leur objet était d'améliorer la circulation et de libérer les blocages d'énergies à l'origine des maladies. Comme pour le blocage du Chi dans l'espace d'habitation, on croyait que lorsque la circulation se trouvait bloquée dans le corps, le flux harmonieux de Chi en était gravement affecté, causant maladies et douleurs.

Les Chinois mirent aussi au point des techniques de respiration destinées à attirer dans le corps l'énergie vitale à travers son réseau de points le long des méridiens (les méridiens sont des flux d'énergie invisibles dans le corps). On considérait la revitalisation par la respiration comme élément vital du processus de guérison, et elle se trouvait considérablement accrue si s'établissait un lien harmonieux avec l'énergie, ou Chi, partout présent dans l'environnement.

Le Feng Shui vise donc à engendrer un climat favorable à la bonne santé, impliquant toujours que l'on arrive à un âge vénérable. On considérait la longévité comme un facteur très important de bonne fortune. Pouvoir récolter les fruits d'une vie de travail, voir le mariage de ses enfants, être témoin de la reconnaissance sociale dont ils jouissent, goûter aux plaisirs d'être des grands-parents et de voir se perpétuer la vie familiale, voila autant de manifestations de la bonne fortune régissant la longévité. Les emblèmes de longévité, tels que le cheval dragon, abondent donc dans l'ensemble des symboles chinois. Les dieux de la Longévité comme Sau, y figurent en bonne place.

L'ÉNERGIE YIN ET YANG DANS LES MALADIES

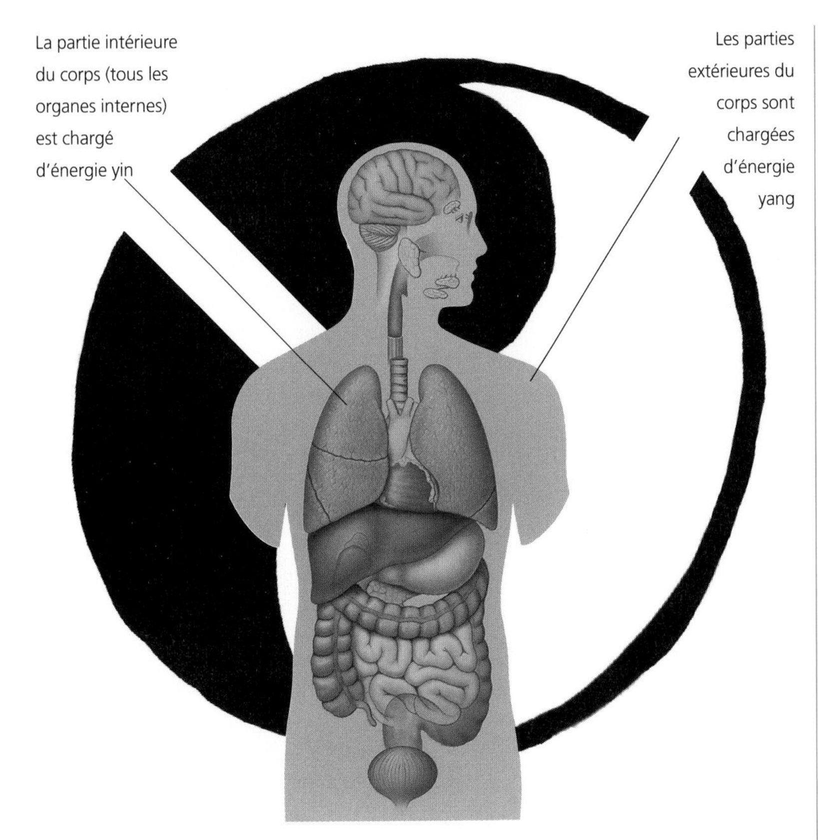

La partie intérieure du corps (tous les organes internes) est chargé d'énergie yin

Les parties extérieures du corps sont chargées d'énergie yang

À GAUCHE : *la santé et le bien-être de la conscience, du corps et de l'esprit, dépendent de l'équilibre harmonieux des énergies du yin et du yang. Un déséquilibre se manifestera par une maladie.*

Les textes classiques traitant de médecine chinoise traditionnelle et de thérapie par les plantes décrivent d'ordinaire la maladie et l'indisposition en termes de yin et de yang.

Trop de yin ou de yang, que ce soit dans l'air ou dans la nourriture que nous mangeons, fera que des énergies hostiles attaqueront le corps. On décrit comme « atmosphériques » les énergies hostiles présentes dans l'environnement, et lorsqu'elles s'opposent à l'énergie du corps humain on assistera à un conflit entre énergies antagonistes ; il en résulte souvent une maladie. Pour que les habitants d'une maison jouissent d'une bonne santé, les énergies présentes dans cet espace doivent s'harmoniser avec celles des corps occupant les lieux.

CI-DESSOUS : *les herbes médicinales chinoises, sous la forme de baume du tigre, sont une source d'énergie apaisante yin qui permet de traiter un excès d'énergie hostile yang.*

L'énergie hostile yang

Le vent est une énergie yang hostile. On le considère comme principale cause de diverses maladies, dont le rhume ordinaire. Ainsi, c'est au vent que les Chinois attribuent souvent une foule de maladies qu'ils soignent en oignant le bord des orifices supérieurs du corps (le nez et le nombril) avec ce qui est connu sous le nom d'« huile du vent » (proche du baume du tigre).

L'eau du vent est un aspect encore plus dangereux de l'énergie yang hostile. Ceci se produit lorsqu'on ne s'est pas assez protégé contre le vent qui a réussi à pénétrer dans le corps. C'est une situation dangereuse parce que l'énergie yang hostile aura eu le temps d'atteindre les parties internes du corps représentant l'énergie yin de celui-ci. Les symptômes de cette affection et les maladies qui en résultent exigeront un traitement précis par des plantes ou un autre type de médecine faisant appel aux services d'un Sin Seh, le médecin chinois.

Il faut noter un certain nombre de points :

- la partie externe du corps est chargée d'énergie yang ;
- les parties internes du corps (tous les organes internes) sont constituées d'énergie yin.

L'énergie hostile yang résulte d'un trop-plein d'énergie yang, soit à l'intérieur du corps par l'absorption trop abondante de nourriture yang, soit dans l'environnement, du fait d'un déséquilibre Feng Shui. C'est le plus souvent le cas pendant les mois chauds de l'été, au moment où la chaleur mêlée à l'humidité rompt souvent de manière désastreuse l'équilibre crucial entre le yin et le yang de l'air.

L'énergie hostile yang apparaît pendant les mois d'hiver. Le froid est très nuisible à l'énergie yang qui circule superficiellement autour du corps. Ainsi, lorsque le froid yin attaque le corps, c'est l'énergie yang qui se trouve affectée la première. Si l'énergie yin vainc l'énergie yang, les pores de la peau sont obstrués, la chaleur du corps ne s'évacue plus et s'accumule dans l'organisme. On distingue, dans la manière dont les Chinois établissent leur diagnostic d'une maladie, deux sortes de yin et de

VOIR AUSSI
- Le concept d'équilibre : le yin et le yang *p. 46-47*

À DROITE : *le Pa Kua du Feng Shui faisant figurer au centre le yin et le yang peut vous aider à déterminer avec précision les meilleurs endroits favorisant une bonne santé. Chaque trigramme a une interprétation spécifique de la santé de la famille. Le trigramme de l'est, Chen, symbolise la longévité et la bonne santé pour toute la famille.*

yang, la chaleur d'été yin et la chaleur d'été yang, et de même, le froid d'hiver yin et le froid d'hiver yang. Les différences sont subtiles et vouloir expliquer en détail les nuances du diagnostic demanderait un livre entier. Nous nous contenterons de noter et de répéter qu'il faut maintenir l'équilibre entre yin et yang pour créer une atmosphère exempte de maladies.

Utiliser le Pa Kua

Pour activer la bonne fortune régissant la longévité et une bonne santé physique, il faut commencer par comprendre le Pa Kua avec ses cercles de définitions concentriques. C'est l'instrument de référence pour l'analyse médicale traditionnelle. Chaque symbole occupant un côté du Pa Kua (huit en tout), possède une signification profonde. De plus, chaque secteur de cet emblème octogonal est désigné par un trigramme, qui offre maintes significations à interpréter dans le cadre du Feng Shui.

La direction de l'est

Le trigramme représentant la bonne santé est le trigramme de la croissance Chen et, d'après la disposition des trigrammes du Ciel postérieur, il se trouve à l'est (indiqué en vert sur le schéma). C'est le coin de toute maison ou pièce qui représente la bonne santé de la famille. Si ce secteur est conforme à de bons principes Feng Shui, les membres de la famille, surtout le père, bénéficieront d'une excellente santé et vivront jusqu'à un âge avancé. En revanche, si ce n'est pas le cas, toutes sortes de maladies s'abattront sur la famille. À moins que son analyse astrologique n'indique indubitablement le contraire, le père ne vivra pas vieux.

Le Feng Shui destiné à une bonne santé commence ainsi par l'examen du secteur est de la pièce ou de la maison, et en particulier du sens à attribuer au trigramme Chen.

Il est formé de deux lignes yin au-dessus d'une ligne yang ininterrompue.

Chen signifie le printemps, saison de la croissance. Dans le langage *I Ching*, Chen représente l'éveil, caractérisé par de grands coups de tonnerre dans un ciel de printemps, des animaux sortant de leur hibernation, des averses donnant la vie. Chen évoque le rire et le bonheur. Le trigramme a un grand pouvoir, une forte énergie et, parce qu'il représente la croissance et l'énergie, il symbolise la vie. Activer le coin abritant ce trigramme attire les saines énergies de croissance. Sa direction est celle de l'est, son élément est le bois majeur évoquant l'arbre plutôt que le buisson, un vert intense plutôt que clair, et de grands objets de bois (meubles) plutôt que de petits objets de bois (éléments de décoration).

La meilleure façon d'activer l'est, qui mettra en œuvre la bonne fortune et amènera la santé, est d'appliquer la logique des Cinq Éléments. Selon les textes classiques, tous les objets de l'univers appartiennent à l'un des cinq éléments. On dit que ces cinq éléments, le feu, le bois, l'eau, le métal et la terre, agissent par interaction en des cycles destructeurs et créateurs. L'analyse des éléments dans le Feng Shui impose de comprendre le fonctionnement des cycles, et comment les appliquer de façon pratique.

L'élément bois

L'élément du secteur est est le bois (symbolisé surtout par les plantes). Identifier l'élément adéquat à activer est tout à fait essentiel avant de commencer la mise en pratique. Placez, par exemple, une plante en bonne santé à l'est est excellent pour activer la bonne fortune concernant la santé des habitants de la maison. D'après les cycles ci-dessus, on peut voir d'autres attributs de l'élément bois.

- L'eau produit le bois, et l'eau est bonne pour le bois.
- Le bois lui-même produit le feu, et le feu épuise le bois.
- Le métal détruit le bois ; le métal est donc nuisible pour le bois.
- Le bois détruit la terre, donc il l'emporte sur la terre.

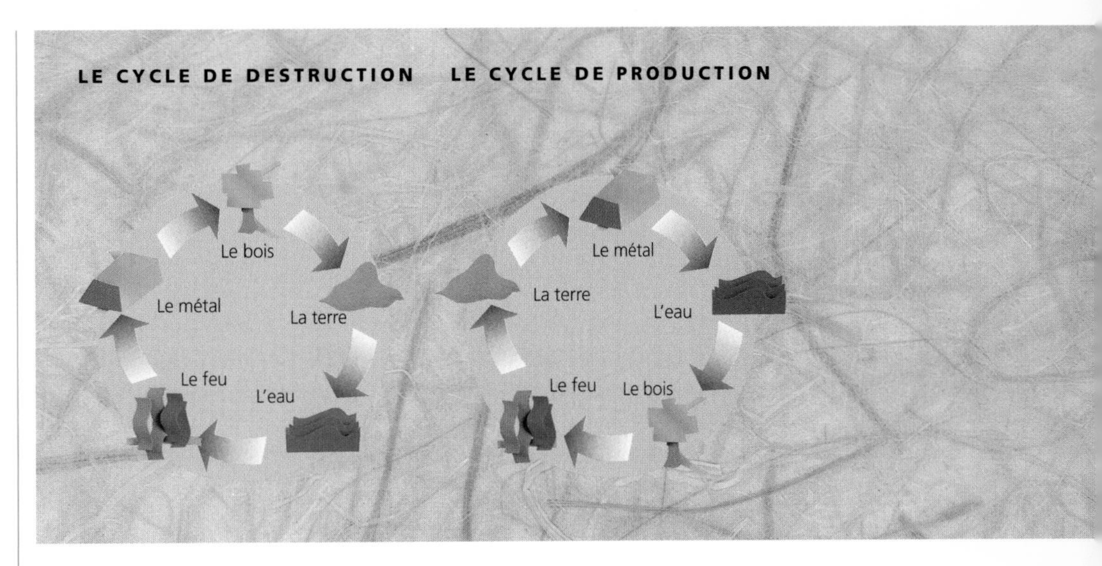

CI-DESSUS : *dans le Cycle de Production de l'élément bois, le secteur de l'élément de l'est (la santé) se trouve stimulé par l'eau. Dans le Cycle de Destruction le métal l'emporte sur le bois, mais ce dernier l'emporte sur l'élément terre.*

Tous les objets qui symbolisent à la fois l'élément bois et l'élément eau peuvent s'utiliser pour renforcer les éléments de l'est. Il convient d'éviter tout ce qui appartient à l'élément métal. Le bois majeur représente l'est. Les forces intangibles du bois dans ce secteur sont puissantes et difficiles à vaincre. Le bois majeur suggère aussi une très forte croissance. De plus, le bois étant le seul élément vivant et capable de se reproduire, les énergies yang de son secteur sont ordinairement fortes. C'est ce que suggèrent les lignes du trigramme, la ligne yang ininterrompue se trouvant masquée par deux lignes yin. Pour activer ce secteur, l'utilisation d'objets inanimés en bois peut s'avérer aussi efficace que de mettre des plantes en pot.

Comme l'est est aussi la demeure du Dragon Vert, en mettre un en bois ou en céramique constituerait un élément Feng Shui de bon augure dans ce coin.

Les plantes

On peut stimuler l'élément bois dans le secteur est de la santé à l'aide de plantes bien portantes. Efforcez-vous d'utiliser des fleurs coupées très fraîches ou des plantes vertes. Les fleurs artificielles sont très efficaces mais évitez les fleurs séchées car elles évoquent l'énergie stagnante. Essayez de représenter symboliquement des plantes évoquant le printemps, la santé et le bonheur.

- S'il se trouve une fenêtre dans le secteur est de la pièce que l'on active, placez-y une jardinière de plantes en fleurs. Elles attireront une saine énergie yang dans la pièce.
- Si vous avez un jardin autour de la maison, essayez de faire pousser un bosquet de bambous dans le coin est du jardin. Le bambou est l'un des symboles de longévité et de force les plus populaires. N'importe quelle variété fera l'affaire, mais veillez à le rabattre régulièrement.
- S'il se trouve une arête – coin saillant, pilier carré, ou meuble – dans le coin est de la pièce que l'on active, il faut placer une plante contre cette arête. Cela sert non seulement à dévier les énergies néfastes créées par l'arête vive, mais aussi à stimuler l'énergie vitale de l'élément bois. Il se peut qu'avec le temps la plante perde sa vigueur ou meure. Le cas échéant, remplacez-la ou substituez-lui un ficus artificiel en soie. Les énergies mortelles émanant du secteur peuvent parfois tuer les plantes vivantes.
- On peut aussi mettre une petite plante sur une table dans le coin est si la pièce est petite. Quand vous appliquez des principes Feng Shui gardez toujours à l'esprit la nécessité d'un équilibre. Lorsque vous activez un élément, n'en faites pas trop ; les plantes, par exemple, ne doivent jamais encombrer une pièce.

VOIR AUSSI
- Le concept d'harmonie : les cinq éléments *p. 40-45*
- Les bonnes plantes Feng Shui *p. 244*

EXPOSER AU REGARD DES SYMBOLES DE LONGÉVITÉ

Le dieu de la Longévité

Dans le panthéon chinois c'est le dieu de la Longévité qui est le plus populaire. Son nom est Sau, et c'est l'un des trois dieux-étoiles, Fuk, Luk, Sau, si populaires parmi les Chinois. On l'expose souvent seul, et pas nécessairement dans le secteur est de la pièce, bien que cela soit une bonne idée. On peut aussi le placer en face de la porte d'entrée, afin d'attirer dans la maison une longue vie sans maladie. Ces dieux font rarement l'objet d'un culte. Leur présence dans un intérieur chinois a pour but d'engendrer les énergies symboliques qui leur sont associées.

On représente le dieu de la Longévité sous les traits d'un vieillard souriant au large front. Il tient un bâton et il a souvent auprès de lui un daim (autre symbole de longévité) et quelques pêches (fruit de longévité). Sau est un puissant porte-bonheur dont on trouve les statuettes en différents matériaux (ivoire, bois, bronze, émail cloisonné) ou sur des céramiques peintes à la main. On le voit aussi sur des poteries et sur des estampes chinoises. Donner au père de famille le dieu de la Longévité constitue un cadeau très approprié pour son anniversaire, puisqu'il est signe de longue vie.

CI-DESSUS : *statuette en ivoire de Sau, dieu chinois de la Longévité, cadeau idéal pour le père de famille.*

La pêche, la grue et le daim

La pêche figure en bonne place dans toutes les histoires et légendes tournant autour de l'immortalité, et on croit que le pêcher portant ce fruit se dresse dans le jardin de la Reine de l'Ouest, Hsi Wang Mu. D'après une croyance, les Huit Immortels ont trouvé l'immortalité après avoir réussi à s'introduire dans le jardin pour goûter ce fruit. On considère le pêcher comme bénéfique, et on le représente souvent en peinture. Exposer des pêchers de jade bon marché que l'on trouve très facilement dans le commerce est une bonne idée.

Le daim figure presque toujours en compagnie du dieu de la Longévité, même si on le trouve seul sous la forme d'une belle sculpture en bois. Le symbolisme de cet animal provient de son association à Sau.

Les grues de longévité ont le front rouge. On les représente la plupart du temps en volée dans le ciel ou en groupe dans l'eau, une patte repliée sous le corps. Dans les représentations picturales, on leur associe souvent le pin, autre symbole de longévité.

La tortue magique est l'un des quatre animaux célestes de la cosmologie Feng Shui. Avec le Dragon Vert, le Tigre Blanc et le Phénix Rouge, la Tortue Noire forme l'important groupe de quatre éléments qui définit symboliquement un excellent Feng Shui appliqué au paysagisme. Comme les autres créatures, la tortue est un instrument Feng Shui important. Elle a joué également un rôle de premier plan quand elle a apporté au monde le carré Lo Shu. La légende décrit la manière dont une tortue qui émergea du fleuve Lo il y a des milliers d'années apporta sur son dos les nombres du carré. Le carré Lo Shu a permis de déchiffrer les secrets du symbole octogonal Pa Kua.

CI-DESSUS : *autre symbole de longévité, la grue est souvent représentée debout sur une patte, l'autre repliée sous le corps.*

CI-DESSUS : *une tortue dans le secteur est de la maison est une promesse de longue vie et de bonne fortune.*

La tortue symbolise les aspects merveilleux de la bonne fortune qui rendent la vie agréable, mais son attribut le plus remarquable est le symbole de longévité qu'elle représente. La tortue incarne également la protection. Elle a pour direction le nord, et l'eau pour élément, ce qui rend très compatible sa présence dans le secteur est, le secteur représentant la santé. Mettez une tortue à l'est si vous voulez bénéficier des merveilleuses énergies favorisant la santé, que sa présence apporte à la maison.

Puisqu'il n'est pas facile de trouver des tortues dans le commerce, on peut leur substituer des tortues d'eau douce ou de mer dans le secteur est. Les tortues d'eau douce conviennent très bien, mais si le climat dans la région où vous vivez ne leur réussit pas, procurez-vous une tortue factice. Rappelez-vous que le symbole est important. Le Feng Shui accorde beaucoup d'importance au symbolisme, par conséquent, même une peinture ou une gravure sera efficace.

Il existe une légende à propos d'une famille se trouvant bloquée dans une grotte avec une tortue, à la suite d'un glissement de terrain. En imitant l'économie de gestes de l'animal (elle sortait et rentrait la tête et parfois sortait sa langue pour recueillir une goutte d'eau tombant de la voûte de la grotte), la famille survécut pendant huit cents ans.

LA GYMNASTIQUE DES ANIMAUX CÉLESTES

Une gymnastique prophylactique, simple mise au point par les maîtres de Shaolin et de taï-chi, va permettre au corps humain de créer du Chi. Tout le monde peut la faire pour préserver un équilibre physique et psychique, mais si un organe est affecté par un problème quelconque, choisissez un exercice en fonction de la théorie des Cinq Éléments.

Le dragon au repos

Cet exercice contribue à dominer la colère, l'anxiété et l'agressivité. Refaites l'exercice plusieurs fois.

- Mettez-vous debout les pieds écartés à largeur d'épaules.
- Inspirez profondément plusieurs fois et représentez-vous sous la forme d'un dragon.
- Pliez très légèrement les genoux, maintenez la colonne vertébrale très droite, rentrez les fesses.
- Laissez pendre vos bras détendus le long du corps, paumes tournées vers l'intérieur. Respirez normalement.
- Détendez la bouche, et laissez le bout de la langue toucher le haut du palais.

Restez ainsi aussi longtemps que possible (au moins une demi-heure chaque matin). Vous sentirez un léger picotement dans les paumes, et 10 minutes plus tard environ vous sentirez le Chi gagner les mains. Avec du temps et de la pratique, le Chi descendra dans le Tan Tien, la zone du nombril, où, dit-on, se concentre tout le Chi humain.

La respiration du dragon

Cet exercice est la deuxième phase de la gymnastique du dragon. Il est excellent pour stimuler l'ambition, sans provoquer de stress.

- Restez immobile face à l'ouest, et pensez au dragon.
- Pliez un peu les genoux et placez les deux mains sur le nombril, la colonne vertébrale très droite, fesses rentrées.
- Main gauche sur le ventre, paume droite couvrant la main gauche, inspirez par le nez et sentez le souffle se diriger vers le ventre. Très lentement !
- Sentez le ventre s'enfler comme un tambour ou un ballon.
- Quand vous avez inspiré au maximum, penchez-vous de 15 à 20° vers l'avant. Expirez à la même cadence que vous avez inspiré, jusqu'à ce que le ventre semble vidé.
- Redressez-vous. Ceci représente un cycle de respiration. Faites-en 9 !

Le phénix en vol

Cette gymnastique combat la dépression ; prenez conscience du flux de Chi en le faisant.

- Restez immobile, en gardant la colonne vertébrale droite, fesses rentrées.
- Pieds écartés à largeur d'épaules, genoux un peu pliés. Vous êtes le phénix.
- Étendez les bras horizontalement comme si vous vous alliez voler.
- Gardez les bras étendus. Puis tournez doucement les paumes vers le haut, perpendiculaires aux bras.
- Laissez les paumes tournées vers l'extérieur absorber le Chi.
- Laissez le bout de la langue toucher le palais. Gardez la pose aussi longtemps que possible.

Un picotement dans les paumes signale le Chi qui accumule de l'énergie avant de pénétrer votre corps pour vous procurer une sensation de bien-être. Gardez cette pose 15 minutes chaque matin.

Le phénix heureux

Cet exercice est, dit-on, si bon pour la santé, que ceux qui le pratiquent sans faillir chaque matin vivront vieux.

- Debout bien droit, la jambe gauche avancée d'un demi-pas. Les pieds écartés d'une largeur d'épaules.
- Genoux légèrement pliés, colonne vertébrale droite, fesses rentrées.
- Étendez les bras horizontalement devant vous, paumes tournées vers le bas. Penchez-vous vers l'avant lentement jusqu'à faire un angle d'environ 20°, la colonne vertébrale toujours droite. Tout en vous penchant, laissez les bras revenir en arrière comme si vous alliez plonger.
- Regardez vers le bas en vous penchant, puis redressez-vous. Répétez ce mouvement 9 fois.

L'EXERCICE DE LA GRUE

La grue à aigrette rouge est un symbole de longévité et les anciens croyaient que l'attitude spécifique qu'elle adopte lui permettait de survivre à toutes sortes de régimes alimentaires. Ils pensaient que cette pose stimulait son estomac et ses organes internes, renforçant par là les systèmes digestif, respiratoire et circulatoire. L'exercice consiste à se tenir debout sur une jambe.

- Tenez-vous debout pieds joints, doigts de pied et talons se touchant.
- Placez la plante d'un pied sur le mollet opposé, puis faites-la remonter progressivement jusqu'à l'intérieur de la cuisse.
- Levez les deux mains au-dessus de la tête tout en inspirant.
- Joignez les mains et garder cette position aussi longtemps que possible.

CHAPITRE SEIZE : LE FENG SHUI ET LA SANTÉ

LES DIRECTIONS CÉLESTES ET LA SANTÉ

À DROITE : *favorisez la bonne santé des vôtres en vous assurant que chacun, au moment des repas, est assis face à la direction de sa bonne santé.*

On peut déterminer sa direction de santé céleste à partir de son nombre Kua. Ceci procède de la formule Kua selon l'École des Huit Maisons, laquelle suggère que l'on peut activer l'endroit et la direction personnelle correspondant à la santé de n'importe quel individu, de manière à attirer une grande chance en matière de santé. Ceci implique que l'on dorme et que l'on s'assoit face à une direction qui permette à la personne concernée de capter son Tien Yi, littéralement, « le Docteur du Ciel » ou « direction du Docteur Céleste ». Si l'on réussit à trouver cette direction, on jouira d'une bonne santé physique et mentale. C'est la formule idéale pour les personnes constamment fatiguées et léthargiques, et elle aidera aussi tout malade ou convalescent, bien que le Feng Shui ait pour but la prévention plutôt que la guérison.

VOTRE NOMBRE KUA	LA DIRECTION DE VOTRE SANTÉ
Un (1)	Est, hommes et femmes
Deux (2)	Ouest, hommes et femmes
Trois (3)	Nord, hommes et femmes
Quatre (4)	Sud, hommes et femmes
Cinq (5)	Ouest, hommes ; nord-ouest, femmes
Six (6)	nord-est, hommes et femmes
Sept (7)	sud-ouest, hommes et femmes
Huit (8)	nord-ouest, hommes et femmes
Neuf (9)	sud-est, hommes et femmes

Une fois que vous avez trouvé votre formule Kua (voir page 206) vous pouvez chercher votre direction du Docteur Céleste sur le tableau ci-dessus.

On peut utiliser de plusieurs manières la direction personnelle du Docteur Céleste pour garantir une bonne santé. Votre nombre Kua vous fournit votre direction la plus bénéfique afin de garantir la protection de votre santé physique et mentale. Il désigne aussi votre point cardinal le plus faste pour vous garder en bonne santé. Une fois activée, la chance à laquelle on se réfère ici profitera au maximum à chaque membre de la famille, en fonction de la direction et du point cardinal les plus appropriés pour chacun et qui sont indiqués dans la table.

La chambre

Le meilleur moyen de capter la bonne santé grâce à cette méthode est d'essayer d'adapter les chambres à la direction propice à la santé et de s'efforcer de dormir la tête orientée vers celle-ci. Si, par exemple, l'est est votre direction, il faut que votre chambre y soit située ; c'est dans le secteur est qu'il faut placer le lit dans la pièce.

Les repas et la manière de manger

Armé de la formule Kua, vous pouvez commencer sérieusement à activer la bonne fortune concernant la santé de chaque membre de la famille. Pour cela, il faut faire s'asseoir chacun autour de la table en fonction de sa direction. Mettez-vous toujours à table de telle sorte que chacun soit dans sa direction de santé. Ayez une boussole sous la main (ce n'est pas si difficile qu'il y paraît) !

La pratique du Feng Shui se révèle plus efficace avec les directions personnalisées et c'est pour cette raison que les maîtres de Feng Shui gardent jalousement leurs formules, ne les transmettant d'ordinaire qu'à leurs disciples préférés (mon maître de Feng Shui m'a passé cette formule). Toutefois lorsqu'on utilise ces conseils, il est impératif d'observer des règles importantes qui font partie des principes directeurs de l'École de la Forme. Quel que soit le soin avec lequel vous aurez orienté votre lit, vos fauteuils et autres meubles dans la maison, si le souffle mortel pernicieux émanant des structures hostiles du voisinage vous atteint à votre insu, ce souffle vaincra le bon Feng Shui que vous avez créé.

DORMIR EN FAVORISANT LA SANTÉ

L'ENDROIT OÙ SE TROUVE LA CHAMBRE

Si la formule Kua prescrit le meilleur endroit où installer votre chambre en fonction des directions spécifiques de la boussole, il faut aussi prendre en compte d'autres facteurs. Ainsi, quel que soit l'endroit où se trouve votre chambre dans la maison, il convient de se conformer à certains principes directeurs pour préserver sa santé. Ceci concerne pour l'essentiel la prévention contre l'agression du Shar Chi, ou souffle mortel, énergie hostile qui apporte la maladie, la dépression, et gâte l'humeur. Gardez à l'esprit ce qui suit concernant la situation de la chambre.

- Les chambres situées au bout d'un long couloir. Elles sont source de maladie. Le flux d'énergie est trop puissant, surtout si la porte de la chambre est au bout du couloir. La situation se trouve aggravée s'il y a une autre porte à l'autre bout du couloir, et si le lit dans la chambre se trouve placé de telle sorte que les pieds des dormeurs font face à la porte. Ne pas tenir compte de tout ceci attire des ennuis de santé pour les occupants de cette pièce ; parfois, l'énergie engendrée est si puissante qu'elle peut avoir des effets mortels. En pareil cas, la solution consiste à déplacer le lit. On peut aussi changer l'angle de la porte de la chambre.
- Les chambres se trouvant dans une partie de la maison qui ne reçoit pas la lumière du soleil, ou les chambres sans fenêtre. Dans ce cas de figure, l'énergie est trop yin : le manque de lumière naturelle et d'air frais fait stagner l'atmosphère et le Chi perd de son dynamisme. Les conséquences s'avèrent désastreuses, et le mauvais Chi commence à se manifester par la maladie, mais d'autres formes de malheur suivent bientôt. Il faut aérer régulièrement et bien éclairer ces chambres-là.

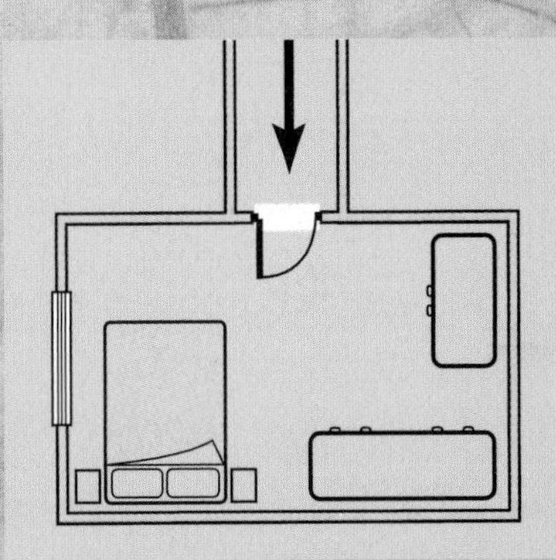

CI-DESSUS : *un long couloir donne au Chi empoisonné l'occasion de gagner en force. Éloignez le lit de la porte afin d'éviter de recevoir directement le Shar Chi mortel.*

- Les chambres situées au sous-sol ou au rez-de-chaussée, à l'aplomb de toilettes, d'une machine à laver ou d'une cuisinière à l'étage supérieur. C'est une très mauvaise disposition, car un mauvais Chi, néfaste, se crée sans cesse et gâte la santé de ceux qui dorment en dessous.

LA POSITION ET L'ORIENTATION DU LIT

Veillez à ce que le lit soit placé sous les meilleurs auspices selon l'École de la Forme, avant d'essayer de tirer profit de votre meilleure direction de santé. Il est toujours recommandé de commencer par se protéger d'abord des flèches empoisonnées cachées. Occupez-vous des structures ou détails néfastes qui peuvent vous envoyer des flèches empoisonnées pendant votre sommeil sans que vous le sachiez. Ceci cause des migraines, et d'autres formes d'indispositions. Concentrez-vous sur l'endroit où se trouve le lit dans la pièce.

C'est la tête du lit qui doit être orientée vers la direction de santé recherchée. Si vous et votre partenaire avez des directions fastes divergentes, dormez dans deux lits jumeaux. Toutefois, notez qu'il convient de placer le lit en diagonale par rapport à la porte, la meilleure disposition selon le Feng Shui.

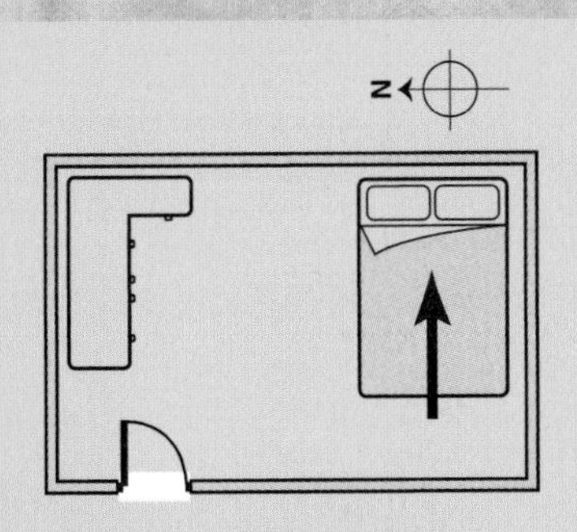

CI-DESSUS : *pour que la direction de bonne santé soit efficace, il faut que votre lit se trouve placé au bon endroit.*

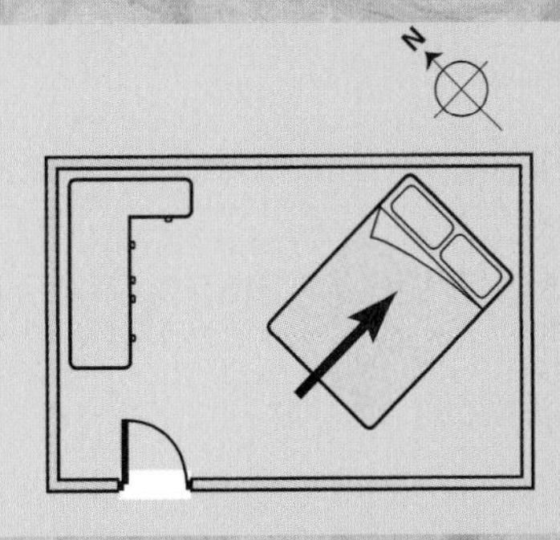

CI-DESSUS : *la direction est peut-être bonne pour votre santé, mais le lit est dirigé vers la porte ; réorientez-le légèrement.*

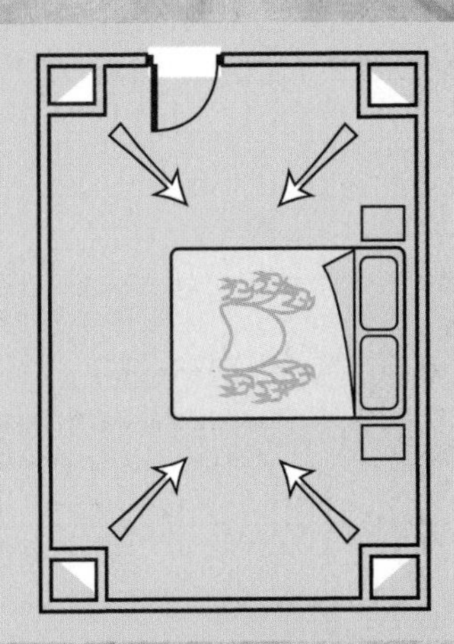

CI-DESSUS : *ce lit subit des flèches empoisonnées provenant de quatre angles, ce qui peut provoquer de graves ennuis de santé.*

CHAPITRE DIX-SEPT

LE FENG SHUI ET LA RÉUSSITE PROFESSIONNELLE

Depuis que je pratique le Feng Shui, c'est dans le domaine professionnel qu'il a, pour moi, donné les meilleurs résultats. Employé correctement, le Feng Shui apporte une chance incroyable en matière de promotion. De fait, lorsqu'en 1982 j'usai du Feng Shui pour refaire entièrement la décoration de mon bureau sur le lieu de travail, on me promut tant de fois que cela devint gênant. Je disposai les meubles différemment et fis venir un nouveau bureau fait sur mesure selon des critères Feng Shui. Puis j'activai mon coin nord avec un tableau représentant un lac (l'équivalent dans mon cas d'un élément faisant figurer l'eau), activai mon coin sud avec une lampe rouge ridiculement vive pour m'assurer que l'importante somme de travail que je fournissais serait reconnue à sa juste valeur, et j'apportai même une plante pour renforcer le coin sud-est relatif aux revenus. Mes efforts portèrent leurs fruits presque instantanément, car cette année-là je devins directeur général d'un conglomérat financier coté en bourse. Ma promotion ne s'arrêta pas là, car peu de temps après, on m'offrit le poste en or de directeur d'une banque nouvellement acquise à Hong Kong. Ayant découvert le Feng Shui, je continuai à l'utiliser avec un succès accru et je suis à présent convaincue que la réussite professionnelle est l'une des aspirations les plus faciles à réaliser par le biais du Feng Shui.

À GAUCHE : *favorisez votre carrière en utilisant le Feng Shui pour activer les énergies qui dirigeront le succès sur votre maison comme vers le bureau.*

FRANCHIR LES PORTES DU DRAGON CÉLESTE

À DROITE : *dans la Chine ancienne, on assimilait les érudits ayant obtenu beaucoup de succès dans leurs études à une carpe nageant contre le courant pour atteindre la Porte du Dragon. Aujourd'hui ceci peut s'appliquer aux employés s'élevant dans la hiérarchie de leur entreprise.*

Une vieille légende chinoise raconte qu'une carpe, remontant le courant du fleuve Jaune, arriva à la Porte du Dragon, ou Lung Men. D'un saut puissant elle parvint de l'autre côté, réussissant ainsi à la franchir. D'autres carpes y parvinrent aussi et furent transformées en dragon, alors que celles qui échouaient durent porter le signe de l'insuccès : un grand point rouge sur le front. La Porte du Dragon symbolise depuis le succès professionnel. On décorait souvent les portes avec des images de carpes à tête de dragon mais ayant encore un corps de poisson, signifiant la transformation et l'élévation de statut ; on les trouve souvent dans les vieilles demeures ayant jadis appartenu à des mandarins éminents. Les carpes avec un point rouge sur le front symbolisèrent dès lors l'échec.

Dans la Chine ancienne, un érudit réussissant aux examens impériaux était comparé à « la carpe qui a franchi la Porte du Dragon » pour obtenir une position importante à la cour de l'empereur. Très peu franchissaient cet obstacle. Tenter de passer la Porte du Dragon (*deng lung men*) constituait le début d'une carrière illustre. Les familles vivaient dans l'espoir que le fils réussirait, car le succès rejaillirait sur toute la famille. C'était la voie royale conduisant au pouvoir, à la richesse et à l'exercice de l'autorité. En ce temps-là, la classe composée de marchands et de commerçants (l'équivalent de nos hommes d'affaires) ne jouissait pas du statut accordé aux mandarins savants qui administraient le pays au nom de l'empereur.

La chance dans le domaine professionnel en matière de Feng Shui doit se concevoir dans cette perspective. Elle ne renvoie pas à la richesse matérielle, même si l'obtention d'un plus haut niveau de vie est liée au succès professionnel. Elle signifie que l'on est promu, que l'on obtient un rang plus élevé, plus de pouvoir, d'autorité et d'influence sur le lieu du travail.

Autrefois, toute promotion rapprochait les mandarins du trône et du cœur du pouvoir. On pourrait les comparer à nos hauts fonctionnaires, aux directeurs de grands groupes. À notre époque, certains de ces groupes sont si puissants que ceux qui les dirigent peuvent se considérer, de fait, comme de véritables empereurs d'un nouvel âge. Les cadres évoluant sous des auspices favorables dans le domaine professionnel peuvent parvenir jusqu'au siège du pouvoir (c'est-à-dire faire partie du conseil d'administration), exercer leur influence et leur autorité, dont le poids est tout aussi important que celui des mandarins dans la Chine impériale.

Le Feng Shui destiné à la carrière favorise ainsi les occasions de progression au sein d'une hiérarchie. Il apporte la promotion et un rang plus élevé. Dans ce domaine, de bons principes Feng Shui vous protègent contre les actes déloyaux, les trahisons, le licenciement. Il garantit que vous ne perdiez pas la partie dans la lutte se jouant au sein des sociétés et des administrations. Il n'a pas pour but d'attirer la richesse mais de favoriser le pouvoir et l'influence. Ceci ne veut pas dire que la prospérité est exclue de ce projet, mais c'est le pouvoir et l'influence qui le dominent et non l'argent.

C'est la conception chinoise du succès professionnel. Qui bénéficiera le plus d'excellents principes Feng Shui ? Les politiciens, les fonctionnaires, les membres des professions libérales, les directeurs, en fait, toute personne travaillant dans une structure hiérarchisée.

On peut déterminer les directions les plus favorables pour une carrière en se fondant sur la formule Kua des Huit Sites. C'est sous le nom de Fu Wei que l'on désigne la direction faste de chaque personne, dans le domaine professionnel. Une fois qu'on la connaît, on peut utiliser cette information de mille manières qui, toutes, renforceront le Feng Shui personnel. On peut l'employer avec autant de succès, dans les différentes pièces de la maison comme sur le lieu de travail. Pour l'essentiel, il s'agit de dormir et de s'asseoir dans une direction vous permettant de capter votre Fu Wei. Une fois qu'elle est identifiée, on s'engage sur la voie du succès professionnel. Au bureau vous vous sentirez plein d'énergie et vous vous mettrez aussi à aimer le travail. Cette formule est idéale pour ceux qui s'intéressent à leur carrière et ont l'ambition de parvenir au sommet. Elle sert moins à l'augmentation des revenus qu'à l'épanouissement personnel, mais implicitement la chance gouvernant une carrière mènera à une nette amélioration du niveau et du style de vie.

À GAUCHE : *le Feng Shui favorise la carrière, cela signifie que vous connaîtrez le succès, le respect des autres et le pouvoir, que vous prendrez de l'importance, mais ce n'est pas une façon de s'enrichir rapidement.*

LA FORMULE KUA

Afin de déterminer la direction relative à votre carrière, trouvez d'abord votre nombre Kua puis vérifiez sur ce tableau la direction et l'endroit gouvernant votre carrière.

VOTRE NOMBRE KUA	LA DIRECTION DE CARRIÈRE
Un (1) (groupe de l'est)	nord, hommes et femmes
Deux (2) (groupe de l'ouest)	sud-ouest, hommes et femmes
Trois (3) (groupe de l'est)	est, hommes et femmes
Quatre (4) (groupe de l'est)	sud-est, hommes et femmes
Cinq (5) (groupe de l'ouest)	sud-ouest, hommes ; nord-ouest, femmes
Six (6) (groupe de l'ouest)	nord-ouest, hommes et femmes
Sept (7) (groupe de l'ouest)	ouest, hommes et femmes
Huit (8) (groupe de l'ouest)	nord-est, hommes et femmes
Neuf (9) (groupe de l'est)	sud, hommes et femmes

Une fois que vous avez trouvé les secteurs de la maison ou du bureau qui vous sont favorables, conservez-les toujours à l'esprit. La théorie des Cinq Éléments transcende toutes les autres quelle que soit celle que vous utilisez ordinairement.

VOIR AUSSI
❖ La théorie des Huit Sites : formule du Pa Kua Lo Shu *p.72-73*

CHAPITRE DIX-SEPT : LE FENG SHUI ET LA RÉUSSITE PROFESSIONNELLE

HARMONISER LE CHI HUMAIN ET LE CHI DE L'ENVIRONNEMENT

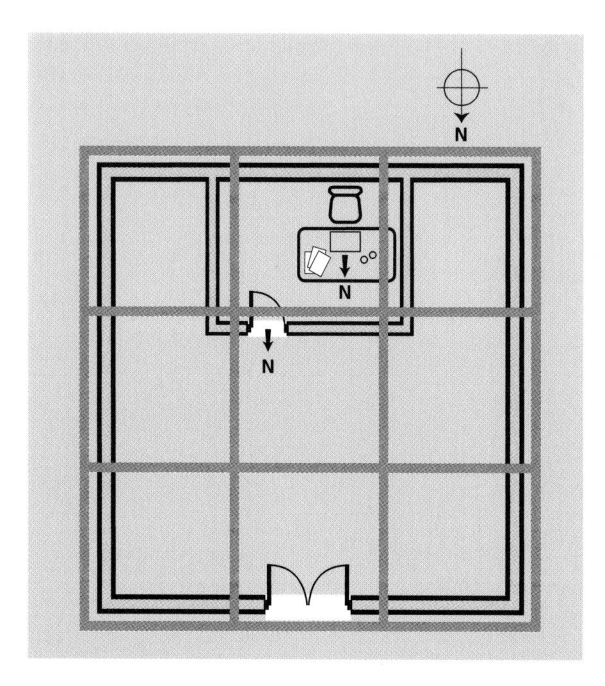

À GAUCHE : *si le nord est la meilleure direction pour favoriser votre carrière, assurez-vous que votre bureau et, si possible, la porte d'entrée du bureau, sont face à cette direction. Cette disposition augure du succès dans le domaine professionnel.*

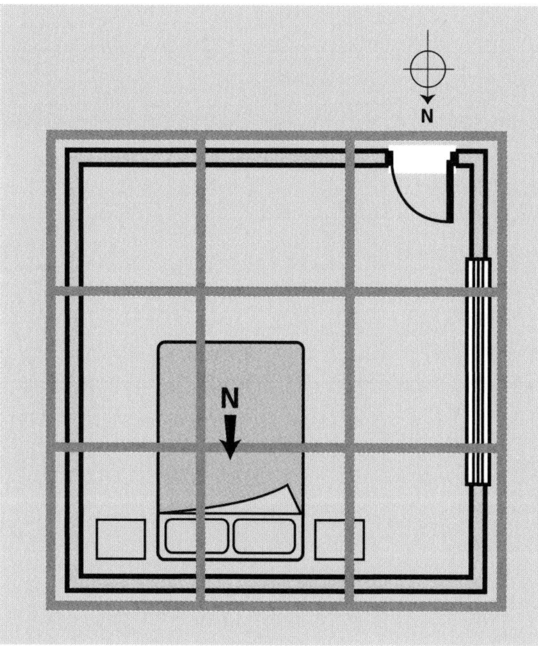

À GAUCHE : *restez en phase avec votre chance dans le domaine professionnel en situant la tête de votre lit de manière à ce qu'elle indique la direction qui est favorable à votre carrière.*

Une fois que vous connaissez votre direction en matière de carrière et que vous avez délimité les zones au sol selon le carré Lo Shu, il existe plusieurs manières d'entamer l'harmonisation de votre Chi et de votre environnement.

Votre nombre Kua sur le tableau fournit la direction la plus faste vers laquelle vous tourner lorsque vous travaillez. De la sorte vous serez assuré d'être professionnellement à la hauteur. Il montre aussi l'endroit qui est le plus bénéfique parmi les points cardinaux pour situer les portes d'entrée, le bureau sur le lieu de travail, la chambre et votre bureau à la maison, pour veiller à ce que votre chance professionnelle perdure, et garantir que vous ne succomberez pas au stress et à la fatigue d'une vie hyper-active. L'incorporation de cette formule dans votre Feng Shui personnel constitue aussi une garantie quant à votre compétitivité interne à l'entreprise. Les gens pour qui vous travaillez vous respecteront, et vos subordonnés resteront fidèles.

C'est en fonction de la direction et de l'endroit les plus propices de chacun (qu'indique la table Kua) que la chance évoquée ici sera activée de façon optimale, pour tous les membres de la famille.

La meilleure façon de capter la chance professionnelle est peut-être de faire en sorte que toutes les portes d'entrée soient bien situées par rapport à l'endroit propice à votre carrière, et de vous efforcer de travailler assis directement en face de votre direction de carrière. Ceci signifie qu'il faut situer les pièces et les portes importantes dans le secteur qui vous est le plus bénéfique. Il convient aussi de disposer les meubles de manière à ce que vous travailliez et dormiez en fonction de la direction de carrière la plus heureuse.

Si votre direction de carrière est, par exemple, le nord, la porte d'entrée de la maison, de la chambre, ou du bureau (sur le lieu du travail) doit se trouver orientées dans cette direction pour activer la chance relative à la carrière. Si votre bureau (au travail) ne se trouve pas dans le secteur nord de l'immeuble, l'illustration en haut à gauche de la page montre des détails qui favoriseront la carrière de toute personne dont la direction faste est le nord.

CI-DESSUS : *une lumière vive dans un coin manquant rétablit la chance dans une pièce ayant un angle en moins.*

- La personne est assise face au nord pendant qu'elle travaille.
- La porte menant au bureau se trouve face au nord.

Forme irrégulière de la maison et du bureau

Un bureau a rarement une forme régulière, carrée ou rectangulaire, ce qui rend difficile, dans la pratique, la superposition d'une grille à neuf secteurs pour son agencement. L'absence d'un coin pose un problème plus grave. Si la forme de votre maison, ou, pire encore, celle de votre bureau (au travail) vous prive du coin correspondant à votre carrière votre chance au niveau professionnel risque d'être sérieusement compromise. Il existe des façons de contourner cette difficulté, qui seront expliquées plus loin, mais la correction du problème ne fait qu'améliorer la situation ; cela ne suffit pas à créer la bonne fortune que vous recherchez.

Les exemples montrés ici illustrent des surfaces au sol dont le plan est irrégulier. Les pointillés sur l'illustration en bas, à droite, indiquent la superposition de la grille à neuf secteurs ; en partant du centre, il est possible de voir quels sont les secteurs de la boussole qui manquent.

D'après le Feng Shui, l'absence de certains coins signifie que des formes de chance feront défaut à la maison ou au bureau, sur le lieu de travail. L'identification de ces catégories de bonne fortune dépend des points cardinaux correspondant aux secteurs manquants.

Si un secteur absent représente la chance de carrière, on peut (en se référant aux illustrations) corriger partiellement le problème soit :

- en installant une source de lumière (illustration ci-dessus) ;
- en mettant une glace murale, (illustration en haut à droite) ;
- en construisant une extension (illustration de droite).

C'est le contexte et l'espace disponible qui dictent ce que vous devez faire. Une disposition irrégulière rend la tâche difficile quand il s'agit de situer son bureau (la pièce ou le meuble) dans le coin faste. À défaut de se trouver à l'endroit exact, il suffit souvent d'activer la direction favorable à la carrière, ce qui signifie travailler face à la bonne direction. Au cas où ni l'endroit ni la direction ne sont utilisables, efforcez-vous au moins de travailler face à l'une des trois autres directions fastes.

CI-DESSUS : *suspendre un grand miroir sur le mur approprié est une autre manière efficace de compenser l'absence de coin.*

CI-DESSUS : *une autre solution pour compenser un coin manquant consiste à construire une extension.*

CHAPITRE DIX-HUIT

LE FENG SHUI APPLIQUÉ AUX DÉPLACEMENTS ET AUX VOYAGES À L'ÉTRANGER

Quelques rites Feng Shui, juste avant le départ, vous garantiront un voyage à l'étranger en toute sécurité. J'ai inclus dans ce court chapitre toutes les méthodes que je connais, dont certains conseils Feng Shui stupéfiants prodigués par mon maître spirituel le lama Zopa Rinpoche. Un jour, tout de go, Rinpoche me demanda de prendre par écrit certains mots qu'il traduisait d'un texte tibétain. Au début, je crus qu'il me fournissait un enseignement ou même me prodiguait oralement une leçon… Mais tout en écrivant, je fus prise d'un enthousiasme soudain lorsque je me rendis compte que ce qu'il me donnait, c'était la traduction d'antidotes garantissant un voyage sans ennuis. Je reconnus les remèdes qu'il utilisait : ils rappelaient tout à fait la théorie des Cinq Éléments ou Wuxing, et semblaient s'y conformer. Plus tard Rinpoche m'expliqua que ceci constituait une partie d'un traité sur « la manière de combattre la malchance venue des Dix Directions. » Avec l'autorisation de Rinpoche j'ai reproduit ici les remèdes ainsi que les mantras de voyage qui les complètent. Ceux d'entre vous qui effectuent beaucoup de voyages d'affaires pourront utiliser cette partie de l'ouvrage pour être sûrs de bénéficier d'une bonne fortune et de se déplacer en toute sécurité.

À GAUCHE : *la souplesse du Feng Shui est telle que l'on peut le pratiquer même en déplacement ou lorsqu'on fait de très longs voyages.*

BONNES ET MAUVAISES DIRECTIONS DE DÉPLACEMENT

CI-DESSUS : *se rendre du Royaume-Uni en Australie est plus favorable à une personne du groupe de l'ouest, puisqu'elle voyage en partant du nord-ouest.*

CI-DESSUS : *se rendre du Royaume-Uni en Australie en passant par les États-Unis porte davantage chance aussi aux gens du groupe de l'ouest.*

Le système Pa Kua, Lo Shu, du Feng Shui, auquel on se réfère parfois sous le nom de la théorie des Huit Maisons (fondée, de fait, sur la puissante formule des Huit Maisons de l'École de la Boussole), peut s'utiliser pour assigner de bons et mauvais sens de déplacement fondés sur le nombre Kua individuel. Ainsi, en fonction du sexe et de la date de naissance, il est possible, au cas par cas, de déterminer pour chacun le sens du voyage considéré comme faste ou néfaste.

Cette méthode de Feng Shui peut donc servir à déterminer la bonne fortune Feng Shui relative aux décisions importantes et aux initiatives impliquant les voyages. Il peut s'agir d'un important voyage d'affaires, d'un déménagement pour occuper une nouvelle maison, un nouveau bureau, d'une mutation dans un nouveau pays, ou d'un changement de lieu ou de résidence. L'utilisation du Feng Shui à cette fin, d'un point de vue pratique, demande que la personne qui le pratique mette au point son itinéraire ou organise son déplacement de manière à ce que le sens de voyage soit toujours bénéfique.

Le sens de déplacement se détermine non par rapport à la direction empruntée, mais par rapport au lieu que l'on quitte. Si vous n'appliquez pas ce principe, votre analyse Feng Shui sera faussée ; rappelez-vous : « où que vous alliez, vous devez emporter la bonne fortune dans vos bagages. »

Si par exemple vous partez du Royaume-Uni pour aller en Australie, vous vous déplacerez donc en partant du nord-ouest, si vous passez par Singapour. On considère ce sens de déplacement comme plus faste pour une personne du groupe ouest que pour quelqu'un du groupe est puisque le nord-ouest-est est une bonne direction pour le groupe ouest. Si vous vous rendez en Australie en passant par les États-Unis, vous voyagerez à partir du nord-est et ceci aussi favorise les gens du groupe ouest. Cela signifie-t-il pour autant que tous les membres du groupe est allant du Royaume-Uni en Australie subiront la malchance ? Pas du tout. Arrivé en Australie, il faut essayer d'y faire escale une semaine environ avant de terminer votre voyage. Cette fois-ci efforcez-vous de vous déplacer à partir d'une direction qui vous est favorable. Si vous appartenez au groupe est, déplacez-vous à partir des directions du groupe est, l'est, le sud, le sud-est ou le nord. Il peut s'avérer difficile de suivre ce conseil si le voyage est bref, mais si, par exemple, vous allez en Australie pour vous y installer, on a toujours intérêt à prendre au sérieux les conseils Feng Shui relatifs au voyage. Ceci améliorera sans nul doute votre chance.

Il est rarement facile d'arranger un itinéraire, et pas toujours possible d'en changer le sens. Si, sans franchir les frontières, vous devez vous rendre de Cleveland à Chicago, l'itinéraire par la route ou le chemin de fer est très direct, d'est en ouest. De même, si vous vous déplacez de Londres à Boston, vous venez du nord-est. Ce sont des itinéraires directs.

Quelle est la solution ? Tout simplement faire un détour ; même les textes classiques Feng Shui le conseillent. Ce détour vous permettra d'atteindre votre destination à partir de votre direction la plus faste. Ceci implique que l'on fasse en chemin des escales imprévues. De la sorte, si vous allez à Boston, vous pourriez vous arrêter à New York ou à Washington avant de poursuivre en direction de Boston. Avant de vous embarquer pour un voyage important, consultez une carte et étudiez soigneusement l'alternative.

Si l'on vous offre un nouveau poste apparemment très lucratif qui entraîne un déménagement, examinez toujours le sens du déplacement ; ceci vous permettra de vous faire une première idée du caractère faste ou néfaste, pour vous, du nouveau lieu de travail.

En général, en fonction de votre nombre Kua et de votre pays d'origine, certains continents seront plus bénéfiques que d'autres ; vous pourrez vous y rendre directement en venant de votre direction la plus bénéfique. Certains marchés d'exportation se révèlent plus lucratifs et plus fastes que d'autres pour les sociétés cherchant à exporter leurs produits.

Le même principe peut aussi jouer quand on s'installe dans une nouvelle maison ou dans un autre pays. Vérifiez soigneusement le sens du déplacement et faites un détour si nécessaire. D'ordinaire, plus le déménagement est définitif, mieux il convient de préparer le voyage et de calculer le sens du déplacement.

Un certain nombre d'étapes sont à respecter.

- Planifiez soigneusement votre itinéraire.
- Vérifiez votre nombre Kua et celui de votre conjoint(e). Si vous appartenez à des groupes différents, prévoyez de voyager séparément, chacun se déplaçant à partir d'une direction spécifique. Pour tous les enfants accompagnant les parents lors du voyage, tant qu'ils ne sont pas mariés, leur nombre Kua n'influe quasiment pas sur la chance régissant le trajet. Pour les interprétations chinoises du Feng Shui, la chance des enfants non mariés se trouve totalement déterminée par celle des parents.
- S'il faut faire un détour, restez au moins six semaines sur le lieu d'escale prévu, sinon le détour n'aura pas grand effet. Cette option vaut surtout quand on déménage d'une ville à une autre ou lorsqu'on change de pays.

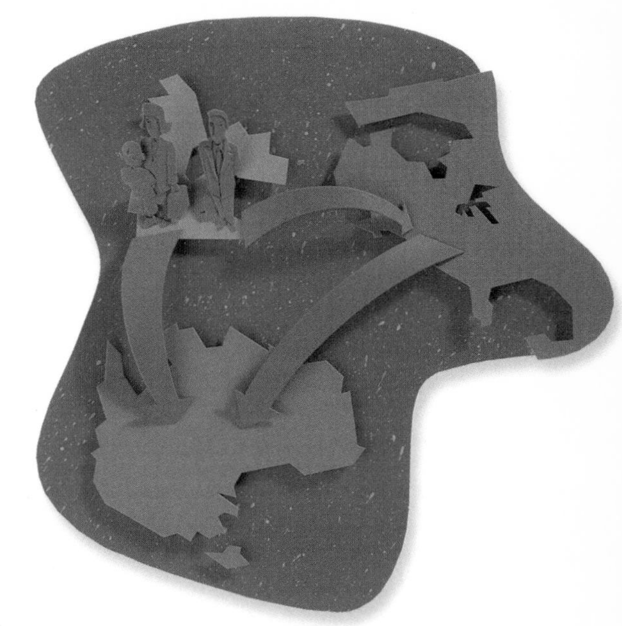

CI-DESSUS : *si les parents voyagent séparément, les enfants doivent accompagner leur mère, car sa chance a plus d'influence sur celle de l'enfant.*

- Si vous appartenez à un groupe différent de celui de votre conjoint(e), par exemple aux groupes de l'est et de l'ouest, il est préférable que le partenaire du groupe est parte le premier. Les enfants doivent toujours voyager avec la mère puisque c'est la chance de cette dernière qui affecte le plus les enfants.

Le tableau ci-dessous montre qu'une certaine latitude dans la détermination du sens du voyage est permise, chaque direction occupant un secteur de 45° sur la boussole (360° divisés par les huit directions).

DIRECTIONS DE DÉPLACEMENT FASTES ET NÉFASTES

NOMBRE ET GROUPE KUA	VOYAGE DE LONDRES À NEW YORK (à partir du nord-est)	VOYAGE D'AMSTERDAM À HONG KONG (à partir du nord-ouest)	VOYAGE DE SYDNEY À PARIS (à partir du sud-est)	VOYAGE DE BOSTON À LOS ANGELES (à partir de l'Est)
1 Est	Malchance	Très néfaste	Faste pour l'argent	Faste pour la santé
2 Ouest	Faste pour l'argent	Faste pour l'amour	Malchance	Néfaste
3 Est	Très néfaste	Malchance	Faste pour l'amour	Faste pour les études
4 Est	Extrêmement néfaste	Néfaste	Faste pour les études	Faste pour l'amour
5 Ouest	Excellent pour les hommes, bon pour les femmes	Femmes : faste pour la santé Hommes : faste pour l'amour	Hommes : néfaste Femmes : extrêmement néfaste	Hommes : mauvais Femmes : très néfaste
6 Ouest	Faste pour la santé	Faste pour les études	Néfaste	Malchance
7 Ouest	Faste pour l'amour	Faste pour l'argent	Très néfaste	Extrêmement néfaste
8 Ouest	Faste pour les études	Faste pour la santé	Extrêmement néfaste	Très néfaste
9 Est	Néfaste	Extrêmement néfaste	Faste pour la santé	Faste pour l'argent

CHAPITRE DIX-HUIT : LE FENG SHUI APPLIQUÉ AUX DÉPLACEMENTS ET AUX VOYAGES À L'ÉTRANGER

SURMONTER UN MAUVAIS FENG SHUI LORS D'UN VOYAGE

À DROITE : *il n'est pas toujours possible d'annuler des dispositions prises pour un voyage important. En revanche, on peut mettre en œuvre des antidotes particuliers susceptibles d'empêcher ou d'atténuer les effets du mauvais Feng Shui pendant le déplacement.*

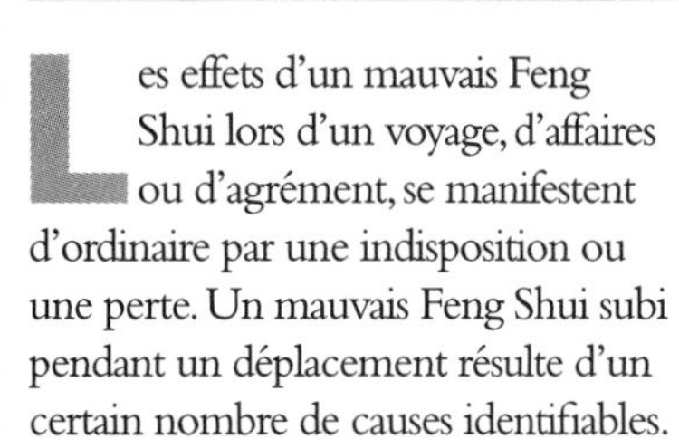

CI-DESSOUS : *d'après le Feng Shui tibétain, rêver d'une bête féroce la veille d'un voyage ne présage rien de bon pour celui-ci.*

Les effets d'un mauvais Feng Shui lors d'un voyage, d'affaires ou d'agrément, se manifestent d'ordinaire par une indisposition ou une perte. Un mauvais Feng Shui subi pendant un déplacement résulte d'un certain nombre de causes identifiables.

- Le sens du voyage entrait en conflit avec votre nombre Kua. La méthode pour résoudre cette discordance, ou au moins pour atténuer les effets des directions incorrectes, a déjà été évoquée plus haut. S'il s'avère impossible de faire un détour, des antidotes Feng Shui spécifiques sont capables de neutraliser la mauvaise influence due à un sens de déplacement incorrect. Cependant, ces mesures ne valent que dans le cadre de voyages et non pour un déménagement d'une maison ou d'un pays à l'autre.
- Vous avez entamé votre voyage à une date et à une heure néfastes d'un point de vue astrologique. Vous ne pouvez bien sûr vérifier sans cesse l'opportunité d'une date, et la plupart du temps le caractère faste ou néfaste de la période choisie pour voyager dépend tout autant du hasard que d'autres choses. Il existe des mesures Feng Shui spécifiques destinées à anéantir les effets négatifs engendrés par un déplacement effectué à un moment peu propice.
- Vous avez rencontré un signe de malchance juste avant de commencer votre voyage, vous pouvez vous protéger de ces sortes d'incidents.

Dans ce cas, il est recommandé de faire appel à certains antidotes fondés sur la théorie Wuxing des Cinq Éléments. La méthode préconisée pour vaincre un mauvais Feng Shui venu des huit directions – que mon lama Rinpoche m'a donnée par gentillesse – est excellente pour s'assurer que la malchance ne vous poursuit pas chaque fois que vous vous déplacez. Personnellement, comme je voyage beaucoup, cette pratique du Feng Shui joue un grand rôle dans ma vie. J'ai reçu l'autorisation de reproduire ici le texte traduit par Rinpoche et on le trouvera dans ce chapitre, page 231. Je ne suis pas sûre qu'il s'agisse de Feng Shui tibétain, mais il a été traduit à partir d'un texte classique rédigé par un maître bouddhiste reconnu s'appelant Nagarjuna. La méthode que j'utilise allie la théorie des Cinq Éléments à l'incantation de mantras sacrés.

C'est l'emploi du Wuxing qui suggère à mes yeux l'origine tibétaine de cet aspect du Feng Shui, bien que les textes anciens ne l'identifient pas ainsi (s'il y avait des erreurs dans la transcription de la traduction, j'en assumerais l'entière responsabilité).

La méthode Feng Shui recommandée pour triompher des événements néfastes pendant le voyage dépend du sens de déplacement et ressemble, à bien des égards, à la méthode fournie par le système tibétain. Je ne recommande d'utiliser ces méthodes pour neutraliser la malchance que si vous vous êtes aperçu que le sens de déplacement ne s'accorde pas avec vos propres directions fastes ; si vous avez vu malgré vous un ou plusieurs des signes de mauvais augure (voir dans les pages suivantes) ; ou bien si vous vous apercevez (trop tard) que vous voyagez un « mauvais » jour sans pouvoir modifier l'organisation de votre voyage.

MÉTHODES FENG SHUI POUR TOUTES LES DIRECTIONS

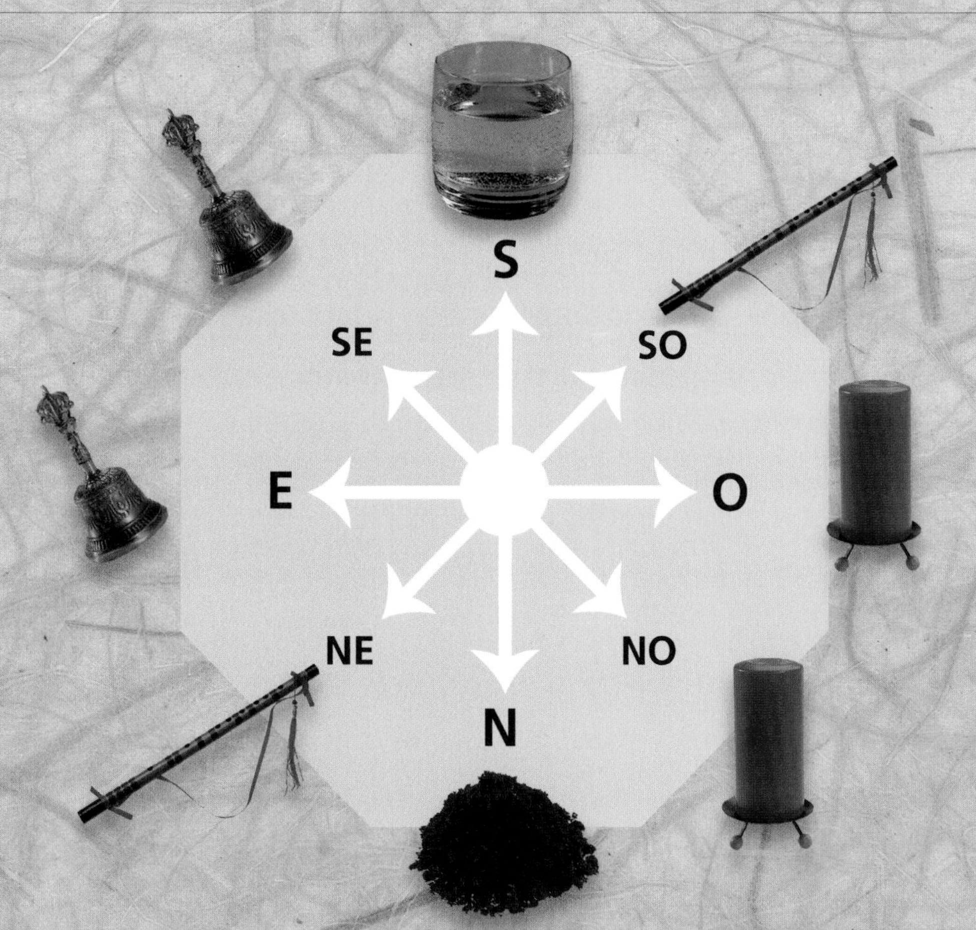

Les méthodes Feng Shui relatives au voyage se résument comme suit.

- Si vous voyagez vers le sud, buvez un grand verre d'eau avant de sortir de la maison. Ne buvez pas plus d'un verre puisque le nombre un a valeur de symbole. Vous pouvez aussi prendre un bain, vous laver les mains et les pieds avant de vous déplacer. Le lavage des pieds importe parce qu'ils sont la représentation du voyage, et le fait de se laver symbolise la purification du mauvais Chi.
- Si vous voyagez vers le nord, ramassez un petit peu de terre avant de partir et jetez-le vers le nord. Utilisez un papier ou un chiffon pour ramasser la terre sans avoir à vous laver les mains ensuite. Une autre méthode consiste à pointer un cristal en quartz naturel dans la direction du nord avant de sortir de chez vous.
- Si vous voyagez vers l'est ou le sud-est, faites sonner une clochette six ou sept fois vers l'est juste avant de quitter la maison. Laissez-y la clochette. Vous pouvez aussi suspendre symboliquement un carillon éolien à l'est jusqu'à votre retour. N'oubliez pas de décrocher le carillon lorsque vous rentrerez. Cette méthode convient très bien aux familles qui laissent leur maison sans surveillance lorsqu'ils prennent des vacances : c'est un bon moyen de protéger leur demeure. Une troisième méthode consiste à faire appel à un bol musical. Frappez le bol sept fois avec un maillet de bois juste avant de partir.
- Si vous voyagez vers l'ouest ou le nord-ouest, allumez une bougie rouge ou brûlez de l'encens ou encore des bâtonnets parfumés et pointez-les dans la direction de votre destination. Ceci triomphera symboliquement de tout le mauvais Shar Chi qui aura pu être engendré à votre insu. J'aime la méthode consistant à brûler des bâtonnets d'encens parce qu'elle me donne l'impression que la mauvaise énergie se trouve purifiée instantanément. Toutefois cette pratique a quelque chose d'ésotérique et, pour ceux qui veulent une méthode plus ordinaire, allumer une bougie est tout aussi efficace.
- Si vous voyagez vers le sud-ouest ou le nord-est, fendez l'air avec un bambou, de préférence muni d'un fil rouge enroulé, dans la direction du voyage. Cette utilisation symbolique de l'élément bois non seulement éloigne toute mauvaise énergie que l'on pourrait rencontrer, mais encore protège contre les blessures graves ou la perte, au cas où se produirait un accident ou un incident lors du voyage.

LE FENG SHUI TIBÉTAIN

Identifier les signes de malchance imminente lors d'un voyage

Dans beaucoup de cultures asiatiques, on est persuadé qu'il existe des signes spécifiques mettant très tôt en garde contre le risque de voyager tel ou tel jour ou à telle ou telle heure.

- Si vous rencontrez un chien estropié ou boiteux, au moment où vous partez pour l'aéroport, vous avez tout intérêt à annuler le déplacement. Au cas où ce serait impossible, il faut consacrer quelques minutes à mettre en œuvre un des antidotes Feng Shui proposés dans les pages précédentes ou dans l'encadré traitant du Feng Shui tibétain.
- Si vous rêvez la nuit précédant le voyage, méfiez-vous des rêves où apparaît un tigre ou autre animal féroce. C'est un signe sans ambiguïté indiquant que vous aurez des ennuis lors de votre voyage. Il est également signe de danger ; soyez prudent !
- Si votre chemin croise celui d'une personne portant un fardeau sur le dos, ceci signifie que votre déplacement sera pour vous une source de nombreux ennuis : des responsabilités ou un fardeau financier supplémentaire, ou tout simplement de nouveaux problèmes, source d'anxiété et de préoccupation. Modifiez l'heure du départ !
- Si vous rencontrez un convoi funèbre, attendez impérativement un jour avant de partir. Rentrez chez vous et prenez immédiatement un bain ! En fait, ce type d'incident est un signe de malheur imminent et veut souvent dire que vous vous trouverez peut-être impliqué dans un procès ou que vous perdrez un être cher. C'est valable aussi si vous rencontrez quelqu'un vêtu de blanc.
- Si pendant un voyage en voiture vous avez une crevaison ou un accrochage sans gravité. Vous avez sans doute évité un très grand malheur. Changer rapidement de vêtements avant de continuer pour l'éloigner définitivement !

À GAUCHE : *si vous voyez un chien estropié ou boiteux avant d'entamer un voyage, sachez qu'il s'agit d'un mauvais présage. S'il vous est impossible d'annuler votre déplacement, utilisez au moins l'un des antidotes Feng Shui.*

CI-DESSUS : *croiser avant un voyage le chemin d'une personne portant un chargement sur son dos signifie que vous aurez des problèmes pendant votre déplacement. Changez si possible les dates du voyage.*

À GAUCHE : *croiser un convoi funèbre avant un voyage est très mauvais signe.*

SURMONTER LA MALCHANCE PENDANT LES VOYAGES

CI-DESSUS : *le lama Zopa Rinpoche, dont les antidotes Feng Shui n'ont pas de prix pour ceux qui souhaitent triompher des hasards du voyage.*

Les conseils prodigués ici proviennent du texte traduit par le vénérable lama Zopa Rinpoche (pour en savoir plus sur mon précieux lama, consultez son site internet dont l'adresse figure page 355) et transmis oralement par le bouddha Manjushuri au grand pandit indien Nagarjuna. Le texte ne les qualifie pas de Feng Shui, mais j'y reconnais l'influence et l'application de la théorie Wuxing des Cinq Éléments. On utilise ici le Cycle de Destruction pour éloigner les incidents se produisant pendant les voyages du fait de l'éclosion d'un karma négatif que l'on peut éviter par l'utilisation des méthodes et des mantras qui suivent. Des incidents sont aussi susceptibles de se produire pendant un voyage effectué dans une période astrologiquement néfaste.

PREMIÈRE MÉTHODE

Pour créer un Feng Shui protecteur pour vous et votre famille, et chasser tout obstacle lors d'un voyage, on conseille la chose suivante : si vous voyagez vers l'est, prenez un couteau à lame courbe et fendez-en l'air trois fois dans cette direction. Si vous partez vers le sud, remplissez d'eau un récipient et lancez-la trois fois dans cette direction. Si vous voyagez vers l'ouest, brûlez trois bâtonnets d'encens et tenez-les dans cette direction. Et si vous allez vers le nord, prenez trois petites poignées de terre et lancez-les dans cette direction.

DEUXIÈME MÉTHODE

Elle consiste à tenir un couteau à lame courbe devant soi et à fendre l'air trois fois de gauche à droite. Ceci contribue à éviter la malchance venue des dix directions, en fait les huit points cardinaux, auxquels s'ajoutent le haut et le bas. Notez que le texte met en garde contre le fait de voir un chien boiteux alors que l'on sort de chez soi : il conseille alors d'annuler le déplacement prévu car c'est un signe de grand danger imminent. En cas d'impossibilité, combinez les deux méthodes et récitez les mantras appropriés transcrits ci-dessous.

MANTRAS POUR ÉVITER LES OBSTACLES PENDANT LES VOYAGES

D'après l'astrologie tibétaine, il est possible de réciter certains mantras de manière à contrôler les éléments. On les connaît sous le nom de Jung wa ur nen et on les donne comme suit :
Si vous voyagez vers l'est, placez du fer (ou du métal, par exemple, un couteau à lame courbe) dans cette direction, puis récitez MAMA KARA KARA YEH SO HAR.
Si vous allez vers le sud, jetez de l'eau dans cette direction, puis récitez MAMA COME COME YEH SO HAR.
Si vous partez vers l'ouest, allumez trois bougies ou brûlez des bâtonnets d'encens, puis récitez MAMA RAM RAM YEH SO HAR.
Si vous vous rendez vers le nord, placez trois petits tas de terre dans cette direction, puis récitez MAMA SU SU YEH SO HAR.
Placez ensuite un petit tas de branches portant des feuilles ou des plantes touffues aux quatre coins de la maison : le nord, le sud, l'est et l'ouest, puis récitez le mantra MAMA PUTAH PUTAH YEH SO HAR.
S'agissant de la récitation des mantras, il est conseillé de réciter un mala (chapelet tibétain). Si vous n'en avez pas, récitez les mantras 108 fois. Le conseil donné ici enrayera la malchance et vous permettra de triompher de tous les obstacles, ou de simples désagréments rencontrés lors de vos déplacements. Notez bien qu'entamer un voyage au mauvais moment peut attirer la malchance ; on dit alors des mantras qu'ils la défont.

MANTRAS POUR CONJURER LA MALCHANCE EN D'AUTRES CIRCONSTANCES

Il existe également des mantras pour détourner la malchance en un certain nombre d'occasions.

CI-DESSUS : *évitez la malchance en fendant l'air trois fois avec un couteau à lame courbe.*

- Lors d'obsèques, lorsqu'on s'apprête à emporter la dépouille du défunt pour l'inhumer ou l'incinérer.
- Lors d'un mariage, psalmodiez le mantra approprié au moment où vous vous mettez en route pour assister à la cérémonie du mariage afin d'assurer une union longue et heureuse.
- Lorsqu'on commence la construction d'une maison.
- Lorsqu'on réalise un nouveau projet tel que le lancement d'une nouvelle entreprise.

Dans tous ces cas, le mantra à réciter est OM AH KANI NI KANI AH GHILA MANDALA MANDA YEH SO HAR.
Si vous récitez ce mantra, toutes les erreurs astrologiques (dues à un mauvais choix du moment où entreprendre quelque chose) et leurs conséquences se trouveront surmontées, des choses fâcheuses ne se produiront pas ; ce sera le contraire, des événements heureux auront lieu.

ACTIVER LES ÉNERGIES POUR LES VOYAGES D'AFFAIRES

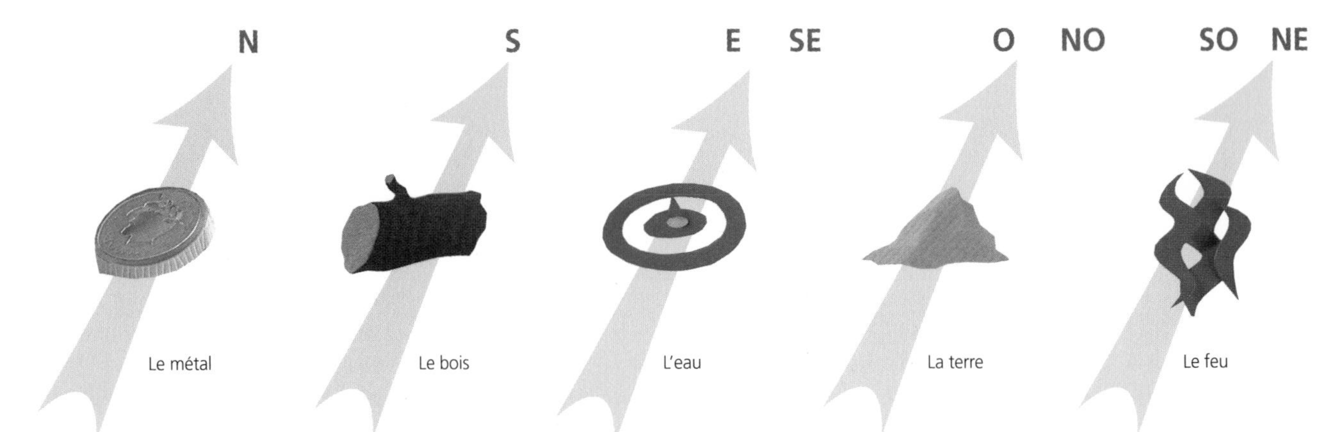

CI-DESSUS : *vous allez vers le nord ? Activez l'élément métal.*

CI-DESSUS : *en partant vers le sud les voyageurs bénéficient de l'énergie du bois.*

CI-DESSUS : *l'eau est ce qu'il y a de mieux pour les voyages vers l'est et le sud-est.*

CI-DESSUS : *la terre protège ceux qui se rendent vers l'ouest ou le nord-ouest.*

CI-DESSUS : *allumez du feu avant de partir vers le nord-est ou le sud-ouest.*

Certaines pratiques sont considérées comme susceptibles d'augmenter les chances de succès en matière de voyages d'affaires. Ces rites porte-bonheur sont très faciles à mettre en œuvre et dépendent de la direction dans laquelle on se déplace.

- Si vous voyagez vers le nord, c'est-à-dire, si votre destination se trouve au nord de votre point de départ, il convient de faire sonner trois fois une clochette dans cette direction avant de se mettre en route. Si vous avez un bol musical, frappez-le trois fois et faites le résonner ; ceci est de très bon augure pour votre déplacement parce que le son métallique crée le Chi de l'élément métal, qui à son tour favorise l'élément du nord, l'eau. Renforcer les éléments crée un Chi positif que vous emporterez avec vous lors de d'un voyage d'affaires dont vous attendez beaucoup.
- Si vous allez vers le sud, c'est-à-dire, si votre destination se trouve au sud de votre point de départ, activez l'élément bois avant de partir. Prenez une poignée de bambous attachés par un fil rouge et agitez-les trois fois dans la direction du sud. C'est la garantie d'une grande harmonie et d'une très bonne fortune dans les relations nouées pendant le voyage.
- Si vous partez vers l'est ou le sud-est, c'est-à-dire, si votre destination se trouve dans l'une de ces deux directions, l'eau sera l'élément à activer, et la meilleure façon de s'y prendre est d'en lancer quelques gouttes trois fois dans la direction du déplacement. Ce renforcement symbolique de l'élément eau juste avant le départ représente la création de l'énergie de l'eau qui vous portera chance quand vous arriverez à destination ; ceci parce que l'eau favorise l'élément bois de l'est et du sud-est.
- Si vous voyagez vers l'ouest ou le nord-ouest, c'est-à-dire, si votre destination se trouve à l'ouest ou au nord-ouest de votre point de départ, activez l'élément terre, parce qu'il renforce et soutient l'élément métal de l'ouest et du nord-ouest. Faites-le en jetant une poignée de terre ou de sable dans la direction de votre destination.
- Si vous voyagez vers le sud-ouest ou le nord-est, c'est-à-dire, si votre destination se trouve dans une de ces deux directions correspondant à l'élément terre, pour renforcer la chance relative à votre voyage, vous aurez intérêt à créer l'élément feu avant le départ. Faites-le en allumant de l'encens ou une bougie, et en tenant le feu bien haut, dans la direction de votre déplacement.

À GAUCHE : *frappez un bol musical avant votre voyage pour mettre la chance de votre côté pendant votre déplacement.*

Vous l'avez compris, la méthode destinée à renforcer la chance quant au voyage se fonde exclusivement sur les Cinq Éléments, la terre, l'eau, le feu, le bois et le métal. Il convient d'activer l'élément représentant ou signifiant la destination de manière à emporter la chance avec vous. N'en faites pas trop en ce qui concerne ces rites Feng Shui particuliers. Créer le flux Chi faste, qui active le pouvoir des forces intangibles des Cinq Éléments ne prend d'habitude que 5 minutes.

QUESTIONS ET RÉPONSES

Question : le Feng Shui peut-il vraiment me porter chance ?

Réponse : très certainement. Le Feng Shui peut apporter l'amour, favoriser la carrière, et il peut même vous conserver en bonne santé. Ce qu'il y a de merveilleux dans le Feng Shui, c'est qu'il n'est pas nécessaire d'y croire pour qu'il s'avère efficace. Le Feng Shui n'est pas une pratique religieuse. Tant que vous ne fermez pas votre esprit et ne dégagez pas de fortes énergies hostiles à l'égard de la manifestation de la chance que vous recherchez, vous verrez que le Feng Shui fonctionne très facilement. Il faut le pratiquer correctement, bien sûr. Comme pour tout, une mauvaise pratique ne donne pas de résultats satisfaisants. En même temps, il faut être conscient qu'il ne représente qu'un tiers de votre bonne fortune. S'il vous manque le karma ou « fortune céleste » pour devenir aussi riche que Bill Gates, par exemple, tout le Feng Shui du monde ne saurait vous apporter les milliards que vous désirez tant. Un bon Feng Shui vous assurera sans aucun doute un très bon confort matériel et garantira que votre situation financière est meilleure que si vous étiez affligé d'un mauvais Feng Shui. De la même manière, le Feng Shui peut vous apporter l'amour et même vous aider à trouver un époux ou une épouse, et à fonder une famille ; mais la durée de votre union dépend autant de votre karma que des efforts que vous déployez pour que le Feng Shui donne des résultats. Il y a également place pour le hasard.

Question : que puis-je faire pour améliorer ma vie amoureuse ?

Réponse : tout d'abord, assurez-vous que le coin sud-ouest de votre maison et de votre pièce ne subit pas une influence négative. Puis activez ce coin en usant de tous les symboles de l'amour et du mariage ; enfin, porter l'anneau du double bonheur (le lacs d'amour) aide vraiment, car cela renforce le Chi de l'amour qui vous entoure. Vous pouvez, si vous en avez envie, consulter ma page Feng Shui traitant des bijoux sur mon site internet pour obtenir des informations supplémentaires sur ce sujet et d'autres moyens d'activer l'énergie, à porter sur soi (l'adresse du site est http://www.lilliantoojewellery.com). Enfin, il est aussi utile de dormir la tête orientée vers votre direction de mariage, fondée sur la formule Kua. Ceci active votre chance personnelle relative au mariage.

Question : comment puis-je améliorer ma popularité ?

Réponse : la meilleure manière d'améliorer votre vie personnelle et votre popularité est de s'assurer que l'on ne trouve pas de plantes dans le coin sud-ouest de votre bureau (sur le lieu du travail) ou de votre salon (chez vous). Elles causent une rupture dans l'harmonie des éléments, dans un coin important de la maison. Renforcez ce secteur à l'aide d'une lumière vive. N'y placez aucun objet métallique qui épuiserait l'énergie de la terre présente à cet endroit.

Question : dans quelle mesure les toilettes nuisent-elles à ma bonne fortune en matière de santé ?

Réponse : elles sont réellement très nuisibles, si on les trouve dans un secteur de la maison affectant la santé. Selon ce que préconise le trigramme, il s'agit du secteur est. Au cas où vous utiliseriez des toilettes dans cette partie de la maison, elles auront une influence négative sur votre santé. Vous prêterez facilement le flanc à des maladies, à des microbes et virus causant rhumes et grippes. Pour contrer tous ces désagréments, suspendez un carillon éolien dans les toilettes. Rappelez-vous aussi que les toilettes, quel que soit leur emplacement dans la maison, apportent de la malchance, et la manière de neutraliser des toilettes particulièrement néfastes est de placer un grand miroir à l'extérieur de la porte. Ceci a pour effet de les « faire disparaître ». Une autre excellente solution consiste à peindre en rouge vif l'intérieur de la porte donnant sur les toilettes.

Question : la gymnastique est-elle nécessaire pour jouir d'une bonne santé grâce au Feng Shui ?

Réponse : non, mais elle améliore assurément la santé, puisqu'elle complète le flux bénéfique de Chi autour de l'espace personnel grâce au Chi sain et excellent circulant dans le corps. Les exercices donnés ici sont des enchaînements Chi Kung simples, de premier niveau. Ils sont faciles à exécuter et s'avèrent très efficaces pour faire circuler le Chi personnel régulièrement et sans encombre à travers le corps. Si vous les faites régulièrement, votre corps réagira favorablement et sera en bonne santé.

Question : quelle est la différence entre le Feng Shui tibétain et le Feng Shui chinois ?

Réponse : ma connaissance du Feng Shui tibétain est limitée, mais d'après ce que j'ai lu et ce que l'on m'a dit il ne semble pas y avoir une grande différence. Le Feng Shui tibétain utilise beaucoup de principes fondamentaux centrés sur les éléments. J'ai reproduit page 231 un merveilleux passage traitant de Feng Shui tibétain relatif au voyage, qui m'a été donné par mon maître spirituel. Ces conseils sont particulièrement utiles pour ceux d'entre vous qui doivent beaucoup voyager dans le cadre de leur travail.

Cinquième partie

5

LE FENG SHUI DANS LE JARDIN

CHAPITRE DIX-NEUF

APPLIQUER LE FENG SHUI AU JARDIN

Le Feng Shui appliqué au jardin met en avant l'environnement naturel entourant la maison, car le paysage joue un rôle important en déterminant la qualité de l'énergie autour de vous. On peut être assuré d'un bon Chi faste quand les plantes et les fleurs du jardin poussent vigoureusement et avec luxuriance : ceci reflète la présence d'une bonne énergie de croissance. Les plantes en bonne santé, et qui poussent bien, constituent une des manifestations les plus probantes d'un bon Feng Shui relatif à l'environnement. On peut améliorer le Feng Shui d'un jardin, quels qu'en soient la taille, l'agencement ou le style, mais le succès dépendra de la façon dont vous mettez en valeur les éléments et les caractéristiques de l'endroit qu'il occupe, par rapport à la maison. L'agencement du jardin doit dépendre autant de sa forme et de son relief que de son orientation. Déterminez quelles sont les zones ensoleillées, tenez compte de la cosmologie yin et yang et de la théorie des Cinq Éléments. Lorsqu'on applique des principes Feng Shui au jardin, il faut faire entrer aussi en ligne de compte ces deux aspects fondamentaux. De plus, il est nécessaire de choisir des plantes bénéfiques, adaptées au climat local. Quand le Feng Shui du jardin est correct, il invite la bonne fortune et attire avec bonheur le Chi dans la maison.

À GAUCHE : *les principes Feng Shui peuvent s'appliquer avec succès au jardin, par l'utilisation de formules secrètes anciennes qui accroissent la santé, la prospérité et le bonheur.*

CHAPITRE DIX-NEUF : APPLIQUER LE FENG SHUI AU JARDIN

LE FENG SHUI DANS LE JARDIN

CI-DESSUS : *utilisez une boussole pour déterminer la situation du jardin par rapport aux points cardinaux.*

On peut appliquer le Feng Shui à tout jardin pour communiquer de l'énergie au paysage et simplifier le Chi, amenant ainsi la bonne fortune ou déviant les énergies négatives.

Les jardins de ville sont souvent minuscules. Les propriétaires doivent s'accommoder contraints et forcés des différences de niveaux et de forme du voisinage. Dans ces conditions, il faut créer une impression d'espace en jouant habilement sur la perspective, les motifs, les formes et les couleurs. Ainsi, quelle que soit l'orientation, les énergies naturelles de l'environnement se trouveront renforcées. Quand c'est possible, créez un sentier sinueux afin de diriger l'énergie bénéfique vers la maison.

Situation du jardin

Concevez le jardin en fonction de la théorie des Éléments. Déterminez son orientation par rapport aux points cardinaux avec une boussole ordinaire, à partir de la porte d'entrée de la maison. Faites un relevé pour le jardin de devant et un autre pour celui de derrière.

CI-DESSOUS : *une petite mare où coule un filet d'eau augmente l'énergie du nord.*

Vous pouvez à présent utiliser l'équivalent des éléments pour activer la bonne fortune du jardin. Par exemple, le sud-ouest est régi par la terre-mère ; les jardins à l'orientale avec du gravier et des pierres conviennent le mieux à ce secteur. Il faut aussi vérifier le Cycle de Destruction des éléments : au sud-est, par exemple, le métal est néfaste ; vous éviterez donc d'y placer des carillons éoliens ou des contenants métalliques.

Un jardin face au nord

On associe le nord à l'élément eau, si bien que des ensembles tels qu'un petit bassin, dont l'idéal serait qu'il soit agrémenté de carpes (les carpes koi font admirablement l'affaire) ou de petites tortues d'eau, renforceront le caractère faste du jardin, surtout s'il se trouve derrière la maison. Des poissons dans un bassin créent de l'énergie yang, et une tortue active la créature céleste symbolique du nord. Toutefois, veillez à observer un certain nombre de règles.

- Ne laissez pas l'eau stagner. L'eau qui ne circule pas fait s'accumuler un Chi inerte. Des poissons vivifieront l'eau et préviendront la stagnation.
- Assurez-vous que l'eau reste propre pour empêcher la formation d'un Chi nuisible.
- Si un animal aquatique meurt, remplacez-le immédiatement.

CI-DESSUS : *une grue est un excellent point focal.*

N'oubliez pas que le murmure d'un filet d'eau attire le Chi, surtout quand la lumière du soleil reflète à la surface de l'eau. Pour créer une circulation, utilisez une petite pompe ou une fontaine et ne laissez jamais l'ombre s'étendre sur l'eau.

CI-DESSUS : *un arbuste en fleurs contre-balance l'énergie yang dans les jardins orientés au nord-ouest.*

Si vous avez assez de place, vous pouvez y planter des plantes aquatiques, mais sans excès. Elles doivent mettre en valeur le point focal qu'est l'eau, et non en détourner le regard. Si votre bassin attire les grenouilles, ne les chassez pas : la vie dans le jardin représente l'énergie yang et répond tout à fait aux principes du Feng Shui.

Un jardin face au sud

On associe le sud à l'élément feu, et les jardins qui lui font face seront plus bénéfiques si on les voit de la salle à manger plutôt que de la cuisine (celle-ci engendre le feu, et donc un excès de cet élément causera un déséquilibre).

- Parce que le feu donne une chaleur symbolique, les plantes prospéreront dans un jardin ainsi orienté.
- Un jardin bien éclairé, surtout pendant les nuits d'hiver, renforcera la chance. On peut disposer l'éclairage à différents niveaux.
- Un jardin de forme triangulaire convient mieux à cette direction. Essayez de concevoir le jardin autour

de figurines en céramique représentant un perroquet, un coq ou une grue (symbole de longévité et donc doublement faste). Mieux, installez-y un phénix (oiseau céleste), car c'est son secteur de prédilection.

Un jardin face à l'ouest ou au nord-ouest

On associe l'ouest aux objets en métal brut, et le nord-ouest, à ceux travaillés. Les formes arrondies, les carillons ou les clochettes conviennent à l'ouest ; les sculptures de pierre ou de métal et les carillons éoliens, au nord-ouest.

- Les arbres, de préférence fruitiers ou ornementaux, neutraliseront l'excès d'énergie yang émise par le fort soleil de l'après-midi.
- La cuisine ne doit pas donner sur ce type de jardin, car l'élément métal sera affaibli et tout Chi provenant du jardin détruit.
- Créez le jardin autour d'une petite forme sculptée arrondie (les statues ont des connotations négatives, néfastes ou abstraites) pour renforcer l'élément du secteur. Les sculptures de marbre blanc sont particulièrement bénéfiques, mais doivent rester proportionnées au jardin.
- Le gravier, les dalles ou les pierres de gué, qui représentent l'élément terre, renforceront aussi ce secteur, ainsi que trois vieilles pièces de monnaie chinoises liées avec du fil rouge et placées sous l'une des pierres, juste devant la maison.

CI-DESSUS : *un jardin orienté à l'ouest ou au nord-ouest bénéficie de l'énergie que dégagent le gravier et la rocaille.*

- Les carillons éoliens attirent la chance, surtout quand la bise les fait tinter. Suspendez-les juste à côté de votre porte d'entrée plutôt qu'à un arbre : dans le Cycle de Destruction des éléments, le métal détruit le bois, donc évitez ce conflit d'éléments.

Un jardin face à l'est ou au sud-est

On associe l'est au bois à l'état naturel et le sud-est au bois travaillé. Les arbres ornementaux, le bambou et les fleurs conviennent bien à l'est ; les petites plantes à feuilles abondantes et les fleurs sont préférables au sud-est, en particulier les chrysanthèmes et les orchidées.

- Essayez de stimuler le Dragon Vert faste dans le plan d'ensemble du jardin, en donnant aux parterres la forme sinueuse du dragon et en choisissant des plantes allant dans le même sens, ou bien placez un petit dragon en céramique symbolisant sa présence, ou encore créer des niveaux décrivant des ondulations.
- On associe les arbres ornementaux au bois naturel et travaillé, mais il faut surveiller la croissance des arbres car ils ne doivent pas devenir trop grands. Leur taille doit toujours rester en proportion avec celle du jardin. Les magnolias sont très fastes, de même que les pivoines en arbre.

Un jardin face au nord-est

On associe le nord-est à l'élément terre, à l'état artificiel, aussi les plans d'ensemble incorporant des jardins de gravier ou des allées et des rocailles sont ici à leur place.

- Les jardins à thème oriental, les jardins d'herbes aromatiques disposés autour de rocailles et un éclairage sont bénéfiques dans ce coin.
- Dressez des murs de brique ou des plates-bandes surélevées bordées de briques pour stimuler l'élément terre. Un muret représente la stabilité et la solidité. L'élément terre étant carré, les plates-bandes carrées, entourées de briques donnent un très bon Feng Shui.

Un jardin face au sud-ouest

On associe le sud-ouest à la terre à l'état naturel.

- Les jardins à la japonaise apporteront un Chi bénéfique.
- Les gros rochers sont très fastes, surtout si on les dispose de manière à simuler le Phénix Cramoisi du sud.
- Introduisez l'élément feu (par le biais d'un éclairage, par exemple) pour stimuler l'énergie yang du feu et renforcer l'élément terre. L'élément feu (la lumière) produit l'élément terre (les plantes) dans le cycle créateur des Cinq Éléments, ce qui équilibre les éléments de la manière la plus harmonieuse.

CI-DESSUS : *les jardinières et paniers suspendus sont très bénéfiques pour les fenêtres et balcons orientés à l'est ou au sud-est.*

VOIR AUSSI
❖ Le concept d'harmonie : les cinq éléments *p. 40-45*

CHAPITRE DIX-NEUF : APPLIQUER LE FENG SHUI AU JARDIN

STYLES ET AMÉNAGEMENT DES JARDINS

On peut appliquer le Feng Shui avec succès à divers types de jardins et à tout ce qu'ils contiennent.

Fenêtres et balcons

Si vos fenêtres et balcons sont orientés à l'est ou au sud-est, utilisez des jardinières pour attirer un bon Feng Shui. Les plantes activeront l'élément bois et attireront dans la maison un flux faste d'énergie Chi.

- Plantez des fleurs aux couleurs vives, telles que des géraniums, des mufliers, des dahlias et des glaïeuls. Ne laissez pas dominer les fleurs blanches. Un assortiment de plantes à feuillage est une heureuse idée.
- Les fleurs artificielles sont permises, à condition de n'être jamais sales, ternes ou poussiéreuses, donnant une impression d'énergie stagnante.

CI-DESSOUS : *on peut obtenir un bon Feng Shui dans un jardin situé terrasse, et des effets spectaculaires avec presque rien.*

Paniers suspendus

Des paniers suspendus juste à l'extérieur d'une fenêtre sont l'idéal pour attirer de l'énergie. Ils peuvent symboliser un jardin en miniature.

- Choisissez des plantes sans feuilles pointues.
- Les fougères, les plantes à floraison libre, et celles qui ont de longues tiges rampantes graciles conviennent le mieux.

Arbres en pot

Les arbres en pot, que l'on peut laisser à l'extérieur en été et rentrer en hiver, sont d'excellents principes actifs Feng Shui pour les coins. Les Chinois adorent les citronniers, dont ils croient qu'ils attirent beaucoup la chance en matière de prospérité lorsqu'ils fleurissent aux alentours du nouvel an lunaire.

Les arbres en pot n'ont pas une grande capacité de croissance, et la pratique Feng Shui s'oppose à ce que l'on empêche en quoi que ce soit le développement des plantes ou des arbres. Si nécessaire, changez le compost du pot et taillez l'arbuste régulièrement. La santé et la vigueur importent, puisqu'un arbre maladif attire la malchance.

Toits en terrasse

Si vous envisagez un jardin en terrasse, vous ne devrez jamais y faire d'installations aquatiques telles que piscine ou bassin à poissons. L'eau au sommet d'une colline symbolise un grand danger : plus le bâtiment (donc, le jardin) est haut, plus grande sera la probabilité d'un malheur. On considère aussi que planter des arbres en hauteur est mauvais en terme de Feng Shui.

- Un jardin en terrasse doit être simple. Un sol carrelé vaut mieux que de l'herbe.
- L'idéal est d'avoir quelques parterres aux contours courbes agrémentés d'arbustes et de plantes vivaces.
- Évitez les plantes où domine le bleu, qui symbolise l'élément eau. Les tons rouges sont bénéfiques.

Sous-sols

Les jardins en sous-sol négligés se muent souvent en réservoir de Chi stagnant, amenant ainsi aux habitants de la maison la maladie et la malchance. Laissez le Chi bénéfique circuler, en les transformant en espace bien aéré.

- Faites entrer autant de soleil que possible dans votre jardin en sous-sol. Taillez le lierre ou les plantes grimpantes de manière à ce qu'elles n'envahissent pas les murs.
- Attirez l'énergie yang en taillant ou en coupant les arbres faisant obstacle à la lumière (si cela est permis).
- Installez un éclairage vif, qui chasse la tristesse.
- Plantez des fleurs aux vives couleurs yang rouges et jaunes et peignez les murs de couleurs tout aussi chaleureuses afin de vivifier les zones où règne une sensation d'oppression.

Jardins et cours entourés de murs

Dans les villes, les jardins sont généralement clos de murs ou enclavés au milieu de bâtiments.

Ceci peut étouffer le Feng Shui du jardin. Ne les négligez pas et ne les abandonnez pas pour autant, car vous risquez de voir s'accumuler une quantité de Chi négatif, l'énergie du jardin devenant excessivement yin.

Les petits espaces sont plus sujets à un déséquilibre d'énergie que les grands à ciel ouvert. Les jardins aménagés dans une cour nécessitent des soins particuliers et un plan d'ensemble détaillé si on veut qu'ils prospèrent. Il faut corriger une mauvaise évacuation des eaux, qui peut causer une humidité excessive ; il faut toujours évacuer les feuilles mortes et autres déchets de jardin. Il convient de ne pas laisser mourir les plantes par négligence. L'accumulation d'énergie négative résultant de ces détails n'a d'autre voie de sortie que la maison.

Quand vous concevez un jardin dans une cour, créez une impression d'espace en jouant sur la perspective et les combinaisons de formes et de couleurs. Les couleurs claires sont préférables aux foncées car elles renforcent l'impression d'espace.

Prêtez attention aux murs. Si vous semez des plantes grimpantes, optez pour des espèces à petites feuilles ; veillez à ce qu'elles soient toujours bien taillées et n'envahissent pas l'espace. Décorez les murs de treillages, d'ornements en céramique à suspendre ou de carreaux à motif. Les plantes grimpantes introduisent un élément de verticalité dans le jardin et, détail important, adoucissent le bord des coins saillants d'un mur. Optez si possible pour des plantes à feuillage persistant : les branches et tiges nues sur un mur, en hiver, sont trop yin.

À GAUCHE : *les plantes grimpantes adoucissent les éléments à l'aspect âpre d'un jardin.*

Quant au matériau dont les murs sont constitués, assurez-vous que la couleur et la texture s'accordent avec le reste de la maison et des structures qui l'entourent. Gardez à l'esprit les notions de taille et de proportion, de texture et de couleur. On peut se procurer un grand choix de briques à la texture variée. Quel que soit votre choix, veillez dans la mesure du possible à obtenir un équilibre Feng Shui dans chaque détail.

Pergolas

Si vous envisagez d'ériger une pergola, rappelez-vous que cette structure forme une voie permettant au Chi bénéfique de circuler d'une zone à l'autre. Dans le Feng Shui, on assimile une pergola à une route ou à une rivière.

Pour amener le Chi dans le jardin, la pergola doit être proportionnée à la taille et à la forme de la maison et du jardin. Dans les jardins plus petits, mieux vaudrait ne pas avoir de pergola du tout. Un principe utile consiste à essayer de contempler la pergola d'en haut : si elle domine ou écrase la maison, elle ne présage rien de bon pour ses occupants.

Sculptures

La statuaire dégage une énergie qui affecte le Feng Shui d'un jardin. Il convient de choisir les sculptures avec soin. Quelques points à noter :

- Un sujet de sculpture exprimant la bienveillance ou la sympathie est préférable à un sujet agressif. Anges et dieux émettent une énergie positive.
- Évitez les sculptures d'animaux féroces dans le jardin. Mieux vaut les placer près du portail d'entrée de la maison pour y monter la garde.

Dans les jardins chinois les quatre animaux célestes, le dragon, le phénix, le tigre et la tortue, sont très populaires parce qu'on les croit porteurs d'abondance, de prospérité et de bonheur. Pour renforcer le jardin avec ces créatures, mettez le dragon à l'est, le phénix au sud, le tigre à l'ouest et la tortue au nord.

Meubles de jardin et patios

Les meubles de jardin en acier, en bois ou en pierre engendrent de l'énergie yang et agrandissent l'espace vital de la famille.

CI-DESSUS : *pour encourager le Chi bénéfique, il est bon d'entretenir le mobilier de jardin. Un parasol de bonne qualité fournira une protection contre les éléments agressifs.*

- Installez les meubles métalliques à l'ouest ou au nord-ouest.
- Les meubles en bois doivent s'utiliser à l'est ou au sud-est.
- Réservez la pierre au sud-ouest ou au nord-est.

Ne placez pas de bancs de bois dans des parties du jardin exposées aux intempéries : le bois qui pourrit donne une énergie stagnante attirant la maladie. Un siège métallique faisant le tour d'un arbre pourrait très bien finir par le tuer. Entretenez bien le mobilier de jardin ; jetez les pots et contenants cassés. Le Feng Shui exige que tout soit en bon état et propre.

Veillez dans la mesure du possible à avoir des piliers ronds. Tout ce qui est carré envoie des flèches empoisonnées émises par les coins saillants, mais on peut en atténuer l'effet par des plantations situées aux endroits appropriés. Les contenants ou les parterres rectangulaires ou carrés présentent aussi des coins saillants. Évitez qu'ils soient trop près de la maison ; optez pour les formes arrondies.

VOIR AUSSI
- Les structures dans les jardins *p. 258-265*
- Les bons arbres Feng Shui *p. 246*

CHAPITRE VINGT

LES PLANTES

Les plantes représentent les attributs les plus positifs de l'élément bois à l'état naturel, le seul des cinq éléments qui soit vivant et croisse. Les plantes possèdent des énergies yang intrinsèques qui vivifient tout l'espace ambiant. Elles assurent également l'équilibre du yin et du yang dans le jardin, répondant à l'alliance du soleil et de l'ombre, de l'eau et des substances nutritives présentes dans le sol. Pour créer un espace avec un bon Feng Shui, l'utilisation de plantes s'avère absolument nécessaire. Si vous souhaitez avoir un bon Feng Shui dans le jardin, vous devez consacrer du temps à créer un équilibre correct entre diverses sortes de plantes tenant compte de l'orientation, des formes et des couleurs. Certaines plantes sont bénéfiques, d'autres néfastes, et en fonction de votre situation géographique, il n'est pas mauvais de vous pencher sur les qualités qui font qu'une plante est bénéfique, et sur les caractéristiques de celles qui ne le sont pas. Les plantes grasses rappelant des pièces de monnaie ou des pierres précieuses, telles que les crassulas, sont censées porter chance. Les plantes munies d'épines et de tiges piquantes ou aux feuilles pointues évoquant des lances agressives sont censées porter malheur. Mettez les plantes bénéfiques près de la maison et éloignez les plantes piquantes. Elles deviendront des sentinelles efficaces si vous les plantez en haies défensives

À GAUCHE : *un choix judicieux de plantes et de fleurs bénéfiques favorisera un bon Feng Shui dans le jardin.*

CHAPITRE VINGT : LES PLANTES

LES BONNES PLANTES FENG SHUI

CI-DESSUS : *certaines plantes sont considérées comme de véritables porte-bonheur au jardin. Elles symbolisent une grande prospérité.*

Si vous désirez bénéficier d'un bon Feng Shui n'hésitez pas à prendre le temps et la peine d'embellir le jardin. Un tel lieu planté d'une profusion de végétaux et de fleurs en bonne santé est le signe qu'une maison jouit d'un bon Feng Shui : un jardin de ce type indique la présence d'une saine énergie yang, synonyme d'un Chi facteur de prospérité, de bonheur et de vigueur.

Les jardins jouent un rôle important, parce que si on les néglige, en laissant s'installer l'anarchie, ils sont capables de détruire le bon Feng Shui de la maison. Choisissez avec sagesse des plantes et des fleurs compatibles avec le type de sol, l'ensoleillement et le climat du jardin. Ne laissez jamais les plantes pousser de manière désordonnée ; les mauvaises herbes ne doivent jamais étouffer les parterres et il faut toujours ramasser les feuilles et autres déchets végétaux. Faute de quoi, le laisser-aller dans les plus petits détails contribuera à engendrer une formidable énergie yin qui écrasera le bon Feng Shui que vous désirez instaurer. Celui-ci ne peut s'installer que si les plantes se portent bien et sont l'objet de soins attentifs.

Les Chinois estiment toutes les parties d'une plante : les feuilles, les fleurs et les fruits, tout aussi bien que la forme et le contour. Ils en apprécient la beauté et les disposent dans leurs jardins de manière à former des courbes, des bosquets ou des massifs. Ils confèrent des attributs spécifiques relevant du domaine moral à quatre plantes, connues sous le nom de Quatre Honorables Figures du Jardin. Ces figures bienveillantes sont :

- La prune, dont on considère les fleurs comme pures et supérieures.
- Le bambou, discipliné et droit.
- L'orchidée, solitaire, au caractère affirmé.
- Le chrysanthème, qui est pur et honnête.

D'autres plantes ont des connotations spécifiques. La pivoine dénote la prospérité et l'amour, la glycine évoque l'harmonie. Le magnolia et la pivoine représentent l'immortalité et la prospérité. Le pin, le bambou et la fleur de prunier sont des symboles de longévité, connus sous le nom des Trois Amis de la Vieillesse.

CI-DESSUS : *les crassulas amènent la prospérité.*

Dans le Feng Shui, certaines plantes portent davantage chance que d'autres. Les plantes grasses aux feuilles rondes d'une riche couleur sombre ont la réputation d'être les plus bénéfiques, donc les meilleures. Elles symbolisent le numéraire et l'or.

- La crassula. C'est le meilleur exemple d'une excellente plante Feng Shui, car elle attire l'argent et la prospérité. Placez-la près de la porte d'entrée (à l'intérieur ou à l'extérieur) dans un grand pot. Ne la laissez pas dépasser 1 m de haut, et, parce qu'elle appartient aux cactées, évitez de trop l'arroser.
- La lysimaque. C'est une plante grimpante vivace qui pousse bien dans des jardins très arrosés, dans des zones semi-ombragées. Elle sert aussi de plante d'intérieur. Ses feuilles doivent être petites. Si on les laisse trop grandir, elles se muent en général en parasites. Elles se nourrissent alors de l'arbre, deviennent agressives, et donc néfastes. Votre Feng Shui risque alors d'en souffrir : surveillez bien votre lysimaque.

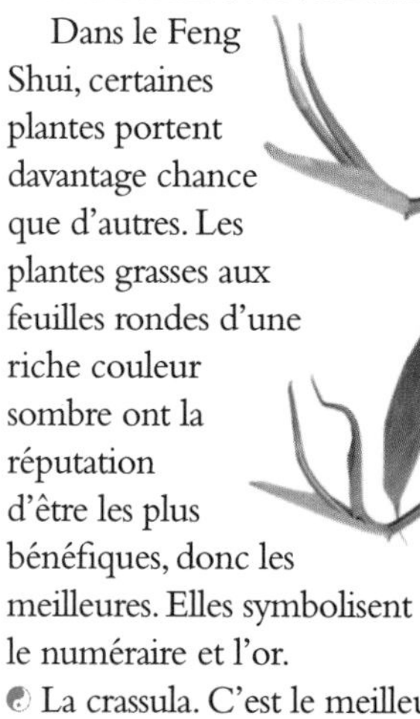

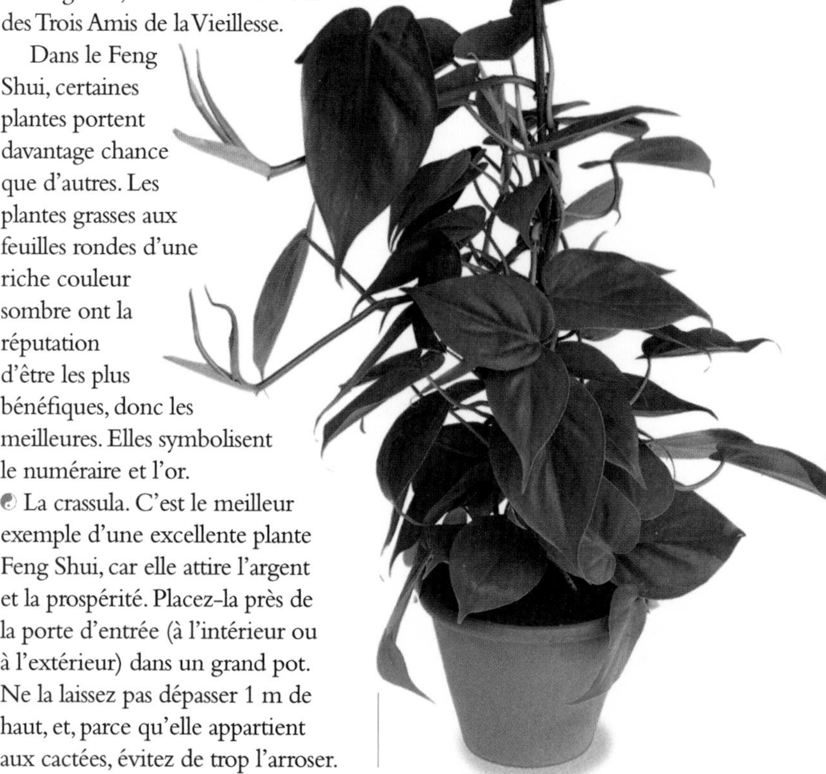

À DROITE : *ne laissez pas trop pousser les feuilles de lysimaque, car vous risqueriez d'obtenir l'effet inverse de celui recherché !*

LES BONNES FLEURS FENG SHUI

Les Chinois considèrent le printemps comme une période faste de l'année, d'où le plaisir que leur procurent les fleurs de cerisier et de prunier. Beaucoup d'autres fleurs symbolisent le bonheur et sont incontournables si vous voulez attirer un bon Feng Shui. Nous vous en proposons une petite sélection.

Le chrysanthème. Les jaunes à tête ronde, jouissent d'une belle réputation chez les Chinois et les Japonais. Le jaune est la couleur la plus bénéfique pour une fleur, que l'on associe au printemps et à une vie aisée. On peut planter le chrysanthème avec autant de bonheur dans le jardin et en jardinière pendant l'été.

La fleur de prunier. Symbole de bonne fortune et de longévité, les fleurs signifient la pureté, et l'arbre est réputé pour son parfum délicieux. Planté dans le nord du jardin, il sera très bénéfique, même si on peut le planter en n'importe quel autre endroit du jardin derrière la maison, en lui conservant son caractère faste.

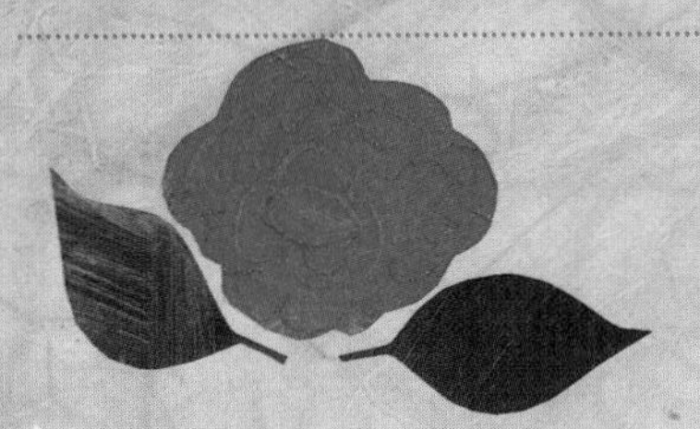

La pivoine. Pour les Chinois elle est la reine des fleurs, incarnant la richesse et les honneurs. C'est une fleur yang, essence même du printemps. La pivoine représente la beauté féminine et, de toutes les couleurs qu'elle peut revêtir, on considère le rouge comme particulièrement de bon augure pour les familles ayant une fille cherchant un mari. Si vous achetez un pied de pivoine, plantez-le dans le coin sud-ouest du jardin pour attirer la chance relative aux relations, au mariage ou à une liaison amoureuse.

D'autres plantes rappelant la pivoine peuvent la remplacer. Parmi celles-ci, citons l'hibiscus, le gardénia et le bégonia. Les bégonias sont faciles à cultiver et ajoutent de la couleur au jardin. Leurs couleurs sont fort variées – rouge, jaune, doré, rose et blanc –, superbes couleurs yang, mais je conseillerais d'opter pour les variétés rouges, multicolores, qui ressemblent le plus à la pivoine.

Le magnolia. Le blanc, en particulier, symbolise la pureté et on dit qu'un seul arbre planté dans le jardin du devant attire la plénitude du contentement. On dit que placé dans le jardin de derrière, il devient symbole de bijoux cachés, ou d'accumulation graduelle d'une grande richesse.

Le lotus. Si vous avez un jardin centré sur l'eau, c'est la plante la plus bénéfique. On dit qu'elle inspire la paix et le contentement, et qu'elle symbolise l'élargissement des possibilités. On associe la fleur de lotus à Bouddha ; la faire pousser accroît la spiritualité.

Le narcisse et autres bulbes. Les Chinois pensent que le narcisse symbolise une grande chance, et on en offre en guise de porte-bonheur pour le nouvel an. Il est très facile à faire pousser, mais ne choisissez pas de variétés naines qui sont néfastes.

Le lis. On le considère comme le roi des plantes à bulbe. Avec son merveilleux parfum et sa magnifique apparence, le lis en pleine floraison assure un bon Feng Shui pour toute l'année.

CHAPITRE VINGT : LES PLANTES

LES BONS ARBRES FENG SHUI

Le bambou et le pin, l'un et l'autre symboles de longévité, sont deux types d'arbres que les Chinois estiment beaucoup.

- Le bambou. L'art pictural chinois le représente très souvent, la littérature et la poésie y font constamment référence : on lui attribue la propriété d'éloigner les esprits maléfiques lorsqu'on l'introduit dans la maison sous la forme de carillon éolien ou de flûte, par exemple. Le bambou se comporte comme un antidote Feng Shui très efficace contre le mauvais Chi. Il symbolise également la durabilité et l'endurance (parce qu'il fleurit toute l'année), et un massif de bambous placé à gauche de la maison, représentant le dragon, est de très bon augure. Planté près de la façade de la maison, il attire un Chi bénéfique.

  Il faudra bien sûr le choisir en fonction du climat de la région et de l'orientation du jardin. Achetez une variété naine si vous possédez un petit jardin, voire un bambou décoratif en pot. Ne plantez pas de bambou bonsaï, et ne laissez pas non plus un bosquet de bambou pousser de manière anarchique : ce ne sont pas des caractéristiques bénéfiques. Taillez toujours les parties mortes ou anciennes.
- Le pin. On le plante souvent en compagnie du cyprès parce qu'ils sont tous les deux capables de survivre à l'hiver le plus rigoureux ; ensemble, ils symbolisent l'amitié éternelle et constante. On associe également le pin à la fidélité.

CI-DESSOUS : *le bambou est un symbole de longévité ; il a aussi tendance à proliférer dans le jardin, aussi faites attention à l'endroit où vous le plantez.*

Les arbres fruitiers porte-bonheur

Les arbres fruitiers sont des plus fastes. Si le climat le permet, envisagez d'avoir un pêcher ou un oranger dans le jardin.

- Le pêcher. La pêche est le fruit de l'immortalité, qui donna la vie éternelle aux Huit Immortels, et le pêcher est l'arbre d'où est censé avoir émergé Sau Seng Kong, dieu de l'Immortalité. En Chine, cela porte bonheur de présenter à une personne âgée un panier de pêches ou une peinture représentant un pêcher, tous les deux symbolisant la promesse de la vie éternelle.
- L'oranger. Deux orangers chargés de fruits sont considérés comme excellents pour le Feng Shui car ils symbolisent une très bonne fortune, le bonheur et la prospérité. Faites pousser un arbre visible de la porte d'entrée ou de celle de derrière. Veillez par tous les moyens à ce qu'il donne des fruits en hiver.

CI-DESSUS : *on remarque la couleur dorée des oranges, symbole d'abondance et de prospérité.*

Les mauvaises plantes Feng Shui

La pratique Feng Shui est symbolique, et chaque objet de l'environnement dégage un type d'énergie différent, engendrant un bon ou un mauvais Chi. Pour comprendre la nature de ces énergies et trouver si elles sont positives ou négatives, référez-vous aux principes de base du Feng Shui. Certains attributs vont de pair avec certaines formes. Une relation s'établit entre elles, et on donne des significations symboliques aux couleurs, à la taille, à la dimension et à la proportion.

Un bon moyen de diagnostiquer la qualité du Chi des plantes et des arbres est d'appliquer des critères Feng Shui en fonction des directions la boussole. Trouver les qualités yin et yang des plantes donne une idée de l'équilibre et de l'harmonie créés dans le jardin. N'oubliez pas que l'effet des plantes change en fonction de leur croissance. Un bon Feng Shui suppose que l'on entretienne le jardin : il faut tailler, éclaircir, élaguer, repiquer ou rempoter, pour s'assurer que l'énergie reste saine et vigoureuse.

LES MAUVAISES PLANTES FENG SHUI

Si certaines plantes attirent un bon Feng Shui, il en est d'autres qui causent des problèmes ou ont des connotations négatives, et par conséquent engendrent un mauvais Feng Shui. On classe ces plantes en trois catégories :

- **Les plantes à épines et feuilles pointues, acérées.** Éloignez-les le plus loin possible de la maison. Les épines représentent des traits empoisonnés envoyant une énergie hostile. Les cactus ne doivent jamais être placés près de la maison, surtout les grandes variétés convenant davantage à un environnement aride. Par contre, en cas de nécessité, vous pouvez en faire les gardiens de la maison, en transformant ainsi un principe hostile en bon principe. Je préfère m'abstenir d'avoir semblables plantes.
Les autres plantes à éviter sont la sansevière, l'agave, le yucca, tout ce qui comporte des feuilles rigides, pointues comme des aiguilles, ou des épines acérées, comme les membres de la famille des broméliacées (par exemple, l'ananas).
- **Les plantes miniatures.** Les bonsaïs sont de beaux exemples d'arbres miniaturisés conçus à l'origine pour décorer un intérieur, malheureusement les connotations symboliques sont fort néfastes parce que tout ce qui est déformé heurte les principes au cœur du Feng Shui. De fait, Sheng Shi, le souffle bénéfique, se traduit littéralement par « la croissance » ou « le souffle de croissance ». Si vous tenez à avoir des bonsaïs, éloignez-les de la maison, pour les mettre par exemple dans une serre séparée. Il ne faut sous aucun prétexte les disposer près de la porte d'entrée de la maison ou près du portail.
- **Les plantes à feuillage retombant.** Il s'agit d'arbres ou de plantes dont les feuilles s'inclinent vers le bas et donnent une impression de tristesse, comme le saule pleureur, le myrte pleureur, le hêtre pleureur. Ce sont tous de beaux arbres, mais leur silhouette, leur forme et leur nature suggèrent la tristesse.

À DROITE : *on considère les bonsaïs comme typiquement orientaux. Ils engendrent pourtant un mauvais Feng Shui.*

La glycine et les autres plantes retombantes ont de belles fleurs dont les formes sont très décoratives, et les opinions divergent sur le chapitre de leur influence. Elles sont magnifiques au printemps mais leurs branches et tiges nues en hiver créent un effet de tristesse yin. Quoi que vous fassiez, veillez toujours à ce que le flux de Chi ne se trouve jamais bloqué par une énergie stagnante provoquée par des feuilles mortes, des massifs ou des plantes grimpantes poussant à l'extérieur de la maison.

À GAUCHE : *évitez les cactus, même s'ils ne demandent pas beaucoup de soins. Les piquants acérés sont une source manifeste de flèches empoisonnés.*

CHAPITRE VINGT : LES PLANTES

LA COULEUR DES FLEURS

CI-DESSUS : *il faut employer l'énergie yin des fleurs blanches pour neutraliser le yang des couleurs vives.*

La couleur des fleurs joue un rôle dans la recherche d'un équilibre harmonieux entre énergies : le rouge et le jaune, tous les deux yang, sont les plus importantes. Ceci dit, il convient de ne pas exagérer l'influence des couleurs.

Le rouge se révèle très faste, il s'utilise et se porte le plus fréquemment pour attirer la bonne fortune. Il est quasiment impossible de faire une erreur si on choisit des fleurs rouges. Le rouge trouve sa place au sud où domine l'élément feu. Mais les fleurs rouges portent bonheur où qu'on les mette.

Les fleurs jaunes ont un effet identique, mais conviennent mieux dans le coin est du sud-ouest et du nord-est. L'orange, mélange du rouge et du jaune, est une couleur yang également efficace et bénéfique. Les fleurs rouges, jaunes ou orange apporteront une énergie heureuse au jardin et à la maison elle-même.

Le violet intense ou le pourpre sont aussi des couleurs très fastes : l'idéal est d'avoir des campanules dans le coin nord du jardin ou derrière la maison.

On considère les nuances de bleu et le blanc comme des couleurs yin plus froides, cruciales quand il s'agit d'équilibrer le yin et le yang dans le jardin. Ne laissez pas le blanc devenir la dominante du jardin : mieux vaut l'équilibrer avec du rouge, de l'orange ou du jaune. En tant que couleur de l'élément métal, les fleurs blanches sont à leur place au nord-ouest et à l'ouest du jardin. Le bleu prospère au nord, à l'est et au sud-est du jardin mais le sud lui convient moins. Il ne faut pas de bleu ou de blanc dans le jardin de devant, ni en face de la porte d'entrée ou du portail. Réservez le rouge pour le jardin de devant.

CI-DESSUS : *les paniers suspendus, sont agréables à l'œil, et favorisent un excellent flux de Chi.*

CI-DESSOUS : *les pivoines rouges portent chance, surtout quand on les plante au sud.*

À GAUCHE : *les jacinthes des bois portent bonheur. Plantez-les de préférence au nord.*

YIN, YANG ET CHI

Les plantes vigoureuses, en bonne santé, au feuillage abondant, quelle que soit leur taille, apportent beaucoup d'énergie yang au jardin. Les plantes aux grandes feuilles créent un bon Feng Shui quand on les place près de l'eau (un bassin, par exemple). Les plantes grimpantes ont un bon feuillage et sont efficaces dans le coin sud-est du jardin, où se trouve l'élément bois artificiellement créé. Les plantes telles les hostas avec une silhouette affirmée équilibrent efficacement les plantes grimpantes.

Le yin des fougères

Les fougères introduisent l'influence adoucissante des énergies yin dans un jardin contenant des fleurs à l'abondante énergie yang, et cet équilibre contribue à établir un climat bénéfique. L'aspect aérien des fougères contrebalance les aspérités les plus prononcées dans le jardin et dissout toute énergie négative. Le capillaire et l'asparagus conviennent parfaitement.

Les paniers suspendus

Les paniers suspendus mêlant plantes vertes et fleurs, produisent une harmonie qui imprègne l'environnement, en stimulant les énergies de la croissance et en les laissant s'épancher. Les plantes convenant aux paniers suspendus incluent, entre autre parce qu'elles fournissent maintes couleurs, les impatiens, les phlox, les géraniums et les lobélias. Il existe un très large choix d'autres plantes. Choisissez des feuilles aux formes contrastées afin de garder l'équilibre entre le yin et le yang.

Les jardinières

Les jardinières ne se contentent pas de mettre en valeur et d'adoucir l'allure d'une façade : elles incitent le Chi faste à entrer dans la maison. Choisissez les plantes que vous voudrez, à l'exception de celles qui ont des piquants ou sont miniatures, en fonction de ce qui a été dit plus haut. Le mariage des couleurs dépend des goûts personnels, mais essayez d'élaborer un ensemble de tons autour des vigoureuses couleurs yang porte-bonheur, le rouge, le jaune et l'orange. Quant aux jardinières elles-mêmes, je recommande la terre cuite qui présente moins de problèmes de Feng Shui que le bois ou le métal, plus courants. N'oubliez pas d'ôter les fleurs mortes et les feuilles séchées.

Feuilles dorées et tiges argentées

Pour les coins ouest et nord-ouest du jardin, les plantes à feuilles dorées ou à tiges argentées sont de merveilleuses sources d'énergie apportant la chaleur de l'élément métal dans le coin de cet élément, ce qui a pour effet d'activer la bonne fortune du coin. La spirée, connue sous le nom de « flamme d'or », est une plante idéale à feuillage doré, pour ce coin-là. Les ensembles de plantes à tige argentée sont tout aussi efficaces en matière de Feng Shui.

Le Hall de lumière

Enfin, quoi que vous fassiez pousser dans le jardin, ayez toujours devant votre porte d'entrée un petit carré gazonné pour bénéficier de l'effet porte-bonheur dit du Hall de lumière. Il doit être exempt de brindilles, de feuilles, de déchets de jardin. Des jonquilles jettent une agréable tache de couleur de printemps dans le jardin et conviennent parce qu'elles représentent aussi l'or enterré ; un Hall de lumière exempt de plantes engendre efficacement de l'énergie Feng Shui.

CI-DESSUS : *les plantes de la famille des spirées, avec leurs belles feuilles dorées, favorisent les énergies des coins est et nord, propices à la prospérité et à la richesse.*

CI-DESSOUS : *les jonquilles activent à merveille les énergies des coins ouest et nord-ouest du jardin. Elles symbolisent l'or enterré qui ne demande qu'à jaillir du sol.*

CHAPITRE VINGT-ET-UN

L'EAU

Le Feng Shui considère toujours l'eau en mouvement comme positive. Quand la porte d'entrée fait face à une rivière ou quand la maison donne sur une étendue d'eau, on considère que le Chi environnant laisse entrevoir la perspective de la prospérité. On dit de l'eau qu'elle apporte richesse et prospérité. Le Feng Shui fournit plusieurs techniques activant ce type de chance, dont d'anciennes formules faites pour concevoir des cours d'eau artificiels que l'on peut créer de manière à simuler les attributs fastes de l'eau. Parmi ces textes, le plus passionnant est celui qui montre comment établir dans le jardin le puissant Dragon d'Eau apportant la richesse.

Il existe aussi des principes utiles concernant le flux de l'eau bénéfique, très facilement applicables. Vous devriez essayer, par exemple, de faire s'écouler l'eau vers la maison plutôt que de l'en éloigner. L'eau devrait toujours couler en serpentant lentement, et jamais en ligne droite, à gros débit. Les pages qui suivent contiennent les principales règles régissant un bon écoulement de l'eau. Proche de la maison, l'eau vous fera bénéficier du Feng Shui annonciateur de la prospérité financière.

À GAUCHE : *les formules anciennes gouvernant le sens d'écoulement de l'eau sont complexes, mais la mise en pratique heureuse de principes Feng Shui appliqués à l'eau peut grandement favoriser la chance en matière de prospérité.*

CHAPITRE VINGT-ET-UN : L'EAU

LES DEUX FORMULES DE L'EAU

CI-DESSOUS : *utilisez les formules Feng Shui pour réaliser toute installation faisant intervenir l'eau dans le jardin. Attention, surtout, au sens d'écoulement !*

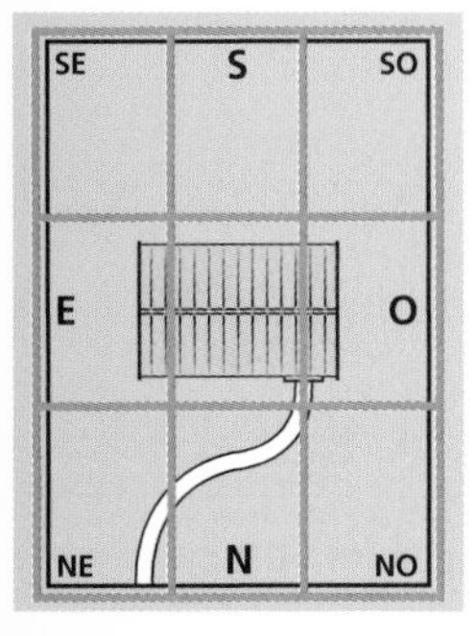

CI-DESSOUS : *le Dragon d'Eau portera chance en matière financière et dans d'autres domaines.*

Si vous n'appliquez pas correctement les principes se rapportant à l'eau, vous ne pourrez pas exploiter au maximum le potentiel Feng Shui de votre jardin. Depuis longtemps les Chinois attribuent de l'importance à l'utilisation de l'eau comme ornement au jardin : ils considèrent qu'elle constitue une partie cruciale du Feng Shui, en particulier en matière de richesse et de prospérité. Le nord, le sud-est et l'est sont d'excellents points cardinaux pour des installations faisant intervenir l'eau.

Deux formules Feng Shui concernant l'eau se fondent sur les indications de la boussole. La première porte sur l'endroit où situer un ornement de jardin avec de l'eau (mare, fontaine, cascade ou même puits) et vous aide à trouver le lieu où le placer. La seconde traite du sens d'écoulement de l'eau et de la direction dans laquelle elle doit s'éloigner, et s'appelle la formule du Dragon d'Eau.

Les deux formules décrivent les endroits bénéfiques pour l'eau ; elles fournissent des conseils sur la manière dont il faut qu'elle s'accumule, ou reste au repos, sur les endroits du jardin qui doivent rester secs, sur la façon dont elle doit se déplacer selon des courbes et des méandres. Si le lieu et l'écoulement sont corrects, la prospérité, la bonne santé et le bonheur s'ensuivront.

Le Feng Shui de l'eau est orienté vers la prospérité financière ; l'eau représente l'argent et signifie le flux de la richesse.

En installant un Dragon d'Eau au jardin, il attirera l'argent, mais aussi activera d'autres éléments bénéfiques, car il est rare qu'un bon Feng Shui n'amène que la richesse. Quand les flux d'énergie d'un Feng Shui bénéfique se trouvent en phase, ils apporteront vraisemblablement d'autres avantages : la longévité et des enfants qui transmettront avec bonheur le nom de la famille.

Si vous décidez de construire un ornement autour de l'eau dans le jardin, conformez-vous de bout en bout aux formules et aux méthodes. Observez la plus stricte simplicité en appliquant les recommandations ; dans le domaine du Feng Shui, faire les choses en grand n'augmente pas l'efficacité. Un Feng Shui heureux dépend davantage d'une mise en œuvre correcte et précise. Au cas où vous feriez appel à un conseiller spécialiste du Feng Shui, veillez à ce qu'il supervise la personne chargée de la construction, ou informez-vous au moins, dans les moindres détails, des dimensions, de la configuration de l'installation, et de l'état des travaux. Réalisez-les vous-même dans la mesure du possible, pour être sûr qu'il n'y ait pas d'erreurs.

ORNEMENTS FASTES FAISANT INTERVENIR L'EAU

Un certain nombre d'installations simples apporteront un Feng Shui bénéfique à la maison et à la famille.

BASSINS ARTIFICIELS OU MARES

Voila de quoi exercer votre imagination et votre créativité, tout en restant totalement maître de la conception et de l'échelle du projet. N'oubliez-pas que l'équilibre est le maître mot du Feng Shui : veillez à ce que l'organisation du jardin s'insère naturellement dans l'environnement, qu'il ne l'écrase pas. Un excès d'eau retournerait cet élément contre vous.

Les Chinois considèrent les chutes d'eau, les fontaines, les bassins à poissons ou les cascades naturelles comme fastes. Autant d'aménagements faciles à construire, allant du petit bassin ou d'une simple mare à une piscine carrelée et ornée d'une statuaire porte-bonheur. La forme et les dimensions d'une piscine sont très importantes.

- Pour avoir un Feng Shui bénéfique, la forme de la piscine doit épouser celle de la maison.
- Les bassins, mares ou piscines de forme ovale ou circulaire portent toujours chance. Évitez les contours anguleux.

CI-DESSUS : *une petite installation contenant de l'eau contribue à un bon Feng Shui dans le jardin, en sus de son attrait visuel.*

- L'eau doit couler vers la maison, jamais dans l'autre sens, ce serait néfaste.
- Votre mare ou bassin doit avoir une profondeur comprise entre 79 et 84 cm, cotes considérées comme fastes. Utilisez une règle Feng Shui afin de choisir une largeur et une longueur bénéfiques.

Installez une pompe et un filtre pour que l'eau ne stagne pas. L'eau turpide, sans mouvement, est une hérésie en matière de Feng Shui. Pensez toujours à l'entretien, à la propreté et au drainage de la pièce d'eau.

BASSINS À POISSONS

On considère qu'un bassin à poissons est l'un des meilleurs moyens de susciter un Sheng Chi favorable et faste. Si vous avez l'intention d'avoir des poissons, n'oubliez surtout pas d'installer un bon système de filtrage.

Beaucoup de poissons conviennent aux mares de jardin : la meilleure variété est la carpe japonaise koi, mais d'autres incluent la carpe chinoise, ou poisson rouge, et le guppy. Le poisson probablement le plus répandu en Extrême-Orient est l'arrowana, le poisson Feng Shui par excellence parce qu'il attire la chance et la prospérité sur son propriétaire.

Si votre bassin n'est pas très profond, protégez les poissons des prédateurs tels que les chats ou les oiseaux avec un grillage.

Les poissons rouges et les arrowanas sont particulièrement appréciés des petits commerçants, et surtout des restaurateurs.

Les tortues portent chance à toute la maisonnée (même les tortues sous une forme symbolique), surtout quand on les place au nord. On peut avoir des tortues d'eau douce pour symboliser la tortue céleste. Dans les pays aux hivers rigoureux, il faudra rentrer les tortues d'eau et les mettre dans un aquarium ; elles ne peuvent survivre à l'extérieur quand il fait trop froid.

CI-DESSUS : *un bassin circulaire muni d'une petite fontaine active un bon Chi pour le propriétaire.*

CI-DESSUS : *les poissons rouges portent chance. Veillez à bien les soigner.*

CI-DESSUS : *un bassin surélevé. Les meilleures influences Feng Shui viennent de sa forme arrondie.*

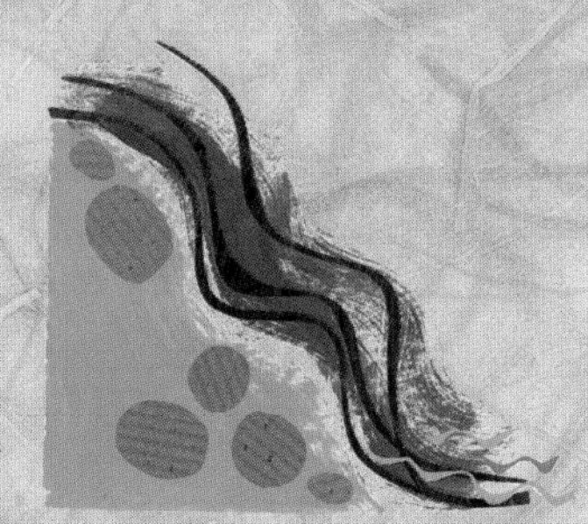

CI-DESSUS : *une cascade réjouit le cœur, mais l'eau doit s'écouler vers la maison pour amener la prospérité.*

CHAPITRE VINGT-ET-UN : L'EAU

LA FORMULE DE L'ÉCOULEMENT DE L'EAU

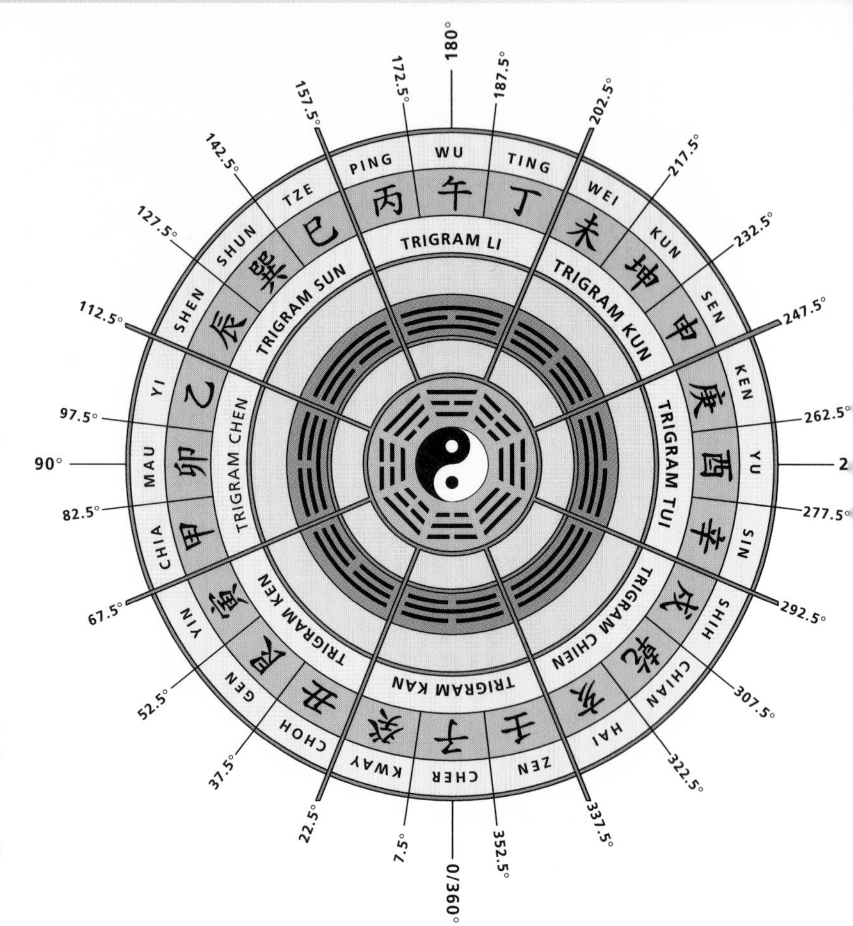

À DROITE : *on peut déterminer le meilleur emplacement pour une porte en utilisant une boussole ordinaire, ainsi que la direction dans laquelle coule l'eau. Le tableau de la page de droite explique comment s'orienter avec exactitude.*

On dit que le sens d'écoulement de l'eau dans le Feng Shui reflète le flux de courants Chi invisibles qui circulent lentement autour de la terre, apportant une grande richesse et la prospérité. Les techniques Feng Shui concernant l'eau, au niveau le plus simpliste, se fondent sur le principe que l'eau coulant vers vous ou vers la porte d'entrée apporte de l'argent, alors que l'eau qui s'en éloigne vous en prive.

D'après l'école Feng Shui de la Boussole, la situation et le sens d'écoulement de l'eau sont prioritaires. Le tableau ci-contre donne un résumé de la formule de l'eau. Il fournit les directions spécifiques que celle-ci doit emprunter devant votre porte d'entrée et pour sortir du jardin. La façon dont l'eau doit s'écouler devant la porte d'entrée dépend de l'orientation de celle-ci quand on regarde vers l'extérieur. Il existe douze orientations pour la porte d'entrée (avec deux sous-directions) et chacune comporte trois directions se rapportant à la bonne fortune. Ces directions idéales de sortie de l'eau concernent spécifiquement le sens d'écoulement du cours d'eau pour quitter le terrain. Toute autre direction apportera des degrés divers de malchance.

Pour appliquer la formule, utilisez une bonne boussole ordinaire afin de commencer par déterminer l'orientation de votre porte d'entrée. Utilisez ensuite le tableau de la page de droite pour vérifier l'exacte sous-direction. Par exemple, si la porte d'entrée est orientée au sud, mais plus exactement à 160° du nord, elle est donc orientée vers la direction Ping de la première catégorie. Celle-ci requiert que l'eau coule de gauche à droite de votre porte quand vous regardez vers l'extérieur. Le paragraphe suivant montre la meilleure direction de sortie de l'eau, et pour les maisons appartenant à la catégorie 1, l'eau doit se diriger vers la direction sin ou shih, ce qui veut dire qu'elle doit s'éloigner en faisant un angle compris entre 277,5 et 307,5°. La meilleure manière de simuler cet écoulement faste est d'aménager un petit cours d'eau orienté dans cette direction. Quand vous concevez la pente d'écoulement, faites preuve de la plus grande précision pour qu'elle soit conforme à la direction correcte, car si la sortie de l'eau se fait dans le secteur contigu à un secteur bénéfique, il en résulte souvent de grands malheurs.

Les directions de sortie

En adoptant la première direction de sortie, il est possible de renforcer chaque type de chance pour tous les membres de la famille. On dit que des bijoux précieux s'accumuleront entre les mains des habitants de la maison et le chef de famille jouira d'un statut social élevé. Les fils et les filles de la famille seront très intelligents.

S'il est impossible d'adopter cette première direction, choisir la seconde apporte aussi une bonne fortune. Une maison en bénéficiant connaîtra à coup sûr la prospérité et ses habitants seront en bonne santé.

Le choix d'une direction de sortie dépend entièrement des caractéristiques propres au terrain et il s'avère parfois impossible d'utiliser la première ou la deuxième direction. Dans ce cas, optez pour la troisième, dont on dit généralement qu'elle apporte une bonne fortune. Il existe cependant quatre catégories de portes d'entrée pour lesquelles la troisième direction de sortie apporte de grands malheurs et doit donc être évitée.

- Pour les catégories 2, 5 et 8, la troisième direction de sortie apporte la pauvreté et l'anéantissement des chances de la famille.
- Pour la catégorie 11, la troisième direction de sortie apporte un mélange de bonne et de mauvaise fortune, qui finira par provoquer des ennuis aux habitants de la maison.

RÉSUMÉ DE LA FORMULE RÉGISSANT LE SENS D'ÉCOULEMENT DE L'EAU

Douze catégories de porte	Orientation de la porte	Nom des deux sous-directions dans la catégorie et degrés exacts de la boussole	Sens de l'écoulement de l'eau	Meilleure sortie 1re, 2e et 3e
1	Sud	Ping : 157,5-172,5° Wu : 172,5-187,5°	De gauche à droite	1re : Sin ou Shih 2e : Ting ou Wei 3e : Chia
2	Sud/sud-ouest	Ting : 187,5-202,5° Wei : 202,5-217,5°	De droite à gauche	1re : Shun ou Tze 2e : Kun 3e : néant *
3	Sud-ouest	Kun : 217,5-232,5° Sen : 232,5-247,5°	De droite à gauche	1re : Yi ou Shen 2e : Ting ou Wei 3e : Ken ou Yu
4	Ouest	Ken : 247,5-262,5° Yu : 262,5-277,5°	De gauche à droite	1re : Kway ou Choh 2e : Sin ou Shih 3e : Ping
5	Ouest/Nord-Ouest	Sin : 277,5-292,5° Shih : 292,5-307,5°	De droite à gauche	1re : Kun ou Sen 2e : Chen ou Hai 3e : néant *
6	Nord-Ouest	Chian : 307,5-322,5° Hai : 322,5-352,5°	De droite à gauche	1re : Ting ou Wei 2e : Sin ou Shih 3e : Zen ou Cher
7	Nord	Zen : 352,5-367,5° Cher : 367,5-7,5°	De gauche à droite	1re : Yi ou Shen 2e : Kway ou Choh 3e : Ken
8	Nord/nord-est	Kway : 7,5-22,5° Choh : 22,5-37,5°	De droite à gauche	1re : Chian ou Hai 2e : Gen ou Yin 3e : néant *
9	Nord-est	Gen : 37,5-52,5° Yin : 52,5-67,5°	De droite à gauche	1re : Sin ou Shih 2e : Kway ou Choh 3e : Chia ou Mau
10	Est	Chia : 67,5-82,5° Mau : 82,5-97,5°	De gauche à droite	1re : Ting ou Wei 2e : Yi ou Shen 3e : Zen
11	Est/sud-est	Yi : 97,5-112,5° Shen : 112,5-127,5°	De droite à gauche	1re : Gen ou Yin 2e : Shun ou Tze 3e : néant *
12	Sud-est	Shun : 127,5-142,5° Tze : 142,5-157,5°	De droite à gauche	1re : Kway ou Choh 2e : Yi ou Shen 3e : Ping ou Wu

* Voir les directions de sortie, en page de gauche.

CHAPITRE VINGT-ET-UN : L'EAU

AUTRES INSTALLATIONS FAISANT INTERVENIR L'EAU

CI-DESSUS : *on a beaucoup amélioré cette mare avec un luxuriant feuillage yang qui équilibre l'énergie yin de l'eau. Les cascades miniatures sont idéales pour un petit jardin, car leur énergie ne submergera pas la maison.*

Quand vous concevez un ornement de jardin faisant appel à l'eau, prenez en compte sa taille, sa situation et le sens d'écoulement de l'eau.

Les chutes d'eau

Les chutes d'eau engendrent un Sheng Chi bénéfique. Certains tiennent donc à en avoir dans leur jardin. Concernant les chutes d'eau, d'autres point valent la peine d'être notés.

- Il faut les situer dans les coins nord, est ou sud-est du jardin, car c'est là que se trouvent les éléments les plus compatibles.
- Les chutes d'eau engendrent surtout un Sheng Chi si l'eau tombe en direction de la maison, apportant la chance, plutôt qu'en s'en éloignant. L'idéal serait que la chute d'eau soit bien visible de la porte d'entrée, mais sans se trouver juste en face ; elle favorisera alors vos affaires, apportera des occasions de promotion dans votre carrière, et la sécurité financière.
- La chute d'eau doit toujours être proportionnée à la maison, et ne jamais l'écraser, sinon elle submergerait la maison de Chi.

CI-DESSUS : *le gazouillis des ruisseaux est reposant, et le mouvement de l'eau empêche le Chi de stagner. Veillez à ce que l'eau coule dans la bonne direction !*

N'oubliez pas, en créant une chute d'eau, qu'il ne faut pas noyer ni bloquer la maison par un excès de Chi.

- Assurez-vous que la forme des rochers ornementaux n'a rien d'hostile et ne pourra pas envoyer des flèches empoisonnés.

Les fontaines

Une fontaine renforcera le Feng Shui du jardin, surtout si elle émet un joyeux gazouillis perpétuel, rappelant le flux de Chi, source de vie. Le meilleur endroit où la situer est dans le jardin de devant, bien visible de la porte d'entrée. Situez-la en fonction de la formule gouvernant l'emplacement de l'eau. Essayez de laisser un espace d'au moins 6 m devant la porte d'entrée de manière à renforcer le Feng Shui de la maison, et à tirer le maximum de profit de votre fontaine.

Les piscines

En règle générale, le Feng Shui déconseille la construction d'une piscine, à moins de l'installer sur un terrain très vaste, sinon elle a tendance à écraser l'espace environnant, et peut créer un déséquilibre des éléments. Si l'on place une piscine dans un coin inapproprié du jardin, tout incident malheureux ou toute malchance seront amplifiés.

Si vous décidez d'installer une piscine dans le jardin, faites attention à ce que sa forme soit favorable. Les piscines rectangulaires aux coins aigus ont un effet semblable à celui des coins à l'intérieur de la maison et engendrent le Shar Chi néfaste projetant des flèches empoisonnées contre la maison et ses habitants. La meilleure forme comporte des courbes sinueuses sans coins, ronde, ovale ou en haricot, puisque c'est celle qui évoque le mieux une étendue d'eau naturelle (voir aussi l'activation de l'eau mineure, pages 106–107).

À DROITE : *cette piscine n'engendrera pas de mauvaises influences Feng Shui car elle ne domine pas le jardin et ses courbes sont très naturelles.*

CI-DESSUS : *les mares sont assez faciles à réaliser. Optez pour une forme arrondie et installez une pompe pour prévenir la stagnation.*

À DROITE : *une fontaine avec son gargouillis reflète l'énergie et la force vitale du Chi. Utilisez la formule relative à l'eau pour choisir sa place.*

CHAPITRE VINGT-DEUX

LES STRUCTURES DANS LES JARDINS

Les structures de jardin dont il sera ici question sont les sculptures, les pergolas, les pavillons et autres éléments verticaux émettant leur propre énergie qui peuvent avoir des conséquences négatives ou positives sur votre Feng Shui. Le type d'influence dépend de la nature, de la taille et de l'endroit où elles se trouvent par rapport à la porte d'entrée. En règle générale, une structure ne doit jamais bloquer le flux de Chi en direction de la porte d'entrée. Il ne faut pas qu'elles soient trop près de celle-ci, ou, pire encore, qu'elles envoient vers elle des flèches empoisonnées. Elles doivent aussi ajouter de l'énergie à l'élément dont elles occupent le coin. Ainsi les structures métalliques ne doivent jamais figurer au nord. Il faut toujours appliquer la théorie des Cinq Éléments quand on place une nouvelle statue ou quand on installe un nouveau pavillon. Les escaliers, pentes, haies, clôtures, murs, rocailles et barbecues ont un effet sur votre Feng Shui, qui peut être bon ou mauvais. Ils doivent être placés de façon à compléter le Feng Shui d'ensemble. Ce chapitre traite des techniques permettant de mettre au point et de réaliser cette harmonie.

À GAUCHE :
équilibre, harmonie et proportion sont les maîtres mots à garder à l'esprit quand on met en place les éléments d'un jardin.

CHAPITRE VINGT-DEUX : LES STRUCTURES DANS LES JARDINS

LE FENG SHUI DES STRUCTURES DE JARDIN

Chaque structure du jardin, que ce soit une sculpture, un mur, un portail ou un pot, dégage sa propre énergie, dont le caractère – bon ou mauvais – dépend de la façon dont elle est située par rapport aux portes, aux allées, et à l'orientation de la maison. L'analyse Feng Shui commence par celle des structures périphériques, telles qu'une clôture ou l'allée menant à la maison. Ces éléments séparent l'espace du monde extérieur et peuvent créer un bon ou un mauvais Feng Shui. C'est plus que jamais le moment de rappeler que l'équilibre, l'harmonie et les proportions sont les constituants d'une énergie positive. Toute forme anguleuse ou pointue est considérée comme agressive et engendrera un Chi porteur de malchance.

- Évitez à tout prix les flèches empoisonnées, tout objet érigé, pointu, anguleux ou d'aspect menaçant.
- La taille de la structure ne doit pas écraser le jardin ou la maison.

Clôtures et murs d'enceinte

Un certain nombre de principes simples permettent d'activer le Chi dans le jardin. Commencez par la périphérie du terrain pour vous rapprocher ensuite de la maison.

- La limite extérieure de votre terrain ne doit pas se trouver trop près de la maison, surtout s'il s'agit d'un mur, parce qu'elle causera de la claustrophobie et empêchera le bon Chi de circuler dans la maison. Les murs épais conviennent à de grandes propriétés, mais pas à proximité d'une maison, sauf s'il s'agit d'un mur unique, d'un seul côté de la limite de propriété.
- Le mur de clôture ne doit pas être plus haut que la maison. Ceci créerait un déséquilibre refoulant le Chi négatif vers l'intérieur et apportant la malchance aux habitants de la maison.
- Les clôtures ou les murs entourant la maison doivent être d'égale hauteur, faute de quoi il y aura déséquilibre.
- Faites attention aux clôtures ou aux murs comprenant des pointes aiguës dirigées vers l'intérieur ou l'extérieur et créant une énergie négative ! Dans le premier cas, l'énergie se tournera contre vous ; dans le deuxième, elle affectera vos voisins. Essayez d'instaurer un bon Feng Shui en ne portant tort à personne.

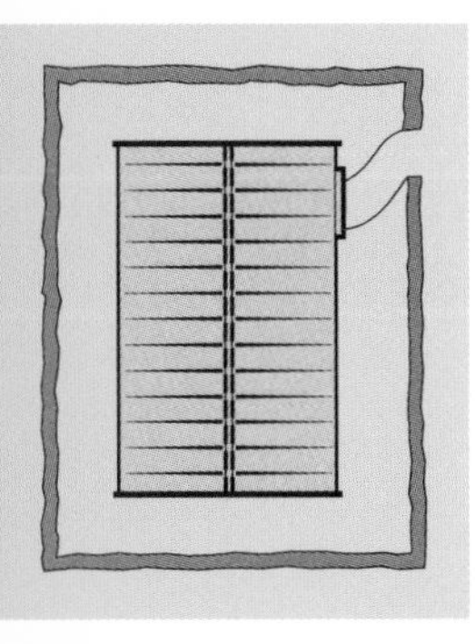

CI-DESSOUS : *ce mur d'enceinte étouffe le Chi parce qu'il est trop près de la maison.*

CI-DESSUS : *un portail d'entrée doit toujours s'ouvrir vers l'intérieur, être bien entretenu et proportionné à la taille*

Portail d'entrée

Toute propriété n'a pas un portail ; cela dépend de sa taille et de sa nature. Toutefois, il s'avère plus aisé de créer un bon Feng Shui en délimitant le terrain.

- La taille du portail doit être proportionnée à celle de la maison.
- Un portail doit s'ouvrir vers l'intérieur plutôt que vers l'extérieur.
- Les deux vantaux doivent être symétriques.
- Le portail doit être engageant, ne pas donner une impression d'hostilité. Évitez tout ce qui est agressif, avec des pointes acérées, comme le fil de fer barbelé. Une forme classique vaut mieux qu'une trop élaborée.
- Ne laissez pas les plantes grimpantes ni le lierre envahir le portail.
- Entretenez régulièrement le portail. Ne le laissez pas rouiller.
- Principe simple : le portail sera noir au nord, à l'est et au sud-est ; rouge au sud, au sud-ouest, au nord-est et blanc à l'ouest, au nord-ouest et au nord.
- Les portails flanqués de piliers produisent un excellent Feng Shui ; placer un lion chinois, un sur chaque pilier, crée une énergie protectrice supplémentaire.

Gloriettes

Pour qu'elles aient un bon Feng Shui, les gloriettes,

À DROITE : *les structures ornementales doivent faire écho au Feng Shui de la maison.*

structures toujours fastes dans les anciens jardins chinois, unifieront les éléments du jardin en un ensemble harmonieux. Elles doivent être à claire-voie, sans fenêtres, pour que le Chi bénéfique s'accumule dans le jardin. Le muret, s'il y en a un, doit être bas. L'idéal est que les ouvertures donnent sur de l'eau ou sur la montagne. Le sentier d'accès serpentera pour laisser entrer le Chi.

Les serres, pavillons d'été ou les belvédères affectent le Feng Shui de la maison suivant leur situation par rapport à la porte d'entrée.

- Les structures situées au nord-ouest ou à l'ouest n'attirent pas de danger tant qu'elles ne sont pas directement derrière la maison.
- Les structures situées au sud-est ou à l'est renforcent l'énergie d'une porte d'entrée orientée au sud.

Là encore, faites attention aux arêtes vives de toute structure isolée, car elles enverront des flèches empoisonnées vers la porte d'entrée. Les belvédères ont en général une forme circulaire et offrent de bons points de vue sur le jardin. Si vous voulez bénéficier des avantages du Feng Shui apportés par un belvédère, situez-le avec soin en fonction de la théorie des Cinq Éléments ; le cercle représente le métal.

Allées et pas japonais

Les allées sont excellentes dans un jardin parce qu'elles créent un mouvement visuel favorisant l'accumulation de Chi. Il est important de se rappeler que, si l'on veut que le Chi s'accumule et augmente, une allée en ligne droite avec des angles vifs est à proscrire dans tous les cas : cette configuration fera s'engouffrer le Chi dans le jardin, et le Chi se transformera en énergie hostile. Elle ne doit pas non plus mener tout droit vers la porte d'entrée, submergeant la maison de mauvais Chi. Faites en sorte que les allées sinuent et offrent de larges courbes ; des fleurs fournissant des couleurs à profusion, de chaque côté d'une allée, rehausseront la beauté du jardin et créeront une énergie yang faste qui favorisera l'accumulation de Chi.

CI-DESSUS : *les dalles rondes de type « pas japonais » vous invitent à marcher dessus ; or une allée fréquentée dégage des influences Feng Shui idéales dans le jardin.*

Le choix des matériaux et des motifs

Lorsque vous choisissez un type d'allée, rappelez-vous que l'harmonie compte dans le jardin. Certains matériaux ont un aspect âpre et d'autres flattent l'œil. Si l'allée serpente dans une partie herbue du jardin, veillez à ce que le matériau sélectionné se marie à la pelouse et suggère un flux harmonieux.

Les allées souvent fréquentées représentent un bon Feng Shui et portent davantage bonheur que celles où l'on marche rarement. Concevez donc votre allée de telle sorte qu'elle invite à la promenade. Évitez les surfaces inégales où l'on marche difficilement. Les meilleures allées sont sûrement celles qui sont revêtues de briques : compactes, elles durent longtemps et sont accueillantes.

On peut appareiller un tel pavage de brique en formant une grande variété de motifs attrayants, en chevrons, droit, allongé, en entrelacs, en équerre ou en diagonale par rapport à l'allée. Tous ces appareillages sont acceptables car ils n'influent pas sur la qualité du Feng Shui : ce qui importe, c'est que l'allée ne soit pas rectiligne.

VOIR AUSSI
- Pergolas p. 241
- Sculptures p. 241

CHAPITRE VINGT-DEUX : LES STRUCTURES DANS LES JARDINS

LE FENG SHUI DES STRUCTURES DE JARDIN (suite)

Patios, jardins et terrasses

La plus grande partie de ce qui a été dit sur l'application du Feng Shui au jardin (voir pages 240-241, Jardins et cours entourés de murs) s'applique à ce chapitre. La petite cour d'une maison de ville attirera et accumulera toujours de l'énergie yin, si on la néglige. Dans la mesure du possible, il faut éviter cela en y créant une terrasse ou un jardin en terrasse. Le Feng Shui s'accommode de tout espace, aussi petit soit-il.

Essayez de concevoir la terrasse comme une extension de la maison, mais ouverte aux éléments. Un petit ornement avec de l'eau, comme une fontaine ou un bassin entouré de plantes attirera le Sheng Chi dans la maison. Comme nous l'avons déjà vu, des structures comme de petites pergolas, des treillis et des paniers suspendus conviennent parfaitement, et peuvent figurer aussi sur une terrasse, tant que l'on respecte les proportions, pour le plus grand bien des habitants du lieu. Rendez l'agencement de la terrasse plus attrayant en y intégrant une petite surface pavée de pierres décoratives. Avec la boussole, déterminez les orientations cardinales du jardin. Le meilleur endroit pour les pierres ou le gravier est le sud-ouest ou le nord-est, puisque l'élément dominant y est la terre.

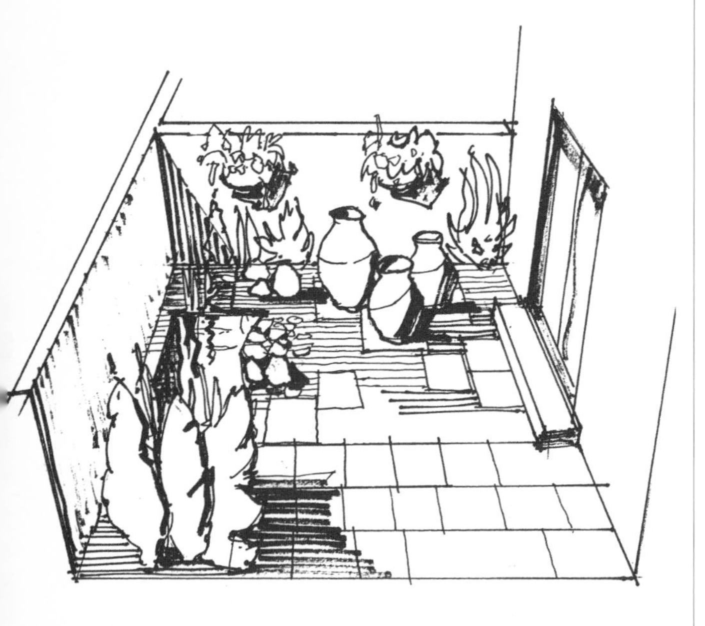

CI-DESSUS : *un patio ou une terrasse vide dégage trop d'énergie yin. Équilibrez cette zone avec de l'énergie yang stimulante des plantes. Les paniers suspendus et les plantes en pot sont l'idéal.*

On considère souvent les jardins en terrasse comme une extension de la maison elle-même et ils fournissent en général un excellent Feng Shui en corrigeant les problèmes que constitue l'absence de certains secteurs dans les maisons en forme de L ou de U. Si le patio ou la terrasse ont un mur du fond, résistez à la tentation de l'habiller de lierre ou de plantes grimpantes : ceci sapera la force du mur et aura un effet négatif sur votre Feng Shui. Mieux vaut mettre des paniers suspendus ou des plantes en pot. Si le patio se situe derrière la maison, vous pourriez construire une petite rocaille simulant la montagne de la tortue protectrice.

On obtient un effet très agréable, que la plupart des Chinois apprécient, en mettant dans les jardins en terrasse de grands pots de céramique vides. Ils sont souvent décorés de symboles porte-bonheur et ont pour rôle de faire entrer et s'accumuler le Chi dans le lieu. On les laisse vides de manière à ce qu'ils capturent et retiennent la mauvaise énergie Chi.

Jardins en pente

Un jardin en pente donne l'occasion aux paysagistes professionnels d'exercer leur créativité, mais de notre point de vue, il permet surtout d'engendrer un Feng Shui faste. Le Feng Shui comporte des règles ayant pour but de tirer le meilleur parti d'un tel agencement : elles reposent sur l'activation du tigre ou du dragon et sur le symbolisme de la tortue protectrice.

Les niveaux d'un jardin en pente importent beaucoup : il est possible de diviser ce type de jardin en plusieurs terrasses. Dans un petit jardin le choix se trouve naturellement limité. Dans un jardin plus grand, on peut toutefois appliquer plus sûrement les règles. À une certaine distance de la maison, laissez le terrain suivre une pente naturelle ; à proximité de la maison, la déclivité fera l'objet d'un agencement plus artificiel, par le biais de terrasses ou de niveaux créés de toute pièce, et définissant une surface supérieure et une surface inférieure.

L'effet d'ensemble de ces différents niveaux donnera toujours une impression de stabilité : une terrasse doit avoir une assise ferme. S'il y a un mur de soutien, il sera compact et solide de manière à fournir la stabilité si essentielle à votre propriété, et au Feng Shui de la maison et du jardin, une fondation solide est cruciale pour un bon Feng Shui.

L'idéal est que votre jardin en terrasse décrive des courbes et soit en pente afin de favoriser un bon Feng Shui. Introduisez couleur et variété dans vos plantations. Des plantes à feuillage persistant intercalées entre les

CI-DESSOUS : *terrasses et patios profiteront des couleurs vives de plantes en pot. Le Chi étant stimulé par le bois.*

différents niveaux favoriseront la circulation d'un Chi porte-bonheur tout au long de l'année, et pas seulement pendant les périodes de l'année où fleurissent les plantes annuelles ou vivaces.

Talus herbeux

Un talus herbeux n'est pas toujours facile à entretenir. Plutôt que d'y semer du gazon, toujours délicat à tondre, plantez-y des arbustes, surtout s'il se trouve derrière la maison. Le dos de la maison représente en effet votre flanc et il est bon qu'il soit protégé soit par un terrain en surplomb, soit par un massif d'arbres. En ne prenant pas soin de cette partie, c'est tout le Feng Shui que vous négligez : il s'en trouvera affecté.

Escaliers

Ils doivent faire l'objet d'une attention spécifique.

- Les escaliers décrivant une courbe sont préférables aux droits. Leurs marches ne doivent être ni trop raides ni trop étroites.
- Il ne faut pas que l'on puisse apercevoir les escaliers depuis le portail d'entrée. Ils ne doivent pas se situer directement en face du portail ni devant la porte d'entrée.
- Ils ne doivent pas se trouver dans le prolongement de la porte de derrière. Le meilleur endroit pour eux est le côté de la maison.

Il faut que les escaliers soient le plus large et le plus spacieux possible, et de préférence sinueux.

Rocailles

Pour un entretien aisé, mieux vaut situer une rocaille sur un terrain plat plutôt que pentu. D'un point de vue décoratif, il est préférable de placer les rochers dans le coin sud-ouest du jardin, qui est le secteur de la terre à l'état naturel.

Si vous voulez créer un jardin de rocaille, exploitez un talus, en y enterrant des rochers imitant un affleurement minéral naturel. Tracez des allées parmi eux pour accéder facilement aux plantes et aux arbustes. Dans ce cas, veillez absolument à ce que les rochers choisis soient de forme arrondie et ne présentent aucun caractère menaçant : si près de la maison, ils ne doivent en rien évoquer quelque chose de sauvage ou d'hostile. Ceci n'attirerait que de la malchance sur votre famille : maladie et pertes financières assurées. En revanche, des symboles de chance, comme la statue d'une grue (symbole de longévité) au milieu de la rocaille créeront un bon Feng Shui.

Barbecues

Inviter des amis à un barbecue est une manifestation universelle de la vie sociale. Tout espace à ciel ouvert peut se trouver rehaussé par un coin barbecue aménagé en brique, mais il faut respecter certaines règles. N'installez pas le barbecue trop près des portes ou des fenêtres car le Chi bénéfique ne pourrait plus pénétrer dans la maison.

Détail plus important encore : veillez à ce que le barbecue soit placé dans le secteur idoine du jardin : le sud, le sud-ouest et le nord-est.

- Le sud est le secteur du feu et un barbecue cadre avec l'élément feu.
- Le sud-ouest et le nord-est sont des coins associés à la terre, n'oubliez pas que la terre engendre le feu dans le cycle créateur des Cinq Éléments.

Il existe aussi des endroits à éviter coûte que coûte.

- L'ouest et le nord-ouest sont des secteurs de l'élément métal. Le feu détruit toujours le métal dans le cycle destructeur des Cinq Éléments.
- Le nord-ouest est le coin du soutien de famille. On l'appelle la Porte du Ciel puisque le trigramme de ce coin est Chien, qui représente le ciel. Une flamme nue, nécessairement associée à un barbecue, suggère une force destructrice plutôt qu'une énergie yang positive, elle signifie que, symboliquement, vous mettez le feu au ciel et que vous brûlez la bonne fortune de la famille.

S'il vous est impossible de construire le barbecue dans un coin adéquat, mieux vaut vous en passer complètement et utiliser un appareil mobile que vous pouvez ranger après utilisation.

CI-DESSOUS : *des marches basses flanquées de potées de fleurs roses évoquant l'énergie yang, créent un bon Feng Shui quand elles relient les différents niveaux d'un jardin à la pente bénéfique.*

CHAPITRE VINGT-DEUX : LES STRUCTURES DANS LES JARDINS

LE FENG SHUI DES STRUCTURES DE JARDIN (suite)

Sculptures et poteries

Il est d'usage de disposer des statues et des poteries ornementales autour de la maison ou du jardin (voir pages 236-241, pergolas et sculptures).

Pour les Chinois, de tels objets décoratifs ont toujours une valeur symbolique et nombreux sont les emblèmes représentant les trois principales composantes du bonheur dans l'imaginaire chinois : le succès matériel, le respect de la descendance, et la longévité. Ainsi les dieux de la prospérité, de la longévité et du succès sont-ils particulièrement populaires. Les symboles chinois de longévité et de bonne santé, le poisson, la grenouille ou crapaud à trois pattes, la tortue, la grue et le daim représentent tous un bon Feng Shui. Les placer dans le jardin sous la forme d'ornements ou de statues apportera un symbolisme bénéfique, surtout si on les met dans des coins stratégiques comme l'ouest ou le nord-ouest, de telle sorte que les énergies engendrées par leur présence se manifestent de manière subtile plutôt que tapageuse. Ceci fait l'objet de règles utiles à respecter, mais n'oubliez pas que le principe le plus important à observer est de ne pas disposer de statues directement en face de la porte d'entrée. Laissez cette zone dégagée pour que le Chi puisse s'accumuler dans le Hall de lumière avant de pénétrer dans la maison.

CI-DESSOUS : *les Chinois utilisent souvent de grands pots décoratifs comme éléments ornementaux de jardin. Ils ont une fonction cachée : absorber voracement toute la mauvaise énergie Chin.*

PLACER DES STATUES DE JARDIN PORTE-BONHEUR

Placez des statues et des céramiques symboliques, en gardant toujours à l'esprit les principes Feng Shui suivants :

- placez les symboles de longévité dans le secteur ouest ou nord-ouest ;
- placez les symboles de richesse dans le secteur est ou sud-est ;
- placez les symboles de protection dans la partie avant du jardin, face à la sortie ;
- placez les symboles de bonheur conjugal (des canards mandarins, par exemple) au sud-ouest ;
- placez les symboles pour la bonne fortune des descendants au nord-est.

CI-CONTRE : *il faut placer les symboles chinois traditionnels de la bonne fortune en des lieux qui accroîtront leur pouvoir. Le poisson représente la richesse et est à associer à l'est ou au sud-est.*

CI-DESSOUS : *des statues de ces dieux chinois garantissent la richesse, la prospérité et la longévité. Fuk (à droite) est le dieu de la richesse et du bonheur. Luk (à gauche), celui des hautes dignités sociales et de l'abondance. Sau (au centre) est le dieu de la santé et de la longévité.*

CI-DESSUS : *la situation la plus bénéfique pour une rocaille est le sud-ouest du jardin.*

CHAPITRE VINGT-TROIS

L'ÉCLAIRAGE

L'importance considérable de l'éclairage dans le Feng Shui relatif au jardin vient des avantages qu'il procure. Il apporte une précieuse énergie yang. Les lumières représentent aussi l'élément feu apportant la chaleur, qui à son tour engendre la moisson. Ces deux attributs aident à mettre à contribution l'élément bois. On peut aussi employer l'éclairage de manière à corriger toutes sortes d'anomalies contraires au Feng Shui. Il peut figurer un secteur manquant dans une maison, accroître les énergies d'un relief de jardin inadéquat ou non-conforme aux règles Feng Shui. Lorsque le jardin de derrière est plus bas que celui du devant, par exemple, mettre une lumière en hauteur derrière la maison sert à augmenter l'énergie Chi, corrigeant ainsi un très gros défaut du Feng Shui local. De la même manière, un éclairage placé du côté gauche de la maison augmente l'énergie du dragon dans l'environnement immédiat. L'éclairage du jardin revêt une importance particulière au sud, parce que c'est là que les énergies des Cinq Éléments se trouvent synchronisées. Des lumières placées dans les coins représentant la terre, le sud-ouest et le nord-est, s'avèrent des plus fastes. À l'est et au sud-est, l'éclairage devient crucial pendant les mois d'hiver, quand les énergies du bois souffrent du manque de chaleur estivale. C'est seulement à l'ouest et au nord-ouest du jardin que l'on peut avoir un éclairage discret. En général, l'éclairage du jardin ne doit jamais être excessif, trop brutal ou trop intense, car ceci transforme les bonnes énergies en mauvaises.

À GAUCHE : *on peut utiliser la lumière de manière fort bénéfique pour injecter de l'énergie yang dans le jardin.*

CHAPITRE VINGT-TROIS : L'ÉCLAIRAGE

CORRIGER L'INFLUENCE DES FORMES ET LES STRUCTURES NÉFASTES

CI-DESSUS : *la nuit, on peut transformer complètement la personnalité diurne d'un jardin, en utilisant la lumière de manière ingénieuse. Selon les principes Feng Shui, on peut employer des lumières pour neutraliser l'impact de structures néfastes.*

Astucieusement utilisé, l'éclairage extérieur est un moyen simple et efficace pour attirer et exploiter la bonne fortune liée à la terre, augmentant ainsi la chance relative à la famille et aux relations.

L'éclairage Feng Shui constitue une solution efficace pour les maisons à la forme néfaste ou qui présentent différents niveaux entraînant un placement incorrect du tigre ou du dragon. C'est aussi un utile antidote Feng Shui très agréable, palliant l'absence d'un secteur, corrigeant une pente à l'influence néfaste et éloignant la mauvaise énergie créée par certaines conditions extérieures. Un spot puissant peut, par exemple, désintégrer les flèches empoisonnées issues de la propriété d'un voisin.

On peut corriger avec bonheur trois problèmes affectant le Feng Shui par le biais d'un éclairage.

- Une maison à la forme néfaste ou irrégulière engendrant un excès d'énergie yin.
- Des structures nocives situées à proximité de la maison et du jardin.
- Une maison présentant des niveaux et une hauteur néfastes.

À DROITE : *des lampes de ce type peuvent être fichées directement dans le sol. Elles sont d'un emploi très souple.*

À DROITE : *une applique idéale à installer au-dessus de la porte d'entrée, où elle attirera un Chi positif.*

CI-DESSOUS : *si le dragon et le tigre ne se trouvent pas au bon endroit, des lumières sur les murs et les marches contribueront à corriger ce défaut.*

CI-DESSUS : *ce plafonnier convient bien pour une véranda, où il chassera le Chi négatif s'accumulant dans les lieux sombres.*

À DROITE : *des appliques de type flambeau, bien en évidence, détournent les flèches empoisonnées dirigées contre la maison et le jardin.*

Corriger l'influence des formes de maison irrégulières

En installant un éclairage, on activera aussitôt l'énergie yang de l'élément feu. S'il manque un secteur chez vous parce que la maison ou le jardin ont une forme irrégulière, installez une lumière vive dans le coin manquant pour introduire de l'énergie yang, et stimuler ainsi l'activité et la vie. Ce type de lumière aura une influence souveraine si elle se situe à la hauteur de la maison. Dans tous les cas, elle ne doit pas se trouver à moins de 2 m du sol. Installez la lumière pour qu'elle éclaire le secteur manquant et laissez-la allumée 3 heures chaque soir.

Lutter contre les flèches empoisonnées émises par des structures nocives

Les lumières vives peuvent s'avérer des plus efficaces pour lutter contre certaines structures, certains bâtiments ou objets nocifs orientés vers la maison : une route droite, un arbre, le toit pointu d'une autre maison, ou encore un carrefour (quel qu'en soit le type). S'il est impossible de le cacher à la vue, pointez une lumière vive dessus simulant le regard perçant et intense du tigre pour dissoudre de la sorte la mauvaise énergie, avant qu'elle n'atteigne la maison.

UTILISER L'ÉCLAIRAGE POUR RENFORCER LA CHANCE ET RÉDUIRE LA MALCHANCE

L'utilisation de la lumière pour activer les bons secteurs du jardin et en éloigner le malheur peut améliorer grandement le Feng Shui de votre jardin.

Activer le secteur de la terre-mère avec un éclairage

Il s'agit d'un secteur du jardin très important à activer. Vous contribuerez ainsi à garantir une bonne entente sous votre toit : querelles et malentendus se feront plus rares ; la vie des membres de la famille se trouvera globalement améliorée. Activez le secteur de la terre-mère en plaçant des lumières dans la partie sud-ouest du jardin, c'est là qu'elles exerceront au mieux leur influence bénéfique. Des lumières dans la partie sud du jardin renforcent le chef de famille et les divers occupants de la maison.

CI-DESSUS ET CI-DESSOUS : *les éclairages neutralisent les aspects néfastes des maisons.*

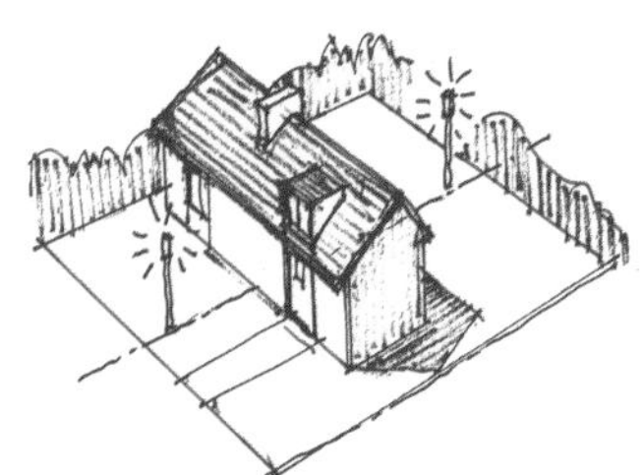

Combattre l'influence négative du tigre avec l'éclairage

On considère que le côté ouest de la maison (à gauche de la porte d'entrée, quand on regarde vers l'extérieur) représente le côté du tigre, et ce dernier pose problème dès lors qu'il se trouve plus haut, ou est plus vaste que les autres parties du jardin. Ce cas de figure fait que le tigre domine alors le dragon et l'emporte. En pareil cas, la suprématie du tigre est potentiellement très dangereuse.

Pour s'assurer que le tigre ne devient pas hostile, qu'il n'échappe pas à tout contrôle, et a un rôle protecteur plutôt que destructeur, mettez une lumière vive à l'ouest pour neutraliser les pires excès du tigre malveillant. Une lumière à l'ouest donne des résultats efficaces parce que, représentant l'élément feu, elle combat l'élément métal du secteur ouest : le feu détruit le métal dans le cycle des éléments.

Si vous avez des pas japonais le long du côté ouest du jardin, éclairez-les. Une allée illuminée domptera le tigre et protégera les habitants de la maison.

À GAUCHE : *les maisons construites près d'un hôpital souffrent d'un excès d'énergie yin. Les éclairages contribuent à augmenter l'énergie yang pour la neutraliser celle-ci et réaliser l'harmonie Feng Shui.*

CHAPITRE VINGT-TROIS : L'ÉCLAIRAGE

RÉPUTATION ET RECONNAISSANCE SOCIALE

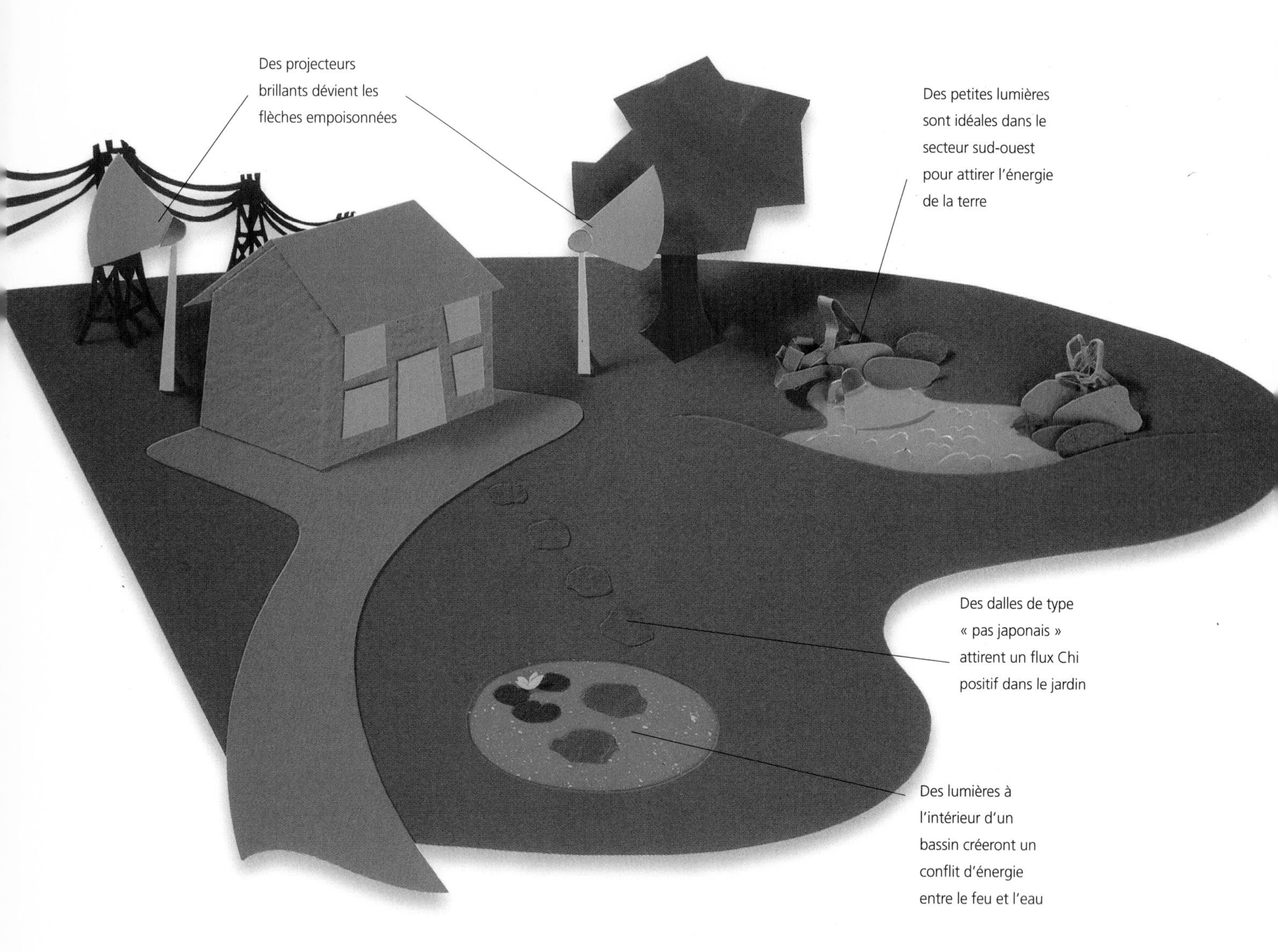

CI-DESSUS : *on peut utiliser l'éclairage du jardin de manière fort efficace pour favoriser le flux de Chi positif et dévier la mauvaise énergie.*

Des lumières dans un jardin sont capables d'accroître le pouvoir de forces fondamentales et d'attirer la chance sur les occupants de la maison, améliorant leur réputation, source de reconnaissance sociale.

Lumière et eau

Si vous avez des dalles de type « pas japonais » conduisant à un endroit du jardin où il y a de l'eau, celles-ci doivent se situer dans le coin nord du jardin. Ne mettez pas de lumières dans les pièces d'eau : dans le cycle des éléments, le feu et l'eau s'opposent, d'où un manque d'harmonie. De même, n'éclairez pas une fontaine ou autre installation du même type. En revanche, vous avez toute liberté pour allier eau et lumières dans le sud-ouest du jardin, quand les Étoiles Volantes sont favorables. Le sud-ouest est le secteur de l'élément terre, et des lumières rehausseront et favoriseront ce lieu.

À GAUCHE : *les pilônes électriques sont des structures très hostiles ; neutralisez-les avec des éclairages, qui renverront leurs influences négatives.*

CORRIGER OU NEUTRALISER LE RELIEF

Le terrain situé derrière la maison doit toujours être plus haut que celui de devant. Il en est de même entre le côté gauche (par rapport à la porte d'entrée, lorsqu'on regarde vers l'extérieur) et le côté droit. C'est l'un des principes de base du Feng Shui de la Forme. Toutefois, il est parfois impossible de modifier le relief du terrain ou de corriger certains de ses aspects néfastes : dans ce cas, l'utilisation d'un éclairage est d'un grand secours. Installez des lumières sur un grand mât sur la partie inférieure du terrain afin d'accroître symboliquement l'énergie de ce niveau, ce qui rectifie l'équilibre. N'oubliez pas que les lumières vives augmentent l'énergie.

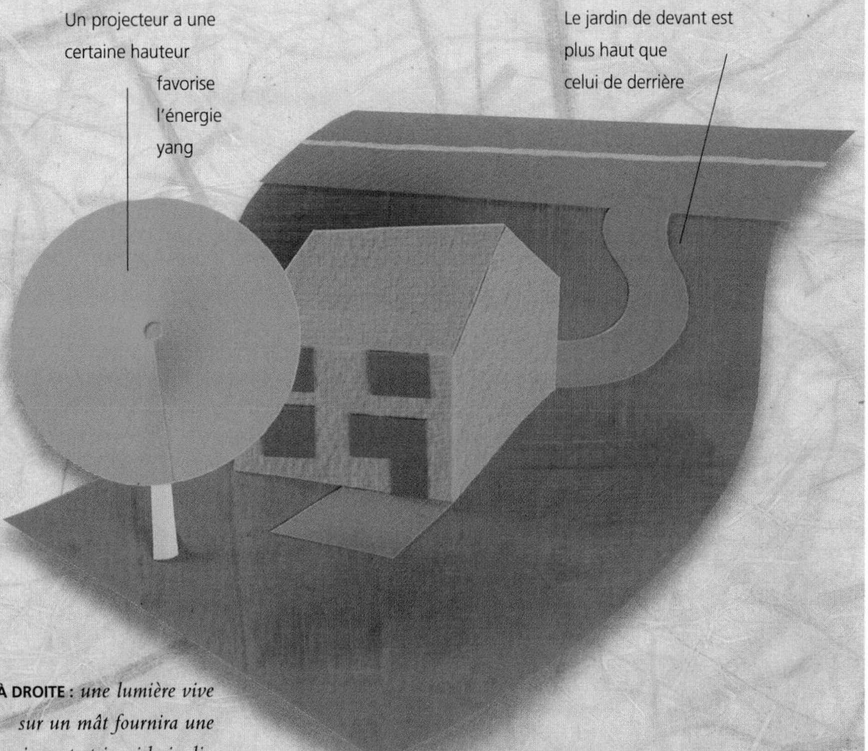

À DROITE : *une lumière vive sur un mât fournira une énergie protectrice si le jardin de devant est plus haut que celui de derrière.*

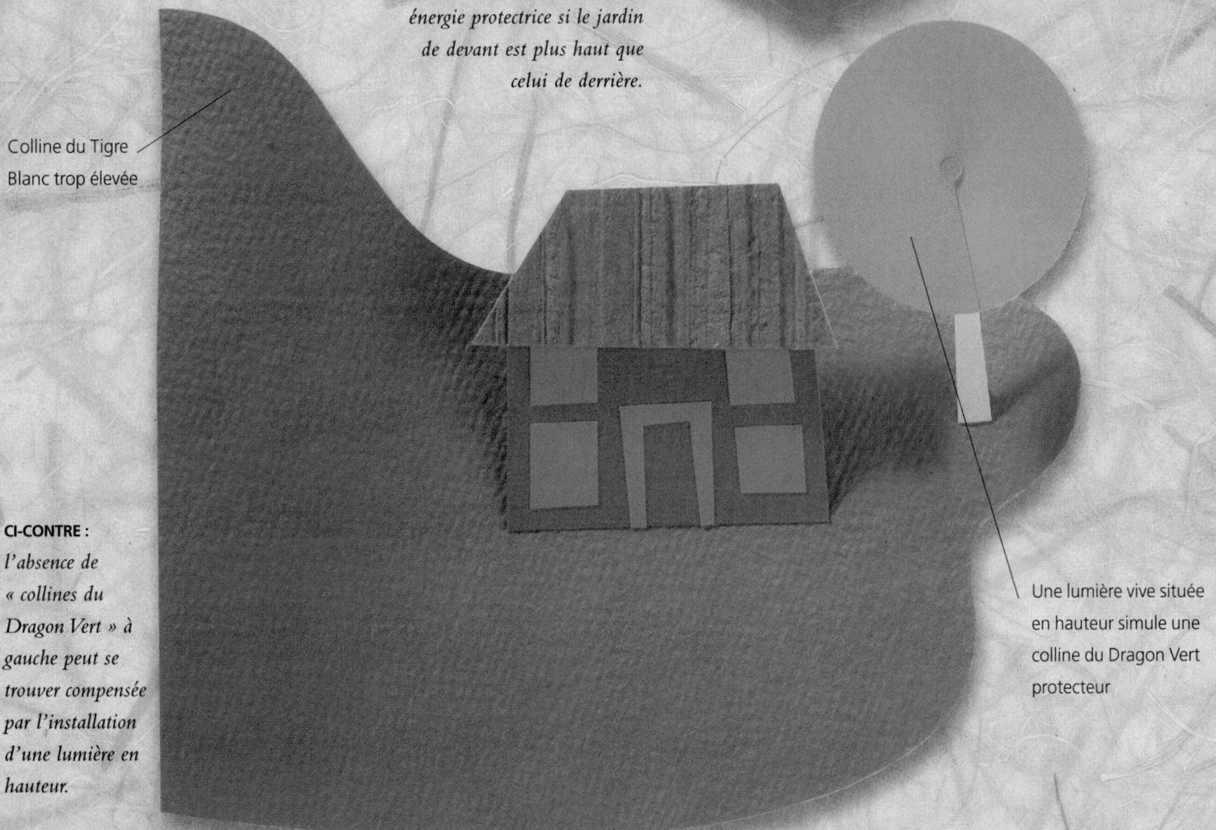

CI-CONTRE : *l'absence de « collines du Dragon Vert » à gauche peut se trouver compensée par l'installation d'une lumière en hauteur.*

CHAPITRE VINGT-TROIS : L'ÉCLAIRAGE

L'ÉCLAIRAGE DANS LE JARDIN

CI-DESSUS : *une lumière vive du côté du Tigre Blanc est source d'harmonie, le feu rétablissant l'équilibre menacé par un excès d'énergie métal.*

CI-DESSUS : *si le côté du tigre de la maison (à gauche en regardant à l'extérieur) pose des problèmes, placez un éclairage à l'ouest pour y remédier.*

Éclairer les chiens Fu protecteurs

Il est recommandé de placer une paire de chiens Fu en hauteur, de part et d'autre du portail d'entrée de la maison. Cette pratique est très courante en Asie et dans le monde entier, parmi les gens d'origine chinoise. Les chiens Fu, que l'on appelle parfois à tort « licornes chinoises », sont considérés comme des créatures célestes légendaires, comme le dragon.

On trouve des statuettes de chiens Fu dans toutes les tailles dans les magasins spécialisés. Si le portail est situé dans le secteur sud du terrain, il est de très bon augure d'éclairer les chiens Fu la nuit, pour attirer la bonne fortune relative à la reconnaissance sociale et à la réputation. Ce conseil Feng Shui se révèle particulièrement utile pour les gens travaillant dans le monde du spectacle, où popularité et célébrité constituent les éléments essentiels du succès. On gagnera à éclairer des chiens Fu placés au sommet des piliers du portail, avec des spots fixés au sol. C'est pour vous et les vôtres la garantie de jouir de la reconnaissance sociale et du respect des autres, quelle que soit votre profession.

CI-CONTRE : *en éclairant vos chiens Fu, vous attirerez sur votre famille la réputation et la reconnaissance sociale.*

UN JARDIN JAPONAIS ÉCLAIRÉ AU SUD-OUEST

Ce coin du jardin, spécialement aménagé, produit un excellent Feng Shui. Efforcez-vous de créer un jardin japonais avec des pierres lisses de différentes grosseurs, des éclairages au sol, des pas japonais et des rochers décoratifs. Faites en sorte que le jardin ne comporte pas d'éléments trop hauts. L'alliance de la lumière et de la pierre symbolise la conjonction des éléments feu et terre dans le secteur de la terre : le feu réduit tout en cendres, lesquelles engendrent la terre. Ceci active le cycle positif et créateur des Cinq Éléments.

Le sud-ouest abrite le trigramme Kun qui représente tout ce qui a un rapport avec la terre-mère. En mettant en avant les éléments feu et terre vous activerez puissamment votre chance. Vous gagnerez aussi à ceindre de fil rouge bénéfique certains cailloux ronds au sud-ouest, car ceci active les pierres dans ce secteur du jardin.

À DROITE : *l'éclairage dans le secteur sud-ouest représente l'élément feu qui activera l'élément terre de manière à accroître la chance du propriétaire dans le domaine des relations.*

CI-DESSOUS : *créez un jardin japonais en utilisant un éclairage au niveau du sol, des dalles de type « pas japonais », des rochers polis ou du gravier. Il stimulera l'énergie des éléments terre et feu.*

New York
CURRENT
-5.6
-23.6
+85.51
2479.1
1948.3
-1.28
£/¥
$/¥
DM/¥
¥/£
GLD
$/DM
£/DM
£/Fr
20
BANCO DE ESPAÑA

木火土金水

Sixième partie

6

LE FENG SHUI ET LES AFFAIRES

CHAPITRE VINGT-QUATRE

CONSEILS PRATIQUES POUR LES ENTREPRENEURS

Si vous créez votre propre entreprise et que vous rêvez de devenir millionnaire, vous avez tout intérêt à instaurer un bon Feng Shui dans votre environnement, pour vous attirer la chance relative aux affaires. Les adeptes de cet art de vivre pensent qu'il existe de nombreux moyens efficaces d'exploiter cette bonne fortune, soit par le biais d'actions Feng Shui symboliques faciles à mettre en œuvre, soit avec des formules Feng Shui plus compliquées. Pour ceux qui préfèrent des méthodes rapides, ce chapitre fournit plusieurs nouvelles techniques très efficaces. On peut les appliquer immédiatement pour chercher à augmenter des ventes rapidement et s'attirer des revenus supplémentaires. Le Feng Shui n'a pas besoin d'être compliqué pour donner des résultats. L'important est de disposer correctement des objets activant la chance qui apporte la richesse. Un bateau à voiles chargé d'or, par exemple, arrivera toujours au port, et ne s'éloignera jamais de votre bureau ; les miroirs réfléchiront toujours la caisse enregistreuse et jamais l'entrée. Dans le premier cas de figure, cela attire les clients, dans le deuxième, cela les fait fuir. Les clients n'auront jamais devant eux de miroirs Pa Kua, car il les incitera à partir ! Il vaut toujours mieux appliquer le Feng Shui scrupuleusement et avec détachement.

À GAUCHE : *votre entreprise peut également bénéficier du Feng Shui et activer l'énergie positive peut ouvrir mille perspectives.*

CHAPITRE VINGT-QUATRE : CONSEILS PRATIQUES POUR LES ENTREPRENEURS

ACTIVER L'ÉNERGIE ATTIRANT LA RICHESSE

À DROITE : *il est bon que le vase ou le bol de richesse ressemblent à une calebasse, symbole très faste. Remplissez-le de symboles de richesse et mettez-le dans un endroit secret chez vous ou au bureau.*

Le vase de richesse

Si vous êtes chef d'entreprise et que vous désirez activer et préserver votre chance en affaires, vous obtiendrez un excellent Feng Shui en créant un « bol de la richesse » ou « vase de la richesse » (voire plusieurs), à mettre dans la maison.

Prenez un bol classique à large ouverture ou, mieux encore, un vase au col étranglé ressemblant à une calebasse. Ce type de forme porte bonheur parce qu'elle signifie que la richesse entrera facilement dans le récipient mais n'en ressortira qu'avec difficulté. C'est la première de deux significations symboliques. La seconde veut que la calebasse soit le récipient traditionnel contenant le nectar divin, d'où son caractère bénéfique. Le bol peut être en cristal (il faut alors que ce soit un cristal de bonne qualité, non du verre ou du plastique) ou en céramique. La taille du bol dépend de votre goût personnel.

Il faut ensuite remplir le bol à ras avec trois éléments essentiels.

- Prenez de la terre provenant de la maison d'une personne riche. Quand vous lui rendez visite, demandez-lui une petite plante lui appartenant ou un peu de terre de son jardin. Interdiction de voler ! Placez-la dans un paquet rouge.
- Prenez 9 pièces de monnaie chinoises à trou central carré, que vous relierez avec du fil rouge. Placez-les aussi dans un paquet rouge.
- Réunissez une somme d'argent en grosses ou petites coupures actuelles équivalent au chiffre 988 : 988 $ ou 9,88 $, 988 F ou 9,88 F. Placez cette somme dans un paquet rouge.

Mettez les trois paquets rouges dans le bol et remplissez-le de pierres fines, de perles (de culture, en quartz ou en verre coloré), d'or véritable.

- Les pierres fines : jade, améthyste, citrine, œil-de-tigre, topaze, cornaline, quartz, cristal, malachite, corail, lapis-lazuli ou turquoise sont excellentes. Certains recommandent d'avoir 7 types de pierres fines, correspondant au nombre porte-bonheur de la semaine. J'utilise pour ma part 8 sortes de pierres différentes, en particulier le corail et le jade, les deux matières préférées des Orientales. J'aime aussi avoir des cristaux parce que ce sont d'excellents principes actifs.
- Les perles de culture sont également très prisées, mais vous pouvez vous contenter de perles en verre coloré ou clair.
- Il faut aussi déposer un petit objet en or dans ce vase symbole de fortune par excellence, et pour faire bonne mesure ajoutez quelques faux lingots.

Il n'est pas nécessaire d'exposer le bol de richesse à la vue de tous, de façon trop ostentatoire ; en fait le meilleur endroit est soit la chambre, soit, au bureau, un placard où il restera caché.

Les croyants placent leur vase de richesse sur son autel afin de symboliser une offrande précieuse. Mes deux vases de richesse trônent sur mon autel en offrande à Bouddha. Brassez le contenu de votre vase une semaine avant le Nouvel an pour le rafraîchir. Ceci renouvelle l'énergie et active le bol de richesse pour l'année à venir.

Un bateau à voiles chargé d'"or"

Il s'agit d'une des meilleures méthodes pour accroître avec succès votre fortune personnelle, surtout si vous êtes chef d'entreprise. En Extrême-Orient, le bateau à voiles a toujours été un symbole de succès en affaires. Jadis, beaucoup de patrons chinois s'en servaient de logo, car il symbolisait les vents apporteur d'affaires, de commerce et de chiffre d'affaires. En fait, après le dragon, le navire à voiles est le symbole le plus courant utilisé par les hommes d'affaires chinois.

Pour activer votre chance sur votre lieu de travail, mettez un modèle réduit de bateau à voiles près de l'entrée. Veillez à ce qu'il soit orienté vers l'intérieur du bureau. Dans le cas contraire, cela signifie qu'il s'éloigne. Il faut que symboliquement le bateau arrive et non qu'il parte. On peut faire la même chose à la maison : exposez un bateau près de la porte d'entrée.

Bien évidemment, un bâtiment dont les voiles "prennent le vent" est de meilleur augure qu'une maquette du... Titanic ! Le symbolisme des voiles gonflées, apportant de l'or s'avère particulièrement faste.

La phase suivante consiste à remplir le bateau d'or. Les lingots d'or factices, que l'on peut acheter pour une bouchée de pain, se trouvent facilement dans les grands magasins chinois ou dans les marchés aux puces. Entassez-les dans le bateau. Si vous ne trouvez pas de faux lingots, mettez-y des pièces de monnaie et des billets.

Le Dragon Vert dans le coin sud-est

Tous ceux qui recherchent la fortune, doivent s'attacher à activer le Dragon Céleste, symbole suprême de fortune. Placez 9 dragons du côté est de votre bureau, du local de votre entreprise ou de votre maison, afin d'activer la magie du dragon. Les dragons associés à la perle symbolique représentent la richesse. Achetez-en, ou bien procurez-vous un tableau montrant deux dragons poursuivant la perle. Ne placez pas le couple dragon-phénix à l'est. Une telle association ne convient pas ici ; elle signifie l'amour plutôt que la richesse.

Distinguez bien le dragon à 5 griffes de celui qui en 4. Les deux types conviennent mais il faut noter que les dragons à 5 griffes sont réservés à la dynastie impériale. Jadis, seuls les empereurs avaient le droit d'exhiber ce dragon à 5 griffes.

On notera que, s'agissant du nombre de dragons à exposer, le chiffre 9 est celui de la plénitude du ciel. Il s'agit aussi d'un nombre entier par excellence, qui a le pouvoir de magnifier et de multiplier toutes sortes de chances, les bonnes comme les mauvaises. Puisque le dragon apporte toujours la bonne fortune, avoir 9 dragons la magnifie. Dans la Cité interdite et à Hong Kong, sur le front de mer, on a érigé un panneau où figurent 9 dragons pour attirer la chance. Derrière Hong Kong, Kowloon, lieu prospère plus à l'intérieur des terres, est aussi appelé l'"endroit des neuf dragons".

Les entreprises ayant le dragon sur leur logo connaissent d'habitude un succès durable. Mais le dragon, comme tout porte-bonheur, doit y être représenté correctement. Votre dragon ne doit pas avoir l'air affamé ; il sera gras, bien nourri, en bonne santé. Il ne faut jamais mettre les dragons en captivité. Ils doivent pouvoir monter jusqu'au ciel : les inscrire dans un cercle est donc une mauvaise idée, et enfermer à clé un dragon dans un placard fera tout simplement échouer vos projets.

CI-DESSUS : *mettez une image du Dragon Vert dans la partie est de votre bureau ou de votre entreprise pour attirer la chance et la richesse, mais veillez à ce qu'il ait l'air heureux et bien nourri.*

À GAUCHE : *le bateau à voiles représente la richesse que l'on rapporte de l'étranger ; il est bon de le charger symboliquement d'or et de le placer face au bureau, proue tournée vers l'intérieur.*

VOIR AUSSI
- Le concept de la forme : le symbolisme des quatre créatures célestes p. 48-50
- Les symboles de bonne fortune p. 88

Surchargez le mur du sud-est de plantes vertes

Ce conseil vaut aussi pour toute la partie est de votre maison, de votre bureau (sur le lieu du travail) et de votre jardin. Vos plantes doivent déborder au sud-est, parce que c'est le secteur de l'espace de vie et du travail associée à l'accroissement des revenus. Le sud-est représente pareillement le coin de la richesse. Les deux secteurs sont ceux du bois, selon la théorie des Cinq Éléments. Ainsi, l'activation par à des plantes luxuriantes et vigoureuses stimule cet élément et attire de merveilleuses énergies relatives à la richesse vers vos lieux de vie et de travail. Soignez bien les plantes et ôtez-en régulièrement les feuilles mortes ou jaunissantes, sinon cela attirera la malchance sur votre entreprise.

À DROITE : *les plantes sont excellentes pour nourrir l'énergie Chi bénéfique mais elles doivent être en bonne santé et bien soignées pour attirer la chance et la richesse.*

Une chute d'eau pour vous apporter la richesse

Une petite chute d'eau artificielle, placée à une distance comprise entre 3 et 4 m de la porte d'entrée, est un autre élément utile pour susciter la richesse. On peut l'installer au bureau, à l'usine ou à la maison, mais il convient de faire attention à trois choses.

- Assurez-vous que la chute d'eau n'est pas trop grande par rapport à la taille de la maison, de la porte et du jardin. Mieux vaut qu'elle soit trop petite que trop grande. Quelle que soit la grandeur de la chute d'eau, le bruit devra en rester doux plutôt que d'évoquer celui d'une cascade. Assurez-vous que l'eau donne l'impression de couler vers votre entrée et qu'elle forme une mare bien visible depuis la porte. De l'eau qui s'en éloigne signifie de l'argent qui file entre les doigts.
- Faites en sorte qu'il y ait de la vie dans le bassin : des tortues d'eau ou des poissons porte-bonheur.
- Assurez-vous que la porte d'entrée est orientée vers le secteur est, sud-est ou nord de la maison. Si elle se trouve dans l'un quelconque des autres secteurs, cette option n'est pas pour vous, à moins d'avoir des Étoiles Volantes très favorables. Si vous ne comprenez pas et ne savez pas comment interpréter les Étoiles Volantes, mieux vaut veiller à ce que la porte se trouve dans le bon secteur.
- Faites en sorte qu'il n'y ait pas de compositions de rochers hostiles

À GAUCHE : *toutes les plantes de bureau doivent être bien soignées pour garantir une bonne énergie relative à la richesse. Ôtez les feuilles mortes ou jaunies, elles attireraient la malchance.*

CI-DESSUS : *on peut attirer la chance relative à la richesse en installant une toute petite cascade près de son bureau, face à l'entrée, l'eau, s'écoulant vers soi.*

CI-DESSOUS ET À GAUCHE : *des tortues d'eau ou des poissons dans un bassin d'intérieur ajoute de la vie, donc de l'énergie yang à l'environnement de votre lieu de travail.*

À DROITE : *une allée avec 9 dalles et menant à l'entrée de votre lieu de travail favorisera très efficacement la prospérité.*

pointant vers la porte d'entrée. Utilisez des rochers aux formes arrondies, sans arêtes.

- Ne placez pas la chute d'eau directement en face de la porte d'entrée, ni à sa droite. Le seul endroit adapté est le côté gauche, lorsqu'on se tient à l'intérieur de l'immeuble ou de la maison et que l'on regarde vers l'extérieur.

Enterrez 9 pièces de monnaie dans l'allée menant à la maison

C'est un conseil Feng Shui pour faire venir la richesse, qui me fut donnée par un maître de Feng Shui à Hong Kong. Il s'agit, soit d'enterrer 9 pièces de monnaie, soit de les figurer sous la forme d'une allée en pas japonais menant du portail à l'entrée du bureau ou de la maison. Elles évoquent les 9 pièces impériales : l'alliance des formes rondes et carrées de ces pièces signifie en outre l'unité du Ciel et de la Terre. Une allée munie de 9 dalles constitue un élément de jardin très faste, ce qui est excellent pour améliorer vos chances de richesse.

Placez une «montagne» derrière votre fauteuil

Tous ceux qui sont dans les affaires ou dans la politique devraient s'assurer d'avoir une "montagne" derrière leur fauteuil au bureau. Il peut s'agir d'un tableau ou d'une photographie d'une montagne connue. J'aime l'Everest, mais certains maîtres m'ont dit que sa silhouette est trop audacieuse. Néanmoins, je continue à l'aimer. C'est une affaire de goût personnel.

Il est important de veiller à ce que de l'eau n'apparaisse pas sur l'image de montagne : il ne doit pas y voir de cours d'eau ou de cascades, si communs sur les estampes chinoises. De l'eau derrière signifie des occasions perdues, d'où une grande malchance pour les hommes d'affaires.

CI-DESSOUS : *exposer une image de montagne derrière votre fauteuil de bureau constituera pour vous un soutien pendant toute la journée de travail.*

CI-DESSUS : *le type de montagne que vous choisirez d'accrocher dépend purement de votre goût. Faites en sorte qu'il n'y ait pas d'eau sur l'image de votre montagne, car cela représente des occasions perdues dans le domaine des affaires.*

CI-DESSOUS : *Ayers Rock en Australie est l'une des trois montagnes sacrées qui représentent l'élément Terre. Les deux autres sont le mont Kailash au Tibet et Table Mountain en Afrique du Sud.*

Une "banque" derrière votre fauteuil

Une variante du thème de la montagne consiste à mettre une "banque" derrière son fauteuil, au bureau. Procurez-vous une photo du siège social de votre banque, en vous assurant que le cliché n'a pas été pris de telle sorte que les angles saillants de la banque soient orientés vers le spectateur : ceci dirigerait vers vous des flèches empoisonnées. Ce que vous recherchez, c'est l'aide symbolique de la banque, et non son hostilité.

Des pièces porte-bonheur fixées au carnet de commandes et au facturier

Accrochez trois pièces de monnaie chinoises à votre carnet de commandes et à votre facturier. Au bureau, faites de même pour les dossiers et les classeurs à tiroirs importants. N'oubliez pas d'activer ces pièces en les reliant par un fil ou un ruban rouge. Peu importe la façon dont on s'y prend. Tant que les pièces sont attachées de manière à ce que le côté yang soit visible (celui qui a 4 caractères chinois), elles porteront chance. Les pièces de monnaie chinoises percées d'un trou carré au centre sont celles qui conviennent le mieux. Personnellement, je préfère les anciennes aux nouvelles, mais les deux font l'affaire. Si vous le voulez, vous pouvez nouer 9 pièces au lieu de 3, car 9 est un nombre porte-bonheur et faste. Le 6 et le 8 le sont également. Le 7 porte encore bonheur, mais ce sera tout le contraire à partir de l'année 2003.

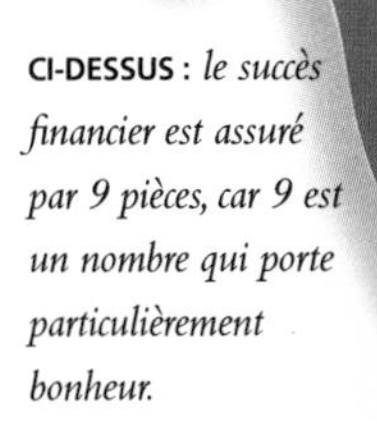

CI-DESSUS : *le succès financier est assuré par 9 pièces, car 9 est un nombre qui porte particulièrement bonheur.*

À GAUCHE : *attacher avec un ruban rouge des pièces chinoises à un facturier ou à un carnet de commandes porte bonheur, mais il faut que le côté yang des pièces se trouve en haut.*

CHAPITRE VINGT-CINQ

LE FENG SHUI DESTINÉ AUX COMMERÇANTS

Pour instaurer un bon Feng Shui dans les magasins, on commence toujours par chercher l'endroit adéquat. La première chose à vérifier, c'est l'absence de flèches empoisonnées envoyant une énergie mortelle vers l'entrée. Ce type d'énergie est comme le souffle de la mort. Si vous repérez quelque chose d'hostile, de pointu ou de droit braqué sur votre entrée, neutralisez-le en vous servant de la théorie des Cinq Éléments. Si l'entrée de votre boutique se trouve à l'est ou au sud-est (les directions de l'élément bois),utilisez un carillon éolien afin de contrôler l'énergie du bois dirigée vers vous. De la même façon, il est possible de neutraliser une flèche empoisonnée venant du nord grâce à des ustensiles en terre, alors qu'une flèche provenant du sud peut se contrer par une urne remplie d'eau placée tout près du point stratégique qu'est l'entrée. Utilisez une logique similaire pour trouver des remèdes aux flèches empoisonnées venant d'autres directions. N'employez pas de miroir Pa Kua car il éloignerait en même temps les clients. Une fois que le magasin se trouve à l'abri des mauvaises énergies, vous pouvez vous consacrer à l'activation de la chance en affaires, en employant plusieurs idées Feng Shui souveraines et faciles à réaliser : utiliser des miroirs pour doubler le chiffre d'affaires ; des pièces de monnaie chinoises pour engendrer la chance attirant l'argent ; des symboles porte-bonheur près de la caisse et des clochettes, des bols et des carillons éoliens porte-bonheur.

À GAUCHE : *apprenez des recettes Feng Shui pour accroître l'attrait de votre magasin et faire venir davantage de clients.*

CONSEILS PRATIQUES POUR LE COMMERCE DE VENTE AU DÉTAIL

CI-DESSUS : *choisissez soigneusement l'endroit où doit se trouver votre magasin. Une rue très passante lui apporte beaucoup d'énergie yang.*

Conseils généraux

Il est possible d'incorporer au décor du magasin diverses dispositions Feng Shui aidant à augmenter le chiffre d'affaires, à garantir des rapports harmonieux entre le personnel d'encadrement et les employés et à se protéger des cambriolages. Pour commencer, il faut choisir avec soin l'emplacement du magasin. Il vous faut beaucoup d'énergie yang. Les rues passantes sont préférables aux rues tranquilles parce qu'elles contiennent beaucoup d'énergie yang. Mieux vaut que la vitesse de la circulation ne soit pas trop élevée, sinon cela chassera la chance.

L'emplacement du magasin est capital. Ce doit être votre poste budgétaire prioritaire. Veillez à ce que l'entrée de votre boutique ou de votre restaurant ne soit pas trop étroite. Une petite porte est synonyme d'affaires modestes. Voici quelques conseils généraux à suivre quand vous choisissez un emplacement commercial.

- Cherchez un immeuble situé sur une rue large plutôt qu'étroite. Un vaste espace libre devant l'entrée est excellent car, il simule un Hall de lumière. Dans un centre commercial, les magasins comportant à l'extérieur un espace de ce type seront toujours plus prospères que ceux qui font face à un espace confiné.
- Veillez à ce que l'entrée du magasin ne soit pas menacée par un lampadaire, un arbre isolé, l'arête d'un immeuble, la silhouette triangulaire du toit d'un bâtiment, ou tout autre source de flèches empoisonnées. Dans tous ces cas, suspendez un grand miroir convexe Pa Kua au-dessus de votre entrée. Ne le faites pas si rien ne la menace. Abstenez-vous de louer ou d'acheter un commerce se trouvant au bout d'un long couloir ou au fond d'une impasse. De tels lieux se révèlent invariablement néfastes.
- Abstenez-vous de louer ou d'acheter un local coincé entre deux immeubles plus grands et plus hauts que le vôtre. Votre magasin serait symboliquement écrasé par les constructions voisines.
- Abstenez-vous de louer ou d'acheter un magasin face à une route où la circulation arrive vers vous. C'est le cas classique d'un carrefour ou d'une jonction en T, très néfastes.
- N'ouvrez pas une boutique dans un centre commercial sans entrée principale bien identifiable. Beaucoup de ces centres ont aujourd'hui tant d'issues que l'on ne distingue pas la principale. Ce genre d'endroit aura rarement un bon Feng Shui.

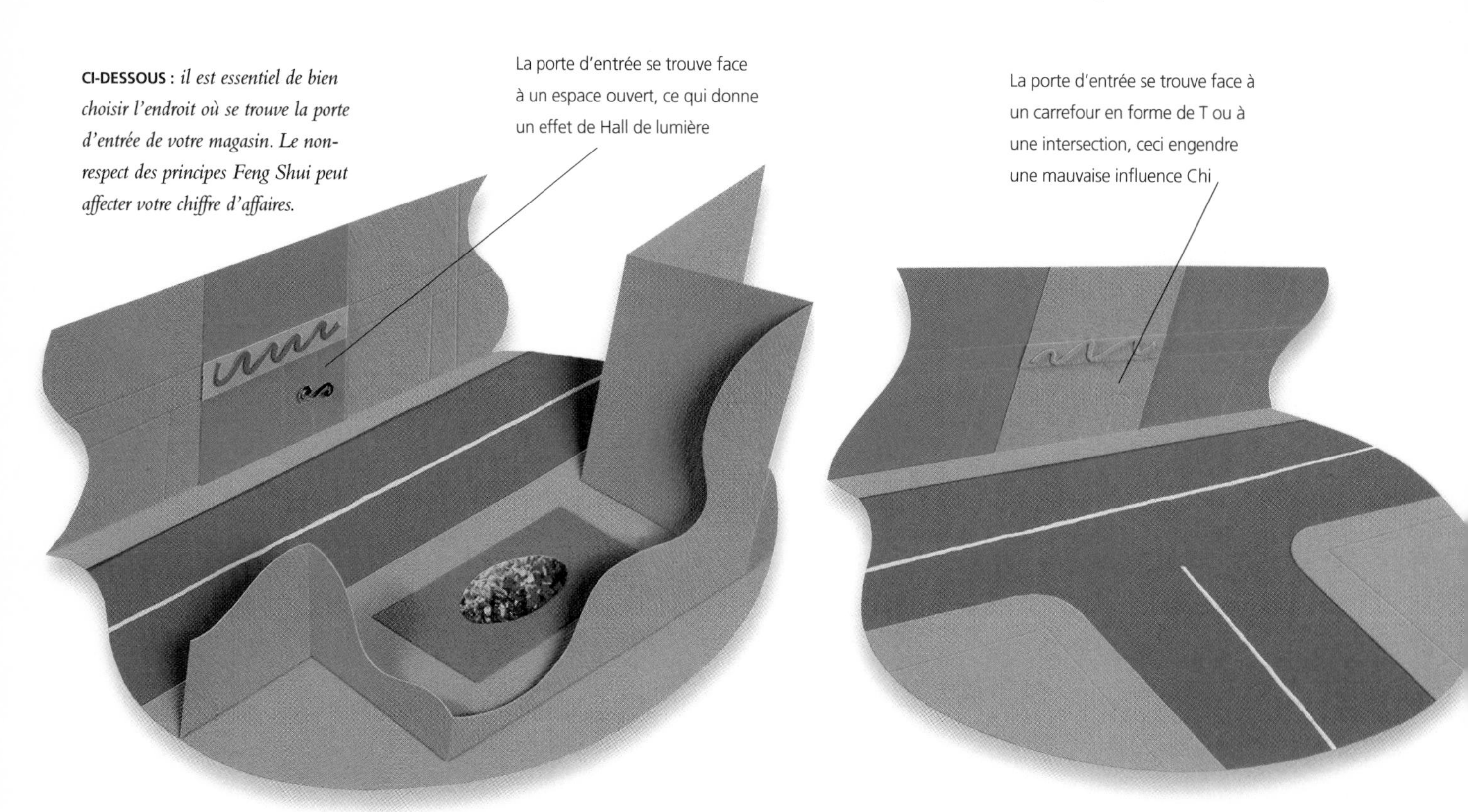

CI-DESSOUS : *il est essentiel de bien choisir l'endroit où se trouve la porte d'entrée de votre magasin. Le non-respect des principes Feng Shui peut affecter votre chiffre d'affaires.*

À GAUCHE : *disposer des miroirs sur tous les murs de votre magasin créera une impression d'espace et de profondeur, réfléchissant à la fois la marchandise et les clients, ce qui engendre une très bonne influence Feng Shui pour les affaires.*

CI-DESSOUS : *il faut que les miroirs soient grands ; ne réfléchir que la moitié supérieure des clients attire la malchance. Le miroir sur le mur du fond ne doit pas refléter l'entrée principale, car cela chassera la bonne fortune Chi.*

CI-DESSOUS : *un miroir sur le mur du fond du magasin porte bonheur si on ne le voit pas de l'entrée, mais faites attention qu'il ne réfléchisse pas d'escalier ou de toilettes !*

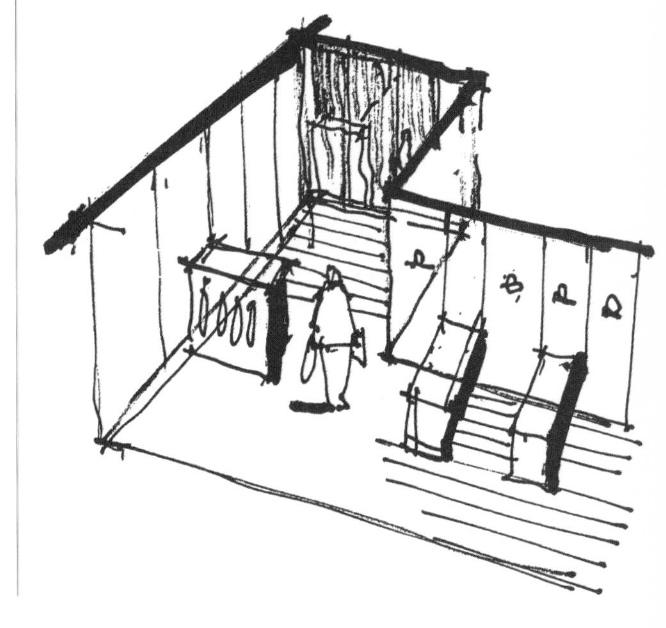

Des miroirs pour doubler le chiffre d'affaires

Dans presque tous les cas, vous améliorerez votre chiffre d'affaires en doublant les murs de miroirs. Placez-les de part et d'autre du local, de façon que l'entrée ne se trouve pas réfléchie. Le mur du fond ne doit pas comporter de glace, car renvoyer l'image de l'entrée refoule toute la chance du magasin. Les boutiques donnant une impression de profondeur bénéficieront de davantage de chance. Ainsi, un magasin tout en longueur vaut mieux qu'un local tout en largeur.

Si le mur du fond ne se voit pas de l'entrée, placez-y une glace pour augmenter la profondeur et du même coup son côté faste.

Quand on se sert de miroirs dans les magasins, il faut toujours veiller à ce que les glaces fassent toute la hauteur du mur, pour ne pas couper symboliquement les jambes des clients ; dans le même esprit, il est bon qu'elles renvoient une image agrandie.

Évitez les mosaïques de petites glaces carrées pour constituer un miroir plus grand. Préférez les grandes surfaces réfléchissantes. N'utilisez pas de miroirs bon marché, minces, que l'humidité abîme vite. Il est bon que les glaces réfléchissent la marchandise, les clients, et surtout, la caisse enregistreuse : ceci a pour effet de tout multiplier par deux. Les seules choses que les miroirs ne doivent pas réfléchir sont les entrées, les toilettes, les escaliers et les balais. Les glaces portent chance surtout dans les restaurants, les boutiques de mode, les bijouteries et les magasins de cadeaux.

Activez la chance de la caisse enregistreuse

Une autre excellente façon d'activer la chance consiste à attacher 3 pièces de monnaie chinoise avec un ruban rouge pour ensuite les fixer à vos carnets de commandes, à votre facturier et à la caisse. Si vous avez une caisse portable, vous pouvez aussi les y accrocher.

On sait que les pièces de monnaie ont la propriété d'augmenter la chance. Autrefois, les commerçants attachaient des pièces au tiroir de leur caisse. En faire autant avec une caisse enregistreuse n'est que l'adaptation moderne de cette vieille pratique. Si vous utilisez un ordinateur pour réaliser votre comptabilité, optez pour un économiseur d'écran avec des pièces de monnaie. Le fait de mettre aussi des pièces sur votre ordinateur vous assurera sûrement de bons revenus.

CI-DESSOUS : *trois pièces chinoises placées sur le dessus de la caisse aideront votre commerce à prospérer.*

CI-DESSUS : *attachez 3 pièces chinoises avec un ruban rouge. Cette couleur porte la chance et crée des conditions financières favorables.*

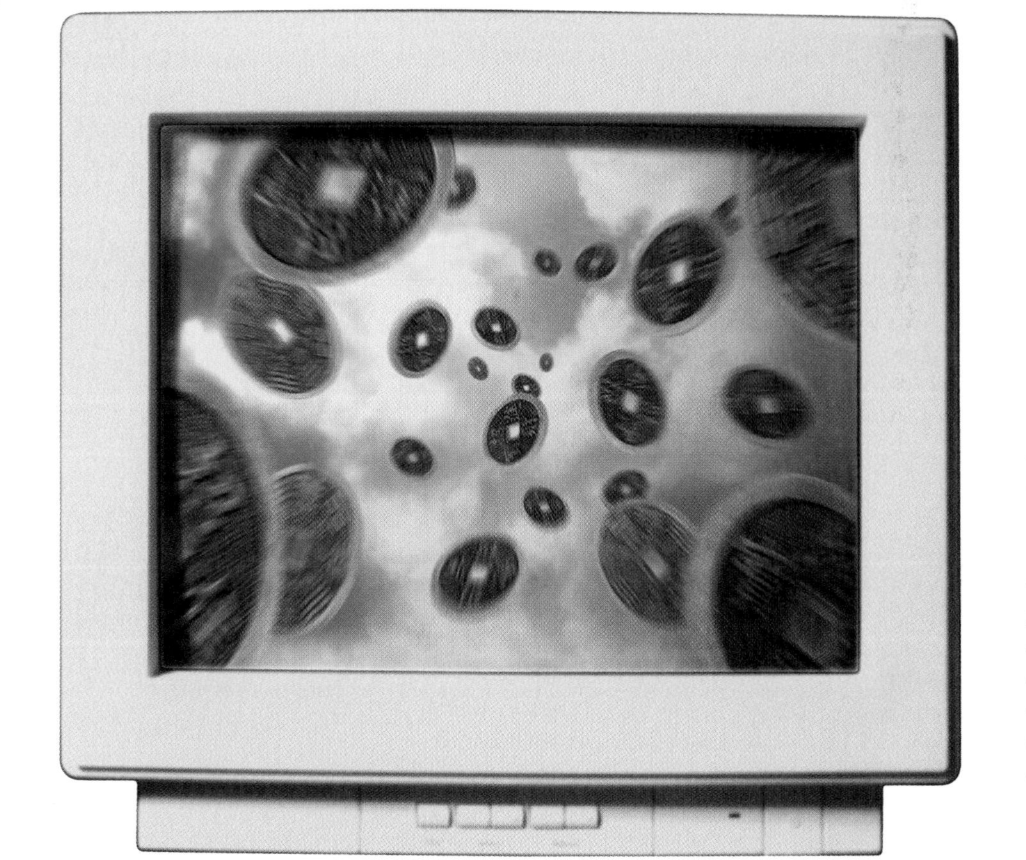

À GAUCHE : *pour avoir de la chance dans les affaires, au travail ou chez vous, créez un fond d'écran présentant 3 pièces sur votre ordinateur ou bien utilisez un économiseur d'écran montrant des images de pièces.*

Simulez une montagne d'or près de l'entrée

Une des méthodes les plus créatives destinée à encourager la chance d'un commerce de détail est de placer devant le local une petite "montagne d'or" stratégiquement bien située. C'est particulièrement puissant pour une entrée orientée dans la direction de la terre ou du métal – le sud-ouest, le nord-est, l'ouest ou le nord-ouest. Choisissez quelques pierres ou galets de taille moyenne (d'environ 15 à 20 cm), peignez-les en doré puis entassez-les à l'extérieur de votre entrée. Ne faites pas une pile trop haute ; la montagne à créer n'est que symbolique : quelques pierres ou galets devraient suffire à activer le symbolisme.

CI-DESSUS : *quelques pierres de taille moyenne peintes en doré et placées à l'extérieur de l'entrée de votre magasin accroîtront votre chance.*

VOIR AUSSI
Activer des symboles de bonne fortune p. 92-93
Symboles de prospérité, de succès et de richesse p. 94-95

À GAUCHE : *des objets discrets favorisant la richesse, tels qu'une clochette porte-bonheur, des pièces attachées par du fil rouge, ou un petit empilement de pierres dorées favoriseront la chance en matière de richesse sans affecter l'apparence du magasin.*

Une clochette porte-bonheur à votre porte d'entrée

Il est toujours bénéfique de suspendre une clochette à la poignée de la porte d'entrée de votre magasin. Cela vaut surtout pour les portes orientées à l'ouest et au nord-ouest. Le tintement de la clochette active instantanément l'énergie de l'entrée. Ainsi, quelle que soit la personne franchissant le seuil, elle fera entrer la chance dans votre boutique.

À DROITE : *une clochette porte-bonheur suspendue à la porte d'entrée améliorera l'énergie du magasin, si on la place de manière à ce qu'elle sonne quand la porte s'ouvre.*

CI-DESSUS : *utilisez des éléments de couleurs adaptés pour communiquer de l'énergie à la porte d'entrée.*

CI-DESSUS : *le marron porte chance pour les portes d'entrée orientées au sud.*

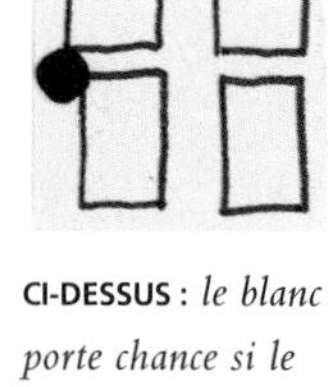

CI-DESSUS : *le blanc porte chance si le magasin se trouve orienté vers l'ouest ou le nord-ouest.*

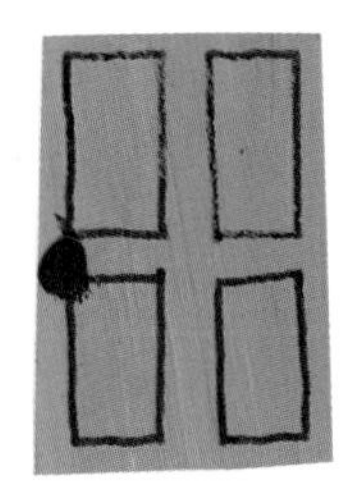

CI-DESSUS : *bleu clair ou bleu foncé, l'intensité de la couleur importe peu.*

Faites que votre porte d'entrée attire la chance

La porte d'entrée du magasin constitue la partie du local la plus importante à mettre aux normes Feng Shui. La première chose est qu'elle ne soit pas la cible de flèches empoisonnées.

- Utilisez les Cinq Éléments pour attirer la chance sur votre porte. Activez l'énergie en fonction de la direction et de l'élément qui lui correspond. Ainsi, une porte orientée au sud devrait comporter 5 motifs (formes triangulaires, soleil et lumières). Une porte face au nord bénéficie de la bonne influence de motifs aquatiques (aux lignes ondulantes). Une porte orientée à l'est et au sud-est est bien servie par le motif du bois (rectangulaire). Une porte tournée vers l'ouest et le nord-ouest bénéficie de motifs propres au métal (formes arrondies et circulaires). Un motif relatif à la terre (formes carrées) est bon pour une porte orientée au sud-ouest et au nord-est.
- Servez-vous de la formule Kua pour trouver la meilleure direction concernant la richesse, puis assurez-vous que l'entrée de votre boutique lui fait face. Ceci vaut dans le cas où vous gérez vous-même votre fond de commerce. Dans le cas contraire, vous devrez avoir recours au nombre Kua du gérant du magasin. Si ce dernier change régulièrement, il est impossible d'employer la formule Kua. Il faudra alors se fier entièrement à l'École Feng Shui de la Forme, de manière à donner un coup de pouce à vos affaires.
- Utilisez une boussole pour déterminer l'orientation de votre magasin, puis exploitez les Cinq Éléments pour en activer l'énergie. Ainsi, une porte face au sud gagnera à être peinte en rouge, en marron, ou en vert, et si un magasin de l'autre côté de la rue est d'une couleur semblable, la chance sera attirée par le vôtre. Si votre entrée se trouve

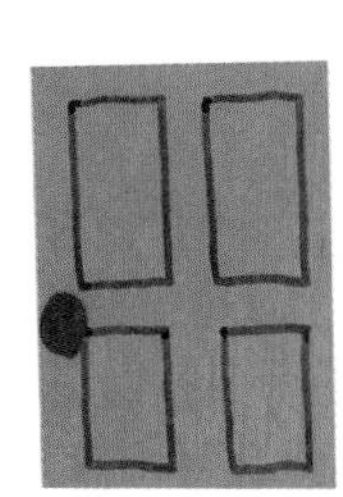

CI-DESSUS : *choisissez de l'orange pour une porte orientée au sud-ouest et au nord-est.*

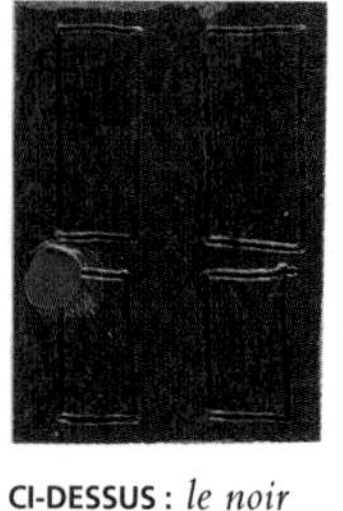

CI-DESSUS : *le noir conviendra pour une porte d'entrée orientée au nord, à l'est ou au sud-est.*

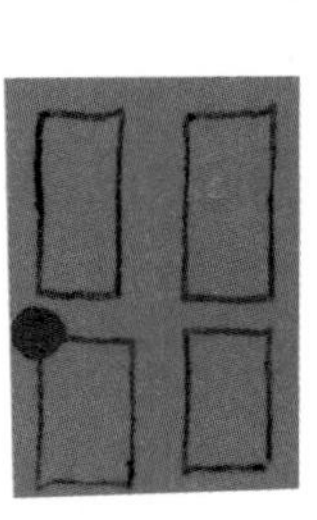

CI-DESSUS : *attirez la richesse avec une porte rouge au sud, au sud-ouest ou au nord-est.*

CI-DESSUS : *le vert est la couleur du sud, de l'est ou du sud-est.*

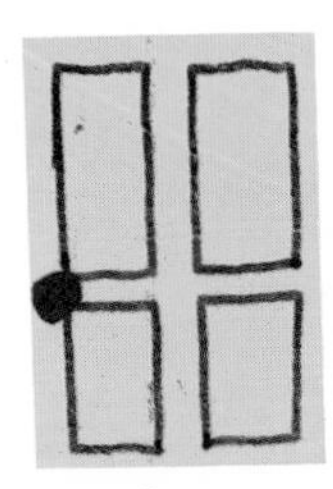

CI-DESSUS : *une porte jaune attire la chance de l'ouest ou du nord-ouest.*

CI-DESSUS : *les portes d'entrée bleues attirent la chance pour les magasins orientés au nord-est ou au sud-est.*

À GAUCHE : *une grande porte d'entrée bien éclairée attire l'énergie positive yang, plus elle est éclairée, mieux votre compte en banque se portera !*

orientée au nord, la meilleure couleur sera le bleu, le noir ou le blanc ; là encore, si l'agencement des couleurs concernant le magasin d'en face fait appel à ces teintes, vous jouirez d'une bonne fortune. Si votre porte est tournée vers l'est ou le sud-est, les couleurs porte-bonheur seront le vert, le bleu ou le noir. Si elle fait face à l'ouest ou au nord-ouest, le blanc, le jaune ou une teinte métallisée seront bénéfiques. Si la porte fait face au sud-ouest ou au nord-est, elle gagnera à être rouge ou jaune vif.

- Plus votre porte d'entrée sera grande et plus vos affaires prospéreront. En revanche, sa taille ne devra pas sembler disproportionnée, et elle ne devra gêner son maniement. Les grandes entrées ont tout intérêt à donner sur un "Hall de Lumière" ou une rue large.
- La présence de plusieurs rues secondaires débouchant dans la rue principale devant votre magasin portera chance. Plus vous serez près du carrefour ou de la jonction des rues et de l'artère principale, mieux cela vaudra, mais la circulation devra se faire vers votre magasin, et non en sens contraire.
- Si vous avez l'intention de poser un store en façade, il est bon d'user de couleurs reflétant l'élément approprié de votre entrée. En tout cas, il est impératif de veiller à ce que les couleurs employées ne heurtent pas celle de l'élément.
- Il faut que l'entrée soit bien éclairée en toute circonstance pour créer une bonne énergie yang, qui attire les gens dans le magasin. Les portes mal éclairées repoussent l'énergie yang et le Chi faste. En fait plus le devant du magasin sera illuminé, plus vos affaires fructifieront.

CI-DESSOUS : *une lumière vive placée près de la porte d'entrée du magasin crée une aura séduisante qui favorise le flux de Chi et donc attirera les clients dans votre boutique.*

Installez une lumière vive au-dessus de l'entrée, côté magasin

Il faut aussi que les commerces bénéficient d'une lumière vive juste à l'intérieur de l'entrée, près de la porte. Ceci stimule l'énergie yang et attire du Chi précieux : il en résulte un accroissement du flux d'énergie dans le magasin. Ceci est loin d'être négligeable, où que se trouve la porte d'entrée, et quelle que soit son orientation. L'impact d'un éclairage sera encore plus grand s'il existait, auparavant, un lieu d'accueil pour la clientèle, si petit soit-il.

La lumière au-dessus de la porte d'entrée, côté magasin, attirera le regard du client vers l'intérieur. Si elle est trop faible, le Sheng Chi faste stagnera, ce qui appauvrira la circulation d'énergie : les clients ne se sentiront pas attirés par la boutique. Gardez-la allumée en permanence, même la nuit, après la fermeture.

CI-DESSUS : *l'élément eau sur une porte orientée au nord.*

CI-DESSUS : *l'énergie yang est renforcée par un bon éclairage.*

CI-DESSUS : *les stores ne doivent pas entrer en conflit avec l'élément de la porte.*

CI-DESSUS : *les symboles de l'élément terre ont une forme carrée.*

CI-DESSUS : *le trafic en direction de la porte est une bonne chose.*

CHAPITRE VINGT-SIX

LE FENG SHUI DES GRANDES SOCIÉTÉS

Les grandes sociétés tireront aussi grand profit d'un bon Feng Shui, mais seulement si l'on est capable d'appliquer correctement les principes en usant des différentes formules souveraines activant la chance à long terme. Le Feng Shui des grandes sociétés se distingue, en fait, de celui des maisons individuelles et des petits commerces. Ceci est dû au fait que les grandes sociétés ont généralement de multiples succursales dans le monde entier, facteur qu'il faut prendre en compte pour le Feng Shui du siège social. J'ai vu, et entendu parler de sociétés qui gardaient à leur service des conseillers en Feng Shui sans maîtrise suffisante en ce domaine. De ce fait, ces sociétés souffrent de l'influence négative, par contrecoup, de principes Feng Shui mal appliqués. Le conseil que j'adresse aux dirigeants de grandes sociétés est d'utiliser cet ouvrage pour améliorer leur Feng Shui personnel. Si vous désirez bonifier le Feng Shui de votre société – surtout si c'est un conglomérat avec de nombreux établissements secondaires –, il faudra se pencher de façon approfondie sur les formules des Étoiles Volantes et des Huit Sites. L'application du Feng Shui aux grandes sociétés est une entreprise de taille, et même si vous avez recours aux services d'un conseiller en Feng Shui, de nombreuses journées seront nécessaires pour établir un diagnostic complet. Ce chapitre fournit un point de départ pour l'analyse du Feng Shui des bâtiments abritant les sociétés, et des sièges sociaux situés dans des immeubles de grande taille.

À GAUCHE : *en utilisant des techniques Feng Shui, les grandes sociétés peuvent s'assurer une prospérité et une croissance constantes.*

CHAPITRE VINGT-SIX : LE FENG SHUI DES GRANDES SOCIÉTÉS

LE FENG SHUI APPLIQUÉ AUX IMMEUBLES

CI-DESSUS : *les formes régulières et rectangulaires portent bonheur, car elles symbolisent l'effet stabilisant de l'élément terre.*

Les immeubles de bureaux d'une ville, de conception variée, présentent des formes diverses. Certaines sont plus néfastes que d'autres et il faut leur appliquer des recettes Feng Shui classiques, de façon à évaluer le potentiel Feng Shui de chaque immeuble. En ville, les bâtiments se substituent aux collines et aux montagnes, et on peut assimiler les routes aux rivières.

La forme des immeubles, vue de haut ou de profil, a des conséquences en matière de Feng Shui. Il est souhaitable qu'un immeuble de bureaux soit rectangulaire, si possible sans irrégularité, allongé, avec de la profondeur. Les constructions rectangulaires simulent le Chi de croissance de l'élément bois.
Les bâtisses carrées portent aussi chance. Il s'agit de la forme attachée à l'élément terre, signifiant l'enracinement solide. Le carré reflète donc un type de chance que l'on n'associe pas à l'audace.
Les immeubles ronds et de forme Pa Kua n'attirent pas la malchance, mais ils ne valent pas les bâtiments rectangulaires et carrés. Certains préfèrent la forme Pa Kua parce qu'elle ressemble au symbole du Feng Shui, ce qui facilite la mise en pratique du Feng Shui à l'intérieur.

Les formes irrégulières comme le L et le U causent des problèmes, du fait de l'absence de coins. Si le coin manquant est faste, en se fondant sur l'une des formules de L'École de la Boussole, la construction s'avère néfaste. Les bâtiments en forme de U attirent particulièrement la malchance. Ceux qui vont en s'amincissant vers le centre ou au niveau des étages du milieu sont très mauvais. Soyez toujours sur vos gardes lorsque vous travaillez pour une compagnie située dans un tel immeuble.

Les immeubles de bureaux doivent toujours avoir l'air solidement implantés. Ceux qui se dressent sur des piliers, au-dessus d'un parking, avec des sous-sols, donnent l'impression d'être sur des échasses. L'espace vide à leur pied fait circuler le Chi sous la construction plutôt qu'à l'intérieur. Les sociétés dont les bureaux se trouvent dans ce type d'immeuble souffrent souvent de problèmes relatifs à la marge brute d'autofinancement.

Les immeubles de bureaux devraient être munis d'entrées bien en évidence. Si une construction a plusieurs entrées, on a du mal à repérer aussitôt la principale. De tels bâtiments jouissent rarement d'une bonne fortune, et le Chi y pénètre et en sort de manière irrégulière. Quand les entrées sont alignées ou accolées, le Chi ressort aussitôt entré. Tout immeuble devrait donc avoir une entrée principale clairement délimitée, de même qu'un hall d'entrée spacieux qui permette au Sheng Chi de pénétrer, de demeurer et de s'accumuler. Les constructions dont le hall d'accueil est vaste et bien éclairé bénéficient toujours d'un bon Feng Shui.

À DROITE : *apprenez à reconnaître les conséquences positives et négatives du Feng Shui relatif au bâtiment abritant votre bureau.*

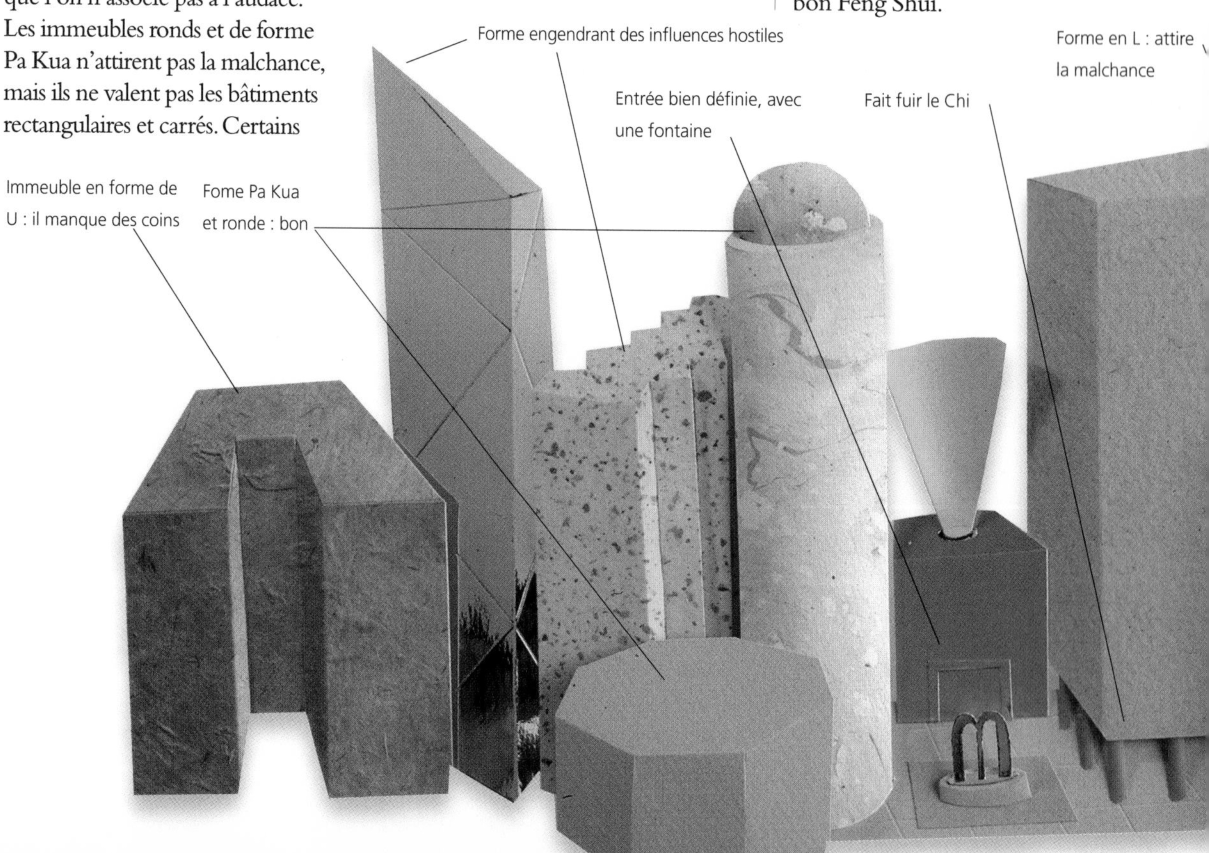

L'EFFET DES IMMEUBLES VOISINS

Les schémas ci-dessous, figurant des immeubles en trois dimensions vous permettront d'identifier les qualités et les défauts, en matière de Feng Shui, de votre environnement urbain. Vous ne tarderez pas à découvrir que de nombreux angles sont dirigés contre vous et sont donc susceptibles de vous envoyer des flèches empoisonnées si vous ne leur opposez pas des antidotes Feng Shui. Un miroir Pa Kua suffit généralement pour dévier les énergies négatives. Si ce n'est pas suffisant, vous pouvez placer un canon miniature à la porte de votre immeuble, dirigé contre l'angle qui vous est hostile. L'immeuble gris montré sur la page de gauche avec sa forme très angulaire est particulièrement néfaste, d'autant plus qu'il domine de toute sa hauteur les immeubles voisins.

Il faut se méfier, aussi des immeubles réfléchissant les rayons du soleil, qu'ils renvoient sur le voisinage.

- Les immeubles comportant des croix sur leur façade envoient des flèches empoisonnées alentour.
- Les immeubles qui souffrent d'un mauvais Feng Shui sans raisons apparentes, pâtissent parfois des protections Feng Shui prises par les propriétaires des immeubles voisins. Ainsi, les miroirs Pa Kua et les canons factices détournent-ils parfois dangereusement les énergies tueuses vers leurs voisins. La courtoisie veut que l'on s'efforce toujours de ne pas nuire à son voisin lorsqu'on utilise des moyens défensifs Feng Shui.
- Une grande fontaine ronde devant la porte de l'immeuble constitue un excellent antidote contre les énergies négatives des immeubles voisins. Sa protection est très efficace et elle répand un Feng Shui agréable et très favorable dans tout le voisinage.
- Les immeubles très bas entourés de grosse bâtisses très hautes voient leur Feng Shui littéralement étouffé. On peut y remédier en allumant une lumière très vive sur le toit.

À GAUCHE : *les arêtes vives et anguleuses de ce bâtiment envoient des flèches empoisonnées vers les voisins.*

À GAUCHE : *cette construction engendre des influences particulièrement hostiles parce que la forme de son toit présente des pointes.*

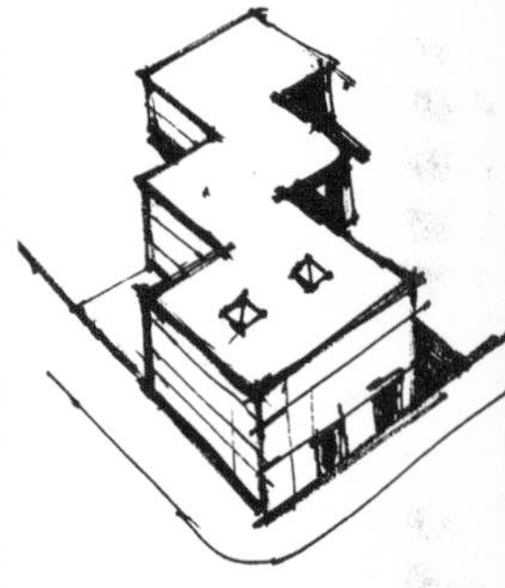

CI-DESSUS : *autre construction émettant des influences hostiles. Les constructions avoisinantes doivent faire l'objet de mesures de protection, comme suspendre un miroir Pa Kua à l'extérieur de la porte d'entrée pour dévier les énergies néfastes.*

Logo bien en évidence

Le bâtiment a une base plus large que son sommet et comporte trop d'entrées : de mauvais augure

VOIR AUSSI

❖ Le Feng Shui de la Forme dans le monde moderne *p. 64*
❖ Les cinq éléments des immeubles *p. 45*

CHAPITRE VINGT-SIX : LE FENG SHUI POUR LES GRANDES SOCIÉTÉS

L'ENTRÉE PRINCIPALE D'UN IMMEUBLE ABRITANT UNE GRANDE SOCIÉTÉ

CI-DESSUS : *incluez des représentations symboliques d'animaux porte-bonheur.*

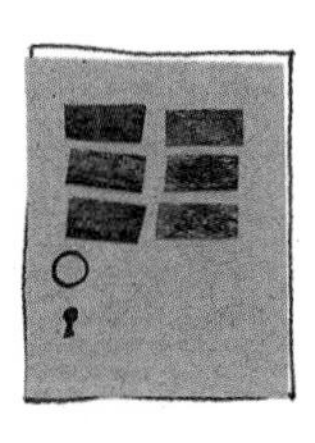

CI-DESSUS : *les trigrammes Chien ou Kun activent le Chi porteur de chance.*

CI-DESSUS : *le nœud sans fin est un autre symbole utile de chance.*

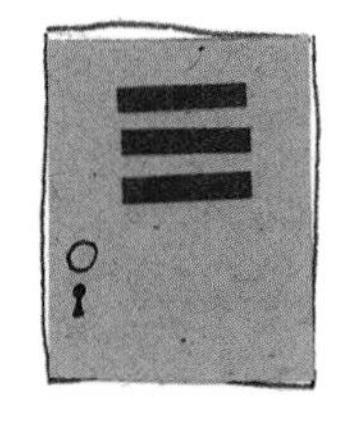

CI-DESSUS : *ici le trigramme Chien domine l'entrée et attire la chance.*

Un immeuble doté d'une entrée principale à l'aspect imposant et massif jouira d'un excellent Feng Shui. Il ne devra y avoir qu'une seule entrée bien visible, de préférence face à une route large ou à un espace dégagé de l'autre côté de la rue. Un bâtiment face à un parc profitera de l'effet heureux que procure un « Hall de lumière ». Ce cas de figure s'applique aussi au Feng Shui d'une construction se trouvant face à une artère principale. Elle bénéficiera de la très grande abondance de Sheng Chi et de la bonne énergie yang que dégage une route principale à la circulation active. Une voie embouteillée ressemble à une rivière stagnante, dans laquelle le Chi croupit et devient néfaste. Une circulation trop rapide ne convient pas davantage : les voitures devront circuler lentement, comme une rivière paresseuse qui serpente. Les routes sinueuses portent davantage chance que les droites.

L'escalier menant à l'immeuble doit être montant et non descendant : un escalier qui descend signifie que l'entrée se trouve sous le niveau de la rue et ceci n'est pas bon. L'idéal est que la porte d'entrée soit solide et ornée de symboles porte-bonheur, tels que les créatures célestes (le dragon, par exemple) ou des motifs fastes comme le nœud sans fin, ou n'importe quel trigramme bénéfique (Chien ou Kun).

Une porte principale vitrée doit donner sur un hall d'entrée mis en valeur par un mur du fond donnant l'impression d'un écran, décoré de peintures, de symboles ou d'images fastes. On peut alors installer des ascenseurs derrière ce mur. Le hall doit être haut de plafond, de manière à revêtir un caractère grandiose. N'oubliez pas que c'est par là qu'entre le Chi ; si votre immeuble est le siège social d'une société, plus le lieu attirera le Chi et le retiendra, plus le bâtiment sera placé sous de bons auspices.

En général, plus l'entrée principale est grande, et proportionnée à l'ensemble, plus elle porte chance.

Ceci est particulièrement vrai quand on trouve un Hall de lumière (tel qu'un parc ou un champ) de l'autre côté de la route.

CI-DESSOUS : *l'entrée d'une entreprise aussi importante que le bâtiment qui l'abrite. Voici deux entrées porte-bonheur.*

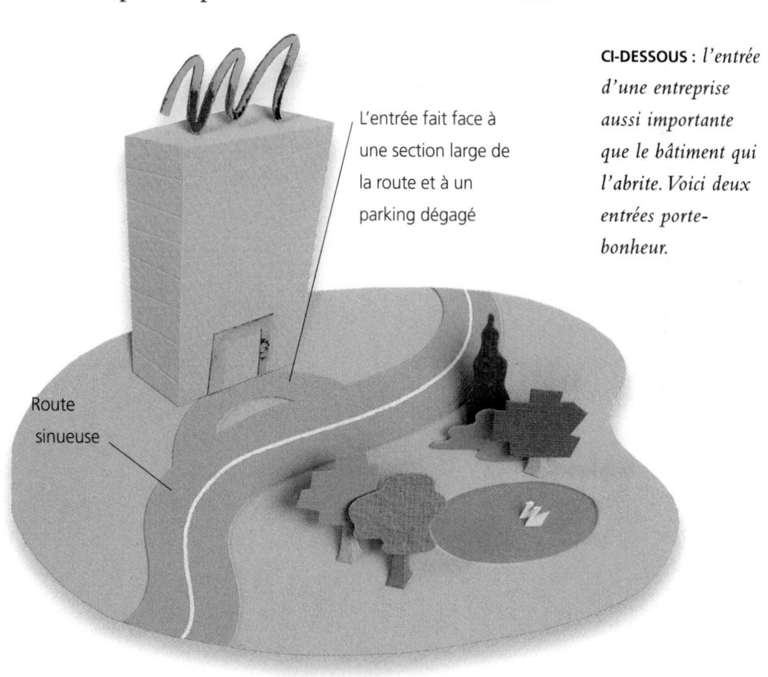

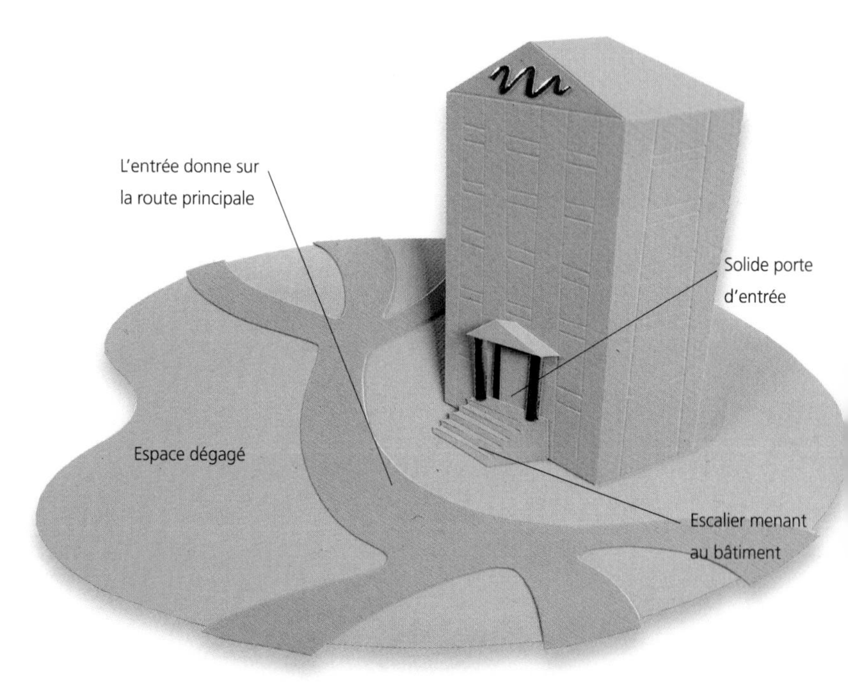

LE FENG SHUI APPLIQUÉ AUX RUES ENTOURANT UN IMMEUBLE

À GAUCHE : *cette autoroute aux grandes courbes conjugue l'effet bénéfique de la route et de la rivière. Ceux qui installeront leur siège à proximité en tireront de grands profits.*

Le nombre de rues faisant directement face à un immeuble affecte son Feng Shui. D'une manière générale, la jonction en T ou le carrefour représentent un danger mortel, parce que la construction se trouve au bout d'une longue voie droite. Si la circulation se déplace en direction de l'édifice, il s'expose à un Feng Shui exécrable du fait de l'énergie mortelle qui atteint l'immeuble de plein fouet. De la mâme façon, si le trafic s'éloigne de la bâtisse, il emporte avec lui toute la richesse potentielle. Il faut donc éviter impérativement une jonction en T ou un carrefour.

CI-DESSUS : *un carrefour passant (qu'il soit ou non en T) compromettra votre chance en matière de richesse.*

CI-DESSUS : *des ronds-points à proximité de votre bureau seront bénéfiques si les voitures circulent lentement vers l'immeuble.*

Lorsque l'immeuble se trouve face à un rond-point, le Feng Shui dépend de la vitesse de la circulation et du fait de savoir si les rues semblent apporter un flux de Chi à la construction. De la sorte, un trafic rapide est mauvais, mais une circulation lente, est faste. Si les voitures paraissent se diriger naturellement vers l'immeuble, elles apportent la chance. Si elles semblent s'en éloigner elles l'emportent.

Quand la circulation semble avancer vers la construction, la chance se trouve multipliée si des rues secondaires alimentent la voie principale passant devant votre immeuble. Ceci veut dire qu'il existe plus d'une source de richesse pour le bâtiment.

Quand vous analysez l'effet des rues sur votre immeuble de bureaux, assimilez-les à des rivières. Les rues secondaires venant grossir le trafic de la voie principale passant devant votre entrée apportent immanquablement la bonne fortune.

Tout se passe comme si l'immeuble se trouvait dans une vallée qui capte toute l'eau, et donc toute la richesse de l'environnement.

CI-DESSUS : *l'énergie d'une circulation bénéfique au pied d'un immeuble peut être accrue par l'apport de rues secondaires.*

VOIR AUSSI
❖ La signification des routes *p. 65*
❖ Faites que votre porte d'entrée attire la chance *p. 290-291*

CHAPITRE VINGT-SIX : LE FENG SHUI POUR LES GRANDES SOCIÉTÉS

AUTOROUTES, VOIES SURÉLEVÉES ET VOIES DE CHEMIN DE FER

À DROITE : *les toboggans et voies surélevées dégagent une énergie négative. Les personnes habitant les immeubles à l'arrière-plan se trouvent trop loin pour être affectées par cette autoroute surélevée.*

CI-DESSUS : *on peut neutraliser les énergies néfastes de voies surélevées en plantant des arbres.*

CI-DESSUS : *on peut dissimuler des rails derrière des arbres, mais ceci ne supprimera pas totalement les traits empoisonnés.*

Si les routes à la circulation lente sont en principe de bon augure, les immeubles face à des autoroutes au trafic rapide ne le sont pas du tout. Tout comme le Chi tend à se dissiper dans les rivières au courant impétueux, il s'évaporera quand la circulation se fait trop vite.

Les toboggans et voies surélevées créent un Chi mortel pour les immeubles proches. Ces voies à plusieurs niveaux sont comparables à des torrents de montagne et symbolisent l'eau atteignant son zénith, moment où le danger d'inondation se manifeste. Ceci ressemble à l'effet de « l'eau sur la montagne », l'un des cas de figure dangereux contre lesquels le *I Ching* met en garde.

On considère un toboggan comme un « couteau » incisant la partie inférieure des immeubles voisins. Ceci ne porte pas à conséquence quand le toboggan semble contourner l'immeuble mais s'avère mortel s'il paraît se diriger tout droit vers la construction. En tout cas, mieux vaut ne pas travailler dans un édifice situé en bordure de semblables voies.

Évitez les immeubles proches des rails de chemin de fer, car on les considère comme des flèches empoisonnées. Les rails sont le plus souvent droits et les trains figurent des flèches qu'il faut éviter.

La meilleure façon de surmonter les dangers que représentent ces routes et les artères consiste à planter des arbres pour les soustraire à la vue. Si elles sont trop près pour cela, il faut braquer une lumière vive sur la partie de l'immeuble la plus proche de la route et suspendre un grand miroir Pa Kua à l'effet puissant tourné vers la voie. Ces remèdes sont toutefois insuffisants et ne constituent au mieux que des mesures provisoires. À long terme, il vaut probablement mieux essayer de déménager.

À DROITE : *les trains et les voies ferrées "fendent" le Chi avec leurs flèches empoisonnées mortelles.*

LOGOS DE SOCIÉTÉ PORTE-BONHEUR

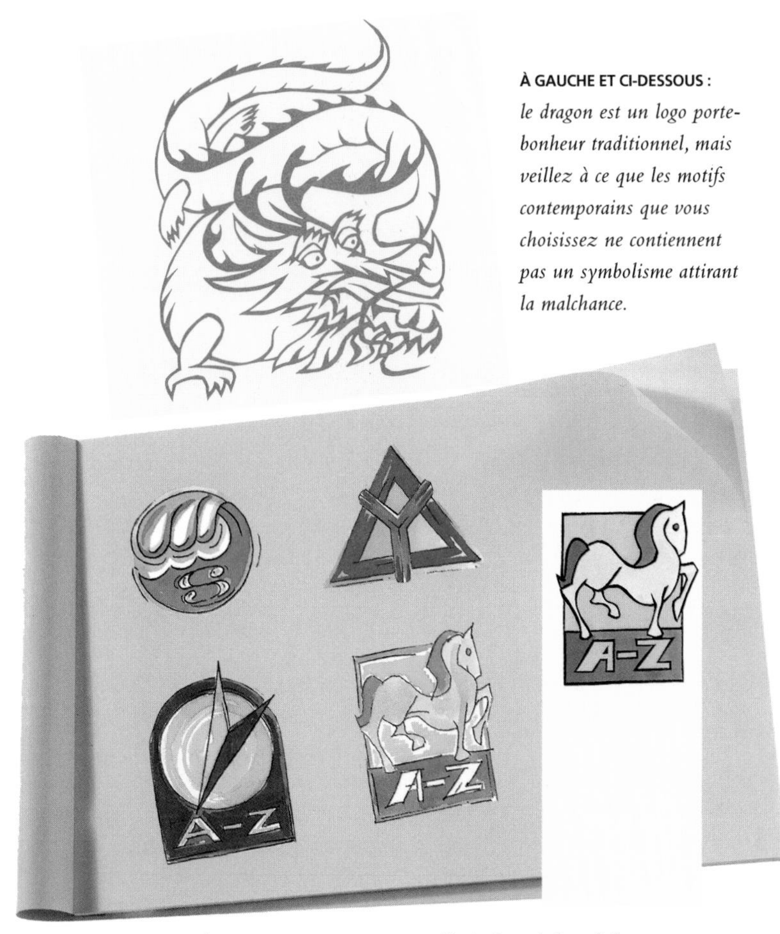

À GAUCHE ET CI-DESSOUS : *le dragon est un logo porte-bonheur traditionnel, mais veillez à ce que les motifs contemporains que vous choisissez ne contiennent pas un symbolisme attirant la malchance.*

À DROITE : *pour que votre société bénéficie d'une excellente influence Feng Shui, placez le logo de la compagnie tout en haut de l'immeuble de la compagnie.*

Le Feng Shui destiné aux sociétés ne serait pas complet sans toucher quelques mots des logos, symboles reflétant les marques des sociétés. Il existe beaucoup de symboles de chance pouvant accroître le Feng Shui des entreprises : le dragon forme un symbole extrêmement faste que l'on peut incorporer aux logos et aux noms de marque.

Cependant, le dragon traditionnel ferait peut-être trop oriental aux yeux des sociétés d'aujourd'hui. Certains principes peuvent cependant être retenus.

- Évitez les logos comportant trop de lignes formant des angles ou ceux qui ressemblent à des flèches ou à des lignes droites pointées vers le nom de la société.
- Évitez l'abstraction ; le résultat peut ressembler à des mots ou à des symboles aux connotations négatives.
- Évitez les motifs excessivement yin ou yang. Ceci peut transparaître dans la combinaison de couleurs et de formes. Par exemple, si on marie une forme triangulaire au rouge, avec des mots figurant également en rouge, le logo sera trop yang. Si on utilise un motif se rapportant à l'eau, avec des lettres bleues, le logo pourrait être trop yin. Préservez si possible un équilibre.
- Créez votre logo en tenant compte de la théorie des Cinq Éléments. Choisissez un élément se rapportant à votre entreprise ou à vos affaires. Ainsi, les sociétés minières et immobilières, les sociétés chargées de la gestion des biens immobiliers, auront-elles tout intérêt à mettre en relief l'élément terre. Les sociétés d'électronique insisteront sur l'élément métal. Les sociétés gérant des plantations utiliseront l'élément bois. Les banques et les institutions financières feront appel à l'élément eau. Les restaurants peuvent user de l'élément feu.
- Assurez-vous que vous placez aussi haut que possible le nom et le logo de la société. Abstenez-vous de les mettre au niveau de la rue si votre siège social est un immeuble haut.

CI-DESSUS : *les symboles d'eau colorés en bleu sont trop yin.*

CI-DESSUS : *les formes triangulaires rouges sont trop yang.*

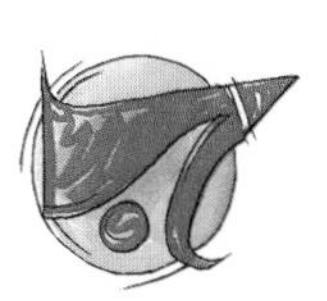

CI-DESSUS : *les logos abstraits peuvent contenir des significations négatives.*

CI-DESSUS : *choisissez pour logo un symbole porte-bonheur.*

CI-DESSUS : *attention aux formes pointues et semblables à une flèche !*

CHAPITRE VINGT-SIX : LE FENG SHUI POUR LES GRANDES SOCIÉTÉS

MARIAGES DE COULEURS PORTE-BONHEUR

CI-DESSUS : *des lettres noires sur fond blanc représentent l'harmonie du yin et du yang ainsi que la combinaison porte-bonheur des éléments eau et métal.*

CI-DESSUS : *la couleur argent associée au violet intense dans le bureau garantira une grande prospérité. Ces couleurs connotent une association bénéfique des éléments eau et métal.*

Le choix de couleurs et d'une harmonie des teintes affecte le Feng Shui d'une société parce que tous ses documents arboreront ces couleurs. Il existe certaines combinaisons porte-bonheur.

- Des lettres noires sur fond blanc. L'alliance du noir et du blanc est heureuse, parce qu'elle reflète l'équilibre yin-yang et signifie également l'harmonie des éléments. L'eau est noire, c'est l'argent, qui vient du métal signifié par le blanc. Ainsi le noir et le blanc sont fastes dans les bureaux et la salle du conseil d'administration.
- De l'argent sur un fond de pourpre intense. L'équilibre yin-yang et l'harmonie des éléments eau/métal en découlent. De surcroît, le mariage de ces deux couleurs constitue une promesse d'argent. Ce symbolisme est particulièrement recherché là où l'on parle le cantonnais, comme à Hong Kong : en dialecte cantonnais, cette association donne phonétiquement les mots « ngan chee », qui signifient argent.
- Du rouge et du doré, alliance spéciale que l'on décrit comme extrêmement vive. Le rouge est la couleur par excellence de la chance, et dans le cas présent, le marier au doré double l'intensité de l'appel à la création de richesse. C'est ainsi que pendant le Nouvel An lunaire, dans les communautés chinoises, on trouvera du rouge et de l'or associés à presque tous les symboles de chance.
- Du bleu avec du noir ou du bleu avec du vert mettent l'accent sur l'élément eau. Cette alliance porte bonheur aux entreprises en rapport avec l'eau. Elle porte aussi chance aux éditeurs qui bénéficient de l'élément bois.

À GAUCHE : *le rouge et le doré symbolisent chacun la bonne fortune et la richesse, si bien que leur association dans le bureau porte doublement bonheur.*

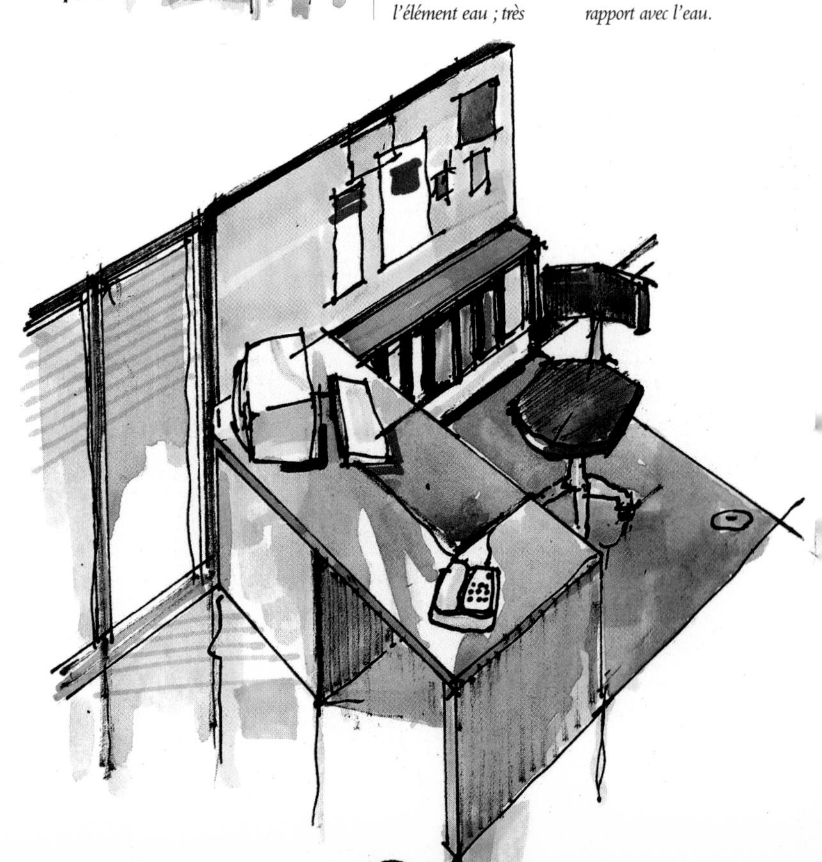

CI-DESSOUS : *le bleu combiné au vert recrée l'élément eau ; très bénéfique pour les entreprises ayant un rapport avec l'eau.*

OÙ INSTALLER LE CHEF D'ENTREPRISE ?

La partie la plus importante du Feng Shui relatif aux sociétés consiste probablement à déterminer le meilleur Feng Shui pour son dirigeant.

Le Feng Shui relatif aux sociétés est semblable à celui régissant la maison : tant que le chef de famille jouit d'un bon Feng Shui, on suppose que le reste de la famille en bénéficie. De même, dans une société, lorsque le patron a un bon Feng Shui, c'est toute l'entreprise qui en profite.

Le bureau du dirigeant devrait se trouver au milieu de l'immeuble. Plus il est placé vers le centre, plus la société étendra son emprise. Dans tout bureau, le lieu du pouvoir est le secteur le plus près, en diagonale, de l'entrée. Si cette partie du bureau correspond à la meilleure direction du patron, en fonction de son nombre Kua, l'effet sera doublement heureux. Si ce n'est pas le cas, assurez-vous que le dirigeant fait bien face à sa direction Sheng Chi. Ceci garantit au moins que son orientation portera bonheur, même si la direction vers laquelle il est assis n'est pas exploitée avec bonheur.

- Ne jamais s'asseoir le dos à la porte ou à la fenêtre.
- Ne pas s'asseoir directement sous une poutre apparente.
- Ne pas s'asseoir là où un pilier ou l'arête d'un coin envoie des flèches empoisonnées ; interposer une plante pour les empêcher de passer.
- Ne pas s'asseoir contre un mur de l'autre côté duquel se trouvent des toilettes ; modifier la disposition du bureau.
- Ne laissez pas s'accumuler les dossiers ou les papiers sur la partie antérieure du bureau.

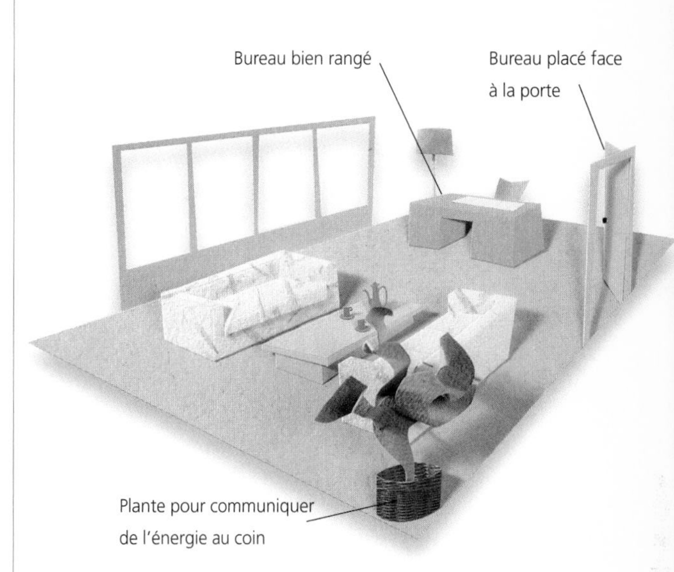

CI-DESSUS : *si le Feng Shui du bureau du dirigeant est bon, il n'est pas douteux que l'ensemble de la société en recueillera alors les fruits.*

QUESTIONS ET RÉPONSES

Question : quelles sont les trois choses les plus importantes dont les grandes sociétés doivent tenir compte pour jouir d'un bon Feng Shui ?

Réponse : d'abord, pour s'assurer longévité et continuité, les grandes sociétés devraient fonctionner à partir d'un siège social situé dans un immeuble bénéficiant d'un bon Feng Shui. Ensuite, le bureau du dirigeant et la salle où se tient le conseil d'administration doivent être dans la partie la plus favorable de l'immeuble. Enfin, le logo de la société devrait être conçu de manière à porter bonheur : il ne doit pas être négatif ou nuisible.Si c'était le cas, la société souffrirait énormément d'un ralentissement de l'économie.

Question : cela veut-il dire que les compagnies mal gérées bénéficiant d'un bon Feng Shui prospéreront quand même ?

Réponse : d'ordinaire, quand une société jouit d'un bon Feng Shui, elle pourra s'attirer un personnel efficace. Les décisions et la stratégie seront les bonnes.

Question : qu'en est-il des compagnies bien gérées mais bénéficiant d'un mauvais Feng Shui ?

Réponse : si la société souffre d'un mauvais Feng Shui, les bons employés la quitteront, elle subira des pertes, ou sera rachetée. Elle cessera d'exister. Parfois le mauvais Feng Shui ne concerne que certains des bureaux ; le personnel y travaillant tombera malade et aura des ennuis.

Question : les grandes sociétés devraient-elles réactualiser leur Feng Shui chaque année ?

Réponse : oui, bien entendu et ceci règle le problème des nouvelles Étoiles Volantes qui affectent la dimension chronologique du Feng Shui. Puisque le choix du moment opportun aussi bien pour le lancement d'un produit que pour une prise de décision joue un rôle important dans l'action des grandes sociétés, je conseillerais fortement d'adjoindre un expert conseil en Feng Shui aux moyens de gestion habituels.

Septième partie

CONSEILS PRATIQUES FENG SHUI POUR TOUS LES ENVIRONNEMENTS

CHAPITRE VINGT-SEPT

REMÈDES ET ANTIDOTES FENG SHUI

J'ai la conviction que l'on peut remédier à pratiquement toutes les sortes de mauvaise énergie. Certaines catastrophes en matière de Feng Shui se révèlent plus faciles à réparer que d'autres, mais des antidotes existent pour chaque type de problème. Ces procédés n'anéantissent pas nécessairement toute l'énergie mortelle, mais ils sont capables d'en dissoudre une bonne partie, ce qui rend la malchance plus facile à supporter. Trois théories sous-tendent l'application des remèdes Feng Shui : la théorie des Cinq Éléments, qui permet de contrer efficacement la mauvaise énergie venue des dix directions ; la théorie du yin et du yang, qui rétablit les déséquilibres ; et les méthodes consistant à ériger des barrières matérielles, qui permettent de fléchir, dissoudre et désintégrer l'énergie mortelle. Par-delà ces différentes théories, il y a des remèdes qui permettent de surmonter la mauvaise énergie de différentes manières. Les maîtres Feng Shui en sont particulièrement friands. Le carillon éolien constitue un remède courant, efficace pour dominer les Étoiles Volantes néfastes. Des techniques et des rites utilisés pour dissoudre la mauvaise énergie forment des remèdes relevant d'un certain ésotérisme. Ils comprennent des sons créés spécifiquement dans ce but à l'aide de bols musicaux et de clochettes, et des parfums obtenus en brûlant des herbes provenant de régions de haute montagne.

À GAUCHE : *l'énergie négative nous affecte tous, mais il existe beaucoup de remèdes et d'antidotes Feng Shui pour nous aider à atténuer l'impact de toutes les flèches empoisonnées.*

CHAPITRE VINGT-SEPT : REMÈDES ET ANTIDOTES FENG SHUI

POURQUOI LES REMÈDES ET ANTIDOTES FENG SHUI SONT-ILS NÉCESSAIRES ?

CI-DESSOUS : *dans les grandes et petites villes d'aujourd'hui, il est difficile d'éviter les constructions et les structures engendrant un Feng Shui néfaste : faites de votre mieux pour atténuer la chose.*

Tous ceux qui, un jour, décident de se lancer dans le Feng Shui pensent qu'il faut que tout soit parfait pour obtenir des résultats. En réalité, il n'existe pas de maison au Feng Shui parfaite. Vous serez confronté à des choix difficiles impliquant des compromis entre les différentes écoles de Feng Shui et les aspirations des membres de la famille.

De plus, n'oubliez pas que l'environnement se modifie. Il est donc logique qu'un très bon Feng Shui à l'origine puisse évoluer négativement par la suite. De la même façon, la chance Feng Shui peut changer au fil du temps ; nous avons affaire à une dynamique qui semble être dans un état de flux constant.

Afin de contrer l'effet du Shar Chi, ou souffle mortel, que peuvent engendrer des forces tangibles tout autant qu'invisibles, il est indispensable de connaître certains des remèdes. Les forces tangibles sont constituées par des constructions qui bloquent la libre circulation du Chi et capables de transformer le Chi en force hostile et menaçante. Orientation incorrecte, chambres situées en un endroit inapproprié, cuisinières et portes d'entrée peuvent libérer des forces négatives invisibles. Toutes ces forces, peuvent occasionner des pertes, des maladies et des désagréments de toutes sortes.

Il existe plusieurs moyens simples et efficaces de s'attaquer aux problèmes Feng Shui. Grâce à eux, on dissout, on contre ou on neutralise la présence d'énergies négatives, on infléchit une énergie trop yin ou yang. Ces antidotes, ou remèdes, font aussi partie de l'application de la théorie du Wuxing, ou des Cinq Éléments, destinée à rétablir l'équilibre dans l'environnement. Parfois des objets hostiles émettent des énergies qu'il faut dissoudre.

Pour choisir un antidote il faut une analyse fondée sur l'expérience, tout autant qu'une connaissance des principes fondamentaux du Feng Shui. Ce chapitre contient certaines des méthodes parmi les plus efficaces pour triompher d'un Feng Shui négatif et néfaste. Étudiez-les soigneusement et méditez les principes de base sur lesquels se fondent les conseils. Essayez de relier ce que vous lisez ici avec les principes de base déjà évoqués.

SE SERVIR DE LUMIÈRES POUR DISSIPER LE CHI

Un des moyens les plus efficaces pour dissoudre l'énergie négative est peut-être de se servir de lumières artificielles vives. Outre qu'elles forment une excellente source d'énergie yang, qui représente la vie, on pense qu'elles dissolvent l'énergie des secteurs hostiles et des flèches empoisonnées. L'énergie des lumières vives relève de l'élément feu qui est excellent pour détruire toutes sortes de Shar Chi émis par des forces intangibles dans les secteur du métal (l'ouest et le nord-ouest). De la même manière, le feu peut contrôler la mauvaise énergie dans les secteurs du bois de l'est et du sud-est puisque le feu épuise l'élément bois. On sait qu'un certain nombre de maux Feng Shui peuvent être guéris en braquant une lumière vive sur ce qui en est la cause.

- Des lumières peuvent dissoudre le Shar Chi qu'engendre un coin saillant formé par deux murs ou par l'angle d'une construction voisine. Dirigez la lumière soit vers le bas, si elle se trouve au plafond, juste en face du coin, soit vers le haut, si elle se situe au sol. Placez la lumière exactement à l'endroit du coin (là où se rejoignent deux murs, par exemple, pour former un angle saillant).
- On peut se servir de lumières pour dissoudre l'énergie hostile que créent les arêtes et le poids de poutres apparentes. Là encore, il faut que la lumière soit placée de manière à être braquée sur le coin de la poutre.
- Des lumières peuvent se révéler très efficaces pour accroître l'énergie d'espaces exigus. Elles vivifient instantanément le Chi morbide et stagnant qui s'accumule dans ce genre d'endroit : couloirs étroits et entrées.

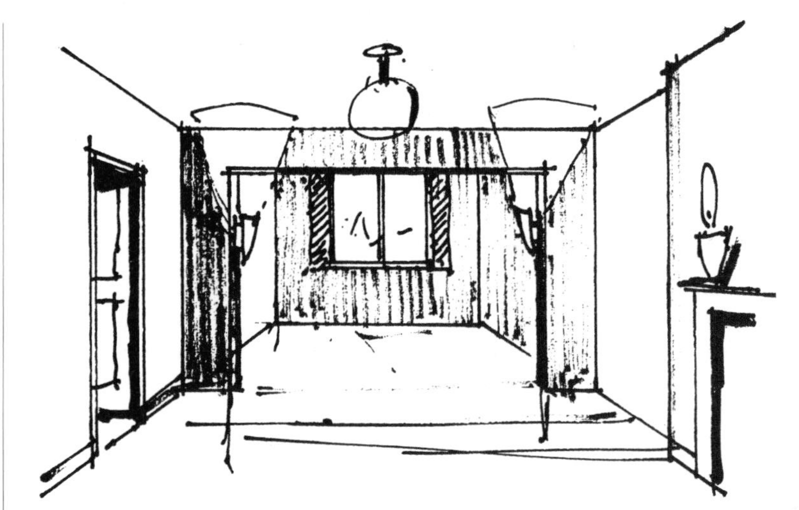

À GAUCHE : *pour contrebalancer les effets néfastes des poutres au plafond, éclairez-les avec des lampes diffusant vers le haut ou avec des spots.*

- Si vous avez des toilettes installées directement au-dessus de votre porte d'entrée, vous pourrez dominer le Chi négatif provenant de l'étage supérieur en installant une lumière très intense entre la porte et les toilettes.
- Une lumière vive suspendue directement devant un escalier est aussi un bon moyen de dominer un mauvais Feng Shui causé par des escaliers qui commencent juste en face de la porte d'entrée ou s'arrêtent juste devant la porte d'une chambre. Pour être efficace, cette lumière doit rester allumée au moins 3 heures chaque nuit.

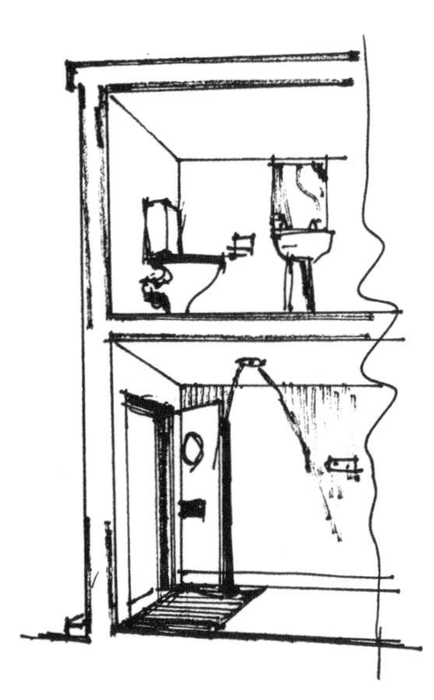

À GAUCHE : *réglez le problème que posent des toilettes situées au-dessus de la porte d'entrée en installant une lumière vive juste au-dessous.*

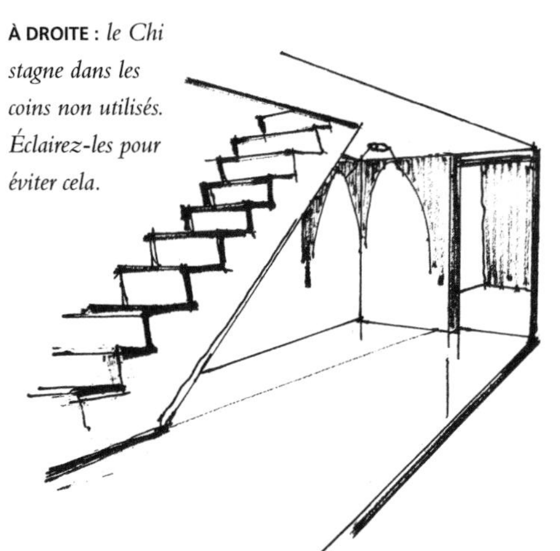

À DROITE : *le Chi stagne dans les coins non utilisés. Éclairez-les pour éviter cela.*

CI-DESSOUS : *si la première chose que vous voyez quand vous entrez chez vous est l'escalier, veillez à ce qu'il y ait une lumière vive dans l'entrée pour en neutraliser l'influence.*

CHAPITRE VINGT-SEPT : REMÈDES ET ANTIDOTES FENG SHUI

SE SERVIR DE SONS POUR CRÉER DE L'ÉNERGIE YANG

CI-DESSUS : *plus le comportement des animaux domestiques est vif, plus vous aurez d'énergie yang chez vous. Quand les enfants jouent avec eux, cette énergie est accrue.*

Les maisons plongées dans le silence toute la journée souffrent souvent d'un excès d'énergie yin, qui engendre léthargie, fatigue et manque de tonus. Il faut y remédier. Il existe plusieurs manières d'utiliser des sons pour augmenter l'énergie yang de la maison.

- Ayez des animaux domestiques chez vous : ils incarnent la vie. Les chats et les chiens créent ainsi beaucoup d'énergie yang dans une maison vidée de ses occupants humains. Les chambres d'enfant bénéficieront de la présence de hamsters, et une arrière-cour constituera un environnement bien plus gai si on y trouve une abondance de vie. Une vasque remplie de graines près d'arbres fruitiers attirera oiseaux et écureuils. Faites pousser des fleurs et des plantes odorantes pour attirer les papillons et les abeilles. Ces créatures apportent de l'énergie yang à la maison.
- Ayez des poissons chez vous pour la même raison ; ils symbolisent la chance. Les bulles dans l'eau, causées par l'oxygénation et les filtres, engendrent un excellent Chi yang dans la maison. Les poissons les plus fastes sont le poisson dragon (l'arrowana), le poisson rouge, la carpe japonaise koi et tous les poissons tropicaux de couleurs vives qui ressemblent au poisson rouge ou à la carpe. Le rouge, l'or et l'argent sont considérés comme des couleurs fastes. Les poissons noirs conviennent, eux, surtout quand il s'agit d'offrir une protection Chi intangible à la famille.
- Encouragez vos proches à allumer la télévision, la radio ou la platine CD. De la musique en permanence stimule la circulation de Chi et contribue puissamment à contrer l'accumulation d'énergie yin. Chez moi la télévision fonctionne sans arrêt au premier étage et au rez-de-chaussée, et quand ma fille se trouve à la maison, on entend systématiquement de la musique. Ceci a pour résultat heureux de faire circuler le Chi d'une pièce à l'autre.
- Encouragez vos amis à vous rendre visite à l'improviste : une bonne amitié apporte un excellent Chi chez soi ; les rires et les conversations joyeuses sont excellents. Mais soyez prudents, car de même que l'énergie positive apporte un bon Feng Shui, la colère et les querelles donnent naissance à une énergie négative se transformant en énergie yang qui donne des vibrations négatives. Parfois, une colère immodérée peut provenir d'Étoiles Volantes à l'influence pernicieuse. Si vous pensez que tel est le cas, reportez-vous au chapitre concernant les Étoiles Volantes pour étudier le tableau de l'historique concernant la maison.
- Une fois par mois, remplissez la maison de sons à l'état pur, ceux-là même que l'on émet expressément dans le but de purifier l'énergie de la maison. Ils peuvent provenir de clochettes spéciales ou de bols musicaux conçus à cet effet. Ces bols « chantent » superbement d'un son clair et pur émis par l'alliage spécial de 7 métaux qui incluent l'or et l'argent. Ils émettent une énergie pure excellente dans toutes les pièces de la maison. Autrefois, les moines taoïstes (souvent eux-mêmes experts en Feng Shui) usaient de clochettes et de bols réalisés spécialement selon des formules secrètes, de manière à purifier les appartements du palais de l'empereur et de ses favorites, ainsi que les imposantes maisons de mandarins riches et puissants.

CI-DESSUS : *inviter des gens pour passer une soirée entre amis emplira votre maison de Chi très positif.*

CI-DESSUS : *une vasque pour oiseaux stimulera l'énergie yang, dont vous bénéficierez.*

CI-DESSUS : *en frappant les clochettes et les bols musicaux, ils résonnent de sons agréables qui activent l'énergie Chi favorable.*

STOPPER, DISSOUDRE ET DÉVIER À L'AIDE D'ÉCRANS, DE MURS ET D'ARBRES

Un principe important en matière de Feng Shui veut que, lorsqu'un objet de l'environnement envoie un Chi puissant sous forme de flèches empoisonnées, il faille installer une structure ou une barrière bloquant leur trajectoire. Si ce n'est pas possible, la solution la moins mauvaise sera de dévier cette trajectoire. On part du principe que le Chi négatif exprimé sous forme de flèches empoisonnées ne peut voyager qu'en droite ligne. Ainsi, tant que vous êtes en mesure de les éviter, de leur barrer le passage ou de les dévier, la protection de votre porte d'entrée et de votre maison est assurée.

On peut créer des antidotes aux flèches empoisonnées en élaborant des écrans, en plantant des arbres, en érigeant des murs, tout ce qui, en fait, peut faire office de barrage. Afin d'en renforcer l'efficacité, les maîtres de Feng Shui associent la plupart du temps les Cinq Éléments pour en exploiter le bénéfice. Ainsi, les arbres deviennent de puissants barrages quand la source de la flèche empoisonnée Chi file dans l'une des directions de la terre, le sud-ouest ou le nord-est. Ceci parce que le bois (représenté par les arbres) détruit la terre dans le cycle des Cinq Éléments. Les arbres perdent de leur efficacité quand la flèche empoisonnée vient de l'ouest ou du nord-ouest, puisque le bois, en tant qu'élément, ne saurait triompher du métal.

Les murs de brique ou d'un mélange de matériaux faisant intervenir le gravier, la pierre, le granit ou le marbre sont parfaits pour barrer le chemin aux flèches empoisonnées venues du nord. Cela s'explique par le fait que la terre détruit l'eau dans le cycle des éléments. De tels murs seraient cependant moins efficaces contre un Chi négatif provenant de l'est ou du sud-est, parce qu'ils ne peuvent l'emporter sur l'élément bois de ces directions. On peut compter sur des barrières métalliques, comme des grilles et autres clôtures de métal élevées pour contrer l'effet de grandes structures à l'est ou au sud-est.

D'autres conseils Feng Shui impliquent une certaine créativité. On dit que, peindre son mur de la couleur d'un élément dominant, renforce son pouvoir. Un mur rouge serait, par exemple, excellent contre un Chi négatif issu de l'ouest ou du nord-ouest ; un mur peint en blanc serait très salutaire contre un mauvais Chi provenant de l'est ou du sud-est.

À GAUCHE : *les arbres barreront efficacement la route aux énergies néfastes. Il leur faut malheureusement du temps pour pousser !*

CI-DESSUS : *si votre maison subit l'agression de flèches empoisonnées, constituez un écran pour les dévier : plantez par exemple une haie.*

CHAPITRE VINGT-SEPT : REMÈDES ET ANTIDOTES FENG SHUI

SE SERVIR DE MIROIRS POUR DÉVIER LA MAUVAISE ÉNERGIE

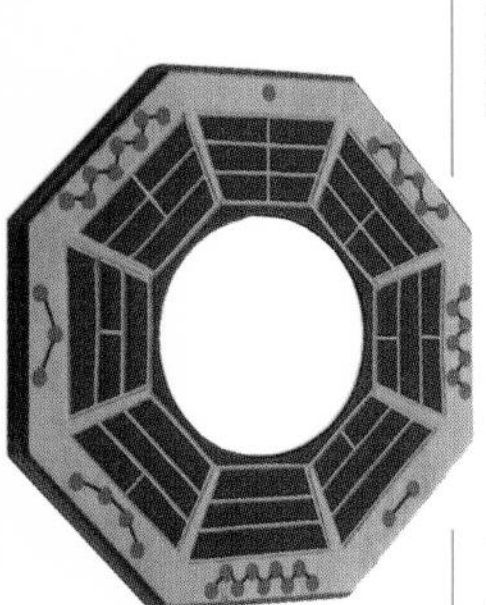

CI-DESSUS : *un miroir concave ou plat Pa Kua absorbe le Chi néfaste.*

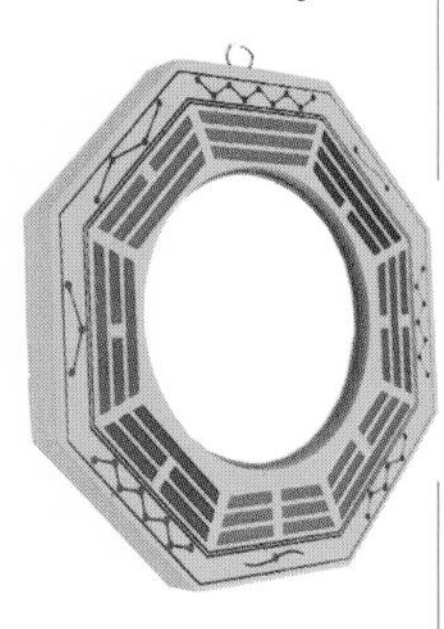

CI-DESSUS : *un miroir convexe Pa Kua réfléchit le Chi néfaste.*

L'emploi de miroirs en Feng Shui apporte des résultats ou très bénéfiques ou très catastrophiques. Les glaces constituent un puissant outil Feng Shui, et c'est pour cette raison qu'il faut s'en servir avec prudence. Quand on envisage d'en utiliser, il faut connaître leurs différents usages.

- Il est possible de se servir de miroirs convexes et concaves comme outil de défense réfléchissant. Les miroirs convexes avec leur surface bombée renvoient le mauvais Chi vers sa source. L'utilisation d'un miroir Pa Kua convexe constitue donc un outil Feng Shui plus agressif que si la glace était plate ou concave. Les miroirs plats ou concaves attirent, absorbent et accumulent le mauvais Chi jusqu'à ce que l'on puisse s'en débarrasser. C'est là une manière plus pacifique d'utiliser le miroir Pa Kua. Quand on fait usage d'un miroir concave, il est nécessaire de le « purifier » symboliquement, c'est-à-dire de le plonger dans de l'eau de mer et d'en nettoyer toute la surface avec un bâtonnet d'encens. Ceci empêche l'accumulation d'énergie négative à l'intérieur du miroir. Dans certaines régions de la Chine, où la magie taoïste exerce une grande influence sur la vie des gens, les moines taoïstes pratiquant le Feng Shui sont connus pour leur utilisation de glaces les aidant à capturer « les esprits malins ou espiègles » qu'ils emprisonnent ensuite symboliquement dans des pagodes.

À GAUCHE : *utilisez un bâtonnet d'encens pour ôter l'accumulation d'énergie négative dans les miroirs concaves.*

- Le Feng Shui autorise l'emploi de glaces murales. Dans la salle à manger et le salon, des miroirs peuvent réfléchir de manière bénéfique une image faste où figure de l'eau ou un Hall de lumière. Toutefois, les glaces peuvent pareillement réfléchir de mauvais symboles et des structures nocives. Donc, quand on emploie des glaces, il est bon de voir l'image qu'elles renvoient. À l'intérieur, ne laissez pas le miroir mural refléter la porte des toilettes ou celle de la cuisine. Et, surtout, évitez qu'il réfléchisse la porte d'entrée : ceci ne ferait que disperser immédiatement les flux de Chi au moment où ils apparaissent. Un miroir reflétant la porte d'entrée est donc nuisible.
- Les miroirs sont capables de résoudre le problème que pose un secteur manquant. Ceci n'est possible que lorsque le secteur en question peut se trouver « projeté » vers l'espace du salon ou de la salle à manger, car une glace murale dans une chambre ou dans une cuisine ne fait qu'aggraver les choses. Les miroirs sont particulièrement nocifs dans une chambre. Quand le lit se trouve réfléchi dans un miroir mural ou la glace d'une armoire, par exemple, ceci peut faire naître une grande discorde entre époux. L'usage de glaces comme antidote destiné à pallier l'absence d'un secteur doit inciter à la plus grande prudence.

À GAUCHE : *il est possible de neutraliser par des miroirs les flèches empoisonnées émises par les coins anguleux.*

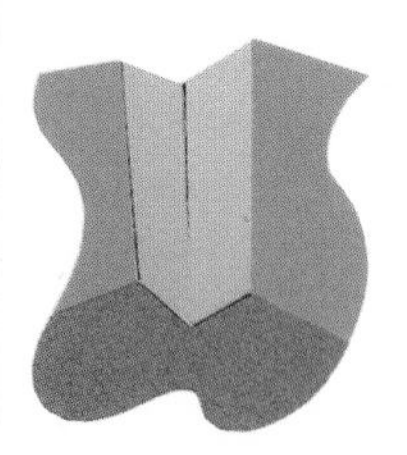

À GAUCHE : *les miroirs rendent invisible tout pilier néfaste apparent.*

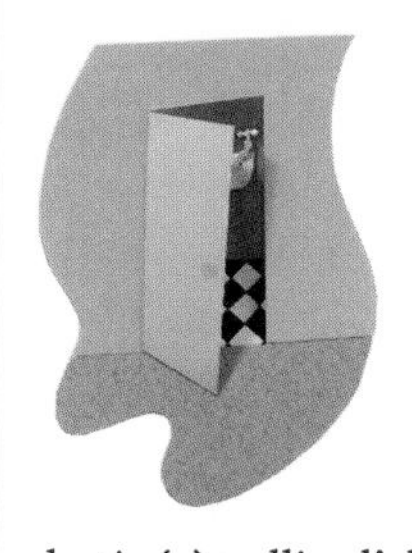

À GAUCHE : *l'énergie négative que dégagent les toilettes se trouve déviée si l'on fixe un miroir sur la porte.*

- On peut se servir de miroirs comme remède contre des piliers carrés apparents. D'ordinaire, quand on habille de glaces un pilier, on le fait « disparaître » symboliquement. Mais les miroirs sont rarement installés de manière parfaite sur tous les côtés du pilier, ce qui a pour effet de rendre encore plus nocifs les flèches empoisonnées créés par les arêtes du pilier. Lorsque vous effectuez cette opération, veillez à ce que les coins soient correctement neutralisés.
- Les toilettes doivent toujours être discrètes, et on peut se servir de miroirs pour en faire disparaître la porte. En fait, les glaces permettent de faire disparaître n'importe quelle porte en créant une impression de profondeur.

SE SERVIR DE CRISTAUX ET DE LA LUMIÈRE DU SOLEIL

Les cristaux jouent un rôle capital dans l'instauration de l'harmonie et de la paix chez soi et au travail. Si vous voyez que les gens se disputent continuellement à propos de petits riens, et si vous soupçonnez qu'une mauvaise énergie en est la cause, ce problème peut être résolu par des cristaux. Placez des boules de cristal de roche dans les secteurs de l'élément terre de la pièce, chez vous ou au bureau. Les secteurs de la terre sont le centre, le sud-est, et le nord-est. Lorsque vous placez 6 boules de cristal au centre de la maison, non seulement vous réduisez la friction et les malentendus survenant entre les membres de la famille, mais encore vous créez un Chi faste et durable. Peu importe la taille du cristal. Les cristaux sont capables de créer et d'emmagasiner l'énergie. Ils apportent bon et mauvais Chi. Quand le Chi de la maison est positif, les cristaux l'amplifient. Malheureusement, ils font de même avec un mauvais Chi.

Si vous êtes sûr que votre Chi est positif et faste, il vous est loisible d'accroître cette bonne énergie avec ces pierres. Si quelqu'un tombe malade à la maison, vous devez laver vos boules de cristal chaque jour avec du sel marin jusqu'à ce que le malade se remette. Les cristaux absorbent la totalité de la mauvaise énergie ; comme des éponges, ils s'imbibent de tout le mauvais Chi que cause la maladie, nettoyant et purifiant la maison.

Les boules de cristal signifient l'absence d'ennuis pour les membres de la famille, mais il faudra aussi utiliser vos cristaux pour amener l'énergie yang de l'extérieur. Pour ce faire, placez les boules de cristal dans la lumière claire du soleil matinal pendant une heure, de manière à ce qu'elles capturent et absorbent les doux rayons purificateurs. Vous pouvez aussi immerger les boules de cristal dans de l'eau qui a été exposée à la lumière du soleil ; ainsi elle purifie et active le cristal, qui fera de même pour la maison.

En matière de Feng Shui, le pouvoir des cristaux vient de ce qu'ils sont gorgés de l'énergie venant du plus profond de la terre. On les considèrent comme faisant partie des symboles de l'élément terre les plus puissants. L'utilisation de cristaux chez vous aidera à triompher de nombreuses formes de mauvaise énergie.

CI-DESSUS : *une boule de quartz placée dans le secteur terre de la maison réduit les conflits et restaure l'harmonie.*

CI-DESSOUS : *si des tensions se font jour, au travail, une boule de cristal dans le bureau contribue à faciliter les rapports.*

CI-DESSUS : *la couleur des cristaux est très variable, mais tous, comme cette améthyste, neutralisent l'énergie néfaste.*

CI-DESSUS : *un quartz rose constitue un joli ornement tout en étant un bon principe Feng Shui.*

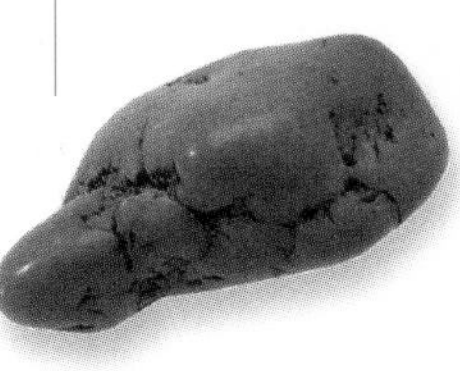

CI-DESSUS : *la turquoise a une belle couleur et augmentera l'énergie de la terre chez vous.*

CI-DESSUS : *le quartz « fumé » contribuera à combattre les problèmes dus au Chi néfaste.*

SE SERVIR D'OBJETS POUR FAIRE CIRCULER LE CHI

CI-DESSUS : *les objets tournants tels les ventilateurs accroissent la circulation de Chi.*

Se servir d'objets tournants

Les objets tournants font circuler le Chi et, par leur biais, il est possible de contrer avec succès le Shar Chi qui bombarde la porte d'entrée. Tout et n'importe quoi est susceptible d'engendrer l'énergie mortelle. Un objet tournant agit en la dissolvant et la neutralise. Ainsi, les portes à tambour constituent-elles un des meilleurs antidotes aux flèches empoisonnées de taille, qui assaillent souvent de grands immeubles abritant des sociétés ou des services publics.

Si le plafond est trop bas, ou s'il y a trop de coins (d'où une accumulation d'énergie mortelle), le mieux est d'installer une lumière tournante du type de celle que l'on trouve dans les discothèques. Elle stimule le Chi pour créer une excellente énergie yang. J'ai chez moi des jeux de lumières colorées émettant ce genre d'énergie yang 24 heures sur 24. Je ne l'éteins jamais et elle diffuse un Chi yang destiné à chaque membre de la famille, remède simple mais efficace chassant toutes les flèches empoisonnées présentes chez nous.

À GAUCHE : *l'installation d'une porte à tambour déviera instantanément la nuée de flèches empoisonnées s'abattant sur un immeuble.*

Se servir de rochers et de pierres

L'utilisation de lourdes pierres et de rochers simule la puissante énergie de la montagne. On peut tirer le maximum de profit de ce symbolisme en contrant l'influence de toilettes causant des problèmes dans une maison. Un rocher disposé dans la salle de bains opprimera symboliquement la malchance que suscitent les toilettes. Ce remède marche dans tous les secteurs, à l'exception du sud-ouest ou du nord-ouest. Ce sont des secteurs placés sous le signe de la terre et y mettre des rochers ne fait qu'aggraver la mauvaise influence.

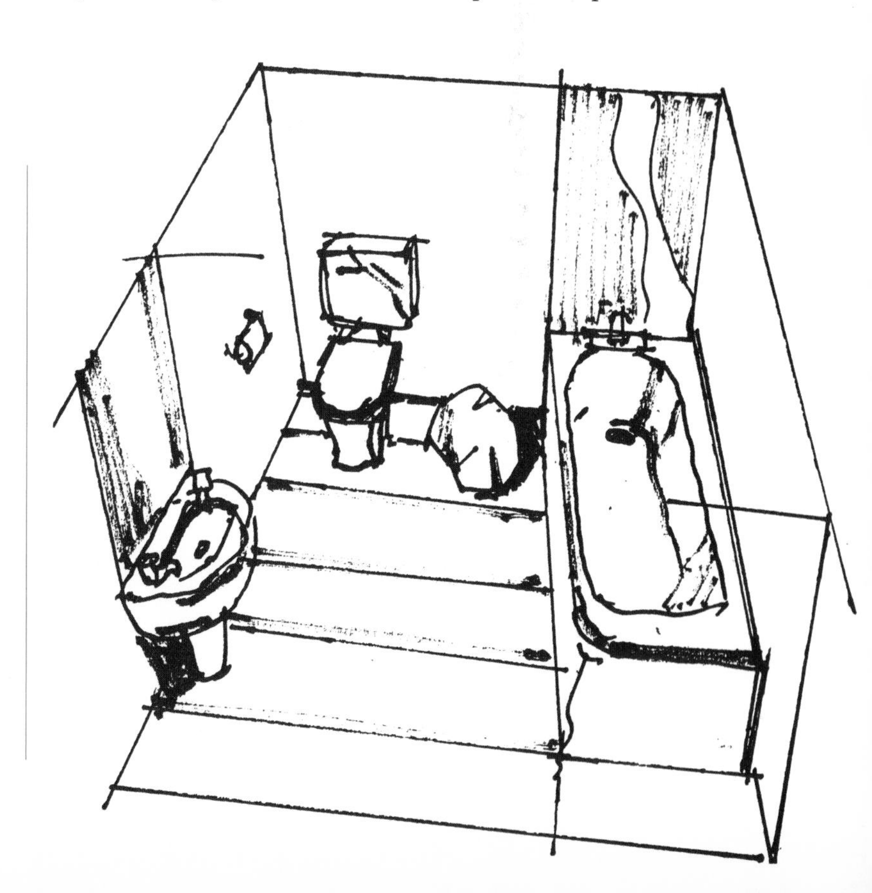

À DROITE : *les toilettes exercent une mauvaise influence. Une grosse pierre ou un rocher contribueront à redresser l'équilibre.*

SE SERVIR DE SYMBOLES PROTECTEURS

Une partie importante de la pratique du Feng Shui vise à l'obtention d'une protection symbolique. Tout adepte sérieux du Feng Shui placera un certain nombre de symboles protecteurs dans des endroits stratégiques afin de garder le portail, la porte d'entrée (ou les deux) de la maison ou de la propriété.

En Chine, les symboles protecteurs sont omniprésents à l'entrée des temples, des palais et des principaux bâtiments publics. Dans des millions d'intérieurs chinois du monde entier, on trouve de puissants chiens Fu de formes, de tailles et d'inspirations variées.

Outre ces protecteurs impériaux, le Feng Shui inclut la licorne, le tigre et d'autres animaux féroces. Il existe aussi ce qu'on appelle des « protecteurs » de porte, divisés en dieux et dieux-soldats. Jusqu'au début du XXe siècle, beaucoup de demeures appartenant à des Chinois aisés en Malaisie et à Singapour exhibaient ces dieux multicolores gardiens des portes. Ces divinités protégeaient les occupants de fléaux tels que le vol, l'escroquerie, ou la persécution. En un mot, leur fonction consistait à protéger le bien-être matériel des occupants.

CI-DESSUS : *les chiens Fu, qui en fait ressemblent à des lions, peuvent servir de gardiens symboliques de la porte d'entrée.*

Plus récemment, les dieux gardiens du seuil ont cédé la place à d'autres divinités protectrices. La plus populaire est Kuan Kung, considéré à l'origine comme le dieu de la guerre, et le saint patron de la police et des triades. Aujourd'hui on le considère comme le dieu de la richesse. On croit qu'une représentation de lui en céramique, en métal ou en bois, avec son attitude terrifiante, apporte une protection à ceux qui travaillent dans les affaires ou œuvrent en politique.

On considérait donc que le Feng Shui protégeait et faisait prospérer les gens tout autant que les maisons. On portait donc des symboles et des objets porte-bonheur pour attirer la chance. Jadis, les grands de la cour s'habillaient de caftans particuliers, ornés de symboles fastes. L'empereur lui-même portait souvent l'image du dragon sur ses amples vêtements alors que l'impératrice et les concubines se paraient de bijoux délicats représentant tous les symboles de chance.

Porter des amulettes et des gris-gris pour se protéger est une tradition populaire et très répandue. Certains y voient la pratique d'un Feng Shui personnel. Il existe des protections contre le vol lors d'un voyage, prenant généralement la forme de caractères spéciaux gravés sur de minces feuilles d'argent ou d'or enroulées et placées dans un étui d'or ou d'argent porté autour du cou.

Il y a aussi des amulettes qui prémunissent contre les blessures physiques. On peut les écrire sur du papier de riz spécial, de couleur, soigneusement plié et porté sur soi. Les Chinois croient que nombre d'entre elles sont capables de « guérir » des maladies spécifiques. On brûlait souvent celles rédigées sur papier de riz pour en absorber la cendre dans un verre d'eau. Les amulettes d'or ou d'argent passaient pour efficaces si on les trempait dans de l'eau, bue ensuite par le patient.

Je ne sais trop quoi penser des amulettes. J'ai évité de graves blessures au cours de deux accidents sérieux, et on me dit que ce sont mes amulettes qui m'ont protégée. Je n'ai aucune raison d'en douter, mais je ne suis toujours pas persuadée que porter sur soi des amulettes constitue une authentique pratique Feng Shui. Il pourrait fort bien s'agir de magie taoïste !

CI-DESSUS : *le cheval dragon, ou licorne, est l'un des symboles de chance à vertu protectrice les plus puissants*

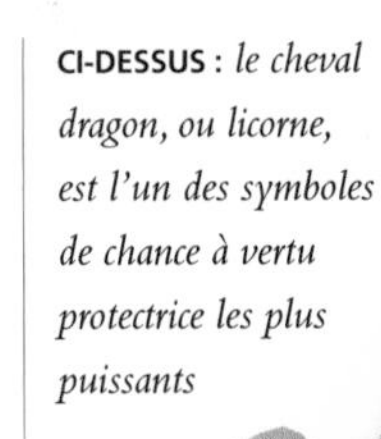

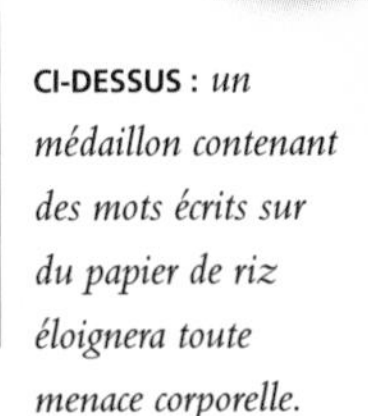

CI-DESSUS : *un médaillon contenant des mots écrits sur du papier de riz éloignera toute menace corporelle.*

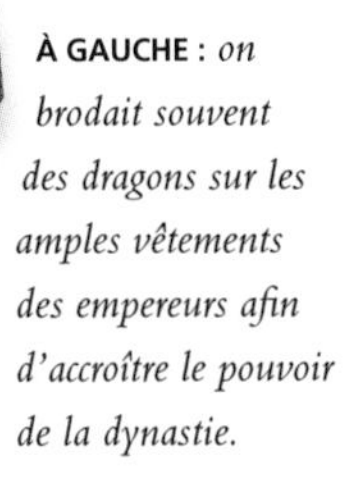

À GAUCHE : *on brodait souvent des dragons sur les amples vêtements des empereurs afin d'accroître le pouvoir de la dynastie.*

DIFFÉRENTS TYPES DE CARILLONS ÉOLIENS

À DROITE : *les tubes creux de certains carillons éoliens produisent un son fort différent de celui des tubes pleins, mais s'avèrent tout aussi efficaces.*

CI-DESSUS : *les carillons éoliens s'harmonisent avec tous les styles d'intérieurs. Ils produisent des sons agréables à l'oreille et contrecarrent en permanence les énergies indésirables.*

Le carillon éolien est l'un des antidotes les plus efficaces contre les angles, les coins saillants, les poutres apparentes et les toilettes placées en des lieux inappropriés. En utilisant des carillons éoliens pour triompher du Shar Chi, ou souffle mortel, servez-vous impérativement de carillons à 5 tubes car ils ont le pouvoir de dominer la malchance. Si tel est votre but, les deux variétés, à tubes pleins et à tubes creux, feront aussi bien l'affaire. Le carillon éolien à forme de pagode est encore plus efficace ! N'oubliez pas qu'il faut distinguer les carillons employés comme remèdes de ceux qui activent la chance.

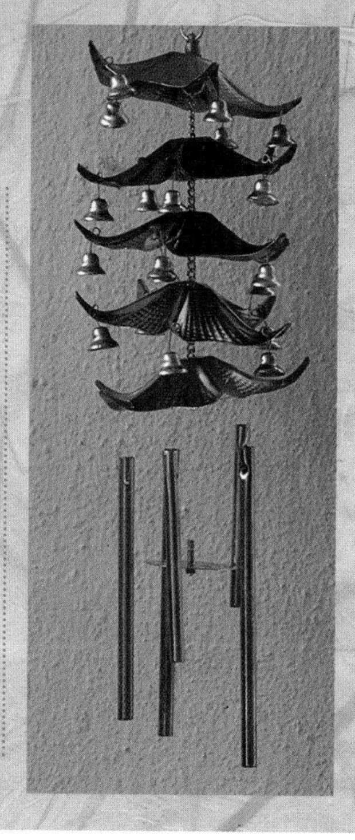

À GAUCHE : *les carillons éoliens représentant une pagode sont considérés comme particulièrement efficaces.*

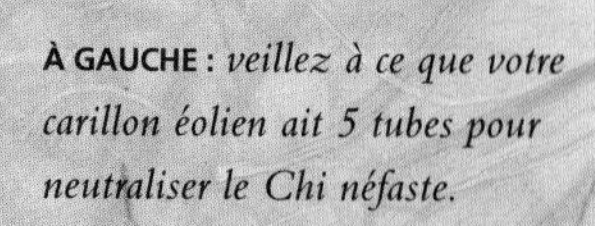

À GAUCHE : *veillez à ce que votre carillon éolien ait 5 tubes pour neutraliser le Chi néfaste.*

CHARMES PROTECTEURS ET AMULETTES

On peut discuter pour savoir si porter des amulettes et des écrits protecteurs relève du Feng Shui ou non ; néanmoins, cet aspect constitue une partie très prisée du Tong Shu, ou almanach chinois. Si les symboles de chance sont profondément ancrés dans les pratiques chinoises traditionnelles, il en est de même du port d'amulettes pour « se protéger » de la malchance, des accidents, de la maladie ou des tours que jouent les esprits errants.

A. Voici la formule utilisée pour protéger la maison des influences malfaisantes qui se complaisent à causer des ennuis à ses occupants. Il faut l'écrire sur un morceau de papier rouge et l'apposer contre un mur près de la porte d'entrée de la maison.

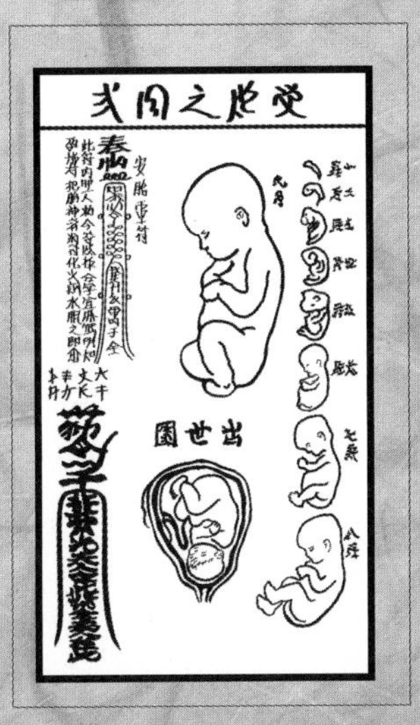

C. D'après l'ancien almanach, cette calligraphie s'utilise pour protéger les femmes enceintes de tout Shar Chi mortel qui pourrait être présent dans la maison. L'almanach recommande de copier ce charme sur du papier jaune, de le brûler pour en mettre les cendres dans un verre d'eau froide, que l'on boira.

CI-DESSUS : *la puissante influence protectrice de cette amulette préserve des vols, des pertes et des accidents.*

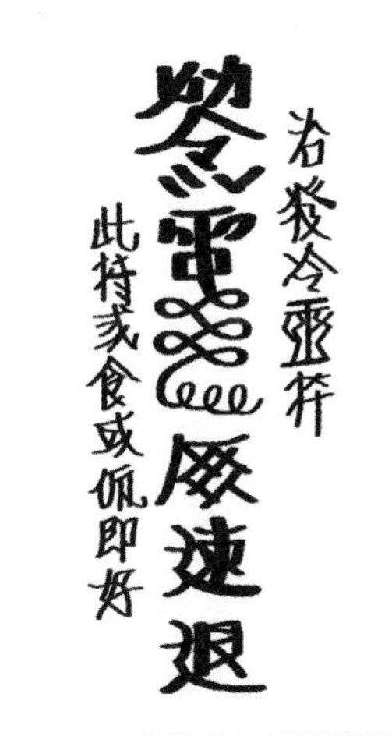

B. Cette formule peut s'utiliser en tout point de la maison si l'on pense qu'elle est hantée par des esprits errants. On peut aussi la placer dans des secteurs de la maison où les énergies procurent une sensation étrange, où elles stagnent, où l'on sent de « mauvaises vibrations ».

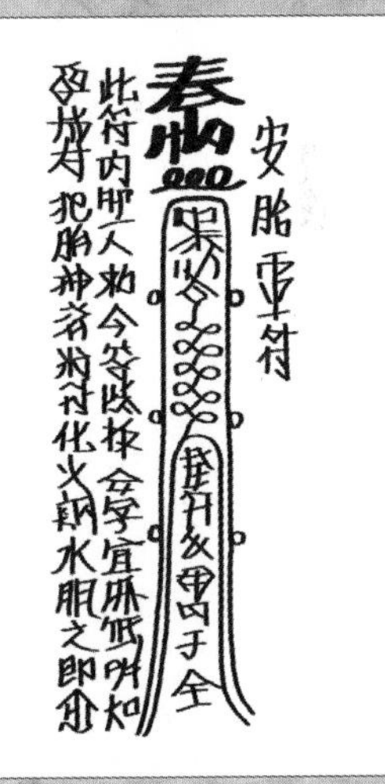

D. On dit de cette formule qu'elle guérit les affections des yeux et les douleurs abdominales. Là encore, il faut la brûler pour en mettre les cendres dans un verre d'eau froide, dont on baigne les yeux. Pour les affections des yeux et les douleurs abdominales, buvez l'eau.

CHAPITRE VINGT-HUIT

LES FLÈCHES EMPOISONNÉES DANS L'ENVIRONNEMENT

Le Feng Shui d'une famille ne peut être bon que s'il concerne des gens dont le nombre Pa Kua (et la direction bénéfique) coïncide avec l'orientation de la maison. Un Feng Shui faste ne s'instaure que pendant certaines périodes, en fonction de la trajectoire spécialement calculée d'Étoiles Feng Shui.

La définition d'un bon Feng Shui appliqué à une maison dépend de l'école dont on suit les principes, ou de la méthode Feng Shui employée. Toutefois, ce n'est pas un hasard si les différentes écoles et méthodes Feng Shui se réjoignent toutes sur un point : le danger que font courir les flèches empoisonnées de l'environnement. Ce sont des structures et des configurations qui créent ces flèches empoisonnées, en vue de tout espace habité, possédant des caractéristiques engendrant le Shar Chi ou souffle mortel. Ces structures possèdent un pouvoir négatif si puissant que toutes les écoles Feng Shui reconnaissent leur influence maligne sur la chance des maisons qu'elles « atteignent », et préconisent de s'en méfier.

Le présent chapitre traitant des flèches empoisonnées forme une partie essentielle d'une bonne pratique Feng Shui. Avant de tenter de mettre en place et d'activer un bon Feng Shui il faut adopter une attitude défensive et s'assurer que la maison ne craint plus les flèches empoisonnées.

Mêmes lorsque des adeptes du Feng Shui confirmés passent à l'étude et à la mise en œuvre de formules très avancées, ils doivent garder à l'esprit les effets débilitants du souffle mortel engendrés par les flèches empoisonnées.

À GAUCHE : *les flèches empoisonnées engendrées par l'environnement sont un défi contemporain lancé à l'adepte du Feng Shui.*

CHAPITRE VINGT-HUIT : LES FLÈCHES EMPOISONNÉES DANS L'ENVIRONNEMENT

DÉBUSQUER LES FLÈCHES EMPOISONNÉES CACHÉES

À DROITE : *impossible de ne pas détecter les flèches empoisonnées que créent ces tours de condensation de centrale électrique nucléaire écrasant de leur hauteur les maisons voisines et crachant leurs fumées.*

Les flèches empoisonnées de l'environnement ne restent « cachées » et « secrètes » que si vous ignorez comment les débusquer. Néanmoins, vous ne devriez rencontrer aucune difficulté une fois que vous saurez quoi chercher. Les flèches empoisonnées n'ont rien de mystérieux. Il existe un certain nombre de principes à suivre concernant la nature des flèches empoisonnées.

- Tout ce qui est long et droit pointé vers une maison ou un bâtiment peut entrer dans la catégorie des flèches empoisonnées. Plus le « trait » est rectiligne et long, plus son effet sera dévastateur sur la chance des occupants de la construction.

La forme la plus commune de ce type de flèche est une longue route droite en rejoignant une autre avec un angle de 90°. La plupart des Chinois apprennent dès leur enfance à ne jamais vivre dans une maison qui se trouve à une intersection en T ou à un carrefour, car le Chi mortel frappant la maison sera semblable aux « tigres dans la nuit » attaquant les occupants. L'effet est démultiplié si la porte d'entrée donne directement sur la route. Lorsque l'orientation de la porte est changée de façon à écarter l'influence de la route, la flèche est aussi déviée avec succès. Une autre méthode pour neutraliser l'effet de ce type de configuration consiste à veiller à ce que le niveau de la maison soit plus élevé que celui de la route se dirigeant sur elle : la maison dominera le souffle mortel et évitera ainsi les ennuis. On peut aussi construire un mur solide (d'une hauteur minimum de 2 m) afin d'occulter la route. Cette option n'est offerte qu'aux propriétaires d'un terrain suffisamment grand, car un mur trop près de la maison causerait une autre sorte de problème Feng Shui. Enfin, si toutes ces solutions échouent, envisagez de planter un bosquet d'arbres au feuillage abondant, capable de diminuer fort efficacement tout le souffle mortel introduit par la route.

- Tout ce qui est pointu, aigu, et se trouve juste en face de la maison (surtout lorsque l'objet pointe juste sur la porte d'entrée) se révèle extrêmement nocif. Ceci peut se présenter sous la forme de l'arête aiguë d'un bâtiment de l'autre côté de la rue, du coin d'un grand immeuble ou d'un gros pilier, ou d'un panneau indicateur placé d'une manière telle qu'il semble braqué sur la porte d'entrée. Ces objets ont l'énergie négative d'un flèche empoisonnée et il faut la dévier immédiatement à l'aide d'un miroir. Un miroir Pa Kua, le symbole octogonal Feng Shui, avec une petite glace ronde au centre, est, pour cela, une excellente solution. Servez-vous d'un miroir Pa Kua à glace concave pour absorber toute l'énergie négative. Attention : efforcez-vous de ne l'employer qu'en dernier recours car le miroir Pa Kua émet une énergie hostile capable de combattre l'énergie mortelle des flèches empoisonnées ! Si vous installez un miroir Pa Kua au-dessus de votre entrée pour défléchir quelque chose de nuisible issu de l'autre côté de la route, veillez à ne pas porter tort à la maison d'un

LE FENG SHUI APPLIQUÉ AUX TOIT

LES FLÈCHES EMPOISONNÉES

Ce qui est défavorable
Les formes de toit défavorables se caractérisent par :

- une forme irrégulière ;
- un profil irrégulier ;
- des pentes droites (cette catégorie est la plus néfaste, car elle implique que l'argent ou la richesse s'enfuient de la maison en suivant les pentes, et que les occupants n'arrivent pas à les retenir) ;
- des toits aux tuiles bleues qui représentent l'eau. On considère l'eau au-dessus d'une montagne comme un signe de danger extrême et de perte annoncée. J'ai entendu parler de magnats des affaires qui ont, de fait, perdu leur fortune lors d'un ralentissement de l'économie. Tous avaient soit un siège social coiffé d'un toit bleu, soit avaient fait construire une piscine pour leur appartement de grand standing en haut du dernier étage de leur siège social.

Ce qui est favorable
Les formes de toit favorables sont régulières, sans décrochement. Ils devraient être de couleur rouge, brun tirant sur le bordeaux ou gris. Les toits bleus et verts ne sont pas du tout recommandés. Les meilleurs profils sont ceux en pente douce, tout en courbes, relevés sur les bords. Ils indiquent richesse et prospérité tout autant que paix et harmonie pour les occupants. Mieux vaut éviter un « trou » au centre du toit, sauf dans le cas d'une ouverture pratiquée pour un patio. Un décrochement affectant la ligne du toit peut se révéler dangereux.

CI-DESSOUS : *inspectez la forme du toit des maisons qui vous entourent, pour détecter toutes les flèches empoisonnées.*

CI-DESSUS : *un toit aux bords incurvés vers le haut apporte la sécurité financière à ceux qui vivent dessous.*

Bon
Mauvais
Mauvais
Mauvais
Bon
Bon

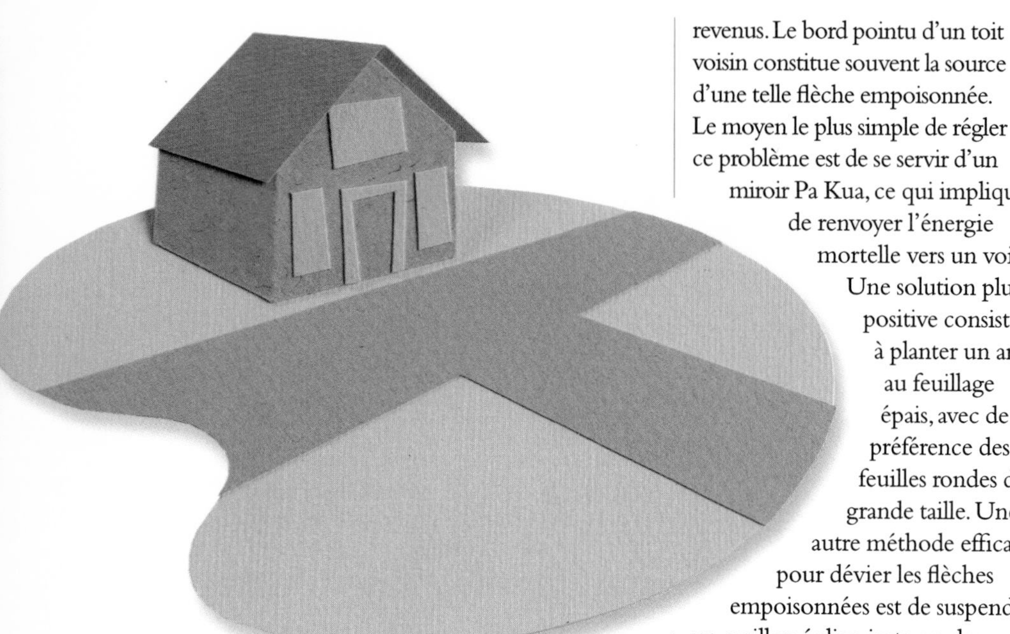

CI-DESSUS : *une maison face à un carrefour en T ou à une intersection subit l'énergie négative dirigée directement vers la porte d'entrée.*

voisin. Suspendez le miroir Pa Kua au-dessus de votre porte vers l'extérieur, et ne l'accrochez jamais à l'intérieur de la maison ou du bureau, car il retournerait son pouvoir contre les occupants. À la place d'un miroir Pa Kua vous pouvez utiliser un mur ou un bosquet d'arbres pour dissoudre l'énergie mortelle de tout objet pointu dirigé vers vous.

Tout ce qui est en forme de pyramide est aussi nocif, car émetteur d'une énergie mortelle dans votre direction. Cela peut jouer un rôle déterminant dans l'échec d'une carrière, et causer une perte de revenus. Le bord pointu d'un toit voisin constitue souvent la source d'une telle flèche empoisonnée. Le moyen le plus simple de régler ce problème est de se servir d'un miroir Pa Kua, ce qui implique de renvoyer l'énergie mortelle vers un voisin. Une solution plus positive consiste à planter un arbre au feuillage épais, avec de préférence des feuilles rondes de grande taille. Une autre méthode efficace pour dévier les flèches empoisonnées est de suspendre un carillon éolien juste au-dessus de la porte d'entrée. Utilisez un carillon suffisamment grand, muni de tubes d'au moins 30 cm. Un carillon en bois (d'ordinaire en bambou) sera plus puissant qu'un carillon métallique.

Tout ce qui semble symboliser un obstacle, comme une grande croix, tombe aussi dans la catégorie des flèches empoisonnées. C'est pour cette raison qu'il vaut mieux ne pas vivre juste en face d'une église ou de tout bâtiment public dont la façade comporte une grande croix. À Hong Kong, on trouve d'énormes croix se profilant sur la façade de la Bank of China, et l'on pense qu'elles ont posé des problèmes de Feng Shui à la maison du gouverneur colonial, car leurs branches étaient pointées vers la demeure. Parfois, deux escaliers roulants l'un en face de l'autre, formant une croix, peuvent occasionner des problèmes au bâtiment d'en face. Ce fut le cas au centre de Kuala Lumpur en Malaisie. Les escaliers roulants d'un immeuble formaient un grand X juste en face d'un bâtiment de l'autre côté de la rue, et il en résultait une baisse énorme des ventes de la société qu'il abritait. On fit venir un maître de Feng Shui et il recommanda de braquer un vieux canon sur les escaliers roulants (et donc sur le bâtiment d'en face). Les ventes reprirent rapidement, mais les affaires des gens occupant l'immeuble où se trouvaient les escaliers roulants souffrirent désormais d'un mauvais Feng Shui.

À DROITE : *un panneau indicateur à l'aspect inoffensif pointant en direction de votre maison est en fait une flèche empoisonné.*

L'UTILISATION DE CANONS DANS LE FENG SHUI

Les vieux canons se révèlent très efficaces comme antidote contre les flèches empoisonnées difficiles à combattre. On pense que les canons anciens qui ont connu la guerre ont plus de pouvoir quand il s'agit de combattre l'énergie mortelle qu'engendrent des structures édifiées par l'homme. On distingue aussi le pouvoir des canons « mâles » de celui des canons « femelles ». Ces derniers, plus courts et plus larges, sont censés avoir un pouvoir plus fort.

Les canons sont ce qu'il y a de mieux en matière de symbole contre l'énergie mortelle. Ceux qui ont vu le sang couler sont des plus dangereux. S'il s'en trouve un en face de votre porte d'entrée, il causera des pertes, des maladies et une malchance extrême. C'est pour cela qu'il ne faudrait utiliser le canon, comme moyen défensif, qu'en dernier recours, car il apportera sûrement la malchance à toute personne subissant sa force. Si vous vous apercevez que votre maison se trouve en face d'un canon, je suggère de lui en opposer un autre – un canon mâle face à un canon femelle et vice versa. C'est le meilleur moyen de contrer cette énergie mortelle.

Tout ce qui est hostile et écrase par sa présence symbolise non seulement une, mais tout une série de flèches empoisonnées : une grande cheminée d'usine, une sculpture aux formes agressives, un relais de télévision, ou tout simplement un immeuble aux arêtes vives et à la façade offrant des angles saillants. Vivre près de ce type de structure artificielle pose de graves problèmes de Feng Shui, difficiles à résoudre. L'énergie négative est d'ordinaire trop puissante pour que l'on puisse la contrer efficacement. Déménagez à la première occasion, sinon, la meilleure chose à faire est d'essayer de changer complètement l'orientation de votre propriété, de manière à ce que la structure hostile ne se trouve plus face à l'avant de la maison. En d'autres termes, faites en sorte que la porte d'entrée se situe à l'opposé de la structure hostile : elle se transforme alors en protection puissante. En cas d'impossibilité, trouvez une autre porte à utiliser comme entrée principale.

LES ALLÉES D'ACCÈS À LA MAISON

L'accès à votre maison peut aussi se muer en flèche empoisonnée si vous n'y prenez garde. En général, l'accès doit avoir l'air accueillant : l'allée sera large, de surface égale et sinueuse plutôt que droite et menaçante. Une allée menant tout droit à une maison est considérée comme une flèche empoisonnée. Sa nocivité augmente si elle donne l'impression de se rétrécir au fur et à mesure que l'on approche de la demeure. Elle ressemble alors davantage à une flèche. Une allée parallèle à la maison ne cause pas de tort, pas plus que si elle court à côté de l'habitation. Si l'allée ne peut pas être sinueuse, efforcez-vous de faire en sorte qu'elle ne soit pas rectiligne.

CI-DESSUS : *une allée privée rectiligne reliant une maison à la route est néfaste.*

L'influence d'une allée droite peut être adoucie par un paysagisme astucieux utilisant des plantes et des buissons en fleurs afin de couper et de camoufler une ligne droite.

Évitez que l'allée s'éloigne de la maison en descente. Ceci draine le Chi, éloignant l'argent et la chance. Une allée trop étroite ou beaucoup trop large est aussi peu favorable. Le principe de base consiste à concevoir une allée dont les proportions s'accordent avec celles de l'habitation et qui ne se transforme pas en flèche empoisonnée.

Une allée plus étroite que la porte d'entrée ne porte pas chance. Une allée qui va en se rétrécissant ou en s'alargissant implique que l'on n'aura pas d'occasion favorable dans le domaine financier, et contrarie les affaires comme la carrière. Si votre allée relève de ce cas de figure, rendez-en les bords parallèles ou mettez des lumières à l'extrêmité la plus étroite.

CI-DESSOUS : *les allées privées incurvées reliant les maisons à la route sont la meilleure solution.*

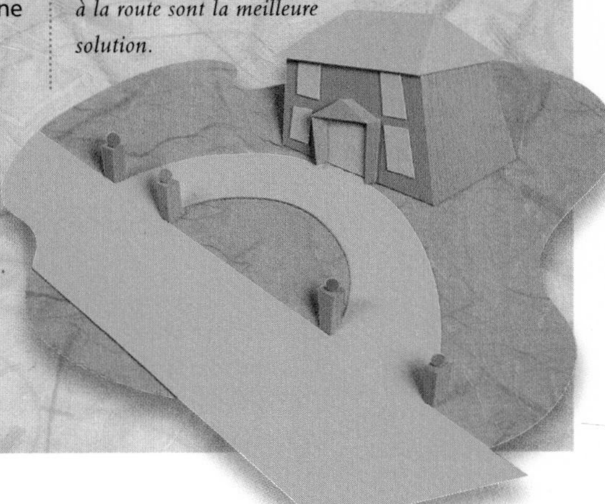

CHAPITRE VINGT-HUIT : LES FLÈCHES EMPOISONNÉES DANS L'ENVIRONNEMENT

QUE FAIRE CONTRE LES FLÈCHES EMPOISONNÉES

CI-DESSUS : *les enfants sont particulièrement sensibles aux flèches empoisonnées. Prenez donc toute mesure pour en minimiser les effets lorsque cela est possible.*

L'effet le plus immédiat des flèches empoisonnées est généralement une perte financière ou une maladie. La gravité de ces maux dépend du tableau astrologique de l'intéressé. D'ordinaire, les jeunes enfants sont les premiers touchés par une maladie causée par des flèches empoisonnés. Si vous venez d'emménager, faites très attention car si vos enfants semblent tomber malades les uns après les autres, ou si un virus atteint tout le monde, cherchez les flèches empoisonnées. C'est la première phase de l'analyse Feng Shui.

Les effets négatifs des flèches empoisonnées à l'extérieur de la maison se révèlent infiniment plus puissants que ceux des flèches présentes à l'intérieur. C'est donc d'elles qu'il faut s'occuper en premier lieu. Une structure très hostile peut anéantir la chance d'une famille entière.

Il existe trois grandes méthodes pour s'attaquer aux flèches empoisonnés.

- Créer une structure pour barrer le chemin à l'énergie mortelle et la dévier.
- Élever une barrière pour dissoudre l'énergie mortelle.
- Ériger une structure hostile pour contrer l'énergie mortelle.

Ce sont les barrières matérielles et les miroirs qui sont les plus efficaces. Lorsque la flèche empoisonnée n'est plus visible, on estime que l'énergie mortelle est effectivement déviée. On peut y parvenir en élévant un mur ou une haie. Afin d'augmenter la puissance de votre antidote, affinez-en les détails de la manière qui suit :

- si la flèche empoisonnée vient du sud, construisez un mur au pied duquel coule de l'eau ;
- si la flèche empoisonnée vient du nord, érigez un mur de briques ;
- si la flèche empoisonnée vient de l'est ou du sud-est, dressez des grilles métalliques (dorées ou chromées pour mieux contrer l'énergie) ;
- si la flèche empoisonnée vient de l'ouest ou du nord-ouest, faites un mur et peignez-le en rouge ;
- si la flèche empoisonnée vient du sud-ouest ou du nord-est, plantez une haie épineuse.

Le meilleur antidote consiste à dissoudre l'énergie mortelle atteignant la maison. Plantez un bosquet d'arbres entre la flèche empoisonnée et la façade de la maison. Les feuilles que la brise fait bruisser dissolvent les flèches empoisonnées mortelles, surtout ceux provenant du sud-ouest ou du nord-est.

Une deuxième façon de dissoudre l'énergie mortelle consiste à installer une forte lumière entre l'entrée de la maison et la flèche empoisonnée. Cela marche très bien si le trait vient de l'ouest ou du nord-ouest.

Une troisième méthode consiste à suspendre un grand carillon éolien métallique entre la flèche empoisonnée et la façade de la maison. C'est très efficace si le flèche empoisonnée vient de l'est ou du sud-est.

Si la menace vient du nord, un petit tas de grosses pierres devant la maison dissout infailliblement le flèche empoisonnée ; si elle arrive par le sud, une installation avec de l'eau en mouvement assez rapide, comme une fontaine, serait une bonne chose.

Une méthode plus active implique l'utilisation de miroirs destinés à réfléchir la flèche empoisonnée de manière à nuire à la source de l'énergie négative. Une autre solution consiste à utiliser un objet hostile, comme un canon. Dans les deux cas, ceci signifie que l'on rend coup pour coup ; si la chose s'avère parfois inévitable, il vaut toujours mieux contrer les flèches empoisonnées grâce aux deux premières méthodes.

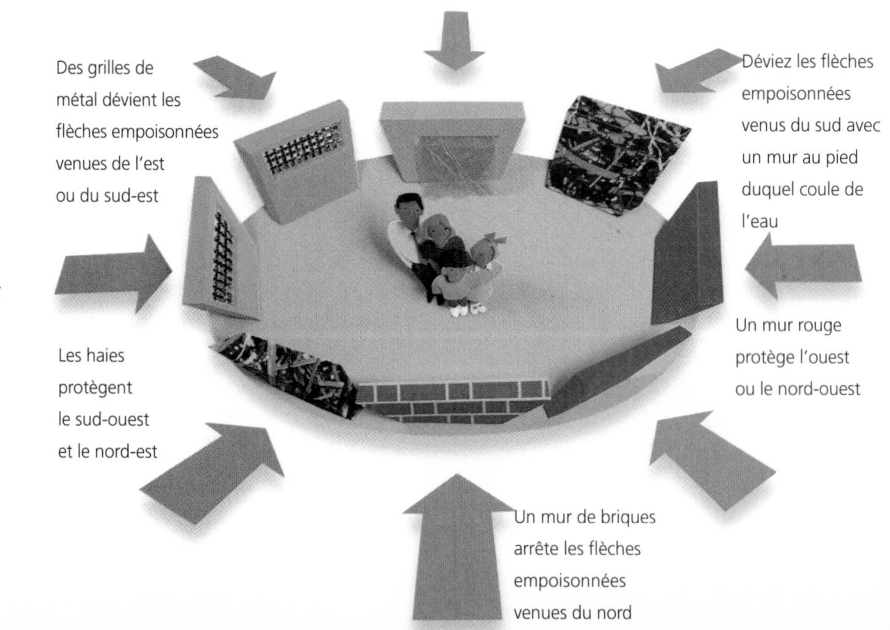

À DROITE : *adaptez les méthodes de barrage ou de déviation à la direction d'où proviennent les flèches empoisonnées.*

UN TOIT DÉTRUIT LE FENG SHUI D'UNE BANQUE TAIWAINAISE

Le 18 février 1998 les bulletins d'information de la BBC annonçaient la disparition dramatique d'un gouverneur d'une banque taiwanaise, monté à bord d'un avion de la compagnie China Airlines, promis à un sort funeste : il s'était écrasé près de l'aéroport international Chiang Kai-shek deux jours plus tôt. Le gouverneur Sheu Yuan-dong et ses cadres se trouvaient parmi les 200 passagers du vol de la China Airlines. Il revenait d'une réunion de responsables des banques centrales régionales qui avait eu lieu à Bali, en Indonésie.

La mort dramatique du gouverneur et de quatre cadres supérieurs de la banque centrale de Taiwan dans cet accident faisait partie d'une succession de catastrophes qui avaient frappé l'institution. D'après un journal de Taiwan, le *Economic Daily News*, la malchance s'acharnait sur la banque depuis qu'elle s'était installée dans de nouveaux locaux, en 1994. Le précédent gouverneur de la banque, Liang Kuo-shu, et le directeur du service des changes, Chang Pao-hsi, étaient également morts alors qu'ils exerçaient leurs fonctions à la banque.

La rumeur locale dit que ces calamités ne relevaient pas simplement d'une simple coïncidence. Beaucoup attribuèrent les problèmes de la banque à un mauvais Feng Shui.

Le journal relata que depuis longtemps on reprochait à la banque son architecture contraire aux principes Feng Shui. On raconte que la construction de l'immeuble de béton de forme carrée avait été retardée par un certain nombre d'incidents : faillite du constructeur ; incendie sur le toit ; et chute d'un ouvrier.

L'article signalait que la façade du siège de la banque centrale se trouvait juste en face d'un coin formé par le toit du Théâtre national, chose faisant partie des tabous du Feng Shui. Ceux qui y croient disent que le coin du toit du théâtre agit comme une loupe concentrant et dirigeant les énergies négatives directement sur la banque.

Les adeptes du Feng Shui avaient recommandé que l'on apporte une série d'améliorations destinées à écarter les effets du mauvais Feng Shui, mais le journal dit qu'on les ignora.

LES ARÊTES MORTELLES D'IMMEUBLES SONT TRÈS DANGEREUSES

Parmi les flèches empoisonnées les plus difficiles à combattre, les plus dangereuses, sont sans doute celles émises par l'arête vive d'un immeuble de grande taille ; on en voit de nombreux exemples dans les villes où les permis de construire sont délivrés sans tenir compte de l'équilibre et de l'harmonie. Ainsi, lorsqu'on construit des immeubles les uns à côté des autres, sans se soucier le moins du monde des principes Feng Shui, il n'est pas rare qu'une construction se trouve face à l'angle d'un autre immeuble. Dans ce cas, le remède le plus salutaire est de changer l'emplacement de l'entrée de l'immeuble. Sinon,il faut installer une porte à tambour pour dissoudre l'énergie négative en la ralentissant. À Taiwan, beaucoup de grands immeubles de bureaux ont des angles arrondis pour ne pas affecter les bâtiments environnants. À New York, le damier que forment les blocs d'immeubles et les rues garantissent que les bâtisses auront bien moins de chances d'être touchées par les arêtes des constructions voisines.

LES SILHOUETTES TRIANGULAIRES DES TOITS AFFECTENT LES PORTES D'ENTRÉE

Une des manifestations de flèches empoisonnées les plus courantes qui affecte les maisons individuelles est la présence d'un profil de toit triangulaire juste en face de la porte d'entrée. Ce type de structure se révèle surtout nocif si l'énergie dégagée vient de l'ouest, du nord-ouest, de l'est ou du sud-est. Le feu de l'énergie négative que représente l'objet entraîne beaucoup de problèmes. Usez de la méthode du barrage, de la déviation ou de la dissolution pour contrer ce genre de flèche empoisonnée.

À DROITE : *les immeubles aux arêtes anguleuses envoient des flèches empoisonnées dans la direction des constructions avoisinantes plus petites.*

CHAPITRE VINGT-HUIT : LES FLÈCHES EMPOISONNÉES DANS L'ENVIRONNEMENT

ARBRES, POTEAUX ET STRUCTURES VERTICALES

Les flèches empoisonnées ne proviennent pas forcément de structures imposantes. Elles peuvent apparaître n'importe où et se manifester de façons très différentes, sous la forme de poteaux télégraphiques, de panneaux « À vendre », de boîtes aux lettres, et même d'arbres isolés. Leur impact est bien moindre que celui de structures massives, et il est facile d'y remédier. Il suffit de mettre un petit miroir Pa Kua pour réfléchir l'image de l'objet nocif, ce qui aura pour conséquence de neutraliser efficacement l'énergie mortelle.

Il n'est pas nécessaire d'écraser une mouche avec un marteau-pilon, mais il ne faut pas négliger ces traits, aussi petits soient-ils. Les arbres deviennent hostiles quand leur tronc massif fait face à la porte d'entrée. Un bosquet d'arbres ne pose pas de problème, ce qui n'est pas le cas du tronc d'un arbre isolé. Il suffit souvent de suspendre un carillon éolien pour régler le problème.

Quant aux poteaux télégraphiques et autres obstacles similaires, on peut soit se servir d'un miroir Pa Kua, soit fixer une lumière très intense à l'extérieur de la porte d'entrée.

À GAUCHE : *des oiseaux agglutinés sur les fils et les poteaux électriques ou téléphoniques neutralisent l'effet de ces derniers.*

À L'EXTRÊME DROITE : *la plantation d'un arbre imposant au feuillage dense, avec si possible de grandes feuilles arrondies, neutralise les énergies négatives se dirigeant vers la maison.*

UTILISATION ASTUCIEUSE DES ARBRES

Les arbres sont parfaits pour créer un bon Feng Shui. Au fur et à mesure qu'ils poussent, leurs feuilles absorbent les poisons de la pollution : c'est ainsi que la nature protège l'environnement. Quand on les utilise astucieusement, ils apportent la chance dans n'importe quelle maison.

Voici quelques principes généraux.

- Ne faites jamais pousser d'arbres trop près de la maison, sinon ils la domineront de leur immense énergie de croissance.
- Ne plantez jamais un arbre juste en face de la porte d'entrée. Le Chi favorable aura du mal à pénétrer.
- Taillez régulièrement les arbres de manière à contrôler leur croissance.
- Choisissez toujours avec soin les variétés d'arbre pour préserver l'équilibre entre eux.
- Faites pousser des arbres en priorité derrière la maison, et à l'est.

Les arbres peuvent former une barrière protectrice contre une rue principale passante.

Des arbres plantés derrière une maison arrêtent les flèches empoisonnées.

Il vaut mieux faire pousser des arbres à une certaine distance de la maison.

Des arbres bordant les deux côtés de l'entrée feront pénétrer le Chi dans la maison.

Un arbre protégera la maison de l'influence négative d'une colline proche.

Être confronté à une montagne, un mur ou à un bâtiment

Si la porte d'entrée donne sur un haut mur ou si un grand immeuble est situé juste devant votre maison, cette situation est très peu favorable, mais n'indique pas forcément la présence de flèches empoisonnées. L'effet, pourtant, est comparable à celui qu'elles engendrent. La meilleure méthode pour régler ce genre de contexte néfaste est de réorienter la maison en transférant la porte d'entrée à l'arrière de la maison, de manière à ce que le mur ou l'immeuble (c'est-à-dire, la montagne) se trouve de ce fait dans le dos.

En cas d'impossibilité, l'alternative consiste à installer des lumières très intenses devant la maison et de les laisser allumées en permanence.

CI-DESSUS : *une lumière vive dissipe les effets négatifs de hauts murs en face de la maison.*

À DROITE : *déplacez la porte d'entrée de manière que l'obstacle se trouve derrière la maison.*

Structures dangereuses

Il existe un certain nombre de structures dont il convient de se méfier, telles que les grands pylônes. Ils ne se contentent pas d'écraser par leur présence : les câbles à haute tension émettent un puissant et dangereux Chi capable de terrasser et de tuer toute autre forme d'énergie avoisinante.

Vivre à proximité de ces pylônes soumettra les occupants de la maison au danger de maladies graves, voire mortelles. Toutes les autres chances se verront aussi fortement amoindries. Il s'avère difficile de lutter contre une énergie aussi considérable. Il est donc plus sage de s'installer ailleurs. En cas d'impossibilité, essayez d'aménager une petite mare pour contrer l'énorme énergie du pylône ; peignez l'extérieur de la maison en bleu. Un autre moyen de contrer les effets négatifs des pylônes est de les cacher derrière de gros arbres. Cet antidote est, dans le meilleur des cas, temporaire, puisque l'élément bois des arbres ne peut en aucune manière peser du même poids que le métal du pylône ou le feu du câble à haute tension. Le remède le plus efficace consiste à utiliser de l'eau !

Les ponts, selon leurs tailles et leurs formes, peuvent aussi poser problème. Les grands ponts métalliques développent une énergie considérable, beaucoup trop yang, et beaucoup trop puissante quand ils se trouvent à proximité de maisons individuelles. La circulation autour de ce type de pont engendre un mouvement intense et de fortes concentrations d'énergie. Les maison situées à l'un ou l'autre bout du pont souffriront d'un excès d'énergie yang et leurs occupants se sentiront perturbés. Des occasions de conflits surgiront. Ces lieux-là conviennent à des projets comme des centres commerciaux, des gares routières ou ferroviaires et des lieux de distraction.

CI-DESSUS : *l'eau résout les problèmes que pose le sud.*

À GAUCHE : *les pylônes constituent des structures très nocives.*

VOIR AUSSI
- Le yin et yang dans le Feng Shui *p. 28-29*
- Autoroutes, voies surélevées et voies de chemin de fer *p. 298*

BÂTIMENTS YIN

CI-DESSUS : *les flèches surmontant les lieux de culte peuvent dégager une énergie mortelle.*

À DROITE : *les églises dégagent souvent une grande énergie qui submergera les maisons avoisinantes.*

Lieux de culte

Les lieux de culte comme les temples, les églises et les mosquées n'émettent pas d'énergie mortelle et ne sont pas source de flèches empoisonnées. Néanmoins, le Feng Shui met en garde contre le fait d'habiter près de ce type d'endroit, tout simplement parce que l'énergie les entourant est trop forte et noie toute maison proche. En outre, l'énergie s'avère la plupart du temps plus yin que yang, et ne convient donc pas à l'habitat.

Mieux vaut aussi éviter d'habiter près de la flèche et des croix d'une église, car il s'agit de structures capables d'envoyer une énergie mortelle. Si votre porte d'entrée donne sur ce genre de structure, utilisez une autre porte pour entrer chez vous ou plantez un arbre entre votre porte et la croix.

Hôpitaux et prisons

L'École de la Forme recommande d'éviter d'habiter trop près d'endroits où l'on trouve une concentration de maladies, de décès et de malheurs. Les hôpitaux regorgent d'énergie yin. Le Chi collectif d'un hôpital tend à engendrer un excès de Chi négatif. Si vous vivez à proximité de ce genre d'établissement, faites en sorte que votre maison soit bien éclairée en toutes circonstances, et regorge d'énergie yang. Faites jouer de la musique et mettez plus de couleur rouge et davantage de couleurs très chaudes dans votre intérieur.

À GAUCHE : *les délits commis par les prisonniers affectent les prisons et envoient dans le voisinage des influences négatives omniprésentes ; ce n'est pas un endroit favorable pour s'installer.*

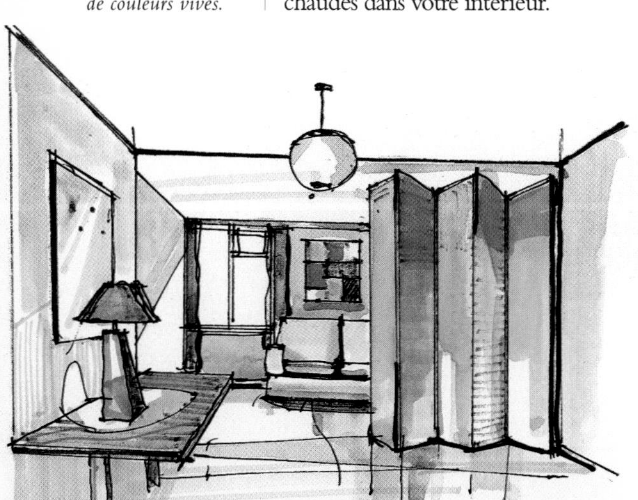

CI-DESSOUS : *pour contrecarrer le Chi négatif, optez pour une décoration intérieure incorporant du rouge et beaucoup de couleurs vives.*

Le même conseil vaut pour ceux qui habitent près d'un commissariat et d'une prison. L'énergie négative émise par ce genre de lieu revêt un caractère violent, pouvant être associé au meurtre et à la mort. Aussi serait-il préférable d'éviter ce type de voisinage.

Il est toujours recommandé de se renseigner avant d'acheter une maison, pour s'assurer qu'elle n'occupe pas un terrain où se trouvait autrefois un hôpital, une prison, un commissariat ou tout autre lieu très yin. Du Chi négatif s'attache souvent à ce genre d'endroit, difficilement habitable sans méthodes de neutralisation et de purification du lieu, auxquelles il faudra ajouter d'autres opérations pour le rendre faste.

LE FILAO DE L'AUTEUR CAUSE L'INFERTILITÉ PENDANT NEUF ANS

Pendant les premières années de notre mariage nous voulions absolument fonder une famille mais mon mari et moi devions rester stériles pendant 9 ans. À cette époque, le Feng Shui ne représentait pas grand-chose pour moi. C'est le Maître Yap Cheng Hai qui m'en a parlé lors de nos séances hebdomadaires d'entraînement au kung-fu, mais pendant longtemps je ne l'ai pas pris au sérieux. Un jour Maître Yap est venu chez moi et a fait le commentaire suivant, sans y être invité : « Ce n'est pas étonnant que vous ne puissiez pas avoir d'enfant... Regardez cet arbre devant votre porte d'entrée », et il avait raison. Un beau filao imposant se dressait de toute sa hauteur à moins de 3 m de notre porte. Maître Yap dit encore : « si vous n'abattez pas cet arbre, non seulement vous n'aurez pas de bébé, mais votre mariage se défera ! »

La maison que nous habitions ne nous appartenait pas, et il n'était pas question de couper l'arbre. Pendant ce temps notre mariage battait de l'aile et nous finîmes par nous séparer. Je me rendis aux États-Unis pour faire une maîtrise de gestion : c'était pour moi une sorte d'échappatoire. Pendant mon absence, mon mari supervisa la construction de notre propre maison (où nous vivons encore aujourd'hui). Maître Yap avait eu carte blanche pour élaborer notre Feng Shui et il conçut la maison de manière à ce qu'elle accroisse la chance de notre progéniture. Notre chambre était située dans le secteur Nien Yen de mon mari et nous dormions orientés selon sa direction Sheng Chi (en matière de Feng Shui si vous désirez activer quoi que ce soit ayant trait à la chance de la famille, c'est la direction propice du mari qu'il faut adopter).

Après mon retour des États-Unis, nous emménageâmes dans notre nouvelle maison et moins de 6 mois plus tard je tombais enceinte de Jennifer, notre fille. Je l'ignorais alors, mais cet heureux événement constituait les prémisses de ce qui me convaincrait, par la suite, d'écrire un livre sur les merveilles du Feng Shui.

QUESTIONS RÉPONSES

Question : Nous venons de déménager et de beaux arbres poussent tout près de la porte d'entrée. Est-ce un signe de mauvais Feng Shui ?

Réponse : Les arbres fournissent une merveilleuse énergie yang, mais ils peuvent se révéler nuisibles s'ils sont trop près de la maison car leur influence dominera les occupants. Mieux vaut que les arbres soient plantés à quelque distance de la maison, là où ils peuvent exercer une influence protectrice en détournant les énergies négatives.

Question : nous vivons dans une maison individuelle à côté d'une église, mais j'ai entendu dire que d'après les principes Feng Shui, ce n'est pas faste. Est-ce vrai ?

Réponse : oui, l'énergie émanant de la plupart des lieux de culte est essentiellement yin et causera un déséquilibre. Plantez un arbre entre votre maison et l'église pour attirer l'énergie yang.

Question : ma salle de bains se trouve au-dessus de la porte d'entrée. Y a-t-il moyen de contrer l'énergie négative qu'elle engendre ?

Réponse : installez une lumière dans l'entrée juste sous la salle de bains. Un éclairage est une excellente source d'énergie yang et aidera à dissiper tout mauvais Chi.

Question : tout le monde travaille à l'extérieur de la maison pendant la journée, comment puis-je équilibrer l'excès d'énergie yin créé par cette grande maison vidée par tous ses occupants ?

Réponse : la musique encourage les flux de Chi, vous pouvez laisser la radio allumée pendant votre absence pour que le Chi continue à circuler. Un aquarium plein de poissons vigoureux, dans lequel un aérateur fait des bulles aura le même effet. Je conseillerai aussi d'acheter un bol musical, car ce bel objet crée des sons merveilleux purifiant la maison et engendrant de l'énergie Chi.

木火土金水

Huitième partie

8

DICTIONNAIRE FENG SHUI

ALLÉES : les allées sinueuses sont plus conformes au Feng Shui que les droites. Toute allée de jardin ou allée menant à une maison, et même tout couloir, se révèlent moins nocifs si la longueur en est limitée et le trajet en courbes. Dans le jardin, une allée qui serpente convient bien, car elle ralentit le Chi en l'obligeant à suivre les méandres, lui permettant ainsi de s'accumuler.

ALMANACH : le livre chinois des dates fastes, le Tong Shu (T'ung Shu), ou almanach chinois, est l'un des plus vieux du monde. Il est apparu il y a plus de 4 000 ans et contient le plus grand nombre de systèmes de divination jamais réunis en un seul volume. Le calendrier, fondé sur le Ganzhi chinois, ou calendrier lunaire, qui sert pour les jours et les saisons, constitue le cœur de l'ouvrage. Le Tong Shu inclut les moments propices pendant lesquels il est recommandé d'entreprendre toute une gamme d'activités quotidiennes : elles vont du choix du meilleur jour pour fonder une entreprise, pour faire la lessive, pour se faire couper les cheveux, pour commencer la moisson et les semailles. L'almanach chinois fournit un des ensembles les plus complets et les plus traditionnels regroupant des croyances et des pratiques chinoises. Le Tong Shu contient des références aux pratiques Feng Shui fondées sur le calcul, dépendant des Étoiles Volantes, des jours fastes où se lancer dans toutes sortes d'activités domestiques ou professionnelles.

AMOUR : dans la conception chinoise du monde, ce mot s'emploie à propos du mariage et de la chance de la famille. Dans le langage Feng Shui, l'amour se définit comme le type de chance qui mène au mariage et, pour les femmes surtout, à un premier mariage. Pour les hommes, l'amour se rapporte à la rencontre d'une femme capable d'assumer le rôle de la mère-terre, qui peut enfanter et s'occuper d'un intérieur. Ce n'est pas une vision très romantique de l'amour et manifestement, nous sommes là en contradiction avec l'opinion et les mœurs contemporaines.

AMULETTES : les Chinois portent couramment des amulettes car ils croient qu'elles éloignent le mauvais sort apporté par des esprits errants. Ils pensent que les jeunes enfants sont particulièrement sensibles à ces esprits errants, et de nombreux parents font réaliser des symboles spécialement pour eux, soit par un temple, soit par des prêtres taoïstes. On peut discuter de savoir si cette pratique relève ou non du Feng Shui.

ANTIDOTE : à tout problème de Feng Shui il y a pratiquement un remède ou un antidote Feng Shui. Certains marchent mieux que d'autres et le choix de l'antidote approprié fait partie du savoir-faire d'un maître Feng Shui. Il existe de nombreux antidotes différents, qui se répartissent comme suit.

- Des lumières vives pour dissoudre la mauvaise énergie.
- De l'énergie yang (lumières, bruits et couleurs vives) pour triompher d'un excès d'énergie yin.
- Des carillons éoliens, surtout à 4 tubes, pour dissiper la mauvaise énergie.
- Le miroir Pa Kua pour dévier l'énergie mortelle.
- Des clochettes et des bols musicaux pour purifier un lieu où stagne l'énergie.
- Des cristaux pour adoucir un trop-plein d'énergie yang.
- Des couleurs pour corriger un déséquilibre des éléments.
- Des rideaux et des stores pour dévier la mauvaise énergie.
- Une boussole pour adopter une direction plus faste.
- Des cristaux pour dissiper une énergie yang excessivement forte.
- Un remède faisant intervenir un élément pour rétablir l'harmonie.

ANTIQUITÉS : la présence d'antiquités dans la maison fait courir un danger lié à l'accumulation d'énergies résiduelles nuisibles. Il est peu probable que l'on connaisse la chance des propriétaires précédents, et la nature du Chi stagnant dans l'objet. Peut-être contient-il une énergie très négative susceptible d'attirer la malchance sur son propriétaire ? Avoir chez soi d'anciens canons et de vieilles armes à feu présente un risque particulièrement élevé, surtout si ces objets proviennent de demeures habitées par des chefs de clans, parce que ces objets auront vraisemblablement « connu le goût du sang » auparavant.

APPARTEMENTS EN SOUS-SOL : ils sont en général néfastes. Le Feng Shui déconseille de vivre en dessous du niveau d'une route. Les appartements en sous-sol ne sont donc pas le meilleur endroit où vivre. Si vous n'avez pas le choix, il vous est possible de favoriser le Chi en installant des lumières vives à l'entrée. Ceci devrait « faire s'élever » l'énergie, encourageant le Chi à pénétrer dans l'appartement. Si le sous-sol donne sur un jardin en arrière-cour, le Feng Shui s'en trouvera considérablement amélioré.

AQUARIUM : apporte un bon Feng Shui. On peut activer le secteur du bureau gouvernant la richesse (le secteur sud-est) en y introduisant une installation faisant appel à l'eau. Un aquarium contenant des poissons bien vivants symbolise la croissance et l'activité. Il est aussi possible d'activer ce même secteur de la maison avec un aquarium. Cependant, ne le placez pas du côté droit de la porte d'entrée (à droite quand on regarde à l'extérieur de la maison), car ceci peut inciter les maris à l'infidélité et à être toujours à l'affût d'une aventure.

ARBRES : ils incarnent généralement un excellent Feng Shui mais il faut les tailler et de les soigner. Les arbres aux larges feuilles constituent un remède efficace pour les graves problèmes de Feng Shui. Non seulement ils font obstacle aux flèches empoisonnées, mais encore ils forment un mur opaque efficace qui se double d'un soutien pour l'arrière de toute maison n'ayant pas l'appui crucial de la « Tortue Noire ». En tant qu'outils Feng Shui, les arbres au feuillage vert abondant activent fort bien les secteurs est et sud-est. Taillez-les régulièrement, de manière à ce que les jeunes pousses soient toujours visibles : elles signifient la continuité de la croissance et le Chi qu'elles engendrent est des plus fastes. Évitez les palmiers, car leur tronc long peut occasionner des problèmes de Feng Shui. Les arbres groupés ne provoquent pas d'ennuis mais les sujets isolés ne se distinguent pas des piliers apparents et ils émettent une énergie nocive et mortelle.

ARÊTES VIVES : les arêtes vives des secteurs ou des constructions créent certaines des formes de Shar Chi les plus dangereuses. Si l'entrée de la maison ou de la propriété se trouve visée par l'angle aigu d'un immeuble de l'autre côté de la rue, essayez de le rendre invisible. L'alternative consiste à se servir d'un miroir Pa Kua pour réfléchir l'énergie mortelle. Voir aussi *Miroir Pa Kua.*

ARROWANA : avec ses écailles argentées et son corps effilé, pareil à une épée, l'arrowana sert depuis longtemps de porte-bonheur aux hommes d'affaires chinois en Malaisie, à Singapour et en Thaïlande. On le connaît aussi sous le nom de « poisson dragon », et il faut en avoir 1, 3 ou 5, mais jamais 2. Quand l'arrowana est bien nourri et en bonne santé, il prend une légère teinte rosée ou dorée qui, dit-on, attire la chance. Si vous souhaitez avoir des arrowanas, il faut bien les nourrir et bien les soigner. Seuls ceux qui sont vigoureux et pleins de vie sont capables de vous apporter une grande richesse. L'aquarium abritant ce poisson ne doit pas être envahi de plantes aquatiques, d'algues ou de sable. Un grand aquarium nu dans le secteur nord (le secteur de l'eau) est la meilleure solution. De même, on peut installer l'aquarium à l'est ou au sud-est, qui sont les secteurs du bois. Ceci parce que l'eau entre en harmonie avec le bois. Ne mettez jamais les arrowanas dans votre chambre.

ART : les tableaux que vous accrochez chez vous ou au bureau ont des conséquences en matière de Feng Shui, qui peuvent être bonnes ou mauvaises à votre insu. De fait, le sujet, la couleur et l'orientation du tableau jouent un rôle ; il faut donc bien réfléchir à ce que vous allez suspendre au mur.

- Évitez un tableau abstrait dont les couleurs s'opposent à l'élément du mur qui le supporte. Ainsi, n'accrochez pas de tableau représentant des objets en métal ou peint d'une couleur blanche ou métallique dans le secteur du bois (l'est ou le sud-est). Dans le Cycle de Destruction, le métal détruit le bois ; les éléments ne sont pas en harmonie et le tableau cause des problèmes au secteur du bois. Si vous occupez une pièce dans ce secteur, vous pâtirez de ce conflit d'énergies.
- Si vous désirez accrocher un portrait du Président, ou encore du fondateur de votre société, le mur le plus approprié sera celui du nord-ouest, puisqu'il active la chance du trigramme Chien. Il représente le patriarche, ou le chef, et suspendre un portrait de chef au nord-ouest crée une chance relative au mentor exceptionnellement bonne. Les tableaux les plus appropriés à mettre dans votre bureau sont les paysages, parce que le Feng Shui se rapporte au paysage. Si vous arrivez à introduire discrètement le paysage au bureau, vous jouirez d'un Feng Shui harmonieux. Un tableau dépeignant une montagne derrière votre siège symbolise le soutien. C'est l'un des meilleurs objets pour bénéficier d'un bon Feng Shui au bureau.
- Un tableau montrant de l'eau ou un cours d'eau devant votre bureau stimule efficacement l'eau porte-bonheur. Les tableaux figurant une rivière, un lac et une cascade doivent être accrochés devant vous, et non derrière.
- De la même façon, un tableau ou une photographie d'un champ à perte de vue, face à vous, symbolise le Hall de lumière. Ce symbolisme porte éminemment bonheur, qu'il s'agisse d'un vrai champ ou d'une représentation, puisqu'il suggère une totale absence d'obstacle. Un grand champ à perte de vue suggère des affaires et une carrière menées sans encombre.
- Servez-vous des symboles Feng Shui porte-bonheur en accrochant un tableau représentant des fruits et des fleurs, qui incarnent l'abondance et la bonne fortune.
- Évitez les peintures d'animaux sauvages tels que des lions, des tigres, des léopards et des aigles, à l'intérieur de la maison ou au bureau. Très utiles à l'extérieur pour vous protéger, vous et votre famille, ils peuvent se retourner contre vous à l'intérieur et apporter la mauvaise fortune, la maladie, la malchance.
- Évitez les tableaux dits de caractère ou intellectuels, montrant des vieillards ridés ou ceux évoquant les drames de notre époque. Il est bien plus bénéfique d'accrocher des tableaux dépeignant la renaissance de la vie et des événements heureux. N'oubliez pas que tout ce que l'on accroche au mur à la maison ou au bureau affecte le Feng Shui.

ASTROLOGIE : on confond souvent l'astrologie chinoise, ou divination, avec la pratique du Feng Shui. Ceci est dû à l'emploi de notions communes, telles que celles du yin et du yang et de la théorie des Cinq Éléments, dont on se sert dans les deux domaines. En outre, beaucoup de devins, surtout à Hong Kong, incorporent des conseils Feng Shui à leurs recommandations, notamment la méthode de divination des Quatre Piliers. On connaît également cette méthode sous le nom de « Paht Chee », ou Huit Caractères : elle se fonde sur l'élément dont on croit discerner qu'il manque à votre table astrologique. Le devin conseillera un emplacement pour une porte d'entrée, ou une orientation à adopter pour dormir, qui active l'élément manquant. La méthode utilise donc exclusivement la théorie des Cinq Éléments et se fonde aussi sur le jugement subjectif de la personne entreprenant l'interprétation astrologique. L'Étoile Pourpre est la deuxième méthode d'astrologie chinoise : on dit qu'elle est particulièrement précise lorsqu'il s'agit de prédire les bonnes et mauvaises périodes de votre vie. C'est ce qui se rapproche le plus de l'astrologie occidentale, à ceci près que les « étoiles » utilisées dans la table sont imaginaires. Contrairement à l'astrologie occidentale, la Chinoise ne tient pas compte du mouvement des planètes.

AUTEL : il doit faire directement face à la porte. Sa position la plus bénéfique est gouvernée par un certain nombre de règles de base. Les Chinois croient généralement qu'il est extrêmement bénéfique de situer l'autel juste en face de l'entrée, pour qu'il soit visible dès que l'on arrive dans la maison. Dans une perspective Feng Shui, on recommande aussi de placer l'autel dans le secteur nord-ouest de la maison ou du salon, puisque ce secteur représente le trigramme Chien, qui, de son côté symbolise le ciel et les divinités célestes. Quelle que soit la place de l'autel, il faut invariablement veiller à ce que Bouddha, Kwan Yin ou toute autre divinité soient placés en hauteur. La hauteur Feng Shui convenant le mieux à un autel est de 150 cm. L'autel doit toujours être propre. Éclairez-le en permanence : cela constitue une heureuse offrande de lumière à la divinité et attire aussi une bonne énergie Chi.

B

BALAIS : les balais et les ustensiles destinés au nettoyage ne doivent jamais traîner dans la maison. Rangez-les hors de vue. Ils peuvent aussi bien chasser la mauvaise fortune, qu'ils sont capables de refouler la chance. Les balais ne portent pas du tout chance, surtout quand on les laisse dans la salle à manger, car ils symbolisent l'expulsion de votre bol de riz et de votre gagne-pain. Les balais ont une autre utilisation en matière de Feng Shui. Ils peuvent constituer de bons outils pour conjurer les cambrioleurs et les intrus lorsqu'on les place à l'envers contre le mur, en face de la porte d'entrée, mais à l'extérieur plutôt qu'à l'intérieur. Ne laissez un balai dehors que la nuit ; rangez-le pendant la journée.

BALCON : doit être orienté correctement par rapport à l'entrée. Il est contraire aux principes Feng Shui d'avoir un balcon qui s'ouvre en ligne droite à partir de la porte d'entrée de la maison, car il engendre un flux d'énergie néfaste.

BAMBOU : excellente plante Feng Shui symbolisant la longévité. C'est aussi un outil Feng Shui extrêmement utile. Les tiges de bambou peuvent s'utiliser de la même manière que les carillons éoliens, avec leurs tubes creux ou flûtes en bois, afin de contrer le souffle mortel provenant d'une poutre apparente. Il faut les suspendre par deux, en les faisant se rejoindre au sommet, pour que le Chi faste puisse s'élever et s'opposer au souffle mortel émis par la poutre située au-dessus. Comme les tiges de bambou ne produisent pas de tintement visant à fournir la nécessaire énergie yang, pour transformer le Chi en énergie non-hostile et faste, il faudra attacher les tiges avec du ruban rouge. Cette couleur fera apparaître l'énergie yang recherchée. Les tiges de bambou constituent également un excellent outil pour ralentir le Chi. Les pièces situées au bout de très longs couloirs rectilignes sont affectées par le Shar Chi, le souffle mortel, qui se précipite vers elles. On peut freiner ce Chi très véloce grâce à deux tiges de bambou suspendues se rejoignant au sommet et attachées avec un morceau de fil rouge. Ces tiges creuses encouragent le mauvais Chi à s'élever en l'aspirant et en le rejetant par le haut, et ce faisant, le transforment en Sheng Chi bénéfique. Le meilleur moyen de neutraliser un long couloir est d'élever un barrage devant la pièce qu'il affecte en se servant d'un écran ou d'une cloison quelconque ; les tiges de bambou, les flûtes et les carillons éoliens n'ont pas un pouvoir illimité. Cependant, au cas où ces antidotes Feng Shui sont d'une taille beaucoup plus petite que le couloir lui-même, la meilleure solution consiste à suspendre des écrans statiques.

BANQUE : l'activité bancaire relève de l'élément eau. Ainsi, dans la perspective Feng Shui, c'est l'eau qui favorisera le plus efficacement la bonne fortune d'une banque. On recommande en particulier de placer des installations faisant intervenir l'eau dans les secteurs nord ou sud-est.

BARBECUES : comme ils représentent le feu (comme tout ce qui sert à la cuisine, la cuisinière, le four etc.), le secteur leur convenant est le sud du jardin, gouverné par l'élément feu. Le secteur dont la chance apporte la reconnaissance sociale et la renommée à la famille s'en trouve activé. C'est aussi le secteur de la fille née entre l'aînée et la cadette : faire des barbecues l'aidera donc dans ses études ainsi que dans son développement personnel. Si vous ne pouvez placer le barbecue dans le secteur sud de votre jardin, veillez au moins à ce qu'il ne figure en aucune façon à l'est ou au sud-est, car ces secteurs sont ceux du bois. Le feu du barbecue brûlera (symboliquement) le bois, consumant ainsi votre chance relative à la fortune (le sud-est) et celle relative à la santé (l'est).

BASSINS À POISSONS : les bassins à poissons portent chance, non seulement à cause de la valeur symbolique des poissons, provenant des contes populaires, mais encore parce que les poissons se révèlent très efficaces quand il s'agit d'activer des secteurs. Les bassins à poissons sont surtout fastes au nord (eau), au sud-est ou à l'est (bois), car ils représentent l'élément eau, et l'eau s'accorde avec l'eau et le bois (qu'elle nourrit). En outre, avoir des poissons crée de l'énergie yang qui encourage le Chi à circuler, ce qui anime un lieu.

BATEAU À VOILES : empli d'or factice, un modèle réduit de bateau à voiles constitue un des agents d'activation et des symboles Feng Shui les plus efficaces que l'on puisse avoir chez soi. Ceci est particulièrement bon pour attirer la chance dans le domaine des affaires.

BÂTIMENTS : le Feng Shui moderne les assimile à des montagnes. Jadis, l'École de la Forme examinait les collines et les montagnes environnantes de manière à déterminer la qualité du Feng Shui relatif au terrain. Aujourd'hui, la pratique du Feng Shui s'est déplacée vers les grandes villes, où les constructions forment le paysage et l'environnement des maisons et des bureaux. Le Feng Shui étant symbolique, on analyse les immeubles de la même manière qu'on le faisait pour les collines environnantes.

BELVÉDÈRES : érigés correctement, ils peuvent accroître le Chi de la porte d'entrée. Ils sont considérés comme des extensions du jardin. Selon son emplacement, un belvédère peut augmenter ou diminuer le Feng Shui de la maison, surtout en ce qui concerne sa situation par rapport à la porte d'entrée et son influence sur le Chi de cette dernière, qu'il peut augmenter ou raréfier.

BIBLIOTHÈQUES EN SAILLIE : elles sont semblables à des couteaux, qui vous lacèrent et provoquent quantité de maux. Le chant des étagères envoie du Shar Chi, le souffle mortel, qu'accompagnent la maladie, la perte occasionnelle d'un revenu, et même une réduction spectaculaire des revenus. Essayez d'enrayer tout flèche empoisonnée en transformant les étagères en armoires, en y ajoutant des portes. En cas d'impossibilité, placez les livres ou les dossiers de manière à ce qu'ils viennent s'aligner sur le chant des étagères et les faire disparaître. Les vitrines sont nocives au nord, les étagères en bois, au sud-ouest, au nord-est et au milieu de la pièce. Les étagères en plastique sont les moins mauvaises, quel que soit leur emplacement. Voir aussi *Chambre*.

BIJOUX : destinés à la bonne fortune et aux protections personnelles. Aujourd'hui on porte des bijoux afin d'attirer le Chi augmentant la chance et afin d'engendrer des énergies physiques protectrices, de la même manière que nos ancêtres portaient des amulettes et des charmes. Les bijoux avec des symboles porte-bonheur attirent la chance. Ainsi, les bagues de fiançailles et les alliances faisant figurer le symbole du double bonheur apportent-elles une excellente chance relative au mariage. Les bijoux faits d'une pièce de monnaie attirent l'énergie de la richesse. Les vrais bijoux valent toujours mieux que les faux : les diamants ont plus de pouvoir que le cristal, et l'or ou le platine activent mieux la richesse que l'acier ou le plaqué or.

BOIS : un des Cinq Éléments, mais le seul à porter en lui l'énergie vitale. Ainsi l'élément bois signifie-t-il la croissance et tous les secteurs de la maison bénéficient énormément de sa présence. L'énergie vitale signifie énergie yang, qui provoque un Feng Shui faste. Les directions qui correspondent à l'élément bois sont l'est et le sud-est, dont les trigrammes respectifs sont Chen et Sun.

BONNE FORTUNE : bonne santé, chance positive pour la famille et la prospérité. Inclut tout ce à quoi on aspire dans la vie, surtout une bonne santé et la longévité, la richesse et la prospérité, la chance relative à la famille et aux descendants, et une bonne réputation personnelle. Le Feng Shui promet tout cela si vous vivez en harmonie avec votre environnement.

BONSAÏ : si beaux soient-ils, les arbres miniatures subissent une atrophie artificielle et ne donnent pas un bon Feng Shui. Ils se révèlent particulièrement nuisibles aux affaires et aux entreprises commerciales puisqu'ils contrarient complètement ce qu'il faut pour activer la croissance. Si vous êtes un passionné de bonsaï et si vous ne pouvez vous en passer, abstenez-vous de les mettre dans les secteurs du bois (l'est et le sud-est) de votre intérieur ou de votre jardin. C'est au nord qu'ils font le moins de mal.

BRUIT : on considère le bruit comme l'émanation d'une grande et intense énergie yang, et un moyen de la stimuler. Au début du printemps et du Nouvel An lunaire, on faisait jadis du bruit en allumant des pétards, car on croyait qu'ils effrayaient et éloignaient les mauvais esprits restant de l'année écoulée. Parfois on remplace un vrai pétard par un factice suspendu dans la maison, censé simuler la création d'énergie yang. En matière de Feng Shui toutefois, on pense que se contenter de pareil simulacre suffit à simuler la précieuse énergie yang.

BULBES : on estime que les bulbeuses portent bonheur ; elles représentent l'or caché. On les considère comme des fleurs fastes et, de fait, elles symbolisent l'épanouissement de talents et de capacités cachés quand elles sont en pleine floraison. Les Chinois aiment beaucoup faire éclore ces fleurs aux alentours du Nouvel An lunaire, surtout le narcisse, parce qu'on l'associe à la venue du printemps.

BUREAU (PIÈCE DE LA MAISON) : si vous travaillez à la maison, faites attention de respecter correctement les principes Feng Shui en les appliquant au bureau, puisque ceci affectera votre gagne-pain et votre réputation dans le domaine professionnel. Activez votre bureau à l'aide de tous les symboles de bonne fortune appropriés, mais continuez à respecter tous les interdits et à observer les conseils Feng Shui concernant le bureau.

BUREAUX (MEUBLES) : on peut les activer pour attirer la chance relative au travail. Le bureau est un objet excellent pour activer le Feng Shui. Pour déterminer les dimensions ou l'orientation idéale de ce meuble, reportez-vous au chapitre traitant de la règle Feng Shui. Activez le plateau de votre bureau grâce à des objets qui symbolisent les Cinq Éléments. Faites-le en traçant une grille Lo Shu sur le haut du bureau, puis, à l'aide d'une boussole, marquez les directions correspondantes pour chaque carré de la grille. Activez votre bureau en fonction des directions indiquées sur la grille Lo Shu figurant sur le tableau. Placez de la sorte les objets suivants :

Est	une coupe de fleurs fraîches
Sud-est	une petite plante verte
Ouest	votre téléphone
Nord-ouest	votre ordinateur
Nord	votre tasse de café
Sud	une lumière ou quelque chose de rouge
Sud-ouest	un globe en lapis-lazuli
Nord-est	un presse-papiers en cristal

De plus, vérifiez votre nombre Kua et cherchez votre meilleure direction face à laquelle vous asseoir. À l'aide d'une boussole, marquez la direction dans laquelle vous devriez vous asseoir pour bénéficier d'une bonne fortune. Gardez le plus possible cette position. Enfin, assurez-vous que, de votre bureau, vous avez une vue dégagée, que ne vient pas obstruer tout un attirail de bureau.

CACTUS : les cactus et autres types de plantes piquantes engendrent d'infimes quantités d'énergie empoisonnée capable d'entraîner la malchance, la maladie et l'infortune. On ne les mettra pas à l'intérieur de la maison, mais à l'extérieur, où ils ont un rôle protecteur. Leurs piquants contrent alors tout Shar Chi arrivant dans votre direction. À l'intérieur, plutôt que de combattre le Shar Chi, ils donnent naissance à un souffle mortel nocif.

CAISSE ENREGISTREUSE : dans les commerces de détail, on peut les activer à l'aide de pièces de monnaie et de bambou. Augmentez les ventes en collant avec de la bande adhésive trois pièces chinoises anciennes attachées avec du fil rouge, face yang vers le haut, sur le côté de votre caisse enregistreuse. Quatre mots chinois figurent sur le côté yang, le côté yin en a deux. Il est aussi possible de faire de même pour des dossiers importants, de manière à favoriser le Feng Shui, au travail. Une alternative consiste à suspendre des tiges de bambou creuses au-dessus de la caisse enregistreuse, pareillement liées avec du fil rouge. Le bambou garantit que vous ne ferez pas faillite de sitôt. Faites en sorte que les tiges pendent à la perpendiculaire, légèrement inclinées les unes vers les autres.

CALENDRIER HSIA : connu aussi sous le nom de calendrier chinois et utilisé dans le domaine du Feng Shui et de la divination. Tous les calculs Feng Shui et ceux destinés à prédire l'avenir, fondés sur la date de naissance d'un individu, prennent pour base le calendrier Hsia. Plusieurs méthodes de Feng Shui requièrent les détails relatifs à la naissance d'une personne pour trouver les secteurs et les directions les plus bénéfiques. Les méthodes divinatoires incluent les Quatre Piliers de la Destinée, qui révèlent le caractère, la personnalité et la destinée. Cette méthode incorpore souvent les caractères du calendrier chinois Hsia.

CALENDRIER LUNAIRE : le calendrier lunaire chinois comporte 12 mois de 29 jours chacun. Tous les 2 ans 1/2, on rajoute 1 mois afin de réajuster le calendrier et ce mois supplémentaire vient s'intercaler entre le 2e et le 11e mois de l'année lunaire, en se déplaçant de 1 mois à chaque fois. Le « premier jour du printemps », que l'on appelle généralement « lap chun » est un jour faste du calendrier lunaire. Certaines années (considérées comme fastes) comportent un double lap chun, et certaines n'en ont pas du tout (elles passent pour néfastes pour les naissances et les mariages). Dans le calendrier lunaire, la journée commence à 23 heures, et on divise les 24 heures en 12 périodes de 2 heures, chacune se trouvant gouvernée par un des douze animaux. Pour que l'on prédise l'avenir, il faut connaître les symboles d'animaux signifiant l'heure de sa naissance et l'animal désignant l'année de la naissance. Il est tout aussi important de connaître les éléments gouvernant vos Quatre Piliers, ainsi que la signification des animaux, des éléments et de ce que cela implique en matière de yin et de yang. La différence entre bonne et mauvaise chance tient à la manière dont ces symboles s'allient : l'art divinatoire chinois suppose l'interprétation de ces significations.

CANARD MANDARIN : merveilleux symbole du bonheur conjugal, qu'il faut exposer au regard des visiteurs. On dit qu'un couple de canards mandarins représente un jeune couple amoureux. D'après la symbolique Feng Shui, placer un couple de canards dans le secteur sud-ouest attire la chance relative à l'amour et aux liaisons amoureuses. Les canards en bois ne sont pas aussi efficaces que ceux en jaspe.

CANONS : à utiliser en dernier ressort pour contrer des flèches empoisonnées de taille. Ils sont très efficaces quand il s'agit de dévier le souffle mortel et l'effet d'objets pointus et hostiles visant votre porte d'entrée. La force négative émise peut se révéler très puissante. Les canons anciens ayant été réellement utilisés sont les plus souverains.

CARILLON ÉOLIEN : ils font partie des méthodes les plus agréables et les plus faciles à mettre en œuvre pour créer une bonne atmosphère dans tout foyer. Leur tintement attire un excellent Sheng Chi. Ne suspendez pas de carillons métalliques à l'est ou au sud-est : ce sont les secteurs du bois. Placez-y plutôt un carillon en bambou. Les carillons métalliques devraient figurer à l'ouest et au nord-ouest, alors que ceux en céramique peuvent se trouver placés au sud-ouest et au nord-est. Les carillons éoliens activent et corrigent les mauvaises vibrations. Si vous vous en servez pour supprimer la malchance ou pour dévier l'énergie mortelle que cause un flèche empoisonnée, suspendez un carillon avec cinq tubes creux. Achetez si possible des carillons en forme de pagode : c'est le symbole permettant de capturer l'énergie mortelle et les esprits malveillants.

CARRÉ MAGIQUE LO SHU : important outil d'analyse constitué d'une grille à 9 cases. Ce carré représente probablement le symbole le plus important pour la formule Feng Shui de la Boussole. La grille Lo Shu, figurant sur le dos d'une tortue émergeant de la rivière Lo, attira l'attention du duc de Tchou. L'importance de la grille réside dans la manière dont les nombres se trouvent disposés dans les cases, de manière à ce que la somme de 3 nombres consécutifs, horizontalement ou en diagonales, soit égale à 15 : c'est le nombre de jours qu'il faut pour que la lune soit pleine. C'est pourquoi on dit que le carré Lo Shu donne des indications sur l'avenir plus ou moins proche des gens et des foyers. Ainsi l'analyse Lo Shu se fonde souvent sur la dimension chronologique du Feng Shui. Il constitue donc le principal instrument de calcul dans la méthode des Étoiles Volantes.

CEINTURE DE JADE : c'est le nom donné à une rivière ou à un cours d'eau coulant près de votre porte d'entrée, et qui semble envelopper votre maison, apportant la bonne fortune. S'il se trouve des collines derrière chez vous, on considère cette caractéristique du terrain comme relevant d'un excellent Feng Shui. Dans ce cas, augmentez l'effet bénéfique de l'eau en vous assurant qu'elle coule devant votre porte d'entrée dans la bonne direction.

- Si l'eau coule de droite à gauche (quand on se trouve à l'intérieur de la maison et que l'on regarde vers l'extérieur), votre porte d'entrée sera orientée vers l'une des 4 directions secondaires, c'est-à-dire le nord-est, le nord-ouest, le sud-ouest et le sud-est.
- Si l'eau coule de gauche à droite, votre porte d'entrée sera orientée vers l'un des 4 points cardinaux, c'est-à-dire le nord, le sud, l'est ou l'ouest.

CHAMBRE : cette pièce importante devrait toujours jouir d'un bon Feng Shui. Il faut avoir toujours présent à l'esprit que la chambre est un lieu de relaxation et de repos. Les énergies qui y dominent seront donc davantage yin que yang, car une chambre trop yang rendra l'occupant trop actif, ce qui entraînera des troubles du sommeil. C'est la raison pour laquelle beaucoup de maîtres de Feng Shui mettent en garde contre l'activation de la chambre par le biais d'un nombre excessif de symboles favorables à la chance. De tels symboles, qui éventuellement feront merveille dans d'autres parties de la maison, peuvent se retourner contre vous dans la chambre. Les installations faisant appel à l'eau portent généralement chance, mais elles font plus de mal que de bien dans la chambre. Dormir avec de l'eau derrière soi fera de vous la victime d'un vol ou d'une perte financière. Notez que par eau il faut entendre, non seulement un aquarium rectangulaire ou rond ou une fontaine, mais encore un tableau représentant de l'eau, qu'il faudra se garder d'introduire dans la chambre. Il est permis par contre de décorer la chambre en bleu, couleur apaisante et non agressive.

Le noir représente l'eau et cette couleur doit se faire la plus discrète possible dans la chambre. L'inclusion de glaces est l'une des erreurs les plus répandues dans la façon contemporaine de concevoir la décoration des chambres. Les miroirs s'utilisent souvent pour donner de la profondeur. Les glaces de l'armoire envoient du Shar Chi sur le couple endormi, d'où des disputes et des malentendus, tout comme des ennuis de santé. Un miroir introduit aussi une troisième présence dans le mariage quand il reflète le couple endormi, amenant l'infidélité du mari ou de la femme. Notez qu'il faudra bannir d'une chambre tout ce qui a une surface réfléchissante, même une télévision, assimilable à un miroir. Si vous ne pouvez déposer les miroirs, couvrez-les d'un rideau. Il faudra recouvrir de la même façon le téléviseur d'une étoffe chaque soir, avant de s'endormir. Les étagères en saillie devront être couvertes partout dans la maison, pas seulement dans la chambre, où elles font le plus de mal. Si de telles étagères font face au lit pendant que vous dormez, chacun des plateaux enverra toute la nuit de petites flèches empoisonnées vers vous. Ce n'est qu'une question de temps avant l'irruption de la maladie. S'il n'est pas possible de masquer les étagères par des portes, une autre solution consiste à faire en sorte qu'elles soient garnies de livres dont le dos arrive jusqu'au bord du plateau, ce qui lui retire son caractère saillant. Les fleurs et les plantes, surtout celles en pleine croissance, sont des symboles souverains d'énergie yang, et ne conviennent pas à une chambre. Si vous mettez des plantes dans la chambre d'une jeune fille, ceci affectera négativement sa vie sentimentale. Si des plantes figurent dans la chambre d'un couple, il se disputera fréquemment. Le seul cas justifiant la présence de plantes dans une chambre est celui de la convalescence d'une personne ayant besoin d'énergie yang pour recouvrer la santé. Votre orientation, lorsque vous dormez, est un point des plus importants si vous voulez jouir d'un bon Feng Shui. Il est donc crucial de faire en sorte que votre tête soit dirigée vers l'une de vos 4 bonnes directions, pendant le sommeil. Vérifiez quelles sont vos bonnes et mauvaises directions dans le chapitre traitant du Feng Shui de l'École de la Boussole (voir pages 66-79). Elle se fonde sur le nombre Kua de chacun. Voir *Nombres Kua*.

CHANCE (BONNE) : type de chance spécifique concernant certains domaines de votre vie. Chance est un mot abstrait et, en matière de Feng Shui, il désigne l'accomplissement ou la possession de catégories spécifiques de bonne fortune. Le Feng Shui énumère 8 types de chance positive : la richesse, la santé, la famille et les relations, les enfants, la réputation, une bonne carrière, une bonne éducation, et jouir de la bienveillance de gens influents. La divination chinoise voit dans la chance positive une sous-catégorie à l'intérieur de chacune de ces 8 divisions. La chance relative à l'argent et à la richesse se divise en chance concernant l'héritage, les jeux d'argent et la spéculation, et la chance relative au succès en affaires. Dans le langage du Feng Shui, le mot chance a donc différents sens.

CHANCE CÉLESTE : la chance présidant à votre naissance et que vous ne pouvez contrôler. Tien, la chance céleste ou destinée exerce une influence sur la vie d'un individu. Vous pouvez l'améliorer en exploitant le pouvoir de votre chance terrestre. C'est ce qui fonde, pour l'essentiel, la chance individuelle. La chance de l'homme est déterminée par les actes, les choix et le comportement. C'est l'une des trois chances fondamentales.

CHANCE DE L'HOMME : une des trois chances fondamentales, que vous créez vous-même : Tien, la chance céleste ; Ti, la chance terrestre ; Ren, la chance que l'homme se crée. Des trois chances, nous avons pris sur celle de la terre et celle de l'homme. La chance terrestre relève du Feng Shui et celle de l'homme est le résultat de notre action. Voir aussi *Tien Ti Ren*.

CHANCE RELATIVE À L'ARGENT : on la crée par le biais d'un Feng Shui symbolique et du Feng Shui gouvernant l'eau. On recommande certaines mesures dans la pratique du Feng Shui symbolique et celle du classique Dragon d'Eau visant à créer la chance de la richesse et de la prospérité. Les symboles de l'argent sont les pièces de monnaie et les dieux de la richesse : on peut les exposer chez soi pour attirer un Chi engendrant la richesse. Activer le secteur sud-est de la maison grâce à des plantes luxuriantes ou à une installation avec de l'eau est aussi une méthode très répandue pour activer la chance relative à l'argent.

CHANCE RELATIVE À LA CARRIÈRE : on peut l'activer grâce au Feng Shui. La chance relative à la carrière se manifeste par un accroissement d'occasions favorables et de possibilités. Ceci n'implique pas un succès immédiat. Lorsqu'on emploie le Feng Shui pour activer la chance sur le lieu du travail, il faut s'attendre à une augmentation de la charge de travail, des responsabilités et aussi des possibilités de promotion. Activez le secteur nord de votre maison, de votre bureau, ou de votre espace de vie personnel. Puisque le nord relève de l'élément eau, un bon moyen d'activer ce secteur consiste à y placer un aquarium avec des poissons vigoureux, tels que des guppy. Leur nage énergique créera la précieuse énergie yang requise pour faire avancer votre carrière. Les adeptes chevronnés peuvent se servir de la formule Feng Shui de manière à activer la chance relative à la carrière. De la même façon, il n'est pas mauvais de se faire fabriquer un bureau faste dont les dimensions auront été relevées à l'aide d'une règle Feng Shui.

CHANCE RELATIVE À L'ÉDUCATION : une manière simple d'activer la chance relative à l'éducation est d'activer l'élément terre du secteur nord-est de la chambre. Placez un globe ou un groupe de cristaux naturels afin de renforcer l'élément terre de ce secteur.

CHANCE RELATIVE AU MENTOR : on met en œuvre l'aide de personnes influentes en activant le nord-ouest. Cette direction est importante et revêt une grande signification parce que le trigramme qu'on lui associe est Chien, qui symbolise le chef et la bénédiction céleste. Ceux qui ont besoin de cette chance et du soutien de gens puissants doivent activer le flux de Chi dans cette partie de la maison. Suspendre un carillon éolien à six tubes est l'une des façons de s'y prendre, parce qu'il active l'énergie du métal.

CHANCE RELATIVE À LA RENOMMÉE : on peut l'activer en améliorant le Feng Shui du sud, qui gouverne la chance concernant la reconnaissance sociale et le respect. Pour y parvenir, installez des lumières vives sur le côté sud de la maison. Si votre porte d'entrée est orientée au sud, certaines écoles de Feng Shui suggèrent également que ceci vous aidera à acquérir une bonne réputation.

CHANCE RELATIVE À LA RICHESSE : une des 8 catégories de chance que le Feng Shui peut créer. La chance relative à la prospérité est l'une des manifestations les plus évidentes et les mieux reçues résultant d'une pratique correcte du Feng Shui. Les techniques simples favorables à la prospérité emploient la symbolique Feng Shui. Vous pouvez ainsi activer cette chance en exposant le crapaud à trois pattes ou en collant des pièces de monnaie chinoises en des endroits appropriés pour attirer le Chi favorable à l'argent. Il est également possible d'activer le sud-est à l'aide de plantes ou de construire une structure avec de l'eau au nord. Le Dragon d'Eau est probablement l'objet relatif à la richesse à l'effet le plus durable. Installez-en un si vous le pouvez.

CHANCE RELATIVE À LA SANTÉ : elle offre une vie longue, active, sans ennuis de santé. L'utilisation de parties spécifiques de la formule des Huit Sites peut activer la chance relative à la santé. Si vous vous servez de Tien Yi, votre tête se trouvant dans la direction appropriée, ceci renforcera votre santé et votre bien-être physique. Voir *Tien Yi*.

CHEVAL : c'est l'animal du sud, susceptible d'apporter un excès d'énergie yang. Le cheval symbolise le courage, la rapidité, la persévérance, et constitue aussi un des trésors du bouddhisme. Suspendre un tableau ou une représentation de cheval dans le secteur sud du salon porte chance parce que l'élément du cheval est le feu, qui coïncide avec la direction du sud. Des chevaux miniatures placés au sud-ouest sont censés activer la chance relative à l'ascension sociale, et au nord-ouest pour la chance concernant les examens.

CHI : souffle cosmique du dragon et clé du bon Feng Shui, il apporte la bonne fortune. La notion de Chi est au cœur de la pratique du Feng Shui, incompréhensible sans elle. Chi est le mot dont on se sert pour décrire une force naturelle invisible mais que l'on peut néanmoins ressentir et qui est très puissante. Le Chi constitue un élément essentiel de nombreuses pratiques chinoises incluant l'acuponcture, les arts martiaux, la peinture et la médecine. La traduction la plus exacte du terme est « énergie », mais c'est une forme d'énergie naturelle très singulière. La pratique du Feng Shui suppose la présence et l'accumulation du Sheng Shi faste, ou souffle de la croissance. Il existe aussi le Shar Shi négatif, que l'on traduit par « souffle mortel ». La pratique du Feng Shui se fonde aussi sur la protection contre le Shar Chi.

CHI KUNG : sorte de gymnastique martiale grâce à laquelle on peut « sentir le Chi ». On pense que ses exercices réalisés au ralenti permettent aux pratiquants de déplacer efficacement le Chi en eux. On considère que ce genre d'exercice aide à triompher des maladies.

CHIENS FU : importants chiens de garde offrant une protection Feng Shui. Les Chinois se servent traditionnellement de chiens Fu (connus aussi sous le nom de « licornes chinoises ») comme protection contre la malchance. Il est rare que l'on n'en rencontre pas dans un intérieur chinois. Leur taille importe peu, mais ils doivent être proportionnés aux dimensions de la maison qu'ils gardent. Mettez-les en hauteur de part et d'autre du portail, ou sur une table, et sur un support plutôt que directement par terre. Placez votre chien Fu en fonction de l'élément gouvernant l'endroit où il se trouve. Si vous l'installez sur un portail et si ce dernier se situe à l'est, mettre deux chiens Fu métalliques s'avérera plus efficace. Le métal contrôle l'élément bois de l'est.

CHUTES D'EAU : une petite chute d'eau dans le secteur nord de votre propriété est excellent. Veillez à ce que la chute soit proportionnée à la taille de la maison et à ce que l'eau ne donne pas l'impression de s'éloigner de vous. Faites en sorte que la retenue d'eau se trouve en face d'une fenêtre ou d'une porte. Ceci symbolise l'arrivée de la chance dans le foyer, apportant la bonne fortune. Veillez aussi à ce que le bruit de l'eau reste doux, régulier et agréable à l'oreille, plutôt que fort. Si vous utilisez une pompe, choisissez-en une de très faible puissance. N'oubliez pas qu'un écoulement lent vaut mieux qu'un courant rapide.

CIMETIÈRES : la pratique du Feng Shui yin leur est énormément bénéfique. L'orientation correcte des tombes fait partie de la pratique Feng Shui yin, branche difficile et vraiment souveraine du Feng Shui.

CITRONNIER (CITRONS JAUNES) : signe de bonne fortune quand il est chargé de fruits. Placé près de la façade de la maison au printemps, il indique l'arrivée à maturité de la bonne fortune. Voir aussi *Citrons verts*.

CITRONNIER (CITRONS VERTS) : arbre faste à exposer pendant le Nouvel An lunaire. Un citronnier chargé de fruits mûrissant symbolise l'arrivée à maturité de la bonne fortune et de la prospérité. On voit ces arbres d'ordinaire à l'entrée des maisons chinoises pendant les 15 jours du Nouvel An lunaire. Ceci symbolise un début d'année faste. Un oranger produira un effet identique. Voir aussi *Oranger*.

CLOCHETTES : servez-vous du tintement de clochettes pour augmenter le chiffre d'affaires de votre commerce. Les commerçants chinois connaissent depuis longtemps l'efficacité des clochettes quand il s'agit d'attirer des clients dans leur magasin. Quand on les suspend à la porte ou à la poignée, leur tintement crée un bon Chi chaque fois que quelqu'un entre dans la boutique. Cete pratique apporte la chance requise pour augmenter le chiffre d'affaires. Cette méthode se révèle surtout efficace pour les magasins vendant des articles personnels comme bijoux, vêtements et accessoires. Tout type de métal peut entrer dans la fabrication des clochettes. On les attachera avec du ruban rouge afin d'augmenter leur efficacité, car ceci active leur énergie yang intrinsèque. Le nombre idéal de clochettes est de six ou sept, bien que la plupart des commerçants n'en ait pas autant. On peut aussi placer de minuscules clochettes dans le magasin le long du mur ouest ou nord-ouest, ou bien au plafond, juste en face de la porte. Ceci incitera le précieux Sheng Chi à pénétrer dans le local. Il n'est pas nécessaire que l'on voie ces clochettes, tant qu'elles font du bruit. Elles ont une fonction symbolique, et aussi longtemps qu'elles tintinnabulent chaque fois que la porte s'ouvre, elles apportent un surcroît de chance au magasin. Jadis, on utilisait des clochettes, symboles de bonne fortune, pour annoncer de bonnes nouvelles.

COINS ou SECTEURS : les secteurs saillants ou manquants peuvent provoquer des ennuis. Les secteurs saillants à l'intérieur de la maison créent des arêtes verticales aiguës qui émettent de l'énergie négative causant de gros dégâts dans la famille. Neutralisez-les en plaçant une grande plante touffue contre le secteur. Le second type de secteur saillant se rencontre dans une pièce qui se trouve accolée à une maison de forme régulière. De telles extensions ont une influence bénéfique ou néfaste sur la maison, en fonction de l'emplacement de la porte d'entrée. Ceci s'applique au Feng Shui de toute la maison et affecte par conséquent tous ses occupants.

Emplacement de la porte d'entrée	Emplacement faste de l'extension	Emplacement néfaste de l'extension
Nord	Ouest et nord-ouest	Sud-ouest et nord-ouest
Sud	Est et sud-est	Nord
Est	Nord	Ouest et nord-ouest
Ouest	Sud-ouest et nord-est	Sud
Sud-est	Nord	Ouest et nord-ouest
Nord-est	Sud	Est et sud-est
Sud-ouest	Sud	Est et sud-est
Nord-ouest	Sud-ouest et nord-est	Sud

Les secteurs absents sont fastes ou néfastes pour la maison, là encore, en fonction de l'emplacement de la porte d'entrée. Si le secteur manquant n'est pas bénéfique, vous pouvez tenter de résoudre le problème en ajoutant un miroir mural à un côté du secteur absent, mais seulement si la glace ne se trouve pas directement en face de quelque chose de nocif (voir aussi *Miroir*). Si c'est le cas, braquez sur le secteur concerné avec une lumière intense, ou, si possible, construisez une extension. Si le secteur absent ne nuit pas à la chance de la maison, il n'est pas nécessaire de faire quoi que ce soit.

Emplacement de la porte d'entrée	Secteur faste absent, nécessitant un remède	Secteur néfaste absent, ne nécessitant pas de remède
Nord	Sud-ouest et nord-ouest	Ouest et nord-ouest
Sud	Nord	Est et sud-est
Est	Ouest et nord-ouest	Nord
Ouest	Sud	Sud-ouest et nord-est
Sud-est	Ouest et nord-ouest	Nord
Nord-est	Est et sud-est	Sud
Sud-ouest	Est et sud-est	Sud
Nord-ouest	Sud	Sud-ouest et nord-est

Afin d'en savoir plus sur les effets qu'entraîne l'absence d'un secteur sur la chance personnelle, appliquez les formules qui analysent les directions personnelles bénéfiques et néfastes, soit les Huit Sites, soit la formule Pa Kua Lo Shu, qui font appel à votre nombre Kua pour déterminer l'effet de l'orientation sur votre chance, ou la méthode des Quatre Piliers.

COLLINES : ondulations naturelles du paysage où vivent les dragons, signe certain de bon Feng Shui potentiel. Le Dragon Vert vit dans les collines, créant un souffle faste et une bonne énergie. Les collines devraient être vallonnées, avec des flancs en pente douce, plutôt que des falaises abruptes et escarpées. On dit que, là où pousse une végétation bien verte et luxuriante, là où s'équilibrent les zones ensoleillées et ombragées, les dragons et les tigres sont présents. Il existe 5 types de forme de colline, chacun fondé sur les Cinq Éléments du feu, du bois, de la terre, du métal et de l'eau. Dans le cadre de l'analyse Feng Shui, il est utile de développer sa capacité à discerner ces différences, qui offrent des indices indiquant ce qui convient à chaque individu. Comprendre ce que connote l'élément en rapport avec les formes des collines, ou la forme de leur sommet, permet aussi à l'adepte de juger du Feng Shui d'une chaîne de collines.

COLLINES DU TIGRE : la chaîne de collines s'étendant à la droite de votre maison. Selon l'École de la Forme, le terrain situé à main droite de la maison (quand on regarde vers l'extérieur de celle-ci) représente les collines du dragon, quelle que soit la direction. D'après l'École de la Forme, toutefois, le côté ouest de la maison représente les collines du tigre.

COLONNES : dans la maison, des colonnes carrées apparentes peuvent causer de graves ennuis de Feng Shui. Leurs arêtes vives sont capables d'émettre un souffle empoisonné mortel, qu'il convient de dévier et dissoudre en mettant des plantes contre les bords vifs. On peut aussi entourer le pilier de miroirs. Les colonnes ne se trouveront jamais devant la porte d'entrée, à l'extérieur ou à l'intérieur, là où elles représentent un mauvais Feng Shui. Dans pareil cas, il faut déplacer soit la porte, soit la colonne.

CONCEPTION : non content d'utiliser la direction Nien Yen du mari, suspendez un tableau représentant un enfant près du lit conjugal. Une alternative consiste à placer une représentation miniature du dragon près du lit dans le but de stimuler la précieuse et nécessaire énergie yang. Voir aussi *Stérilité*.

CONSEIL D'ADMINISTRATION (SALLE DU) : on peut l'activer dans le but de susciter un excellent Feng Shui dans les grandes sociétés. Le meilleur emplacement pour la salle du conseil d'administration est l'endroit se trouvant en diagonale par rapport à l'entrée, au centre du bâtiment. Elle ne devra pas se situer au dernier étage de l'immeuble.

CONTOURS NATURELS : ceci renvoie aux collines et aux montagnes du paysage, en particulier celles qui simulent le dragon et le tigre. Le Feng Shui de la Forme s'attache au relief naturel et aux courbes de niveau. Toutefois, les constructions de la main de l'homme affectent aussi le Feng Shui d'un lieu et sont prises en compte.

COULEUR : une bonne combinaison de couleurs est favorable. L'utilisation thérapeutique de la couleur dans le domaine du Feng Shui se rapporte directement à la notion des Cinq Éléments, dont chacun est symbolisé par une ou plusieurs couleurs.
Bois – brun et vert.
Feu – rouge, jaune et nuances d'orange.
Métal – blanc, doré, argenté, bronze et chrome.
Eau – ocre et jaune pâle.
Terre – bleu, violet et noir.
Chaque couleur prise séparément reste neutre. Des mariages de couleurs apportent la bonne et la mauvaise chance, ce qui dépend des Cycles de Destruction et de Production des éléments.
Quelques alliances de couleurs apportent beaucoup de chance : rouge vermillon et doré ; violet foncé soutenu et chrome ou argent ; noir et blanc.
Bonnes combinaisons de couleurs : deux bleus et un vert ; deux bruns et un rouge ; deux rouges et un jaune ; deux jaunes et un blanc ; deux blancs et un bleu.
Combinaisons néfastes : deux bleus et un rouge ; deux rouges et un blanc ; deux blancs et un vert ; deux verts et un jaune ; deux jaunes et un bleu.

COULOIRS : longs et droits, ils se muent en flèches empoisonnées. Ils symbolisent des traits envoyant le Shar Chi en tout point du bureau ou de la maison, et ils provoquent la mésentente au sein des relations humaines. Si votre chambre ou votre bureau se trouvent mal placés le long d'un couloir, bloquez la trajectoire d'un flèche empoisonnée en plaçant des plantes et des carillons éoliens tout au long du couloir, de manière à réduire l'impact négatif du trait.

COURBES DE NIVEAU : la topographie et les courbes de niveau du terrain ainsi que leurs implications forment une partie importante de l'analyse Feng Shui de lieux spécifiques. On considère généralement un terrain complètement plat comme néfaste dans une perspective Feng Shui. Il deviendra habitable à la seule condition de s'efforcer d'introduire des variations de hauteur et de niveau en érigeant des constructions de manière à attirer un flux de Chi faste. Un bon Feng Shui veut que l'on ait à l'arrière de la maison une montagne qui lui fournisse un soutien. La technique Feng Shui consiste à orienter la maison de telle sorte que l'on arrive à capter le maximum de bon Chi qu'engendrent différents niveaux. Voir aussi *Feng Shui de la Forme*.

COURS D'EAU : de l'eau douce animée d'un courant faible représente un excellent Feng Shui. Si le terrain devant vous offre ce cas de figure, essayez d'orienter votre maison de façon que la porte d'entrée donne sur le cours d'eau et assurez-vous aussi que le sens d'écoulement de l'eau soit correct. Essayez de ne pas gaspiller ce Feng Shui particulièrement faste.

CRASSULA : arbuste bénéfique considéré comme plante de la richesse. Le terme renvoie à une variété de plante grasse aux feuilles vert foncé, qui évoque un morceau de jade précieux. Ces plantes sont singulièrement bénéfiques quand elles se trouvent dans le secteur sud-est ou exposées au regard derrière des vitrines de magasin : elles attireront les clients.

CRISTAUX : éléments excellents pour activer le Feng Shui, surtout lorsqu'on les met dans le secteur sud-ouest. Les groupes de cristaux de roche sont parmi les meilleurs symboles de la terre-mère et se révèlent extrêmement efficaces, utilisés pour activer le secteur sud-ouest (secteur de la terre à l'état naturel). Cette direction gouverne également la chance relative aux liaisons amoureuses, à l'amour et au bonheur familial, et ce quel que soit votre nombre Kua. Si vous activez le secteur sud-ouest de votre salon, tous les occupants de la maison en bénéficieront. Avant d'exposer le cristal à la vue, il convient de le faire tremper pendant 7 jours et 7 nuits dans de l'eau de mer ou de l'eau salée afin d'éliminer toute énergie négative susceptible de s'y être accumulée.

CRISTAL DE QUARTZ : active le sud-ouest de manière à créer la chance relative aux liaisons amoureuses. Les ensembles de cristaux naturels forment d'excellents emblèmes de l'élément terre et conviennent donc à l'activation du sud-ouest et du nord-ouest. Ces deux secteurs concernent la jeune génération, puisque le sud-ouest représente l'amour ainsi que la vie sociale, et le nord-est signifie la chance relative à l'éducation.

CROIX : située juste en face de votre maison ou de votre bureau, une croix apporte la malchance. Elle constitue un signe néfaste, qu'elle apparaisse au sommet de la flèche d'une église ou bien qu'elle se dresse seule, parce qu'elle envoie du Shar Chi vers votre demeure. S'il vous est possible de passer par une porte d'entrée qui ne se trouve pas en face d'une croix, faites-le, sinon, suspendez un miroir Pa Kua.

CUISINE (PIÈCE) : partie de la maison potentiellement source d'ennuis. L'emplacement et l'orientation de la cuisine importent énormément pour le Feng Shui de tout foyer. Les cuisines (et surtout la cuisinière ou le four) ne doivent jamais se trouver au nord-ouest de la maison : on assimile ceci à un incendie aux portes du ciel. Mieux vaut que la cuisine soit située bien à l'intérieur de la maison, plus près de l'arrière que de la façade ; il est aussi préférable qu'elle se trouve à la droite de la porte d'entrée plutôt qu'à la gauche, quand on vient du dehors. Si vous pratiquez la formule de la Boussole sur les nombres Kua, elle peut s'appliquer pour mettre la cuisine dans la pire direction pour vous (c'est-à-dire votre Chueh Ming, ou perte totale) en fonction de votre nombre Kua. Ne la situez pas dans l'un de vos secteurs personnels fastes, car cela opprimerait votre bonne fortune.

CUISINE (ACTIVITÉ) : la cuisine a d'importantes implications Feng Shui. Le Feng Shui met en garde contre le fait d'installer une cuisinière dans le secteur nord-ouest de la cuisine. Efforcez-vous autant que possible de ne pas situer la cuisine dans le secteur nord-ouest de la maison. Celui-ci représente le patriarche, ou principal soutien de famille ; mettre la cuisinière ou la cuisine dans le secteur nord-ouest revient à brûler la chance du patriarche. Ce secteur représente de même le paradis, la cuisinière au nord-ouest suggère « le feu aux portes du ciel », et ceci est particulièrement néfaste. Le nord-ouest a pour élément le métal, et une cuisinière représente le feu, seul élément capable de détruire le métal.

CUISINIÈRES voir *Cuisine (activité)*.

CYCLE DE DESTRUCTION : ceci renvoie au cycle négatif des Cinq Éléments. La théorie du Wuxing, ou Cinq Éléments, constitue le noyau de la pratique Feng Shui. Selon cette théorie, toute chose dans l'univers peut se ramener à l'un des Cinq Éléments, le bois, le feu, la terre, l'eau et le métal. Il existe pour ces éléments un Cycle de Production et un Cycle de Destruction.

CYCLE DE PRODUCTION : le cycle des Cinq Éléments crée un mélange harmonieux de Chi dans l'espace d'habitation, ce qui engendre un bon Feng Shui. Ce cycle indique que le bois produit le feu, qui produit la terre, qui produit le métal, qui produit l'eau, qui produit le bois. En employant ce cycle pour voir si un élément convient à un autre, il est possible d'arranger les objets dans l'espace d'habitation de manière à se conformer au principe d'harmonie des éléments. Voir aussi *Wuxing*.

CYCLES DU CHI : cycles qui favorisent, qui contrôlent ou qui affaiblissent et se rapportent aux Cinq Éléments. La pratique Feng Shui exige que l'on apprécie l'importance des cycles à influence réciproque qui affectent les Cinq Éléments, pour comprendre les cycles du Chi. Il existe trois cycles importants qu'il faut incorporer à l'analyse Feng Shui. Le Cycle de Production, qui favorise, explique comment un élément peut aider un autre élément (ou type de Chi) à déployer ses qualités et son pouvoir. Certains maîtres préfèrent décrire l'eau comme capable de « favoriser » le bois. Quand on arrose un arbre, il pousse. Quand on alimente un feu avec du bois, il brûle. Dans le cycle qui affaiblit, le bois aide le feu à brûler et ce faisant, il s'affaiblit ou perd de sa qualité. De la sorte, au sein du Cycle de Production se trouve la source de l'énergie qui affaiblit l'un des éléments. Le cycle qui contrôle ou détruit (certains maîtres préfèrent user de la première des deux expressions) explique comment un élément peut contrôler et dominer un autre. Il ne détruit pas nécessairement l'autre élément, puisque l'énergie, ou Chi, est en fait indestructible. Un élément peut en dominer un autre en certaines circonstances. Ainsi, un couteau de métal coupe un morceau de bois afin de le transformer. Il contrôle la forme que prend le morceau de bois.

DATE DE NAISSANCE : indispensable pour le calcul dans le Feng Shui des Huit Sites et des Quatre Piliers. Elles sont nécessaires à la détermination des directions personnelles bénéfiques et néfastes. Il existe deux écoles principales de Feng Shui faisant impérativement appel à la date de naissance. La première est la formule des Huit Sites qui calcule votre nombre Kua. À partir de ce nombre, vous pourrez vous référer à un tableau précisant vos quatre directions fastes et nuisibles. La seconde est la méthode Feng Shui utilisant vos Quatre Piliers. Ceci est la même chose que la méthode de divination des Huit Caractères (Paht Chee). Elle requiert non seulement votre date mais encore l'heure de votre naissance. Néanmoins, quand vous vous servez de votre date de naissance, rappelez-vous toujours qu'en employant toutes les pratiques divinatoires chinoises (ou certaines seulement), vous devez connaître votre date de naissance d'après le calendrier lunaire.

DIEU DE LA LONGÉVITÉ : Sau Seng Kong, symbole suprême de longévité. Le dieu de la Longévité est un excellent symbole à mettre dans n'importe quelle maison et rares sont les Chinois qui s'en passent : il apporte une bonne santé et une longue vie. On le représente toujours une pêche à la main et accompagné de la grue et du daim, également symboles de longévité. Il porte très souvent un bâton auquel pend la gourde contenant le nectar des dieux. Sau Seng Kong est aussi reconnaissable à son large front et à son crâne en forme de dôme, symbolisant sa grande sagesse. On peut également bénéficier de sa protection en disposant des tableaux, des poteries chinoises ou des objets d'art le représentant.

DIEUX DE LA RICHESSE : divinités spéciales placées dans le foyer afin d'engendrer la chance relative à la richesse. Les Chinois ont plusieurs divinités qu'ils considèrent comme dieux de la richesse. L'un des plus populaires est Tsai Shen Yeh, souvent représenté à califourchon sur un tigre, pour symboliser le contrôle qu'il exerce sur cet animal. Pendant les années lunaires du tigre, exposer au regard le dieu de la Richesse est particulièrement faste. Il n'est pas nécessaire de prier cette divinité ; il suffit de l'inviter dans votre maison, geste symbolique. On peut aussi suspendre un ensemble de 9 pièces de monnaie chinoises nouées de fil rouge, pour activer la prospérité dont les pièces sont l'attribut. Le meilleur emplacement pour le dieu de la Richesse est une table d'une hauteur comprise entre 76 et 84 cm, directement face à la porte. Ainsi, la première chose que l'on voit en entrant dans la maison est ce dieu de la Richesse, accueillant symboliquement le Chi pénétrant dans la demeure, le transformant en une énergie saine et prospère qui se répand ensuite dans le reste de l'habitation. Si cet endroit se trouve déjà occupé par l'autel familial, installez le dieu de la Richesse en diagonale par rapport à la porte d'entrée, tourné vers elle. Ne le placez pas dans la salle à manger ou dans la chambre. Kwan Kung, considéré d'ordinaire comme agent apportant la richesse, est une autre divinité chinoise populaire.

DIMENSION CHRONOLOGIQUE : le temps fait partie des notions importantes en matière de philosophie Feng Shui et les cycles du temps déterminent le sort que connaîtra une construction sur le plan de la prospérité et du bien-être. Compte tenu de l'interaction prenant place entre les gens et leur environnement, la prospérité s'attachant à un immeuble commercial ou d'habitation, affectera en fin de compte ses occupants et les activités qui y prennent place. En partant de principes Feng Shui, le temps se décompose en cycles de 180 années. Ces cycles se divisent en périodes de 36 années chacune, appelées supérieures, moyennes et inférieures. Chaque période contient trois âges chacun durant 20 ans, ce qui fait un total de neuf âges pour chaque cycle de 180 années.

DISPOSITION DU CIEL ANTÉRIEUR : renvoie à la disposition des huit trigrammes autour de ce qui s'appelle le Pa Kua yin. Cette séquence de trigrammes est placée sur les miroirs protecteurs Pa Kua dont on se sert pour dévier le souffle empoisonné de structures anguleuses nocives se trouvant dans l'environnement.

DISPOSITION DU CIEL POSTÉRIEUR : la séquence de trigrammes disposés autour du Pa Kua et celle dont on se sert pour l'analyse Feng Shui concernant les demeures des vivants. La disposition du Ciel postérieur s'appelle également disposition « du monde intérieur », dans laquelle les trigrammes se trouvent dissociés de leur arrangement par paires d'éléments opposés pour former à la place une séquence chronologique progressive montrant leur manifestation dans le monde d'ici-bas. Ce que l'on perçoit alors est la série de cycles de l'année, avec quatre saisons distinctes, les cycles circadiens, etc. Selon cette nouvelle disposition, les points cardinaux et les saisons se trouvent donc mis en plus étroite relation. Cet ordre des trigrammes diffère ainsi radicalement de celui que l'on trouve dans la disposition du Ciel antérieur

DOUBLE BONHEUR : active la chance relative au mariage. Montrer le symbole du double bonheur (le mot chinois désignant le bonheur, écrit deux fois), pratique très répandue, engendre un Feng Shui excellent. Ceci active également la chance relative au mariage des gens nubiles. Si vous espérez connaître l'amour ou rencontrer un partenaire, essayez de mettre le symbole du double bonheur dans le secteur sud-ouest de votre maison, ou bien un gros rocher dans le secteur sud-ouest du jardin. Vous allierez de la sorte un élément et un symbole Feng Shui.

DOUBLEMENT : la notion du doublement de la richesse fait partie de la multiplication par le Feng Shui. En doublant tout, on accroît la chance. De la sorte, un miroir mural devrait multiplier par deux la quantité de nourriture sur la table de la salle à manger. Ceci signifie la richesse et porte bonheur. Il convient de faire se réfléchir dans une glace la caisse enregistreuse de manière à doubler les revenus d'une journée dans un restaurant ou dans un magasin.

DRAGONS : le symbole le plus important en matière de Feng Shui et dans les traditions populaires chinoises. Le dragon céleste est le symbole par excellence de la bonne fortune dans chacune des pratiques divinatoires chinoises et se trouve au cœur de la pratique Feng Shui. L'est est la direction que l'on associe traditionnellement au dragon ; ainsi, placer la représentation d'un dragon du côté est du bureau ou de la maison apportera beaucoup de bonne fortune. On peut également activer les jardins en se servant de ce symbole, en simulant un dragon du côté est de la maison, avec des plantes formant un parterre sinueux. Cependant, lorsqu'on utilise le symbole du dragon, il faut noter l'existence de plusieurs interdictions formelles : ne mettez jamais un dragon dans une chambre – c'est un symbole beaucoup trop yang pour un lieu de repos ; les dragons en bois, céramique ou cristal sont très bien, mais évitez ceux en or, en cloisonné ou faits d'un autre métal, car l'élément métal détruit l'élément bois (élément de l'est) ; être assis à un bureau comportant des représentations de dragon peut apporter beaucoup de chance, mais tout le monde n'a pas l'énergie yang suffisante pour le supporter. Voir aussi *Chi*.

DRAGON D'EAU : lié à la formule de l'École de la Boussole, traitant du sens d'écoulement de l'eau et de la direction dans laquelle elle s'éloigne.

DRAGON VERT : c'est le dragon terrestre. Il existe neuf dragons en tout, les autres sont ceux du vent, de la mer, de l'eau, du ciel, du feu, de la montagne et le dragon céleste, chacun représentant la créature qui contrôle un aspect des éléments de l'univers.

EAU : symbolise la richesse, et la gestion correcte de l'eau apporte une énorme prospérité. L'eau joue un grand rôle dans les recommandations Feng Shui. Bien que l'eau soit un élément potentiellement dangereux selon le *I Ching*, et devrait donc être objet de respect, c'est également l'élément qui a potentiellement le plus grand pouvoir de vous rendre riche. Jusqu'à l'an 2043 l'eau est faste située au nord, à l'est, au sud-est et aussi au sud-ouest. Le nord et l'est sont les meilleurs emplacements pour les installations comportant de l'eau, soit au jardin, soit dans la maison. Consultez également le « *Water Dragon Classic* » ou Dragon d'Eau Classique et sa formule.

EAU DES TROIS BÉNÉDICTIONS : sens d'écoulement de l'eau bénéfique pour la maison. Le Dragon d'Eau Classique décrit trois sens d'écoulement, source de bénédiction, qui annoncent la prospérité et le succès. Il existe également l'eau des Sept Sentiments, qui annonce la malchance et le malheur. En général, on dit que l'eau est excellente si elle s'écoule vers vous en grande quantité pour s'éloigner en un mince ruban, ou quand elle forme deux ou trois affluents qui se jettent dans la rivière principale passant devant votre maison. Un troisième type d'écoulement bénéfique se crée lorsque l'eau semble entourer la maison comme une ceinture de jade. L'eau ne devrait jamais donner l'impression de s'éloigner de la maison, vue de la porte d'entrée. Ceci signifie toujours que la richesse s'en va. Voir aussi *Ceinture de jade*.

EAU MINEURE : dans le domaine du Feng Shui ceci renvoie généralement à des installations comportant de l'eau, telles que les tuyaux d'évacuation des eaux usées, et le sens d'écoulement, qui ne font pas partie du paysage naturel.

ÉCOLE DE LA FORME : partie de la méthode qui s'attache aux formes et aux silhouettes du paysage. Le Feng Shui relevant de l'École de la Forme est un autre nom du Feng Shui du Paysage. On s'intéresse ici à la disposition du terrain, à la forme, à l'élévation et à l'apparence des structures, à l'écoulement de l'eau, aux contours de la propriété et au relief. Le Feng Shui relevant de l'École de la Forme est souvent considéré comme Feng Shui pur, et c'est le cas, puisqu'il s'occupe directement des conséquences sur la chance de l'orientation, et de l'influence du vent et de l'eau.

ÉLÉMENTS (WUXING) : la théorie des Cinq Éléments. Les éléments sont l'eau, le bois, le feu, le métal et la terre, et leur interaction constitue la théorie du Wuxing, au cœur de la pratique Feng Shui, et sans laquelle on ne saurait comprendre les méthodes de divination et de prédiction chinoises. Voir aussi *Wuxing*.

ÉLÉPHANTS : symbole de fertilité, et bon pour la chance des enfants, l'éléphant incarne aussi la force, la sagacité, la prudence, et c'est l'un des quatre animaux représentant la puissance et l'énergie, les trois autres étant le tigre, le léopard et le lion. L'éléphant est également un des sept trésors précieux du bouddhisme, et en Thaïlande, on le tient pour une créature inestimable. Les Chinois croient que l'éléphant crée un Chi faste pour les descendants. Si on le place à l'intérieur de la maison, les couples stériles pourront avoir le bonheur d'avoir des enfants ; on conseille à ceux qui souhaitent que les fils perpétuent le nom de la famille de placer une pierre sur le dos d'un éléphant précieux et de l'exposer bien en évidence dans la chambre, de manière à garantir la naissance d'un garçon.

ÉNERGIE : comparée au souffle du dragon, ou Chi. « Énergie » est probablement la traduction la plus précise du mot « Chi ». « Souffle » en est une autre, comme pour le souffle cosmique du dragon. L'énergie offre l'essentiel de ce que peut faire le Chi, de manière positive et négative.

ÉNERGIE YIN : énergie de la mort, du silence, des ténèbres, de la lune. L'énergie yin est aux antipodes de l'énergie yang mais elles n'entrent pas en conflit. En d'autres termes, l'une suit l'autre et l'une donne naissance à l'autre. L'énergie yin convient mieux aux lieux où règne la mort, les cimetières, les sépultures. Le yin représente les ténèbres et le silence total, mais c'est une excellente énergie pour les lieux de repos comme les chambres.

ÉNERGIE YANG : nature intrinsèque de l'énergie de la vie, de la lumière, du jour, du soleil. C'est la moitié de la notion de yin et de yang qui a trait à la vie. L'énergie yang est symbolisée par l'activité, la lumière intense et par les heures du jour. Elle est cruciale pour que l'on trouve un bon Feng Shui dans la demeure des vivants, mais elle ne doit pas excéder une certaine quantité au point de noyer complètement le yin. Dans ce cas, le yang cesse d'exister.

ENFANTS : ils représentent la génération suivante, et ils sont l'une des huit aspirations humaines dont s'occupe la pratique Feng Shui. Le côté ouest de la maison est le lieu qu'il convient d'activer pour garantir la chance concernant les descendants, mais les enfants de la maison, notamment les fils, devront dormir dans la partie est de la maison, dans des chambres situées à l'endroit qui leur est le plus favorable personnellement, d'après la formule donnée par l'École de la Boussole.

ENTRÉES : elles revêtent une extrême importance en matière de Feng Shui, et concernent la porte d'entrée principale de la maison, et non le portail. L'entrée est le lieu par où pénètre le Chi bénéfique. Si une entrée souffre d'un mauvais Feng Shui, le Chi qui y entre est censé en être aussi affecté. Il existe également des formules se fondant sur le sexe et la date de naissance qui fournissent des conseils sur les orientations apportant les meilleurs types de chance. Si vous vivez en appartement, l'entrée de l'immeuble compte autant que celle de votre appartement. Il en faudrait au moins une orientée dans la direction qui vous est faste. Si vous vivez dans une maison avec un jardin et avez plus d'une entrée, la principale sera définie comme celle que l'on utilise le plus souvent.

ÉPINES : les fleurs et plantes épineuses (telles que les roses et les cactus) n'apportent pas un bon Feng Shui et envoient en fait de minuscules flèches empoisonnées qui vous agressent. Ne les mettez pas près de vous quand vous travaillez. Avec le temps elles provoqueront une accumulation d'ennuis et de difficultés.

ÉQUILIBRE : signifie l'application de la notion de yin et de yang au Feng Shui, lequel traite de l'équilibre. L'équilibre règne entre deux forces cosmiques, le yin et le yang. Ces deux énergies, opposées et pourtant complémentaires, donnent sa structure à l'univers et à tout ce qu'il contient. Ensemble, elles forment une entité équilibrée qui a pour nom Tao (ou « la voie »). C'est le principe éternel du ciel et de la terre en complète harmonie. Obtenir un bon Feng Shui veut dire en grande partie équilibrer ces deux énergies : le yin et le yang. Il ne faudra jamais oublier que, lorsqu'on applique le Feng Shui, cet équilibre est tout. Sans lui, votre Feng Shui ne portera pas chance. Voir aussi *Énergie yin* et *Énergie yang*.

ESPACES VIDES voir *Hall de lumière*.

EST : lieu du dragon et de l'élément bois. L'est signifie l'essence de l'énergie de croissance. L'élément bois importe parce que tout ce qui nécessite une énergie tendant à s'élever bénéficiera de sa situation à l'est. Jadis, c'était l'endroit que l'on réservait aux héritiers des dynasties. De la même façon, le Feng Shui conseille de placer les chambres des fils de famille à l'est. Puisque l'est relève de l'élément bois, l'est bénéficiera de la présence de plantes vertes luxuriantes et de toute sorte de structure contenant de l'eau. Gardez toujours une réserve de saine énergie yang à l'est et n'y laissez pas s'accumuler une énergie stagnante, parce qu'elle se révélera particulièrement nocive.

ÉTAGÈRES : elles représentent des couteaux qui vous percent et engendrent un mauvais Feng Shui. Si vous avez des étagères murales dans votre bureau, chez vous ou au travail, transformez-les en placards en les fermant avec des portes. Si vous ne le faites pas, les plateaux agiront comme des flèches empoisonnées, et vous serez victime de pertes ou de maladies.

ÉTOILE DE LA MONTAGNE : étoile de la pratique divinatoire utilisée dans les formules du Feng Shui des Étoiles Volantes. L'Étoile de la Montagne est l'une des deux « étoiles » dont on se sert dans ce type d'analyse. Les étoiles de la montagne indiquent la bonne fortune pour tout secteur où elles pénètrent, lorsqu'elles portent le nombre 1, 6 ou 8, et indiquent une très grande malchance quand les nombres sont 5 ou 2. Le Feng Shui des Étoiles Volantes constitue probablement une des formules les plus avancées : son interprétation et son application correcte requièrent de nombreuses années d'étude et d'expérience. L'autre étoile employée dans cette méthode de Feng Shui est l'Étoile de l'Eau. L'analyse de la table des Étoiles Volantes nécessite souvent qu'on les interprète et analyse ensemble. Voir aussi *Feng Shui des Étoiles Volantes*.

ÉVACUATION DES EAUX USÉES : on peut lui faire créer de la richesse en vertu de la formule du Dragon d'Eau. L'humble descente de gouttière peut servir à apporter une excellente bonne fortune par l'application de la formule du Dragon d'Eau (voir le chapitre consacré au Feng Shui appliqué à l'eau, destiné à créer la richesse, pages 100-109, pour des renseignements complémentaires). Le principe général relatif à l'évacuation des eaux consiste à prévenir les engorgements ; des canalisations bouchées signifient que toutes vos entreprises rencontreront des obstacles. On nettoiera régulièrement les conduits d'évacuation et ils feront s'écouler l'eau dans la bonne direction. Le principe de base gouvernant le sens d'écoulement de l'eau dépend de l'orientation de la porte d'entrée. On le résume de la sorte :

- Pour les demeures dont la porte d'entrée fait face au nord, au sud, à l'est ou à l'ouest, c'est-à-dire les quatre points cardinaux (définis par rapport à l'observateur à l'intérieur de la maison, regardant à l'extérieur), l'évacuation des eaux usées se fera de gauche à droite par rapport à la porte, afin que l'écoulement soit faste.
- Pour les demeures dont la porte d'entrée fait face aux directions secondaires, c'est-à-dire le sud-est, le sud-ouest, le nord-est et le nord-ouest, le conduit d'évacuation devrait faire s'écouler l'eau de droite à gauche pour porter bonheur.

FAUTEUIL : formation du paysage Feng Shui. La « formation en fauteuil » est la manière très imagée qu'a le Feng Shui de décrire la situation idéale de la maison, dans le paysage. Ce symbolisme fait partie de l'École de la Forme. La formation en fauteuil suggère de faire en sorte qu'un terrain en hauteur se trouve derrière la maison (c'est ce qu'on appelle la Tortue Noire) pour lui fournir un soutien, comme le dos d'un fauteuil. Le côté gauche de la maison devrait être plus haut, parce que c'est là que réside le Dragon Vert. Le terrain à droite de votre maison est là où se trouve le Tigre Blanc : il doit être plus bas que le dragon. Si le terrain à votre droite est plus haut qu'à votre gauche, le tigre l'emporte et devient dangereux. Devant la maison se tient le Phénix Rouge, qui fait office de « repose-pieds ». L'idéal serait d'avoir une petite levée de terrain devant la maison.

FENÊTRES : sans elles, le flux Feng Shui ne peut entrer dans une pièce, mais une maison ne doit pas en comporter trop. La proportion de fenêtres par rapport aux portes est de 3 pour 1. Les fenêtres à vantaux qui s'ouvrent vers l'extérieur valent mieux que celles à guillotine. Il ne devrait pas y en avoir sur un mur directement en face de la porte d'entrée : les fenêtres situées de la sorte permettent au Chi de s'échapper. Dans ce cas, vous éprouverez des difficultés à économiser de l'argent. Les meilleurs emplacements sont sur les murs situés de chaque côté de la porte d'entrée.

FENG SHUI : se traduit par « vent et eau ». Le Feng Shui, une des plus vieilles disciplines chinoises connues, est très en vogue aujourd'hui. Le Feng Shui est un art de vivre consistant à ordonner l'espace de vie par le biais d'une orientation correcte, et en créant une harmonie liant tous les objets constituant l'environnement. Le Feng Shui apporte un Chi harmonieux, force de vie essentielle, et se montre bénéfique quand les demeures et les terrains avoisinants sont en phase. Ceci favorise le bien-être, la prospérité, la santé et la longévité. L'équilibre est la clé du Feng Shui, la coordination au mieux du temps, de l'emplacement, de l'espace et de l'énergie, en se fondant sur l'interaction entre les gens et leur milieu. Toutefois, si le monde physique offre des expériences riches, et si placer des objets en son sein peut changer le flux de l'énergie, l'important est la réflexion personnelle. Nous devons toujours nous rappeler l'importance qu'il y a à créer la « chance de l'homme ».

FENG SHUI BÉNÉFIQUE : ceci veut dire jouir de diverses chances Feng Shui. La bonne fortune en Feng Shui renvoie d'ordinaire aux huit catégories de chance incluant : la richesse, le succès et la prospérité ; une bonne vie de famille et de bonnes relations extérieures ; la bonne santé et la longévité ; une bonne vie amoureuse/conjugale ; la chance pour les descendants, c'est-à-dire les enfants qui apportent l'honneur à la famille ; le pouvoir et les protections de mentors ; avoir une bonne éducation ; une bonne réputation et la gloire. On peut mettre en œuvre des mesures Feng Shui spécifiques pour favoriser l'un de ces huit différents types de bonne fortune. Toutes les écoles de Feng Shui soulignent ces huit sortes d'aspiration chez l'homme, et même si l'un seulement de ces aspects de la chance fait défaut, la vie, et donc le Feng Shui, n'atteindra pas sa plénitude.

FENG SHUI DES AFFAIRES : il a pour but de favoriser la chance relative à la richesse et à la prospérité. En Occident, le Feng Shui des affaires gagne en importance au fur et à mesure que les hommes d'affaires soucieux de leur carrière et les entrepreneurs reconnaissent la puissance et l'efficacité du Feng Shui quand il s'agit d'accroître le chiffre d'affaires et d'améliorer les résultats financiers. Les commerces de détail peuvent beaucoup profiter d'outils d'activation Feng Shui simples.

FENG SHUI DE LA BOUSSOLE : cette technique se sert des points cardinaux pour engendrer un Feng Shui bénéfique. Le Feng Shui de la Boussole offre plusieurs formules qui abordent le Feng Shui sous l'angle de l'orientation, c'est-à-dire de la situation 'un lieu par rapport aux points cardinaux. Ces formules se fondent sur la date de naissance d'un individu, sur le sexe tout autant que sur les outils du Feng Shui, le Pa Kua et le carré Lo Shu. Pour plus de détails voir les chapitres concernant les formules Feng Shui (pages 66-79 et pages 100-133).

FENG SHUI DE L' ÉTOILE VOLANTE : le Feng Shui de l' Étoile Volante est une formule souveraine fondée sur les points cardinaux. Il traite de la dimension chronologique du Feng Shui, dans laquelle l'importance de la métamorphose des forces est prise en compte pendant les différentes périodes. Cette école du Feng Shui se sert de l'influence intangible des nombres, en combinaison avec les nombres Lo Shu au fur et à mesure qu'ils volent dans un cycle temporel au sein du calendrier lunaire. La formule peut vous indiquer les secteurs de la maison qui sont fastes pour une période donnée, tout en vous mettant en garde contre les secteurs néfastes. Vous devriez passer le plus clair de votre temps dans les pièces qui « portent bonheur » pendant une période donnée, en essayant dans la mesure du possible de rendre inactifs les secteurs néfastes. Par exemple, si vous avez un aquarium au nord (d'ordinaire un bon secteur pour installer un aquarium), et si ce secteur se révèle néfaste pendant une période donnée, mieux vaut le déménager pour le placer dans un autre secteur de la maison ou dans un autre secteur de la pièce. Avec la formule des Étoiles Volantes, on peut analyser et déterminer la prospérité et la chance potentielle de n'importe quelle résidence ou de toute construction à vocation commerciale. Les chiffres dominants au sein d'une période correspondent aux valeurs numériques de chacune de ses périodes. Par exemple, dans la Période inférieure, les chiffres dominants sont le 7, le 8 et le 9. Ils proviennent de la grille Lo Shu et leur importance relève des trigrammes. On les associe de même aux Cinq Éléments, chacun portant un nom spécifique, et affecté de connotations particulières. L'expression « Étoile Volante » évoque des étoiles volant de pièce en pièce. On a élaboré des tables détaillées montrant les tableaux d'étoiles des maisons, en fonction de l'orientation de la porte d'entrée, qui permettront au néophyte d'analyser les secteurs fastes et néfastes de n'importe quelle maison, d'une période à l'autre. On les présente ailleurs, dans le chapitre consacré au Feng Shui fondé sur la formule de la Boussole (voir pages 66-69).

FENG SHUI EXTÉRIEUR : le Feng Shui extérieur, c'est-à-dire le Feng Shui de votre environnement, ne doit pas porter préjudice à la maison. Ainsi, le Feng Shui du jardin devient une partie conséquente de la pratique Feng Shui parce que le paysage et l'environnement autour de votre demeure définissent son Feng Shui. Si le Feng Shui extérieur est nocif, alors tout sera affecté dans votre foyer. Un bon Feng Shui commence donc par l'extérieur.

FENG SHUI DE LA FAMILLE : si vous désirez avoir des relations familiales plus harmonieuses, il faudrait activer le centre de la maison. Faites-le en situant au centre de l'habitation la pièce où se trouve la télévision ou la salle à manger, puis installez une lumière vive pour accroître et magnifier l'influence de la terre-mère.

FENG SHUI DE LA FORME : il se fonde sur la forme, la topographie et la structure. Le Feng Shui du paysage représente un Feng Shui classique. Tout adepte doit appliquer cette méthode d'analyse à l'emplacement de la maison avant d'introduire d'autres méthodes. Le Feng Shui du paysage s'appelle aussi École de la Forme (la structure, la forme, la topographie et les courbes de niveau), destiné à vérifier la qualité de l'air et du Chi. On croit que l'environnement est habité par le Chi et son caractère bénéfique ou néfaste dépend en bonne partie de la manière dont les vents et l'eau ont formé le paysage avec le temps. La pratique du Feng Shui se concentre sur le meilleur emplacement et la meilleure orientation à donner à la maison, dans un paysage spécifique, de manière à ce que la superposition au paysage des quatre créatures célestes imaginaires devienne propice et faste plutôt qu'hostile et néfaste.

FENG SHUI DES FORMULES : méthode exigeant une application rigoureuse. Le Feng Shui des formules représente une gamme de méthodes diverses dont l'ensemble constitue l'École de la Boussole. Le Feng Shui des Formules est exempt de l'aspect subjectif du Feng Shui et marche toujours quand on mesure précisément les dimensions et les directions des points cardinaux.

FENG SHUI INTÉRIEUR : arrangement du mobilier destiné à créer des vibrations bénéfiquesi renvoyant à la disposition de la maison et à l'affectation des chambres selon les principes Feng Shui, mais aussi au choix des rideaux et des tapis ou autres éléments de même nature. La maison en tout point vraiment conforme au Feng Shui engendre une ambiance chaleureuse où l'énergie yang et un Chi faste circulent librement d'une pièce à l'autre.

FENG SHUI NÉFASTE : l'antithèse de la bonne fortune. Les maux causés par le Feng Shui apparaissent souvent, et se multiplieront comme sans discontinuer, au point que vous ne pourrez plus y voir une coïncidence fortuite. Ainsi, si les membres de votre famille tombent malades, subissent une perte, un accident et ont des problèmes professionnels les uns après les autres, il faudra se préoccuper de savoir si une structure ou un alignement d'objet portent tort à l'habitation. On peut contrer pratiquement toute sorte de structure négative d'un point de vue Feng Shui, dans une certaine mesure. Ce sera parfois plus difficile, mais toute source d'énergie négative est susceptible de se trouver en partie neutralisée.

FER À CHEVAL : en matière de Feng Shui relatif au paysage, c'est la meilleure disposition de terrain. Une maison entourée de trois chaînes de collines formant un fer à cheval, et donnant sur une étendue plate est censée avoir un excellent Feng Shui pour au moins cinq générations.

FEU : un des Cinq Éléments, symbolisé par la direction sud. Le feu se place au sud dans le Pa Kua du Ciel postérieur parce que c'est l'emplacement du trigramme Li, qui représente cet élément. Afin d'activer la chance relative aux bonnes occasions et celle de la reconnaissance sociale, installez une lumière intense au sud. Ceci non seulement magnifie l'énergie du feu, mais apporte aussi l'essence yang si cruciale pour la chance relative au succès.

FIL ROUGE : utile pour mettre autour de symboles fastes, dans le but d'activer l'énergie yang. La plupart des objets que l'on expose, symbolisant la bonne fortune profiteront de l'utilisation d'un fil rouge. Ceci signifie infuser à ces objets une précieuse énergie yang, ce qui les active. Ainsi, quand vous installez des pièces de monnaie, des grosses pierres, des crapauds à trois pattes et autres objets de bon augure, nouez un fil rouge autour d'eux pour animer le Chi yang.

FLÈCHES : symbole de l'énergie mortelle. Parmi les tabous Feng Shui les plus redoutés figurent les flèches empoisonnées non détectées et engendrées par des structures hostiles dans l'environnement. Voir aussi *Flèches empoisonnées*.

FLÈCHES EMPOISONNÉES : il s'agit des structures nocives et hostiles de l'environnement qui émettent une énergie mortelle dans la direction de la maison. Apprenez à les détecter et à les dévier. Les flèches empoisonnées ont le pouvoir de détruire même les maisons jouissant du meilleur des Feng Shui. Veillez toujours à ce que la porte d'entrée ne soit pas affligée par le souffle empoisonné d'une flèche.

FLEURS : excellents agents d'activation Feng Shui pour l'amour, et qui bénéficient aux filles de la maison. Les fleurs fraîches conviennent mieux, mais une fois passée la floraison, elles seront jetées pour prévenir l'accumulation d'une énergie yin nocive. Les fleurs à épines ne donnent pas un bon Feng Shui ; ôtez les épines des roses, par exemple, avant de les mettre chez vous. Il n'est pas conseillé de placer des fleurs dans la chambre d'une personne en bonne santé : elles apporteront trop d'énergie yang dans une pièce censée être un lieu de repos. En revanche, pour les malades, des fleurs dans une pièce (à l'hôpital, par exemple) fourniront à l'intéressé une énergie yang dont il a bien besoin. En matière de Feng Shui les fleurs artificielles font aussi bien l'affaire que les vraies. Elles activent excellemment l'énergie yang et se révèlent particulièrement efficaces au salon. Les fleurs séchées, en revanche, portent une énergie yin et on ne les recommande pas à l'intérieur de la maison. De la même façon, il convient d'éviter les fleurs préservées artificiellement ou pressées.

FLEURS BLEUES : conviennent bien aux secteurs nord, est et sud-est du jardin. Les couleurs constituent de puissants agents d'activation Feng Shui, et jouer sur les couleurs constitue une manière créative de perfectionner le Feng Shui du jardin. Les fleurs bleues symbolisent l'élément eau, et donc en planter dans les secteurs nord, sud-est et/ou est du jardin activera la chance potentielle de ces secteurs. Le secteur nord figure la chance en matière de carrière, le sud-est, celle relative à la santé, et l'est, celle de la bonne santé.

FLEUR DE PRUNIER : accrochez un tableau figurant des fleurs de prunier de manière à engendrer une longue vie heureuse. Avec la pivoine, le lotus et le chrysanthème, elle fait partie des quatre fleurs fastes ; celles-ci représentent collectivement les quatre saisons, la fleur de prunier signifiant l'hiver. On la considère généralement comme le symbole d'une longue vie heureuse parce que les fleurs apparaissent sur des branches dépouillées et apparemment dénuées de vie, jusqu'à ce que l'arbre atteigne un âge très avancé.

FLEUR MOU TAN voir *Pivoine*.

FONTAINES : elles forment un moyen fort répandu d'activer l'eau, mais cadrent mieux avec les lieux publics tels que les parcs et les centres commerciaux. Elles ne conviennent pas aux sièges sociaux des grandes sociétés, puisque l'écoulement de l'eau vers le bas peut symboliser l'eau coulant vers l'immeuble (ce qui est excellent) ou en s'éloignant de lui (ce qui est mauvais).

FORME DES FEUILLES : examiner l'adéquation des arbres à des secteurs spécifiques du jardin et la forme de leurs feuilles peut déterminer la chance potentielle de plantes situées près de la maison. On déconseille les feuilles piquantes et épineuses, en revanche, les rondes succulentes passent pour plus fastes que les longues feuilles semblables à des lames de couteau.

FORME RECTANGULAIRE : elle représente l'élément bois et porte vraiment bonheur. Le symbolisme de la croissance constitue l'essence de l'élément bois. De la sorte, on dit des formes rectangulaires qu'elles signifient la croissance, ce qui fait de cette forme un porte-bonheur.

FOYER (MAISON) : le lieu le plus important pour le Feng Shui. Le Feng Shui appliqué à l'habitation affecte la chance globale d'un individu. Même s'il est médiocre sur le lieu de travail, si vous avez une maison ou une pièce jouissant d'un bon Feng Shui, votre chance globale sera très bonne. Le Feng Shui du foyer importe surtout pour le bien-être des familles. Dans la maison, les trois éléments importants dont il faut s'occuper dans une perspective Feng Shui sont la porte d'entrée principale, la chambre et la cuisine.

FOYERS (AIRES D'ACCUEIL) : ils seront éclairés par des lumières intenses afin d'attirer un bon Feng Shui et de susciter le Chi. Si vous n'avez pas d'aire d'accueil, efforcez-vous de faire en sorte que la porte d'entrée donne sur un espace dégagé et que l'entrée ne soit pas encombrée.

FUK, LUK ET SAU : les trois dieux, de la Santé, de la Richesse et du Bonheur. On ne leur rend jamais de culte mais on les expose. Ils sont extrêmement populaires puisqu'ils incarnent en fait tout ce qui est la vie. Rares sont les intérieurs chinois où ils ne figurent pas. Le meilleur emplacement pour eux est la salle à manger, dans une position suffisamment surélevée. Ne les mettez pas plus bas que les gens présents dans la pièce et ne les installez pas dans la chambre. Voir aussi *Dieux de la Richesse*.

GLOBE : représentation souveraine de l'élément terre. Quand il est en matériau semi-précieux comme le lapis-lazuli, le quartz ou le jaspe, un globe active la chance relative à l'éducation de façon idéale, surtout lorsqu'on l'expose dans le secteur nord-est de la chambre d'un jeune étudiant.

GLORIETTE : structure assez décorative du jardin qui peut soit renforcer, soit affaiblir la porte d'entrée. Voir aussi *Belvédères*.

GRAINES DE LOTUS : elles signifient que la chance s'attachera à la progéniture. La graine du lotus constitue un excellent symbole de la chance relative aux descendants. En exposer dans la maison est censé susciter et accélérer la naissance de petits-enfants. Les bouddhistes apprécient fort les chapelets faits de graines de lotus.

GRENADE : elle symbolise la chance de nombreux descendants, se comportant tous en enfants respectueux de leurs parents, avec un avenir prometteur devant eux. Les abondantes graines de la grenade en font un symbole de prospérité. Beaucoup de parents conseillent à leurs enfants nouvellement mariés d'exposer dans leur chambre une peinture ou une sculpture représentant une grenade, de manière à engendrer la chance permettant d'avoir beaucoup d'enfants en bonne santé.

GRENOUILLES ou CRAPAUDS : les Chinois estiment que les grenouilles et les crapauds apportent une chance faste. On croit qu'une colonie de grenouilles dans l'arrière-cour peut vous protéger de la malchance. Le crapaud à trois pattes, surtout, porte bonheur et on le trouve d'habitude avec trois pièces d'or dans la gueule, ce qui signifie l'arrivée d'or dans la maison. Placez la grenouille à la diagonale de la porte d'entrée, tournée vers l'intérieur, non vers l'extérieur, ce qui symboliserait la fuite de l'or de la maison. Évitez de les mettre dans la cuisine, la salle de bains et les toilettes, afin d'éviter l'accumulation de mauvais Chi.

GROSSES PIERRES : elles signifient l'énergie de la terre et constituent un excellent remède Feng Shui. Nouée de fil rouge, une grosse pierre est un antidote souverain si on la met dans une salle de bains dans un mauvais secteur de la maison.

GROUPE DE L'EST : fait partie de la formule des Huit Sites selon le Pa Kua Lo Shu. Si l'on se fonde sur l'École de la Boussole, vous appartenez au groupe de l'est dans le cas où votre nombre Pa Kua est 1, 3, 4 ou 9 ; les directions fastes des gens appartenant au groupe de l'est sont le nord, le sud, l'est et le sud-est.

GRUES : oiseaux faisant partie des symboles de longévité les plus répandus parmi les Chinois. On les voit souvent dans l'art chinois, ou bien elles accompagnent Sau, dieu de la Longévité. Des sculptures ou autres représentations symboliques de ces oiseaux devraient se trouver placées au sud ou à l'ouest du jardin.

HAIES : elles masquent les évacuations déficientes et les détails visuels à effet négatif. Faire pousser une haie afin d'occulter des structures laides est très efficace quand ces structures vous font face au sud-ouest et au nord-est. Peu importe leur taille mais elles ne doivent pas avoir d'aspect menaçant en se trouvant trop près de la maison.

HALL DE LUMIÈRE : excellent pour le Feng Shui. Un des meilleurs éléments Feng Shui dont puisse bénéficier une construction est d'avoir une porte d'entrée qui donne sur un parc, un terrain de football, ou n'importe quel type d'espace ouvert. Ceci engendre ce que les maîtres de Feng Shui décrivent comme l'effet du Hall de lumière, où le Chi faste peut d'abord s'accumuler avant de pénétrer dans la maison. Vous n'essaierez pas d'obtenir cet effet-là à tout prix. S'il se trouve, disons, une statue ou une structure formant une flèche empoisonnée visant directement la porte d'entrée, mieux vaut abandonner toute tentative de créer le Hall de lumière et renoncer à la bonne fortune qu'il est censé apporter, plutôt que de subir le Shar Chi mortel provenant de la flèche empoisonnée. N'oubliez pas qu'il faut toujours pratiquer en premier lieu un Feng Shui défensif.

HARMONIE : en matière de Feng Shui elle renvoie à l'interaction des éléments se trouvant dans l'espace de vie. Le Feng Shui considère que tout dans l'univers peut être classé dans une catégorie en fonction des Cinq Éléments : le bois, le feu, l'eau, la terre ou le métal. Pour qu'ils se trouvent en harmonie, les éléments de chaque partie de l'espace de vie devraient se renforcer mutuellement plutôt que de se détruire les uns les autres. Voir aussi *Éléments*.

HÉMISPHÈRE SUD : le nord est toujours le nord. Quand on applique les formules de l'École de la Boussole dans les pays situés dans l'hémisphère sud, on ne doit surtout pas changer la direction des points cardinaux. Ces dernières années, des écrivains occidentaux ont tenté d'appliquer la rationalité scientifique occidentale aux recommandations Feng Shui, et ils ont utilisé divers concepts scientifiques occidentaux pour justifier la permutation des points cardinaux dans le cas où on applique le Feng Shui dans des pays au sud de l'équateur, tels que l'Australie. Ils soutiennent que ceci est dû au fait que les vents provenant du nord deviennent « chauds » dans l'hémisphère sud, puisque l'équateur se situe plus au nord. Ils en concluent que l'élément correspondant à la direction du nord devrait être le feu, et non l'eau. Ce changement a des répercussions sur l'interprétation du Feng Shui dans toute la chaîne des formules, et il affecte aussi les systèmes d'astrologie chinoise et la divination. Les véritables maîtres de Feng Shui rejettent ce raisonnement. Ils soulignent que c'est la disposition des trigrammes autour du Pa Kua qui détermine les éléments alloués à chacun des point cardinaux. Ainsi, le trigramme du nord, placé là en fonction de l'agencement du ciel postérieur, est le trigramme Kan symbolisant l'eau, et par conséquent, on associe traditionnellement le nord à l'eau. Au sud on trouve le trigramme Li, symbole du feu. On dit alors que son l'élément est le feu. C'est ce que représentent les trigrammes qui confèrent aux points cardinaux leur signification spécifique, ce qui n'a rien à voir avec les soi-disant « vents du nord » soufflant sur Pékin. Il s'agit de spéculations concernant l'origine des recommandations générales Feng Shui fondées sur les conseils donnés dans les Principes classiques yang, qui préconisent d'orienter la façade de la maison au sud et son dos au nord. Les adeptes d'aujourd'hui, se lançant dans des spéculations se fondant sur ce conseil-là, ont tenté de l'expliquer par la température des vents. Le Feng Shui va beaucoup plus loin que cela. Il importe que les points cardinaux restent fixes, sans inverser le nord et le sud, sinon il s'agit d'une interprétation absurde capable de provoquer de terribles erreurs de mise en œuvre.

HERBE : sur une portion de terrain vide, une surface herbeuse crée un Hall de lumière faste quand on la situe directement en face de la façade de l'habitation.

HUIT OBJETS PRÉCIEUX : huit trésors dont on croit qu'ils sont de très bon augure. Les adeptes du bouddhisme les considèrent, placés ensemble ou seuls, comme des porte-bonheur précieux. Ceux qui pratiquent le Feng Shui symbolique, pour attirer la bonne fortune sur les occupants de la maison, les exposent au regard, d'ordinaire sous la forme de tissu brodé suspendu aux portes ouvrant sur les chambres et autres pièces importantes. On les représente aussi en tant que symboles sur la porcelaine et autres objets d'art. On peut de même nouer du fil rouge autour de chaque symbole et les porter individuellement comme charme ou porte-bonheur.
Le symbole du double poisson est censé écarter les intentions malveillantes et se porte souvent comme amulette. Mettez-le près de l'entrée de la maison pour éloigner toute personne nourrissant des mauvais sentiments à votre égard ; le lotus apporte la bonne fortune sous tous ses aspects. S'il pousse chez vous, il a le pouvoir de transmuer la malchance en chance positive ; la conque (ou tout coquillage) attire la chance relative aux voyages. Placez-la dans le salon. Des coquillages ramassés sur la grève doivent être nettoyés et trempés dans l'eau salée pendant au moins un mois avant de servir. La Roue Dharma (ou roue de la loi) figure le pouvoir de l'énergie céleste, un tableau ou une représentation de cette roue doit en théorie mener à un épanouissement spirituel ; le vase (ou l'urne) précieux placé près de l'entrée de la maison attire le Chi et l'amène à s'accumuler. Laissez vides les vases se trouvant à l'extérieur de la maison mais garnissez-les à l'intérieur. Remplissez-les à ras bord avec sept sortes de pierres fines. Vous pouvez si vous le désirez les transformer en vase de richesse et y mettre une petite quantité de terre prélevée chez une personne riche ; l'ombrelle ou parapluie ou dais est un excellent symbole de protection ; on croit qu'elle chasse les cambrioleurs

lorsqu'on la place près de la façade de la maison ou dans le couloir d'entrée ; le nœud magique signifie le cycle infini de la chance positive se transformant en malchance pour redevenir chance positive. Les bouddhistes y voient également le cycle sans fin de la naissance et de la mort. En matière de Feng Shui, il est un symbole répandu d'affection et de dévotion toujours renouvelées ; la bannière de la victoire symbolise le succès de toutes les entreprises. On la représente souvent sous la forme d'une longue bannière de victoire semblable à celles dont se servaient les anciennes armées chinoises. La bannière de victoire constitue un symbole très faste à exposer au regard si vous êtes dans la politique, l'armée, ou travaillez pour le gouvernement. Elle annonce une promotion.

HUIT TRIGRAMMES : ils constituent les principaux symboles de l'analyse Feng Shui. Situés sur les huit côtés du Pa Kua, les huit trigrammes sont formés de trois combinaisons de lignes continues et interrompues. On dit des lignes continues qu'elles sont yang et des autres lignes qu'elles sont yin. Les huit trigrammes sont Chien, Kun, Kan, Li, Ken, Chen, Tui et Sun, et ils forment la base des soixante-quatre hexagrammes qui à leur tour composent le *I Ching*. Comprendre l'essence et le sens profond de ces trigrammes, ainsi que la manière dont ils sont disposés autour du Pa Kua, révèle les secrets de l'octogone symbolique Pa Kua. Chaque trigramme correspond à un membre de la famille, et représente un secteur particulier et donc un élément.

I

IMMOBILIER : placé sous le signe de l'élément terre. Toute affaire concernant l'immobilier et l'aménagement de l'espace profitera de l'activation de l'élément terre réalisée dans les bureaux concernés. Les cristaux, les urnes, les pots en terre et les pierres décoratives peuvent servir de symboles porte-bonheur. Incorporez-les dans la décoration du bureau ou du magasin et veillez à ce qu'ils figurent dans les secteurs de l'est, du sud-ouest ou du nord-ouest.

J

JARDIN JAPONAIS : destiné davantage à la méditation qu'au Feng Shui. Le plan et la conception d'un jardin japonais se fondent plus sur des principes zen qui sont excellents pour la méditation, que sur le fait d'attirer le Chi de la bonne fortune. Les jardins japonais fournissent toutefois d'excellentes idées en matière de création quant à l'utilisation de pierres et de galets ronds, que l'on peut incorporer aux jardins Feng Shui dont une partie est orientée au sud-ouest ou au nord-est.

JARDINS D'INTÉRIEUR : placés dans le secteur correct de la maison, ils apportent une bonne fortune particulièrement faste. Si vous désirez chez vous un jardin d'intérieur, veillez à ce qu'il se trouve à l'est, au sud-est ou au sud de l'habitation. Suivre ce conseil permet d'être en harmonie avec les éléments constituant votre espace de vie. Ne situez pas votre jardin d'intérieur dans le secteur qui correspond au sud-ouest ou au nord-est. Ceci provoquera des perturbations dans votre vie familiale et pourrait aussi nuire au mariage.

JAUNE : le jaune passe pour bénéfique et aussi yang que le rouge. Parce que le jaune était autrefois la couleur impériale, les gens ordinaires n'ayant pas le droit de l'utiliser sur leurs habits ou chez eux, le rouge devint la couleur préférée des gens du peuple, symbole de bonne fortune. Cependant, lorsqu'il n'y a pas d'interdiction formelle, vous souhaiterez peut-être activer le caractère faste du jaune. De la sorte, on dit que des bouquets de fleurs jaunes portent chance, comme les enveloppes jaunes contenant de l'argent, des rideaux et une décoration intérieure jaunes.

KHENG HUA : fleur blanche rare dont la floraison signifie une exceptionnelle bonne fortune. Il s'agit d'une variété de cactus dont les fleurs s'épanouissent à minuit. La fleur est large et blanche, avec des étamines jaunes. Elle est belle et sent bon. La floraison très intermittente de la fleur Kheng Hua est interprétée comme signe indiquant que les descendants connaîtront un succès dans les domaines professionnel et matériel et jouiront d'un statut social élevé.

L

LAC : exemple d'eau à l'état naturel, qui apporte la chance positive. On tient son Feng Shui pour très bénéfique, surtout quand les eaux du lac sont propres, non polluées et grouillantes de vie. Dans de telles conditions, le lac devient une source de précieux Sheng Chi. Afin d'exploiter au maximum la bonne chance qu'apporte le lac, appliquez les principes des Cinq Éléments. Ainsi, il vaut mieux avoir un lac au nord de la porte d'entrée qu'au sud. Il est possible d'obtenir cette situation en jouant sur l'orientation de la maison. Assurez-vous que l'on voit le lac du salon et faites surtout en sorte que le lac ne se trouve pas derrière vous.

LAMPES : utilisées pour simuler la précieuse énergie yang, les lampes procèdent d'ordinaire d'un excellent Feng Shui, quelle que soit leur place. Même dans le secteur nord, qui est celui de l'eau, installer une lampe ne gâche pas le Feng Shui puisque l'énergie yang transforme l'eau en vapeur, ce qui crée le symbole du pouvoir. De la sorte, vous pouvez avoir des lampes partout dans la maison et elles apporteront une bonne énergie. Toutefois, leur lumière ne doit pas être trop intense. Des lumières tamisées, chaleureuses, valent toujours mieux que des lumières blanches et vives.

LIAISON AMOUREUSE : on peut activer cette chance dans la chambre ou dans le secteur sud-ouest. Le Feng Shui conseille d'activer la chance relative au principe maternel, c'est-à-dire dans le secteur sud-ouest, pour stimuler la chance relative à l'amour et au mariage. Ceci peut se faire par le biais de divers symboles, qui signifient la liaison amoureuse, l'amour et l'intimité. Un couple de canards mandarins, symbole du bonheur double, et des groupes de cristaux font partie des objets que l'on peut utiliser à cette fin.

LICORNE : la licorne chinoise, connue aussi sous le nom de « cheval dragon », passe pour une créature de bon augure. Elle symbolise la longévité, la joie, la grandeur, une descendance illustre et la sagesse. On dit que la licorne déploie des qualités de douceur, de bienveillance et de générosité envers les autres créatures vivantes. C'est un animal source de réconfort qui n'apparaît que lorsqu'un monarque bienveillant accède au trône, ou lors de la naissance d'un futur sage notoire.

LIEUX DE TRANQUILLITÉ : la chambre d'une maison devrait être un lieu de paix et de silence relatifs, où le Chi yin est préférable à un excès de Chi yang. Cependant, quand c'est toute la maison qui se trouve plongée dans le silence, la chance stagne.

LIGNES SINUEUSES : une ligne sinueuse incorporée dans un motif en fait une représentation de l'élément eau convenant au nord, à l'est ou au sud-est de la maison ou de la pièce.

LIMITES (DES SECTEURS) : pour l'analyse Feng Shui, il faut relever des cotes exactes. La meilleure manière d'aborder le Feng Shui est de le considérer comme une méthode ou une technique. Quand on se sert des formules faisant appel aux points cardinaux, il est impératif de consigner les orientations correctement. Ceci vous permet de déterminer avec davantage de précision les paramètres concernant votre espace de vie. Le Feng Shui marche quand on a bien démarqué l'espace en fonction de l'orientation, du lieu et des éléments.

LIONS : une paire de lions devant le portail ou la porte d'entrée forme un excellent symbole de protection contre le mauvais Chi et contre les gens mal intentionnés essayant de s'introduire dans la maison. Il n'est pas nécessaire qu'ils soient énormes : leur taille doit rester en proportion avec celle de la porte. Ils constituent une très bonne alternative aux chiens Fu. Voir aussi *Chiens Fu*.

LIS : les lis jaunes représentent une robuste énergie yang et sont fastes. Offrir un bouquet de lis jaunes vaut infiniment mieux en matière de chance que d'en donner un de roses rouges épineuses. Les lis blancs constituent également un présent de bon augure et conviennent tout à fait aux convalescents. Ils apportent l'énergie pure et curative de l'ouest.

LIT : ses dimensions doivent être conformes aux principes Feng Shui. Un lit Feng Shui est de dimensions fastes, décoré de couleurs qui s'harmonisent soit avec l'élément du secteur où se trouve placé le lit, soit avec l'élément de l'année de votre naissance. Par prudence, mieux vaut se servir de l'élément du secteur ; ceci permet au lit de se révéler bénéfique pour plus d'une personne (c'est-à-dire pour vous et votre partenaire ou conjoint). Un lit avec une tête est préférable, car il fournit un support. Parce qu'une chambre est un lieu de repos, un excès d'énergie yang nuit et peut entraîner des troubles du sommeil. Si vous désirez utiliser du rouge, un rouge sombre ou bordeaux vaut mieux qu'un rouge vif, froid. Il est préférable que le couvre-lit soit uni. Évitez tout motif abstrait où figurent des flèches et des triangles : ces formes symbolisent l'élément feu, nocif dans une chambre. Elles représentent aussi nombre de flèches empoisonnées qui vous agressent pendant votre sommeil.

LIVRE DES MUTATIONS *ou I Ching* : principale source du Feng Shui, et probablement source principale de la plupart des pratiques de la culture chinoise. Une sagesse nourrie de milliers d'années a fourni la matière du *I Ching*. Les deux branches de la philosophie, le confucianisme et le taoïsme, tirent leurs racines communes de cet ouvrage, connu également sous le nom de Livre des Transformations. Seul le *I Ching*, parmi tous les classiques du confucianisme, a échappé à l'autodafé survenu à l'époque de l'empereur Chin Shih Huang Ti en 213 av. J.-C. Les origines du *I Ching*, en tant que livre de divination et de sagesse, remontent à une antiquité mythique. Tout ce qui dans la culture chinoise est empreint de grandeur et de sens s'inspire du *I Ching* : des aspects des rapports unissant les nombreux principes et symboles, dans les pratiques divinatoires chinoises, la conception qu'il expose de la trinité, du ciel, de la terre, de l'homme, les notions de yin et de yang, d'équilibre et d'harmonie, de forces négatives et positives, de bonne et de mauvaise fortune, tout ceci dérive d'interprétations faites des textes et des jugements contenus dans les 64 hexagrammes du *I Ching*.

LOGOS : les logos néfastes sont capables de déclencher la ruine d'une société. Il faudrait toujours concevoir les logos commerciaux en gardant à l'esprit ses implications dans le domaine du Feng Shui. Des firmes ont bénéficié d'un logo faste, et certaines ont disparu à cause de logos très néfastes. Pour en savoir plus sur ce point, consultez le chapitre traitant du Feng Shui destiné aux sociétés (pages 292-301).

LONGÉVITÉ : aspiration importante pour les Chinois, égale à la bonne santé : la longévité est un élément fondamental faisant partie des conditions requises pour attirer la chance. Ceci implique que l'on ait la chance de voir ses descendants réussir et attirer l'honneur sur la famille et son nom et aussi une vie sans ennuis de santé. En matière de Feng Shui symbolique, les emblèmes de la longévité abondent, le plus important étant le dieu de la Longévité, Sau Seng Kong. D'autres symboles sont le pin, le bambou, la pêche, le daim et la tortue. Exposer l'un de ces symboles, dans la maison, est censé apporter énormément de chance. Voir aussi *dieu de la Longévité*.

LUMIÈRE DU SOLEIL : la lumière du soleil apporte dans la maison une énergie yang pure. Dans tous les cas où la chose est possible, il convient d'orienter portes et fenêtres de manière à la capter.

LUMIÈRE DU SOLEIL DE L'OUEST : d'ordinaire excessivement yang. Il convient de réduire l'intensité de la lumière émise par le soleil l'après-midi en suspendant des petits cristaux à facettes capables de décomposer cette lumière en un arc-en-ciel de couleurs pour atténuer la rigueur d'une intense énergie yang et de plus rétablit l'équilibre cosmique. Créer des arcs-en-ciel à l'intérieur de la maison suscitera le bonheur pour la famille.

LUMIÈRES : excellentes, tant pour activer le bon Chi que pour dissoudre le mauvais. Elles font partie des outils Feng Shui les plus souples d'emploi. Elles corrigent de nombreux défauts Feng Shui non seulement parce qu'elles sont source de la précieuse énergie yang, mais encore parce que les lumières permettent au Chi de s'élever. Elles sont capables de résoudre le problème des secteurs manquants, des secteurs excessivement yin, et des courbes de niveau trop basses. Les lumières attirent aussi un bon Sheng Chi, amenant les clients aux restaurants, et la bonne fortune aux grandes sociétés où l'on veille à maintenir un bon éclairage de l'entrée principale. Placées au sud elles se révèlent particulièrement bénéfiques, et si on les associe à des cristaux leur pouvoir s'en trouve considérablement accru.

LUO PAN : le Luo Pan, ou authentique boussole chinoise de géomancie, est un instrument extrêmement complexe comprenant vingt-quatre cercles concentriques tracés autour d'une petite boussole. Sur les cercles intérieurs autour de la boussole figurent les huit trigrammes et les orientations. Les cercles suivants montrent les tiges du ciel (ou célestes) et les branches de la terre (ou terrestres). Ces termes s'utilisent dans le système Ganzhi. Pour le néophyte, l'emploi du Luo Pan peut s'avérer déroutant, à moins qu'il ne soit épaulé par une connaissance profonde des nombreuses permutations possibles entre trigrammes, tiges et branches, et leur corollaire, les interactions entre éléments et influences de l'horoscope. Par conséquent, il est infiniment plus facile de travailler avec des tableaux tout faits déjà simplifiés par les maîtres, et de se servir d'une simple boussole occidentale. Voir aussi *Almanach* et *Système Ganzhi*.

LUSTRES : créent un excellent Feng Shui si on les place juste à l'intérieur ou à l'extérieur de la maison. Ils aident le Chi positif à pénétrer dans la maison et marchent aussi bien à l'intérieur qu'à l'extérieur de la maison. Situés au sud-ouest, ils s'avèrent particulièrement bénéfiques : c'est là que l'alliance du feu (les lumières) et de la terre (le cristal) apporte une merveilleuse chance en amour aux membres de la famille. Essayez d'activer le sud-ouest de la maison tout entière avec un lustre, plutôt que le sud-ouest d'une seule pièce. Ceci aura davantage d'effet et profitera à toute la famille.

MAGNOLIA : symbole exquis de la douceur et de la beauté féminine. Un arbuste à floraison particulièrement indiqué, à faire pousser sur le côté ouest de la maison ou dans un jardin orienté à l'ouest.

MAISON : en matière de Feng Shui tout lieu où vous prenez vos repas, dormez et vous abritez des éléments, se définit comme votre maison. Aussi bref qu'y soit votre séjour, si le Feng Shui de la maison s'avère bon, vous en recueillerez les fruits. Par contre, un mauvais Feng Shui peut aussi poser des problèmes.

MAISON DE L'EST : c'est l'orientation de la porte d'entrée qui la définit. Une maison de l'est est une demeure comportant une porte d'entrée orientée à l'ouest et au nord-ouest. Ceci fait partie de la formule des Huit Sites relative à l'orientation. Cette formule peut s'avérer difficile à réaliser pour ceux qui veulent orienter leur porte d'entrée vers l'ouest ou le nord-ouest, mais qui vivent dans une maison de l'ouest.

MALADIE : c'est souvent le premier signe d'un mauvais Feng Shui. Quand les occupants d'une même demeure tombent malades les uns après les autres, ou lorsque des enfants ne cessent d'être en mauvaise santé, il s'agit de symptômes indiquant que l'on peut améliorer le Feng Shui de l'habitation. Vérifiez s'il n'existe pas des flèches empoisonnées visant directement la maison et qui seraient par conséquent nocives, puis assurez-vous que les conduits d'évacuation autour de la maison ou de l'immeuble ne sont pas bouchés. Contrôlez aussi que la plomberie et que le système d'évacuation des eaux usées sont en bon état. Parfois, il faut peu de chose pour ôter les obstacles faisant barrage au flux de Chi apportant la malchance.

MALHEURS : ceux qui résultent d'un mauvais Feng Shui s'enchaînent d'ordinaire. Si vous sentez qu'une série d'ennuis est imputable à un mauvais Feng Shui, vérifiez la régularité de leur occurrence. Lorsque vous mettez en œuvre le Feng Shui, faites attention de ne pas attribuer tout ce qui vous arrive, en bien comme en mal, seulement à un mauvais ou à un bon Feng Shui.

MARCHES : quand on relie différents niveaux du jardin, on doit se conformer aux conseils généraux portant sur le paysage, lesquels stipulent que les niveaux reliés par des marches doivent être corrects. Le terrain derrière la maison devrait se trouver plus haut que celui de devant, et celui situé sur le côté gauche doit être plus haut que celui du côté droit. Lorsque la maison se trouve au-dessus du niveau de la route avec des marches menant au portail, il s'agit d'une position faste.

MARE À LOTUS : le lotus est une fleur porte-bonheur considérée comme symbole de sagesse. Une mare à lotus fait toujours bel effet dans le jardin, et on la tient pour extrêmement faste d'un point de vue matériel. Les mares à lotus signifient un accroissement du sentiment de paix et de la transformation spirituelle. Elles favorisent cette dernière.

MARES : agréments de jardin dont le meilleur emplacement est le nord, le sud-est et l'est. Les petites mares sont extrêmement fastes dans ces directions-là. Oxygénez bien la mare par une circulation d'eau. Pour apporter un bon Chi dans la maison, ayez des poissons ou des tortues aquatiques dans la mare.

MARIAGE : pour le Feng Shui il faut activer l'élément terre du sud-ouest. De même qu'un mauvais Feng Shui cause des ravages dans un mariage, un bon Feng Shui est capable de susciter le bonheur conjugal et l'harmonie familiale. Afin d'activer la bonne fortune en matière de mariage, occupez-vous de l'emplacement de la mère de famille : c'est le sud-ouest, lieu placé sous le signe du trigramme Kun. L'élément dominant de ce secteur est la terre à l'état naturel. Ainsi, des objets simulant ou produisant cet élément sont censés être particulièrement favorables quand il s'agit d'activer la chance du mariage. Des lumières et des cristaux constituent d'excellents agents d'activation.

MATELAS : un grand matelas sur le lit conjugal est préférable à deux matelas séparés. Ces derniers pourraient faire se creuser un fossé entre mari et femme parce qu'ils créent symboliquement la séparation du couple. Mieux vaut avoir deux lits complètement séparés, ou même faire chambre à part, que de coucher dans un lit à deux matelas.

MÉTAL : un des éléments du Feng Shui représenté à l'ouest et au nord-ouest. On considère le métal comme de l'or et le chinois désigne les deux par un caractère unique. L'élément métal est rendu faste en présence de la terre puisque la terre produit l'or. De la sorte, placer un objet symbolisant l'élément terre, tel qu'un globe, dans le secteur placé sous le signe du métal, dans la maison, apporte le succès et la richesse. L'élément feu détruit le métal. Ceci implique qu'installer dans les secteurs du métal des lumières vives, par exemple, serait désastreux pour la chance que représente le secteur.

MIROIR : instrument Feng Shui fondamental à utiliser dans le Feng Shui relatif aux affaires, entre autres domaines. Les miroirs font partie des principaux outils Feng Shui et ont de multiples utilisations. On peut s'en servir pour rendre régulière la forme d'une pièce. Lorsqu'il manque un secteur, par exemple, installer un miroir mural fait se projeter le mur vers l'extérieur visuellement, ce qui recrée le secteur absent et rétabli l'équilibre de la pièce. De même, les miroirs sont capables d'éliminer des colonnes non encastrées dans la pièce. Si au milieu d'une pièce se trouve un pilier structurel, que vous ne pouvez abattre, l'envelopper de miroir le fait « disparaître ». Une colonne située au centre de la maison s'avère particulièrement nocive, car elle symbolise un couteau plongé dans le cœur de l'habitation. Si vous ne voulez pas recouvrir de miroirs la totalité de la colonne, utilisez des plantes grimpantes ou très grandes. Mettre un miroir dans la salle à manger représente le doublement de la quantité de nourriture placée sur la table. Les aliments ont toujours constitué pour les Chinois un indice important de la prospérité d'une famille, et par conséquent une abondance de nourriture donne toujours un très bon Feng Shui. Pareillement, placer un miroir près de la caisse enregistreuse d'un commerce de détail doublera le chiffre d'affaires. On peut se servir de miroirs dans le but de réfléchir le Shar Chi, ou souffle mortel, qui envoient des flèches empoisonnées vers la porte d'entrée de la maison ou du bureau. On peut contrer ces flèches empoisonnées en employant un miroir Pa Kua ou un canon, ou simplement en changeant l'emplacement de la porte d'entrée. Un miroir constitue un moyen moins agressif pour prévenir les flèches empoisonnées provenant de chez un voisin et on devrait y avoir recours s'il suffit à dissoudre le Shar Chi.

MIROIR PA KUA : utilisé pour dévier les flèches empoisonnées. On peint d'ordinaire le fond en rouge de manière à engendrer beaucoup d'énergie vitale yang ; les trigrammes viennent se placer autour du miroir Pa Kua selon la disposition du Ciel antérieur ou postérieur. Au centre figure le miroir qui repousse toute l'énergie hostile qui l'atteint.

MOBILIER : on peut le créer de manière à incorporer d'importants principes Feng Shui. Le mobilier conçu de la sorte peut être particulièrement agréable parce qu'il dégagera peu d'énergie négative. Un tel mobilier ne devrait comporter aucun clou : les différentes parties devraient comporter des joints à rainures et languettes. Les belles chaises anciennes Ming, par exemple, sont très recherchées parce que l'on n'usait jamais de clous pour les assembler. D'autre part, ces chaises ont des formes plaisamment incurvées n'offrant ni bords ni secteurs aux arêtes vives. Le mobilier moderne peut imiter la conception et les caractéristiques fondamentales de ce type de meubles. Les sofas devraient bien soutenir le dos et comporter des bras. Les tables et les placards devraient avoir des bords arrondis. Les étagères devraient être munies de portes pour contenir l'énergie mortelle des plateaux, semblables à des lames envoyant des flèches empoisonnées dans les pièces. Évitez le mobilier métallique, qui suscite le manque d'harmonie, et celui qui a des bords pointus ou qui présente une forme triangulaire.

MONNAIE DU PAPE : plante qui symbolise l'augmentation des revenus. Il ne faut pas la confondre avec la crassula. Voir aussi *Crassula*.

MONTAGNES : les montagnes dans l'environnement sont essentielles pour un bon Feng Shui. Le Dragon Vert est absent d'un terrain complètement plat, sans ondulation ni sans relief, ce qui n'est pas de bon augure. On peut symboliser la présence d'une montagne dans sa maison ou son bureau en accrochant un tableau qui en représente une ; elle doit systématiquement se trouver derrière vous afin de symboliser un soutien solide, pour vous donner de l'assise et vous empêcher d'être balayé par le malheur. En matière d'analyse Feng Shui, on compte cinq catégories correspondant aux éléments, quant à la forme des montagnes, et quatre orientations rappelant les Quatre Créatures Célestes. Bien entendu le Feng Shui contemporain a évolué et comme la plupart des gens habitent maintenant dans les villes, on a attribué aux grands immeubles un rôle similaire à celui des montagnes naturelles.

MOTIFS, FORMES ET COULEURS : tout dans ces domaines a un sens en matière de Feng Shui. Dans une perspective Feng Shui, l'Art nouveau est préférable à l'Art déco tout simplement parce que le premier implique des formes plus arrondies et courbes que le second. Cependant, au niveau de la conception de motifs et de la décoration intérieure, il est utile de mettre au point différents motifs correspondant à chacun des Cinq Éléments, puis de s'en servir en fonction des directions que symbolise chaque élément. Par exemple, servez-vous du motif de l'eau pour les pièces situées dans le secteur nord (secteur de l'eau) de la maison, puisque ces pièces-là bénéficieront de l'activation de leur élément. Servez-vous du tableau suivant pour déterminer les motifs les plus approprié à un élément.

Emplacement des pièces	Motifs/symboles correspondant à l'élément
Nord, est et sud-est	Motifs et symboles relatifs à l'eau
Sud, sud-ouest et nord-est	Motifs et symboles relatifs au feu
Ouest et nord-ouest	Motifs relatifs au métal
Sud-ouest et nord-est	Motifs relatifs à la terre
Est et sud-est	Motifs relatifs au bois

MURS : vous pouvez peindre les murs de la maison avec des couleurs qui renforcent l'élément gouvernant leur emplacement ou vous pouvez accrocher et exposer des objets fastes de manière à activer des catégories spécifiques de bonne fortune. Voir aussi *Couleur* et *Art*.

MURS DE BRIQUES : remède Feng Shui pour occulter ce qui est indésirable et néfaste, surtout les structures qui envoient un souffle mortel sur la maison.

NARCISSE voir *Bulbes*.

NÉNUPHARS : excellent substitut au lotus, le nénuphar bénéfique symbolise la pureté. Si les oiseaux menacent les poissons de votre mare ou de votre bassin, planter des nénuphars leur offrira une protection.

NIEN YEN : direction personnelle qu'il convient d'activer pour bénéficier d'une bonne chance relative à la famille, à l'amour et au mariage. C'est l'une des quatre directions fastes allouées à chacun des nombres Kua dans la formule des Huit Sites.

NOMBRES : les nombres de 1 à 9 donnent une multitude de bons et de mauvais Feng Shui. Ils se rapportent à une bonne ou à une mauvaise chance en fonction du Feng Shui. La règle générale consiste à suivre ce qu'indique la prononciation du nombre. Ainsi, la phonétique de chacun des nombres de 1 à 9 indique que 3 et 8 sont d'excellents nombres alors que 4 doit être évité. Si on se fonde sur l'analyse des Étoiles Volantes, les nombres 5 et 2 sont les brebis galeuses, alors que les nombres 1, 6 et 8 s'avèrent excellents. On tient généralement le nombre 9 pour très bon.

NOMBRES ET CHIFFRES PORTE-BONHEUR : faites figurer de manière visible les nombres porte-bonheur si le numéro de votre maison ou de votre immeuble se trouve être bénéfique. Les chiffres fastes sont ceux qui se terminent par 1, 6, 7, 8 et 9, qui portent toute chance, même si le 8 est particulièrement prisé par les Chinois, parce que phonétiquement il sonne comme « phat », qui signifie « croissance prospère » en chinois. La plupart des maîtres de Feng Shui considèrent le 9 comme suprême, car il signifie la plénitude du ciel et de la terre. Les nombres 1, 6 et 9 ensemble, dans toute combinaison, portent davantage chance, croit-on. Le chiffre 7 porte bonheur parce qu'il représente cette période ; il cessera d'être faste dès 2003, date après laquelle le 8 devient le nombre de la période (les années 2003-2023). On tient le 8 pour faste du fait qu'il représente la prospérité actuelle et celle à venir. La plupart des gens ne peuvent choisir le numéro de leur maison, de leur téléphone ou de leur plaque d'immatriculation, mais ceux qui le peuvent devraient choisir un chiffre présentant une combinaison bénéfique. L'alternative consiste à minimiser l'apparence visuelle des nombres néfastes en les rapetissant, tout en mettant en valeur le bon chiffre, en le rendant bien visible. Certains nombres ne portent pas chance. Le nombre 4 est celui de la mort, parce que phonétiquement il sonne comme « sey », c'est-à-dire « mourir », en chinois. Pour beaucoup, néanmoins, 4 a engendré une chance phénoménale ! L'alliance de plusieurs 2 et de plusieurs 3 passe pour être de très mauvais augure : elle mène à des malentendus, des disputes, et à d'autres problèmes. Le nombre de loin le plus néfaste est le 5 et d'après le Feng Shui il n'entraîne qu'ennuis et difficultés.

NOMBRES KUA : dérivés de la formule des Huit Sites concernant les orientations Feng Shui. Afin de déterminer vos directions bénéfiques et néfastes, commencez par trouver vos nombres Kua personnels. Ce calcul se fait à partir de votre année de naissance et suivant votre sexe. Il faut d'abord trouver l'équivalent de l'année de naissance dans le calendrier lunaire ; faites-le en cherchant si vous êtes né avant ou après le Nouvel An lunaire votre année de naissance. Voir le chapitre traitant du Feng Shui fondé sur l'École de la Boussole (pages 66-79) pour trouver des conseils sur la manière de calculer son nombre Kua.

NORD : associé à l'élément eau, c'est aussi l'emplacement de la tortue. La partie nord de la maison devrait être activée par la présence d'eau. S'il vous est impossible d'y mettre une installation avec de l'eau réelle, accrocher un tableau représentant de l'eau suffit à maintenir l'harmonie de l'énergie des éléments car la présence symbolique de l'élément est suffisante.

NORD-EST : emplacement de l'élément terre, qui représente également l'éducation et l'étude. Exposer des objets relevant de cet élément maintiendra son harmonie.

NORD-OUEST : emplacement du père de famille signifié par le trigramme Chien. Il s'agit probablement du secteur le plus important du foyer parce qu'il est associé au chef de famille, qui en est le soutien. Assurez-vous toujours que les énergies du nord-ouest ne dépérissent pas. C'est l'endroit du métal à l'état naturel, donc y placer des objets en terre ou en métal est une excellente idée. N'y mettez pas de feu sous la forme de lampes ou de lumières. Le feu détruit le métal dans le cycle.

OBJETS SUSPENDUS : remèdes Feng Shui représentés par des carillons éoliens, des clochettes, des flûtes, des tiges de bambou, etc. On peut suspendre de tels objets à des poutres et au plafond, de manière à contrer des structures néfastes quant au Feng Shui. Ils n'accapareront pas la vue, et figureront dans des endroits discrets.

OISEAUX : représentent le phénix bénéfique, surtout quand ils se trouvent dans la partie sud de la maison. Ainsi, avoir des sculptures figurant toutes sortes d'oiseaux dans le jardin face au sud, ou du côté sud du salon, apporte de la chance sous la forme d'occasions favorables. Les oiseaux en captivité, par contre, s'opposent aux principes Feng Shui, la privation de liberté symbolisant le retard apporté à la croissance, et ceci peut fort bien réduire vos chances de promotion dans votre profession.

OMBRE : aussi importante que la lumière du soleil, l'ombre contribue à l'équilibre entre le yin et le yang et s'avère nécessaire dans tout environnement, que ce soit au jardin ou ailleurs. Toutefois, une ombre excessive au détriment de la lumière du soleil engendre trop de yin.

ORANGER : un oranger porte vraiment chance et favorise la chance familiale relative à la richesse. Ceci parce que le mot chinois pour orange, « kum », sonne comme le mot désignant l'or. On considère comme de très bon augure d'avoir des orangers chargés de fruits pendant le Nouvel An lunaire, ce qui symbolise une nouvelle année prospère. Parce qu'il excelle à activer la chance relative à la richesse, si vous voulez planter un oranger dans le jardin, mieux vaut le faire dans le secteur sud-est (le secteur de la richesse).

ORCHIDÉE : symbole remarquable de force et de courage. Quand on choisit des plantes pour le jardin, si le climat convient, faire pousser des orchidées signifie force et courage tout autant qu'une carrière durable. Les orchidées sont des fleurs durables qui apportent un bon Chi sain à la maison.

ORDINATEURS : ils n'entraînent pas de mauvais Feng Shui. Quand on les place à l'ouest ou au nord-ouest, ils peuvent se muer en agent d'activation de ces secteurs. Servez-vous d'économiseurs d'écran apportant la bonne fortune. Faites apparaître des images en rapport avec le secteur où se trouve l'ordinateur.

ORIENTATIONS : elles renvoient à l'orientation des portes, à la direction vers laquelle on se trouve quand on est en position assise ou couchée. L'orientation est un aspect important d'une pratique Feng Shui correcte et il s'avère souvent nécessaire de se donner la peine de mesurer correctement des dimensions et la direction par rapport aux points cardinaux, pour respecter les orientations conformément à la théorie Feng Shui. Par orientation, on peut aussi entendre l'emplacement correct d'une maison tirant partie de caractéristiques de l'environnement telles que des rivières, des lacs, des collines et des champs.

OUEST : si vous voulez susciter chez vous une chance positive pour vos descendants, pour que les enfants (la génération montante) en bénéficient, activez le Chi du métal dans la partie ouest de la maison. Faites-le en utilisant la couleur blanche, en exposant des objets métalliques, tels que des clochettes ou des bols musicaux. Une des méthodes les plus efficaces pour exploiter l'énergie du métal à l'ouest est d'employer un authentique bol musical afin d'engendrer un son clair qui attire un Chi faste. Frappez le bol trois fois avec un maillet de bois spécial.

PA KUA : octogone symbolique dont on se sert pour interpréter le bon ou le mauvais Feng Shui. Il correspond aux quatre points cardinaux de la boussole et aux quatre sous-directions, et tire son importance des huit trigrammes du *I Ching*.

PA KUA YANG : le Pa Kua s'utilise pour l'analyse et pour offrir des principes directeurs sur la manière d'activer les points cardinaux afin de rehausser leurs qualités. Toute la pratique Feng Shui découle de la disposition du Pa Kua. Ceux qui conseillent de changer les directions des points cardinaux dans l'hémisphère sud essaient de récrire la séquence de trigrammes Pa Kua. Ceci faussera toutes leurs recommandations Feng Shui et engendrera même des effets nuisibles.

PA KUA YIN : les maîtres Feng Shui croient que ce Pa Kua yin possède des « attributs célestes » que l'on peut invoquer pour dissoudre, dévier et repousser le souffle mortel hostile. Sa disposition se trouve reproduite sur les miroirs Pa Kua que l'on accroche à l'extérieur au-dessus des portes pour combattre les jonctions routières en T ou les carrefours, et les silhouettes de toit triangulaires, entre autres flèches empoisonnées. Le Pa Kua yin ne sera jamais suspendu à l'intérieur d'une maison.

PAON : le paon représente la dignité et la beauté. Pendant des siècles, les couleurs attrayantes des plumes de sa queue en ont fait des emblèmes répandus de rang social, et on accroche souvent au mur un éventail fait de ces plumes, dans les intérieurs chinois. On peut également se servir du paon comme substitut au Phénix Rouge. Voir aussi *Phénix*.

PARAPLUIE : symbole de protection. Le parapluie moderne constitue un substitut acceptable à l'ombrelle démodée. Les Chinois pensent qu'il ne faut jamais l'ouvrir à l'intérieur d'une maison.

PARC : un parc ou espace similaire en face de la porte d'entrée représente le Hall de lumière faste. Il a pour effet un très bon Feng Shui, parce que l'on dit que le Chi peut s'accumuler avant de pénétrer dans la maison. Voir aussi *Hall de lumière*.

PARTERRES : les rectangulaires ou carrés sont mieux que les ronds. Ces derniers créent une alliance de l'élément bois et de l'élément métal. Ceci est néfaste. Mieux vaut marier le bois au bois, c'est-à-dire faire pousser des fleurs et des plantes dans des plates-bandes rectangulaires. Ceci, entre autres détails, déterminera le Feng Shui de votre jardin.

PASSAGE AU LINTEAU VOÛTÉ : peut porter chance si on n'en fait pas trop. La forme cintrée du passage est bénéfique, parce qu'elle ne comporte pas d'angles susceptibles d'envoyer des flèches empoisonnées en direction de l'espace d'habitation. Un passage voûté favorise un Feng Shui harmonieux mieux que s'il avait un linteau droit.
Un passage au linteau cintré suggère aussi la forme circulaire qui représente l'élément métal/or. Il se révèle particulièrement bénéfique quand on le place au nord-ouest et à l'ouest de la maison. Il est préférable qu'il ne figure pas à l'est ou au sud-est.

PATIO : un patio constitue un excellent moyen d'ajouter un secteur manquant. En fonction de son orientation, il est possible de renforcer son énergie par un remède faisant appel aux éléments. Par exemple, un patio situé au nord aura tout à gagner d'une installation de jardin utilisant l'eau, alors qu'un patio au sud pourrait accueillir un barbecue.

PAVÉS : une allée sinueuse pavée est un agrément de jardin excellent dans les secteurs gouvernés par la terre.

PÊCHE : fruit représentant la longévité. Exposer une branche de pêcher en jade au centre de votre foyer attirera la chance relative à la longévité.

PÊCHER : de nombreuses légendes entourent cet arbre, qui offre l'immortalité à tous ceux qui mangent ses fruits. Il est censé pousser dans le Paradis de l'ouest, et on dit qu'il ne donne des fruits que tous les trois mille ans.

PENTES ET RELIEF : ces éléments ont des implications Feng Shui. Il vaut toujours mieux vivre à mi-pente qu'au sommet ou en bas, entouré d'éléments de relief sur trois côtés, le dos de la maison étant soutenu par la pente. Au sommet de la pente la maison se trouve exposée aux intempéries ; en bas, le Chi faste « coulera ».

PERGOLAS : structures de jardin offrant une excellente solution au problème des secteurs manquants. Elles introduisent de la variété dans un jardin, mais vérifiez soigneusement si elles ont un effet positif ou négatif sur le Feng Shui de la maison. Voir aussi *Belvédères*.

PÉRIODE DU 7 : nous sommes actuellement dans la période du 7, qui a débuté en 1984 et se termine en 2003. Le nombre 7 est connu sous le nom de période joyeuse, ou « Tui », qui veut dire à la fois bouche et montagne. Il suggère le bonheur intense, l'harmonie, la tranquillité, la jouissance, l'indulgence, le milieu de l'automne, et une jeune fille. Venant après toutes les responsabilités et les inclinations ambitieuses de la période du 6, c'est aussi un temps du rire, de la détente, et du plaisir. Cette ère est connue en matière de Feng Shui sous le nom de « période des Communications ». Pendant ce temps le nombre 7 passe pour faste, mais lorsque cette période sera achevée le nombre 7 deviendra néfaste.

PÉRIODE DU 8 : la prochaine période, la période du 8 (2004-2023), appartiendra au troisième fils, le jeune homme que nous avons élevé et qui désormais comprend le côté émotionnel de sa nature et se montre disposé à nous montrer le chemin. Cette ère sera symbolisée par la montagne (Ken). Ce sera une période où les alliances et les entreprises qui ont subi l'épreuve du temps prendront fin ou se transformeront, où de nouvelles perspectives potentielles se feront jour, ce qui constituera un défi et un changement de politique. Pendant la période du 8 le nombre 8 sera bien sûr doublement faste.

PHÉNIX : l'oiseau du sud qui provoque des occasions heureuses. Souvent décrit dans la mythologie chinoise comme compagnon du dragon, le phénix est capable de servir de symbole Feng Shui pour activer la chance relative aux occasions favorables. Pour la chance concernant le mariage, l'alliance du phénix et du dragon symbolise un grand bonheur conjugal et les Chinois utilisent souvent, lors des banquets de noces, le symbole montrant ensemble les deux animaux. Mettez un motif représentant le couple phénix-dragon au sud-ouest de manière à activer la chance relative au mariage. Pour celle concernant la carrière, un phénix seul symbolise de nouvelles occasions favorables. Afin d'activer la chance dans votre travail, une image du phénix sans le dragon vaut mieux, parce qu'elle libère l'énergie du phénix. En compagnie du dragon, le phénix est une créature yin ; sans lui, il devient yang, apportant le succès financier et la prospérité. En matière de Feng Shui traitant du paysage, le phénix se trouve représenté par un petit monticule ou un terrain légèrement élevé, au sud, ou devant la maison. Si ce n'est pas le cas en face de votre porte d'entrée, vous pouvez en un créer artificiellement afin d'activer la chance du secteur. En tant que créature du sud, le phénix donne le maximum de résultats dans le secteur sud de la maison ou du bureau. Si vous ne trouvez pas de symbole de phénix adapté, d'autres oiseaux au beau plumage, comme le coq ou le paon feront l'affaire.

PHÉNIX ROUGE : la créature céleste du sud. On dit du phénix, « roi de toutes les créatures à plumes de l'univers », qu'il apparaît une fois tous les mille ans quand l'époque est favorable, et quand règne un bon souverain. On dit que les phénix annoncent des circonstances propices à une bonne renommée, à la richesse et à la prospérité de la famille. Placé au sud, il se trouve représenté dans une perspective Feng Shui par des contreforts peu élevés.

PIÈCE À VIVRE ou SALON : une pièce où se réunit la famille, située au centre de la maison, crée l'harmonie. L'équilibre régnera dans le foyer ; le cœur de la maison est la pièce dans laquelle la famille passe du temps ensemble.

PIÈCES : on peut affecter différentes pièces situées dans diverses parties de la maison en fonction de leur orientation. Une méthode simple pour distribuer les pièces aux membres de la famille consiste à essayer de placer la chambre du père de famille au nord-ouest, et celle de la mère au sud-ouest. Les jeunes fils seront placés à l'est et les jeunes filles à l'ouest. Servez-vous de l'arrangement des trigrammes du Pa Kua comme guide gouvernant l'affectation des chambres aux enfants.

PIÈCES DE MONNAIE : un des outils les plus efficaces du Feng Shui symbolique. Elles représentent la richesse et n'ont pas leur pareil pour activer le Feng Shui relatif à la richesse. On peut se servir d'anciennes pièces chinoises. Le trou carré au centre a une signification en matière de Feng Shui. L'alliance du cercle et du carré symbolise le ciel et la terre. Il convient de réunir trois pièces avec de la ficelle rouge et de les suspendre à la porte d'entrée, à l'intérieur, de façon à évoquer l'argent déjà présent dans la maison. Voir aussi *Caisse enregistreuse.*

PIÈCES DE MONNAIE DES DIX EMPEREURS : symbole représentant la prospérité de dix règnes. Il est très courant d'accrocher au bureau, en les plaçant dans une position stratégique, derrière votre fauteuil ou à main gauche, pour simuler le dragon, des pièces contemporaines de dix règnes. Elles doivent être nouées ensemble par du fil rouge. On peut employer des pièces authentiques ou des copies. En matière de Feng Shui, il importe peu que l'on utilise de vraies ou des fausses pièces, mais certains croient que les véritables pièces contiennent le Chi de leur période ou de leur origine.

PILIERS : les colonnes et les piliers représentent un potentiel nocif en Feng Shui s'ils ne sont pas encastrés et se trouvent directement en face d'une porte. Les piliers carrés provoquent plus de maux que les ronds. Deux piliers ronds flanquant une porte donnent un bon Feng Shui. Si des piliers causent des ennuis parce que leurs arêtes sont face à vous, mettez une plante contre l'arête pour la « cacher ».

PINS : le pin est un symbole vigoureux de longévité et de force face à l'adversité. Ce n'est pas une mauvaise idée d'avoir au moins un pin dans le jardin. Les aiguilles du pin sont censées posséder d'excellentes qualités pour purifier la maison et en éliminer les mauvaises énergies. Elles constituent donc un utile agent de purification et de nettoyage de l'espace d'habitation.

PISCINES : elles doivent occuper un emplacement stratégiquement bien situé, sinon elles causent des problèmes. Il est très facile de commettre des erreurs avec les piscines. Le principe général veut qu'on les installe à la gauche de la porte d'entrée (lorsque de l'intérieur on regarde vers l'extérieur), sinon le mariage pourrait se terminer par une séparation ou même un divorce. L'idéal serait qu'une piscine ne soit ni carrée ni rectangulaire. Elle devrait plutôt avoir une forme arrondie qui ne fait pas de mal à la maison. Une piscine n'écrasera jamais une maison par sa présence. Sa largeur ne devra pas créer de déséquilibre. Rappelez-vous qu'un excès d'eau représente un signe de danger, parce que lorsque l'eau déborde elle provoque une grande malchance. C'est la même chose pour l'eau à l'état naturel. Quand la masse d'eau est importante, mieux vaut se trouver à une certaine distance, de manière à ce que le Chi se dirigeant vers votre maison soit à la fois équilibré et faste.

PIVOINE : reine des fleurs, excellente quand il s'agit d'engendrer la chance relative aux liaisons amoureuses. On l'associe aux belles femmes désirables. La légendaire Yang Kuei Fei, réputée être une des plus belles femmes de l'histoire chinoise, et concubine de l'empereur, décorait sa chambre avec des pivoines toute l'année. L'empereur qui ne pouvait rien lui refuser, devait faire en sorte que ces fleurs lui soient envoyées du sud. Les parents désirant que leur fille contracte un bon mariage devraient accrocher dans le salon un grand tableau représentant de nombreuses pivoines. Plus les fleurs sont fournies, plus la fortune sera souveraine. Des peintures de pivoines, ou des pivoines en soie, peuvent aussi s'utiliser dans la chambre, mais il vaut mieux activer l'espace de vie principal. Si vous êtes déjà marié, suspendre dans la chambre un tableau avec des pivoines rendra votre mari plus amoureux, mais de quelqu'un d'autre peut-être. Par conséquent ces fleurs ne conviennent pas si l'on veut ramener l'amour dans un mariage.

PLAFONDS : ils ne seront ni trop bas, ni trop agressifs quant à leur conception. Une hauteur de plafond inférieure à 2,5 m implique que vous subirez le fardeau d'ennuis nombreux ; il devra dominer la personne la plus grande de la maison d'au moins 1,2 m. Évitez tout ce qui fait saillie dans les secteurs ou les motifs compliqués, menaçants. Abstenez-vous d'avoir des poutres, à moins qu'elles ne soient structurellement intégrées au plafond, surtout une poutre solitaire. Peignez votre plafond en blanc ou d'une couleur vive, et jamais en noir ou en bleu, tous deux très néfastes.

PLANTES : les plantes signifient toujours un bon Feng Shui et renforcent bien les secteurs du bois de la maison ou du bureau. De même que la lumière suggère l'élément feu, les plantes suggèrent toujours l'essence de la croissance caractérisant l'élément bois. Si vous faites pousser des plantes partout dans la maison, et surtout à l'est et au sud-est, votre Feng Shui sera très renforcé. Contrôlez l'état des plantes en les taillant régulièrement. Les plantes qui se meurent doivent être immédiatement éliminées.

PLANTES GRASSES : toutes les plantes grasses ou les fruits succulents sont censés porter chance, puisqu'ils suggèrent une rétention d'eau suffisante pour maintenir le végétal en bonne santé. Les cactus remplacent fort bien le jade.

PLANTES PIQUANTES voir *Cactus*.

POISSON : avoir des poissons apporte un bon Feng Shui, car ils représentent le succès. Si vous avez un aquarium, mettez-le près de la porte d'entrée ou dans le salon. L'arrowana est un porte-bonheur très faste. S'il vous est impossible d'avoir des poissons vivants, le symbole ou la représentation d'un poisson sur un vase ou sur un tableau fera l'affaire. Exposez l'objet près de l'entrée ou dans le salon. Voir aussi *Arrowana*.

POISSONS ROUGES : si vous avez des poissons rouges (ils portent bonheur), mettez-en 9 dans un aquarium rectangulaire ou rond. Il en faut 8 multicolores et 1 noir. Les poissons rouges excellent à améliorer la chance Feng Shui d'une maison ou d'un bureau, et leur influence est plus forte lorsqu'on les place au nord, à l'est ou au sud-est du foyer. Ils ne doivent jamais être placés dans la chambre.

PONTS : des ponts à proximité de la maison seront bénéfiques s'ils ont trois, cinq ou neuf arches. Ils peuvent être droits ou incurvés, munis de poutres, d'arches, suspendus ou flottants. Ils peuvent avoir une fonction de pavillon ou de couloir, être faits de pierre ou de bois, dont le bambou. En Chine, les ponts conçus pour favoriser le Feng Shui d'un jardin sont en pierre, et l'arche se présente sous la forme d'un demi-cercle.

PORTAILS : la forme et l'orientation des portails peuvent servir à attirer un bon flux de Chi. L'idéal est qu'ils aient deux battants et s'ouvrent vers l'intérieur plutôt que vers l'extérieur. Il est de très bon augure de concevoir un portail dont le centre soit plus haut que les côtés ; ceci symbolise la réalisation des buts que l'on se fixe. Si le centre se trouve plus bas que les côtés, cela signifie la malchance dans le domaine professionnel. Notez que le portail ne constitue pas l'entrée principale ; ainsi, lorsque vous choisissez les directions fastes de votre foyer, vous devez attacher davantage d'importance à l'entrée principale de la maison qu'au portail permettant l'accès à la propriété.

PORTE : l'analyse Feng Shui lui accorde beaucoup d'importance. La taille et le nombre de portes, de même que leur disposition les unes par rapport aux autres, entraînent des conséquences en matière de Feng Shui. L'orientation de la porte d'entrée compte énormément ; veillez à ce que des structures hostiles dans l'environnement extérieur ne lui nuisent pas.

PORTE DE LA LUNE : une entrée de forme circulaire représente, dit-on, un équilibre harmonieux entre énergies yin et yang, et se trouvait communément dans l'ancien temps. Le rond suggère l'élément métal/or.

PORTE D'ENTRÉE : point sur lequel se concentre l'analyse Feng Shui. Il s'agit ici de la porte d'entrée principale, dont le Feng Shui détermine en grande partie celui de toute la maison. Il est donc impératif de faire en sorte que son Feng Shui soit faste. Voir aussi *Porte*.

PORTRAITS DE LA FAMILLE : une méthode efficace pour susciter la cohésion familiale consiste à suspendre un portrait de la famille dans le salon ou dans la pièce à vivre. Chaque membre de la famille devrait y figurer et, afin de symboliser le bonheur, chacun doit sourire. Disposez la famille de manière à créer un ensemble dont la forme convienne le mieux au chef de famille ou au patriarche. Un groupement triangulaire a beaucoup d'efficacité quand le père est né une année gouvernée par le feu ou par la terre. Veillez à ce qu'il se trouve au sommet du triangle. Cette distribution crée l'élément feu, signifiant une précieuse énergie yang. Une disposition sinueuse est souveraine si le père est né l'année placée sous le signe de l'eau ou du bois. Ceci crée l'élément eau. C'est une forme yin, excellente quand la maison souffre d'un excès d'énergie yang, c'est-à-dire lorsqu'il s'y trouve beaucoup de fils et pas de filles. Le père doit se situer au centre et, afin de créer la forme sinueuse qui symbolise l'eau, les têtes des autres membres seront disposées à des hauteurs différentes dans le cadre ou le tableau. Cette disposition implique également une forme régulière, équilibrée, et convient au père né une année sous le signe du bois ou du feu. La distribution rectangulaire suggère l'élément bois, c'est la plus répandue. Une disposition carrée est assimilée au rectangle et convient aux familles peu nombreuses. Cette forme suggère l'élément terre et convient à tout le monde, puisque cet élément désigne aussi la famille. Elle est surtout bénéfique dans le cas où le père est né sous le signe du métal, puisque la terre produit le feu dans le cycle des éléments.

POSITIONS PENDANT LE SOMMEIL : l'École de la Boussole attribue à chacun un nombre Kua, qui détermine ensuite les quatre meilleures et pires orientations à respecter pendant le sommeil. On conseille de dormir avec la tête orientée dans l'une des bonnes directions. Pour plus de détails, voir le chapitre traitant du Feng Shui de la chambre à coucher (pages 160-171). Voir aussi *Nombres Kua*.

POUTRES : des poutres apparentes causent des problèmes de Feng Shui dans la maison et au bureau. On peut soit suspendre un carillon éolien à cinq tubes, soit accrocher deux tiges de bambou attachées avec du fil rouge, afin de triompher du Chi négatif. Ne vous asseyez pas directement sous une poutre apparente, surtout s'il s'agit d'un élément structurel.

PRINCIPE CLASSIQUE YANG : un des plus anciens textes classiques, dont on dit qu'il contient un traité complet sur le Feng Shui du paysage.

PRINTEMPS : saison de l'élément bois et période de l'année qui représente la croissance et un nouveau départ ; d'un point de vue Feng Shui c'est une bonne période pour créer une nouvelle entreprise, lancer un nouveau produit, ou simplement pour commencer un projet ou une entreprise dans le domaine des affaires. La date exacte à laquelle démarrer quoi que ce soit doit cependant être déterminé en fonction du Tong Shu. Voir aussi *Almanach*.

PUITS : c'est un objet utile à incorporer au système d'alimentation en eau et d'écoulement des eaux usées de la maison. Dans ce domaine, un des aspects les plus importants est de maîtriser le sens d'évacuation des eaux de la maison. Ceci peut se faire efficacement en réalisant un « puits » qui collecte toute l'eau de la maison pour la faire s'évacuer dans votre direction bénéfique, d'après la formule classique du Dragon d'Eau.

Q

QUATRE CRÉATURES CÉLESTES : le Dragon (est), le Tigre (ouest), le Phénix (sud), et la Tortue (nord). Les quatre créatures célestes du Feng Shui apportent chacune à la maison qu'elles entourent une catégorie de chance spécifique. Le dragon apporte la richesse et la prospérité ; la tortue, le patronage et le soutien ; le phénix apporte les occasions favorables et la reconnaissance sociale ; le tigre apporte la protection contre les forces des ténèbres. Ensemble, et quand on les oriente correctement les unes par rapport aux autres, les créatures célestes symbolisent un Feng Shui parfait.

RÉFRIGÉRATEURS : quand on installe un réfrigérateur dans la cuisine, il ne faut jamais le placer près de la cuisinière, car il ne faut pas créer un conflit d'éléments entre l'eau (le réfrigérateur, le lave-vaisselle et l'évier) et le feu (la cuisinière). Ils ne devront pas non plus se trouver l'un en face de l'autre. Ces deux dispositions donnent lieu à un mauvais Feng Shui.

RELIEF NATUREL : il renvoie aux collines et aux montagnes du paysage, en particulier celles qui simulent le dragon et le tigre. Le Feng Shui relatif aux paysages s'attache aux éléments naturels et à leur hauteur. Cependant, les constructions de la main de l'homme affectent également le Feng Shui d'un lieu et on en tient aussi compte.

RIDEAU DE PERLES : remède Feng Shui pour les encadrements de porte affectés par une mauvaise influence. L'emplacement des portes dans la maison a des conséquences en matière de Feng Shui. Il ne faudrait jamais avoir deux portes se faisant face de part et d'autre d'un couloir. Pareille disposition entraînera des disputes et des malentendus entre les membres de la famille, et en particulier entre les deux personnes dont les portes s'opposent. De manière à atténuer l'effet négatif de pareille conformation, à défaut de modifier complètement l'emplacement des portes, suspendez un rideau de perles devant l'encadrement. De la sorte, la porte semble toujours fermée. Toutefois, si une porte se situe face à une partie d'une autre porte, l'effet est pire. Dans pareil cas, on recommande d'essayer d'interposer quelque chose entre elles, comme une plante, qui peut faire office de cloison. En l'occurrence, un rideau de perles ne constitue pas la solution adaptée.

RIDEAUX : efficace outil Feng Shui, les rideaux ont une double fonction en matière de Feng Shui ; ils peuvent occulter un excès de soleil ou le spectacle de structures nocives présentes dans l'environnement. Le Feng Shui considère que ce que l'on ne voit pas a « disparu ». Il est possible d'utiliser des rideaux dans le but de favoriser le Feng Shui de votre espace, qu'il s'agisse de la maison ou du bureau. Étudiez les couleurs convenant le mieux à chaque secteur de la pièce en fonction des points cardinaux. Ceci à cause des éléments correspondant aux directions. Par exemple, suspendez un rideau bleu foncé au nord, à l'est ou au sud-est. Le bleu est synonyme d'eau, ce qui est bon pour ces trois directions : le nord, parce qu'il appartient à l'élément eau, l'est et le sud-est, parce que ces orientations dominées par le bois bénéficieront de l'élément eau inclus dans le rideau bleu. Pareillement, des rideaux rouges, jaunes et roses s'avéreront excellents au sud, au sud-ouest et au nord-est ; le vert sera bon à l'est, au sud-est et au sud ; le blanc et les couleurs métalliques (or ou argent) portent bonheur à l'ouest, au nord-ouest et au nord ; les bruns seront à leur place à l'est et au sud-est ; les violets et les lilas conviendront au nord, à l'est et au sud-est.

RIVIÈRES : une rivière au cours lent, visible de votre maison, passe pour élément du paysage faste en matière de Feng Shui. On croit que les rivières véhiculent un bon Chi, surtout quand le courant est faible, quand l'eau est propre et décrit des méandres. Les rivières polluées sont en général affligées d'un souffle empoisonné. Si votre propriété se trouve près d'une rivière, orientez la maison de manière à ce qu'elle se trouve en face. Puis, en fonction du sens du courant de la rivière passant devant la porte d'entrée, faites en sorte que celle-ci soit orientée de manière à capter efficacement le bon Chi de la rivière. Faites-le en respectant le principe de base concernant le sens d'écoulement de l'eau extrait du Dragon d'Eau classique :

- Si la porte est orientée vers un des points cardinaux, le nord, le sud, l'est ou l'ouest, la rivière doit couler de la gauche vers la droite par rapport à la porte d'entrée.
- Si la porte est orientée vers un des points cardinaux secondaires, le sud-est, le sud-ouest, le nord-est ou le nord-ouest, l'eau doit passer de la droite vers la gauche par rapport à la porte d'entrée.

ROC : un roc (ou une grosse pierre), placé dans une salle de bains peut vaincre ses mauvais effets. Les pierres sur lesquelles on aura noué un fil rouge constituent un antidote efficace contre des toilettes situées dans la partie nord de la maison. Les toilettes y provoquent la malchance pour ceux qui veulent faire carrière. On peut également employer les grosses pierres pour activer la chance au nord-est ou au sud-ouest du jardin. Là, une petite rocaille stimulera l'énergie de la terre qui apporte l'harmonie au sein des relations familiales et l'amitié.

ROND : puisque la forme circulaire dénote l'élément métal, le rond peut représenter l'or. Les formes rondes conviennent particulièrement à l'ouest, au nord-ouest et au nord, et on peut les incorporer à des structures et à une décoration intérieure figurant dans ces secteurs de la maison ou du jardin.

ROUGE : couleur la plus prisée et la plus faste, le rouge est la plus yang des teintes. Elle représente le trigramme Li et symbolise l'élément feu. Le rouge renforce et active, où qu'on le trouve, surtout en hiver, quand l'énergie yang décline. On porte du rouge en toutes sortes d'occasions heureuses. Lorsque vous accrochez au mur une calligraphie faste dans la maison, utilisez le rouge comme couleur de fond pour activer son énergie. Toutefois, le rouge est aussi capable de provoquer de sérieux ennuis quand on en abuse. Si l'on ne maîtrise pas le feu, il peut brûler et détruire, par conséquent, dominez-le et faites le travailler pour vous.

ROUTES : les routes environnantes ont un bon ou un mauvais Feng Shui selon leur hauteur et leur direction. Les routes qui semblent se diriger droit sur la maison provoquent d'habitude un mauvais Feng Shui qu'il faudrait contrer avec un Pa Kua ou un miroir, ou simplement occulter de manière à ce que l'on ne la voie plus. Il convient de même de se méfier si l'on vit près d'un carrefour, quel qu'en soit le type.

SAISONS : chaque saison a un élément qui lui correspond. L'hiver relève de l'élément eau ; le bois est le printemps ; le métal est l'automne ; la terre est l'élément représentant la demi-saison.

SALLE À MANGER : en matière de Feng Shui, il s'agit d'une pièce très importante. Il est possible d'y doubler la quantité de nourriture sur la table familiale par le biais de miroirs lui faisant face. La salle à manger profite aussi à toute la famille si elle se situe au milieu de la maison, puisque cela signifie la présence de la famille au cœur du foyer. La salle à manger sera toujours plus haute que le salon ou au même niveau. Si vous habitez une maison à plusieurs étages, veillez à ce que votre famille prenne ses repas à l'étage le plus haut. Si vous avez plus d'une salle à manger chez vous, assurez-vous que la plus utilisée se trouve au plus haut niveau. La salle à manger ne devrait pas se situer près de la chambre ; ceci crée beaucoup de Chi propre à déstabiliser les occupants dans les deux pièces. Des toilettes à proximité de la salle à manger ne portent pas chance ; si c'est le cas, laissez la porte fermée en permanence. Faites attention de ne pas situer la salle à manger au bout d'un long couloir ; prendre ses repas dans une pièce aussi néfaste n'est pas du tout de bon augure pour la famille. Afin d'activer davantage l'« estomac » de la maison, accrochez des tableaux représentant des fleurs en pleine santé et de juteux fruits mûrs.

SALLE DE BAINS : le Feng Shui assimile la salle de bains aux toilettes. Dans une perspective Feng Shui, la maison pourrait fort bien s'en passer. Essayez de réduire au minimum la taille et la décoration de votre salle de bains et laissez systématiquement la porte fermée. Une salle de bains ne doit jamais être trop vaste.

SALON : le meilleur endroit de la maison pour placer des symboles activant et renforçant le Feng Shui. Le Feng Shui des salons et la manière dont on y dispose le mobilier revêtent de l'importance dans le Feng Shui global de la demeure. La partie la plus faste du salon est le secteur se trouvant à la diagonale de l'entrée. Y placer quelque chose d'important, comme le fauteuil préféré, vous amènera au secteur qui porte le plus bonheur. C'est aussi l'endroit idéal où mettre un crapaud à trois pattes et un dragon. Les salons devraient systématiquement se trouver plus bas que les chambres et les salles à manger.

SCULPTURES : agents d'activation Feng Shui souverains qui apportent la bonne fortune lorsqu'on les installe au jardin dans les secteurs de la terre. Les sculptures en pierre, granit, marbre ou céramique conviennent pour les secteurs situés au sud-ouest ainsi qu'au nord-est. Celles en métal iront à l'ouest et au nord-ouest. Évitez les sculptures avec des angles aigus ou des pointes.

SECTEURS SAILLANTS voir *Colonnes* et *Piliers*.

SENS DE CIRCULATION DES VOITURES : dans les grandes villes, on assimile les routes à des rivières. Ainsi, le sens de circulation des voitures est semblable au cours d'une rivière. Une circulation rapide crée du Sheng Chi et se révèle donc plus faste. Les feux tricolores et les ralentisseurs près de votre bureau ou de votre maison sont excellents puisqu'ils obligent la circulation à ralentir. Néanmoins, les bouchons engendrent un mauvais Feng Shui parce qu'ils signifient une obstruction du flux.

SERRES : comme les gloriettes, elles peuvent renforcer le Feng Shui de votre porte. Les serres représentent des extensions de la maison, fastes ou non selon l'emplacement de la porte d'entrée. Voir aussi *Gloriette*.

SHAR CHI : énergie mortelle, ou souffle mortel, causé par des flèches empoisonnées et un déséquilibre entre le yin et le yang. Le Shar Chi est le contraire du Sheng Chi. Le Feng Shui prescrit divers antidotes pour le neutraliser.

SOUFFLE COSMIQUE : voir *Chi*.

SOUFFLE DU DRAGON, LE CHI COSMIQUE : voir *Chi*.

SOUFFLE MORTEL : appelé également Shar Chi, il apporte de graves ennuis. C'est l'opposé du bon Chi faste. Le souffle mortel sème le désastre dans votre existence et votre chance. Vous devez tout faire pour dissoudre, détruire ou dévier ce souffle mortel qui vient vers vous. Voir aussi *Flèches empoisonnées*.

STATUES : il convient de placer la statue du père de famille au nord-ouest, alors que celle de tout autre membre de la famille devrait se trouver alignée en fonction de la direction faste de la personne représentée. Les statues créent un excellent Feng Shui quand on les place au sud-ouest ou au nord-est.

STATUES DE BOUDDHA : les objets sacrés doivent avoir un bon Feng Shui. On tiendra les peintures et les statues de Bouddha pour des objets sacrés. Ne les mettez pas sous une salle de bains, ni en face, ni à proximité. Le meilleur endroit pour une statue ancienne de Bouddha est le nord-ouest du couloir d'entrée ou du salon. Vois aussi *Autel*.

STÉRILITÉ : le Feng Shui peut parfois aider à y remédier. Si la conception se fait attendre, suggérez à l'homme de changer d'endroit pour dormir ou de modifier son orientation pendant le sommeil. Utilisez sa direction Nien Yen, qui sera fondée sur son nombre Kua personnel.

STRUCTURE EN HAUTEUR : il convient de les examiner afin de voir leur effet sur les portes. Si des structures telles que des bâtiments élevés ou des voies surélevées se trouvent trop près de la porte d'entrée, on dit qu'elles amènent de sérieux ennuis Feng Shui à la porte et à la maison. Pour les combattre, il faut les occulter avec des arbres. Choisissez de préférence des massifs aux feuilles rondes et larges.

STRUCTURES HOSTILES : elles incluent les immeubles, des éléments du relief, des collines, des affleurements de rochers, des voies suspendues, des toboggans et autres grandes structures de béton capables d'envoyer un souffle négatif en direction de votre maison. Voir aussi *Flèches empoisonnées* et étudier le chapitre traitant des flèches empoisonnées dans l'environnement (pages 316-327).

SUD : emplacement du phénix, période de l'été. Le sud représente la renommée. On considère ce point cardinal comme étant un des plus heureux, et, selon le Principe Classique Yang, si vous situez votre maison en l'orientant vers le sud, vous aurez un très bon Feng Shui. Dans la partie sud du salon, veillez à ce que le secteur soit bien éclairé. Y placer quelque chose de rouge est aussi très bien. Voir aussi *Phénix*.

SUD-EST : c'est le secteur qu'il convient d'activer si vous voulez augmenter vos revenus. Utilisez des plantes et de l'eau afin d'attirer les revenus dans ce secteur. Déterminez-en l'emplacement à l'aide d'une boussole.

SUD-OUEST : le secteur yin par excellence, et de la bonne énergie yin. Le sud-ouest représente une direction très importante dont profite la mère de famille. Si elle joue un rôle important à la maison, assurez-vous que cette direction ne souffre pas de la présence des toilettes ou de la cuisine. Un secteur sud-ouest menacé portera atteinte aux perspectives de mariage des enfants.

SYMBOLE DU YIN-YANG : représente de manière éloquente l'équilibre de deux énergies opposées, pourtant complémentaires. Le symbole montre le flux et le reflux de l'énergie, et signifie en outre que dans le Yin on trouve toujours un peu de Yang et réciproquement. Le Yin donne toujours naissance au Yang et vice-versa et quand ils atteignent un équilibre complet, on dit que le Tao parfait est atteint.

SYMBOLES : le Feng Shui abonde en symboles divers qui annoncent la bonne fortune. Apprendre à les disposer correctement et dans les secteurs adaptés de la maison fait partie du Feng Shui symbolique.

SYMBOLES D'AMPLIFICATION : symboles de bonne fortune qui, si on les situe correctement, créent un bon Feng Shui. Il existe de nombreux symboles de bonne fortune que l'on peut utiliser afin d'augmenter le Feng Shui des secteurs et des pièces. La plupart des techniques Feng Shui se servent également de la méthode des éléments pour mettre en valeur les différents secteurs afin d'activer les diverses formes de bonne fortune.

SYSTÈME GANZHI (OU GHANGXI) : système sur lequel se fonde l'astrologie chinoise. Il regorge de symboles relatifs à des cycles que l'on associe aux animaux du zodiaque chinois et aux éléments. Le ganzhi comprend vingt-deux symboles regroupés en deux ensembles, dix appartenant aux tiges du ciel (ou célestes) et douze aux branches de la terre (ou terrestres). Les tiges renvoient aux Cinq Éléments, chacun sous l'espèce céleste dure (yang) ou douce (yin). Les éléments sont la terre, l'eau, le bois, le feu et le métal. Ils ont un Cycle de Production et un autre de Destruction. Les branches renvoient aux forces de la terre et sont représentées par les douze animaux du zodiaque chinois : le rat, le bœuf, le tigre, le lapin, le dragon, le serpent, la chèvre, le cheval, le singe, le coq, le chien et le sanglier. Les animaux contrôlent l'heure, le jour, le mois et l'année, et représentent une période de chaque unité de temps. On peut naître un jour du tigre, un mois du rat, à une heure du serpent, et une année du bœuf. La combinaison exprime les huit caractères dont on dit qu'ils gouvernent la destinée individuelle. Chacune des douze années est classée en catégories en fonction des Cinq Éléments (12 x 5) de manière à produire des cycles de 60 ans. Ces cycles se répètent. Les Chinois pensent que l'influence mutuelle des douze branches terrestres et des dix tiges célestes gouverne toute la destinée de l'homme et constitue le fondement de l'astrologie chinoise. En fait, ils pensent que cette interaction contrôle tout dans l'univers. Après des années d'observation, les Chinois ont élaboré des associations entre des changements intervenant dans l'environnement et les cycles des lunaisons, des saisons et du soleil au sein de chaque cycle de 60 ans. C'est ce qui fonde l'almanach chinois, ou Tong Shu, grâce auquel on peut identifier les jours fastes pour entreprendre certaines activités (par exemple, se marier, fonder une entreprise ou déménager). Voir aussi *Almanach*.

TABLE DE SALLE À MANGER : il existe quatre formes porte-bonheur pour les tables de salle à manger : ronde, carrée, rectangulaire et octogonale (Pa Kua). Les Chinois préfèrent la forme ronde parce qu'elle symbolise l'absence d'incident dans la manière dont se déroulent les choses. La forme ronde signifie également l'or, donc l'argent. De la sorte on dit des tables rondes qu'elles symbolisent la création de la richesse et de la prospérité.

TABLES DE RÉFÉRENCES ANNUELLES : destinées à identifier les jours fastes et néfastes. Voir aussi *Almanach*.

TAI-CHI : exercice fondé sur l'activation des flux de Chi à l'intérieur du corps. Les mouvements sont lents mais très précis. Bien que le tai-chi soit originaire de Chine, il attire des millions de pratiquants dans le monde entier et leur apporte ses bienfaits.

TERRE : l'élément représentant le mieux le Feng Shui à l'œuvre. Le Feng Shui relève de la chance terrestre, et l'élément terre fait partie intégrante d'une pratique Feng Shui correcte. En même temps le trigramme par excellence yin, indiquant l'essence de l'énergie maternelle si cruciale dans un foyer, s'appelle Kun, dont l'élément est la terre. On dit aussi que le centre de la maison appartient à l'élément terre. Il importe donc que le Chi terrestre se trouve présent en grandes quantités pour qu'un foyer connaisse le bonheur. Le globe représente probablement le symbole le plus efficace de la terre. Quand on le met au nord-est, il contribue à exploiter la chance relative aux enfants. Dans le secteur sud-ouest et au centre de la maison, il magnifie et améliore la chance de chacun des membres de la famille ; à l'ouest et au nord-ouest, il mène souvent à la prospérité.

TERRE-MÈRE : le trigramme Kun (formé de trois lignes interrompues) qui gouverne le sud-ouest symbolise la « terre-mère » (c'est-à-dire la terre à l'état naturel). C'est le trigramme yin supérieur signifiant l'aspect féminin que nous portons tous. On peut se servir de ce trigramme pour renforcer la chance relative aux relations en le redoublant, ce qui le transforme en l'hexagramme Kun (six lignes interrompues), et en le suspendant au sud-ouest de la maison ou de la pièce. Un autre moyen d'utiliser l'énergie de la terre-mère pour activer le sud-ouest (le secteur des liaisons amoureuses) est d'y exposer un grand globe ou une grande mappemonde comme représentation de la terre-mère.

THÈME DE NAISSANCE DES HABITATIONS : c'est une interprétation Feng Shui fondée sur le Feng Shui des Étoiles Volantes. Elles se fondent sur des calculs particuliers qui indiquent en détail la chance de chacun des huit secteurs d'une maison. On se sert du Feng Shui des Étoiles Volantes, qui divise le temps en périodes et on calcule les tables de suivi d'un bâtiment à partir de sa date de construction ou de celle à laquelle on a effectué d'importants travaux de rénovation pour la dernière fois.

TIEN TI REN : céleste, terrestre et celle de l'homme sont les trois types de chance auxquelles on se réfère sous le nom de trinité de la chance. Ceci donne son orientation au Feng Shui, qui relève de la chance terrestre. On naît gouverné par la chance céleste, mais on crée la chance de l'homme. Ces trois catégories de chance contribuent également au succès et au bonheur que nous connaissons sur terre. Nous pouvons contrôler la chance terrestre et celle de l'homme, alors que la chance céleste est hors de notre portée. Beaucoup de maîtres de Feng Shui croient que, si vous bénéficiez d'une très bonne chance céleste et menez une vie vertueuse, vous aurez automatiquement un bon Feng Shui à votre insu. Vos orientations seront correctes et vous montrerez tous les symboles corrects de bonne fortune.

TIEN YI : direction personnelle pour engendrer une bonne santé, appelée également direction du « docteur céleste ». On la considère généralement comme la direction qui exploite la bonne santé. Il s'agit d'une direction personnelle fondée sur la formule des Huit Sites.

TIGRE BLANC : créature céleste de l'ouest, complément du Dragon Vert. Le Tigre Blanc est essentiellement une créature qui protège la demeure. Sans le tigre, on dit que le dragon n'est pas un véritable dragon. Le tigre incarne le courroux en matière de Feng Shui. Maîtrisez toujours le tigre en veillant à ce que l'ouest ne domine pas. Par exemple, ne faites pas en sorte que le côté ouest d'une maison, ou côté du tigre soit plus haut ou plus grand que le côté est. Laissez régner le dragon en utilisant des lumières vives pour maîtriser le tigre.
Abstenez-vous d'accrocher des représentations de tigre à l'intérieur de la maison : peu d'habitations peuvent soutenir l'énergie que dégagent pareilles images.

TOILETTES : elles sont toujours synonymes de mauvais Feng Shui. Ne les décorez pas d'accessoires onéreux, de fleurs et d'ornements fantaisies. Les rendre jolies ne les améliorera pas du point de vue du Feng Shui. Elles seront aussi petites que possible, avec une décoration minimale. La porte en restera fermée, et les objets fastes en seront tenus éloignés. Par exemple, suspendre des pivoines destinées à l'amour, dans le secteur relatif aux liaisons amoureuses qui se trouve abriter vos toilettes vous fera peut-être trouver l'amour, mais un amour qui provoquera beaucoup de peines de cœur.

TOITS : ils ne doivent jamais comporter d'aménagements comportant de l'eau. Si vous avez un jardin au sommet d'une construction, et voulez activer le secteur nord avec un petit aquarium rond, faites attention à ce qu'il ne soit pas trop large. Il ne faut pas avoir une piscine au sommet d'une construction, pas plus que le toit ne doit être bleu, puisque symboliquement, l'eau au-dessus d'une montagne annonce le danger.

TOITS BLEUS : un des signes dangereux en matière de Feng Shui. Essayez de vous abstenir d'avoir un toit bleu, car ceci signifie de l'eau au-dessus de votre maison. Changez les tuiles s'il le faut.

TORTUE NOIRE : créature céleste apportant une bonne fortune. On croit que la Tortue Noire fait partie des quatre créatures célestes qui suscitent la bonne fortune tout autant que la bonne santé et la protection. On rapporte que c'est sur le dos d'une Tortue Noire sortie des eaux de la rivière Lo que l'on a trouvé la disposition des nombres du carré Lo Shu, l'un des outils d'analyse symboliques les plus importants dans le Feng Shui fondé sur les formules. La disposition des nombres de 1 à 9 à l'intérieur du carré est censée se fonder sur les marques trouvées sur cette tortue des temps anciens. Quelle que soit la manière dont on additionne les

nombres, en diagonale, verticalement ou horizontalement, le résultat est toujours le même.
La Tortue Noire est l'un des quatre animaux qui constituent la formation bénéfique en « fauteuil » selon le paysage Feng Shui (ou d'après la méthode Feng Shui de l'École de la Forme). Le fauteuil est consistué du Dragon Vert à gauche, du Tigre Blanc à droite, de la Tortue Noire à l'arrière (pour le soutien) et du Phénix Rouge en façade (comme repose-pieds). Quand on construit une maison au sein de ces quatre animaux, le précieux Chi s'y trouve attiré et créé, ce qui entraîne beaucoup de chance pour ses occupants. La Tortue Noire est un symbole populaire de bonne fortune pour la maison. Qu'on la trouve sous la forme d'une peinture, d'une figurine, comme animal domestique (tortue terrestre ou d'eau), le Feng Shui symbolique engendré s'avère extrêmement faste. On croit que cette cousine plus petite de la tortue apporte la même chance qu'elle. Si vous désirez avoir une tortue (terrestre ou d'eau), installez-en une dans le secteur nord de la maison, mais une seulement, puisque c'est le nombre du nord. Ne craignez pas que votre animal domestique se sente seul sans partenaire : les tortues d'eau préfèrent naturellement la solitude.

TORTUES : les Chinois considèrent que toutes les tortues (de terre ou d'eau) sont bénéfiques. Elles attirent la bonne fortune dans la maisonnée et protègent de la malchance. On les associe, comme les tortues d'eau, au secteur nord et au nombre 1. Si vous décidez d'avoir une tortue chez vous, mieux vaut qu'elle n'ait pas de compagnon. Elles ne requièrent que peu de soins. S'il ne vous est pas possible d'avoir une vraie tortue, une représentation déposée dans le secteur nord symbolisera efficacement l'énergie de la tortue.

TORTUES D'EAU : placées au nord, ces tortues domestiques apportent la bonne fortune. Avoir une ou six tortues d'eau dans le secteur nord de la maison, soit dans le jardin, soit dans une cour intérieure de la maison, donne un excellent Feng Shui. Si vous en avez la possibilité, installez une petite chute d'eau qui tombe dans une mare circulaire au diamètre maximum d'environ trois mètres. Mettez-y des tortues d'eau et donnez-leur des aliments spéciaux ou des légumes frais aux feuilles vertes. Les tortues d'eau atteindront une grande taille. Gardez-les au sein de la famille car elles apprendront vite à vous reconnaître. Elles apportent un très bon Chi à la maison, assurent une longue vie au père de famille, et la naissance d'enfants qui apporteront l'honneur à la famille. Elles amènent également la richesse, la prospérité et la protection du foyer. Si vous ne trouvez pas de tortues d'eau, substituez-leur des tortues terrestres, mais il faudra les tenir éloignées de la mare. Et s'il ne vous est pas possible d'installer une mare, avoir une tortue en céramique peut symboliser la même sorte d'énergie : on croit que cela est tout aussi efficace, surtout si la représentation est réaliste.

TRIANGLE : il indique l'élément feu et c'est un symbole extrêmement agressif qui peut nuire à une maison lorsqu'un de ses sommets pointe vers la porte d'entrée. On tient souvent le triangle pour symbole protecteur, et il devient excellent placé au sud, parce que c'est le symbole du feu.

TRIGRAMME CHIEN : le trigramme le plus élevé dans la hiérarchie, représentant le patriarche. Le premier trigramme du *I Ching*. Composé de trois lignes continues, Chien se place dans le nord-ouest du Pa Kua yang. Puisque ce trigramme symbolise le patriarche, on dit que le nord-ouest est le secteur de la maison qui gouverne la chance du père de famille.

TRIGRAMME KAN : placé au nord, il représente l'eau et l'hiver. L'image est une ligne yang épaisse encadrée par deux lignes yin qui l'oppriment. Kan désigne souvent le danger dans la mesure où il avertit que l'eau constitue une épée à double tranchant susceptible d'échapper à tout contrôle, comme lorsqu'elle déborde et crée une inondation. Kan représente également le secteur nord de la maison.

TRIGRAMME KEN : placé au nord-est, il signifie la montagne ou la terre ou l'élément terre. Il symbolise le silence que l'on garde. Il figure la patience et le temps de la préparation. Afin d'activer l'essence Chi du Ken, mettez un objet de l'élément terre (c'est-à-dire des cristaux, un globe, du sable ou des rochers) au nord-est. Ce trigramme se rapporte aux études et donc il peut aider les jeunes gens.

TRIGRAMME KUN : le trigramme yin par excellence, représente la place de la femme la plus agée ou de la mère de famille. Kun, voulant dire celui qui est réceptif, se compose de trois lignes interrompues et il représente la nuit, la soumission ainsi que la puissance primale du yin. Son symbole est la terre à l'état naturel. Il représente aussi la fertilité. Placer ce trigramme dans le secteur des enfants peut aider les couples à concevoir une gande famille. Étant le trigramme yin par excellence, il peut s'utiliser pour équilibrer un excès d'énergie yang : par exemple, si le soleil de l'après-midi est trop fort pour la maison, exposer un trigramme Kun pourrait réduire les effets néfastes du soleil. Kun est aussi un important symbole de la terre-mère et activer l'emplacement du Kun, c'est-à-dire le sud-ouest, apporte la bonne fortune dans tous les lieux associés à l'amour, à la vie sociale, à la famille et aux relations avec autrui en général.

TRIGRAMME LI : placé au sud, il signifie le feu. Li, c'est-à-dire celui qui s'accroche, se compose d'une faible ligne interrompue entre deux fortes lignes continues yang. Li est le feu, le soleil, la lumière, l'éclair, la chaleur forte et la chaleur douce. Puisque le sud est le secteur de l'élément feu, le trigramme Li au sud constitue un moyen efficace d'activer la chance relative à la renommée que le secteur sud peut apporter.

TRIGRAMME TUI : ce trigramme représente la gaieté. Il décrit en outre la jeune femme apportant le bonheur. On considère que l'ouest est l'emplacement de la fille la plus jeune parce que ce trigramme indique également un lac. S'il se trouve un lac à l'ouest de la maison, ceci implique le Feng Shui du bonheur pour toute la maisonnée.

TRIGRAMMES : composés chacun de trois lignes, les trigrammes sont la source des hexagrammes du *I Ching* (le Livre des Mutations) qui forment la base des pratiques divinatoires chinoises. Chaque trigramme possède sa propre signification. Le pouvoir de prédiction du *I Ching* provient de la formation d'hexagrammes, que l'on crée ou construit d'ordinaire en jetant en l'air trois pièces de monnaie chinoises. Chaque hexagramme consiste en deux trigrammes. Les symboles de trigrammes, outre leur fonction divinatoire, peuvent s'utiliser pour favoriser le Feng Shui dans la maison.

U

URNE À RIZ : pour les Chinois, l'urne à riz symbolise les hauts et les bas du destin familial. Les Chinois qui observent les coutumes traditionnelles ne manquent pas de s'assurer que leur urne à riz n'est jamais négligée. En tant que nourriture de base des Chinois, le riz représente ce qui permet à la famille de vivre. Il n'est pas rare que des mères de famille aisées de la vieille école lèguent au fils aîné la précieuse urne à riz de la famille. Certaines familles en Chine continuent d'utiliser des urnes familiales qui ont connu plusieurs générations. Une urne à riz bien conservée transmise d'une génération à l'autre garantit qu'une famille continuera à jouir de l'opulence même pendant des temps difficiles. Il convient de conserver l'urne à riz familiale, comme le symbolique vase de richesse, cachée dans une réserve, signifiant la conservation de la fortune familiale loin des regards indiscrets. Sous le riz se trouve généralement un paquet contenant des pièces d'or soigneusement enveloppées de rouge, afin de symboliser l'argent. On renouvelle cet argent à chaque Nouvel An lunaire pour s'assurer d'une bonne fortune ininterrompue. Souvent, si l'année passée s'est avérée faste, on gardera une des pièces pour en ajouter de nouvelles. Ceci préserve la chance favorable que la famille connaîtra pour l'année à venir. L'urne à riz restera fermée constamment. Utilisez une urne solide pour entreposer votre riz.

URNES : réceptacles symboliques aux implications Feng Shui. Placée à un endroit stratégique, l'urne peut apporter une merveilleuse bonne fortune en ce qu'elle signifie l'arrivée d'une grande fortune. Les Chinois riches mettent souvent deux urnes de grande taille de chaque côté de la porte d'entrée à l'intérieur de la maison. Les urnes ont un col long et restent vides pour signifier symboliquement un vide demandant à être comblé par la richesse. D'autres préfèrent les urnes plus larges qu'ils remplissent soit de riz, soit « d'or factice ». Les urnes emplies de pierres fines se transforment en urnes de richesse qui symbolisent et attirent la richesse. On peut les placer de part et d'autre de la maison pour absorber le bruit et neutraliser tout ce qui vous afflige.

VASE DE RICHESSE : un vase de richesse personnel constitue un excellent moyen Feng Shui pour attirer la richesse. On peut le créer à partir de l'élément terre ou métal. Les vases relevant de l'élément terre pourraient être en cristal ou en porcelaine, alors que ceux relevant de l'élément métal sont faits en cuivre, en laiton, en argent ou en or. Plus le matériau est précieux, plus le vase le sera aussi. Il est possible de le remplir de pierres fines telles que le cristal, la malachite, l'améthyste, la citrine, etc. On peut également y mettre ses bijoux. Le vase de richesse doit être caché, dans un placard de la chambre, sans jamais se trouver face à la porte d'entrée ; ceci voudrait dire que la richesse s'enfuit.

VASES : peuvent se transformer en réceptacle à richesse afin d'attirer la bonne fortune. Voir aussi *Vase de richesse*.

VASQUES À OISEAUX : excellente structure comportant de l'eau, convenant au nord, à l'est et au sud-est du jardin. Veillez à la propreté constante de l'eau et remplacez-la quotidiennement si besoin est. Plus vous avez d'oiseaux attirés par votre vasque, plus elle créera d'énergie.

VENT : on dit qu'une bonne partie du relief est sculptée par le vent. Évitez les endroits excessivement venteux, tels que le sommet d'une montagne ou le bord de la mer. Quand les vents se font trop violents, ils deviennent mauvais et véhiculent un Chi mortel. Protégez la maison des vents rudes, qu'ils soient chauds ou froids.

VÉRANDAS : l'analyse Feng Shui considère que toutes les vérandas d'une maison en font partie intégrante. Puisque personne ne vit ni ne travaille dans cette partie de l'habitation, on peut affirmer que personne ne profite des secteurs fastes de la véranda. C'est pourtant un bon endroit où suspendre des carillons éoliens. Le son merveilleux des carillons éoliens au nord-ouest et à l'ouest apporte un excellent Chi dans la maison.

VÊTEMENTS : ils affectent le type d'énergie que vous attirez. Les vêtements ont une incidence sur votre chance. Porter des vêtements déchirés est très néfaste. Cela attire l'énergie de la pauvreté, ce qui se traduit souvent par la pire des malchances. Être vêtu de vêtements qui donnent mauvaise apparence entraîne les mêmes effets. Ils renvoient une mauvaise image de celui qui les porte tout en épuisant son énergie yang, et le plongent dans la léthargie.

VIE SOCIALE : on peut l'améliorer grâce à certaines techniques Feng Shui, et le meilleur moyen de créer la chance qui apporte une vie sociale active est d'employer des lumières vives, de manière à favoriser l'énergie yang dans le secteur sud-ouest du jardin. C'est l'emplacement de la terre à l'état naturel et cela crée de grandes quantités d'énergie. Si vous n'avez pas de secteur sud-ouest au jardin, ou si vous vivez dans un appartement, il vous est possible d'installer un éclairage tout aussi efficace si vous avez au moins un balcon ou une terrasse au sud-ouest. Pour activer correctement l'énergie yang, vous devez utiliser deux lumières plutôt qu'une : 2 est en effet le nombre du sud-ouest. Une lampe rouge renforcera particulièrement le symbolisme de l'énergie yang. La lampe dont vous vous servirez ne devra être ni trop grande ni trop petite et sera placée à 1,50 m du sol, sous la forme d'un lampadaire, d'une lampe de table, ou d'une suspension. Notez que ceci ne vaut pas pour la chambre.

VIOLET : couleur bénéfique, le violet symbolise l'eau et représente quelque chose de plus que le bleu. Il s'avère particulièrement bénéfique quand on le marie au chrome et à l'argent.

W

WUXING : « Wu » signifie « cinq » et « Xing » représente la forme abrégée de « cinq types de Chi dominant à des moments différents », que l'on traduit généralement par le mot « éléments ». L'eau domine en hiver, le bois au printemps, le feu en été et le métal en automne. C'est la terre qui domine la transition entre deux saisons. L'eau, le bois, le feu, le métal et la terre renvoient à des substances dont les propriétés ressemblent aux types de Chi correspondants et nous aident à comprendre les diverses propriétés des cinq sortes de Chi. Celles-ci se résument ainsi : l'eau coule vers le bas – il y a toujours un danger d'inondation ; le bois pousse vers le haut – il représente la vie et la croissance par excellence ; le feu s'étend dans toutes les directions – il est ardent, chaud, capable d'échapper à tout contrôle ; le métal est perçant, dirigé vers l'intérieur – il est tranchant, pointu, peut s'avérer mortel et puissant ; la terre attire et nourrit – elle est stable, compatissante et protectrice.

YAP CHENG HAI : mentor de l'auteur en matière de Feng Shui. Yap Cheng Hai vient d'une impressionnante lignée d'experts en Feng Shui. C'est un érudit chinois versé dans les traditions et l'héritage classique de la Chine. Il a appris son art auprès de nombreux maîtres (maintenant décédés) et d'écoles de Feng Shui à Hong Kong, à Taiwan et à Singapour. Il a exploré le Feng Shui yin, visitant d'innombrables cimetières chinois afin d'étudier d'anciennes nécropoles ancestrales. Les Chinois croient que l'orientation des tombes anciennes exerce une influence sur la fortune des descendants des défunts. L'étude du Feng Shui authentique s'avère considérablement plus complexe et difficile que celle du Feng Shui yang. Maître Yap excelle surtout dans la pratique et dans l'interprétation du Parc Chai (École des Huit Sites), du San Yuan (Écoles des Étoiles Volantes), et du Dragon d'Eau classique (École du Feng Shui de l'eau), la plus réputée. Le Feng Shui de l'eau propose essentiellement d'accroître énormément la chance relative à la fortune. Le travail de Maître Yap et le succès qu'il a dans ce domaine de spécialisation lui valent une réputation internationale.

BIBLIOGRAPHIE OUVRAGES GÉNÉRAUX

Birdsall George
Mettez du Feng Shui dans votre vie : comment puiser dans l'espace toute l'énergie dont vous avez besoin
ÉDTIONS DE L'HOMME 1999

Brown Simon
L'essentiel du Feng Shui
HACHETTE PRATIQUE 2000

Collet Bruno et Virag Alexandra
Feng Shui, force d'harmonie
TRAJECTOIRE 1999

Collins Terah Kathryn
Guide pratique du Feng Shui
VIVEZ SOLEIL 1998

Craze Richard
Le Feng Shui
MANISE 1998

Edde Gérard
Feng Shui : pour une harmonie des lieux
TABLE RONDE 1998

Feng Shui
PARDÈS 1998

Hale Gill
Le grand Livre du Feng Shui
MANISE- MINERVA 1999

Man-Ho Kwok et O'Brien Joanne
Le Feng Shui
G.TRÉDANIEL, 1995

Ravier Guy-Charles et Ravier Sylvie
Pour une meilleur compréhension du Feng Shui
ÉDITIONS DU COSMOGONE 1996

Rossbach Sarah
Feng Shui : l'art de mieux vivre dans sa maison
SOUFFLES 1999

Saint-Arnault Régine
Guide du Feng Shui
MARABOUT 1999

Santos Daniel
Le Feng Shui de l'être humain : harmonisation du corps et de l'esprit pour une vie meilleure
ÉDITION DE L'ÉVEIL 1999

Sator Gunther
Feng Shui : habitat et harmonie
VIGOT 2000

Too Lillian
Le guide illustré du Feng Shui : les secrets de la sagesse chinoise pour la santé, la richesse, le bonheur.
G.TRÉDANIEL 1999

Le petit livre du Feng Shui
G.TRÉDANIEL 1999

Feng Shui : principes fondamentaux : huit leçons d'initiations
G.TRÉDANIEL 1998

Le Feng Shui sans peine : 168 façons de réussir
G.TRÉDANIEL 1999

Créez l'abondance avec le Feng Shui
G.TRÉDANIEL 2000

Waring Philippa
Le feng chouei des jardins
MÉDICIS-ENTRELACS 1999

Webster Richard
Le Feng Shui au quotidien
Collection Équilibres
J'AI LU 2000

Wong Eva
Leçons approfondies de Feng Shui : vivre aujourd'hui dans l'harmonie que nous enseigne la sagesse chinoise
COURIER DU LIVRE 2000

Walters Derek
L'Astrologie chinoise chinoise : art et pratique
FLAMMARION 1987

OUVRAGES SPÉCIALISÉS

Brown Simon
Votre avenir sous bonne influence : grâce au Feng Shui
HACHETTE PRATIQUE 2000

Votre maison sous bonne influence : grâce au Feng Shui
HACHETTE PRATIQUE 1999

Chen Chao-Hsiu
Feng Shui : comment vivre heureux et en bonne santé dans sa maison et son jardin
G.TRÉDANIEL, 1998

Le Feng Shui du corps, calligraphie et illustrations de l'auteur
G.TRÉDANIEL 1999

Gunn Graham
Le Feng Shui au bureau
Collection : savoir pratique
MARABOUT 2000

Halfon Roger
Le Feng Shui et votre santé
Y. PEYRET 2000

Kingston Karen
L'harmonie de la maison par le Feng Shui
J'AI LU 2000

Lagatree Kirsten M.
Le feng chouei des bureaux
MÉDICIS-ENTRELACS 1999

Lam Kam Chuen
Pratique personnalisée du Feng Shui : comment se ménager un mode de vie sain et harmonieux en fonction de sa nature
COURRIER DU LIVRE 1998

Lazenby Gina
La maison Feng Shui : une décoration du bien-être
FLAMMARION 1999

Man-Ho Kwok
Feng Shui : les voies de la santé, de la prospérité et du bonheur selon la tradition chinoise
SOLAR 1996

Saint-Arnault Régine
Le Feng Shui du bonheur des femmes : quand l'harmonie devient un art : le vrai secret de l'épanouissement personnel
Collection :Vive la vie !
DAUPHIN 2000

Sator gunther
Le Feng Shui dans le jardin
Collection : Petits pratiques. Jardinage
HACHETTE PRATIQUE 2000

Sperandio Paul et Sperandio Eric Pier
Le Feng Shui : transformer son habitat pour influencer son quotidien
QUÉBECOR 1999

Too Lillian
Feng Shui pour le jardin
G.TRÉDANIEL 1999

Le petit livre du Feng Shui au bureau
G.TRÉDANIEL 1999

Trevelyan Joanna
Le Feng Shui dans la maison : pièce par pièce, transformez votre intérieur
SOLARS 2000

Wilhelm Richard
Yi King: le Livre des Transformations
MÉDICIS-ENTRELACS 1994

A
activation des symbole d'énergie 92–93
affaires 24, 75, 275–301
  dragons 50
  voyages 232
allées 139, 321, 330
almanach (Tong Shu) 77, 82, 315, 330
amour 88, 201–207, 330
amulettes 313, 315, 330
animaux domestiques 29, 230, 231, 308
anneaux 112
appartement 142-145
aquarium 330, voir aussi *poissons*
arbre de jade 244
arbres 43, 239, 246, 330
  à côté d'une fenêtre 159
  chambre d'enfant 168
  derrière les maisons 58
  en pot 240
  flèches empoisonnées 330
  protection contre les flèches 309
arrowana 89, 95, 253, 330
art 154, 157, 175, 181, 330-331

B
balcons 240, 331
bambou 43, 97, 196, 213, 229, 232, 244, 246, 331
banque 283, 331
barbecues 263, 331-332
bassins à poissons 106, 107, 253, 332
bateaux 94, 179, 279, 332
Baynes, Cary F. 35
bijoux 332
bois 31, 43, 198, 332
  immeuble 45
  jardin 239
  montagnes 60, 61
  nord/nord-ouest 197
  santé 213
  voyage 229
bol musical 175, 195, 229, 232, 308
Bonnet Noir (secte du) 70
bonsaï 43, 247, 332
Bouddha rieur 181
bougies, chandelles 165, 205, 229, 231, 232
boussole (lecture de la) 124–127
bruit 332
bulbes 245, 332
bureau 199, 332
  d'affaires 294
  dans une chambre d'enfant 168, 170–171
  dans une chambre d'étudiant 169
  de direction 301
  de dirigeant 301
  de travail 223
  position de travail 75
  secteur manquant 223

C
cactus 43, 247, 333
calendrier
  Hsia 333
  lunaire 333
canards mandarins 98, 165, 333
canons 320, 321, 322, 333
carillon éolien 93, 148, 180, 333
  chambre à coucher 164
  chance en études 170
  flèches empoisonnées 320, 322, 324
  jardin 239
  nord-ouest 195
  poutre 165
  toilettes 197
  types 314
  voyage 229
carnet de commande 283
carpe koi 89, 107, 238
carré Lo Shu 17, 68–69, 116–117, 333
  courant de chi 150
  démarcation au sol 126–127
  Étoiles Volantes 76–77, 78–79
  I Ching 34
  superposition 130
carrière 24, 75
  chance 219–223, 334
  dragon 87
  eau 42
  toilettes 187
cascades voir *chutes d'eau*
céramiques 44, 262, 264–265
Chai 118
chambre à coucher 75, 151, 161–171, 333–334
  dragons 50
  eau 164, 169, 197, 199
  escaliers 163
  nord-ouest 170, 195
  poissons 85, 165
  portes 155, 164, 206
  santé 216, 217
  tabous 164–165
  toilettes 164, 165, 170, 199, 206–207
chambre d'étudiant 144, 169
chambre des parents 162–163
chance 97, 181, 334
  céleste 23, 51, 334
  de l'homme 23, 51, 334
chauve-souris 95
cheminée 41
Chen 39, 117, 212–213
Cheng Lung Pak Fu 59
cheval dragon 87, 210
Chi 8, 31–3, 150–151, 335
Chi Lin 87
Chieh 119
Chien 39, 115, 117, 194, 195
chiens Fu 87, 99, 272, 313, 335
Chine (le Feng Shui en) 17-18
Chor Sin stars 77
Choy San 85
chrysanthèmes 244, 245
Chu Yuan Chuan 18, 19
Chueh Ming 73
chutes d'eau 42, 106, 138–139, 256, 280–281, 335
ciel
  antérieur 28, 38, 114, 194
  postérieur 28, 38, 69, 115, 194, 212
cigales 97
cimetière 29
Cinq Éléments 41, 78
5 jaune 148, 184
Cité interdite 18, 155, 166, 197
citronnier 335
Classique des Habitations Yang 155
clochettes porte-bonheur 229, 232, 289, 335
clôtures 260
commerçants 285–291
concepts du Feng Shui 31
Confucius 34, 36, 87
contours 58
convoi funèbre 230, 231
couleurs 336
  appartements 145
  chambre à coucher 165
  eau 42
  entreprise 300
  fleurs 248
  nortd-ouest 195
  porte des toilettes 184
  sud-ouest 205
  trigrammes 117
couloirs 151, 156, 217, 336
courants de chi 150
cours 240–241
crapaud à trois pattes 95, 179
Créatures Célestes voir *dragon, phénix, tigre, tortue*
cristal 44, 170, 197, 204–205, 229, 311, 336
croix 320, 336
cuisine 151, 183–185, 337-338
  effets sur la chambre 163, 165
  miroirs 178
  nord-ouest 195
  sud-ouest 196
cuisinière 183, 184, 185, 195, 337
Cycle
  de Destruction 41, 61, 78, 213, 337
  de Production 41, 61, 78, 213, 337

D
daim 96, 214
dalles 261, 263, 281, 296
débarras 188
démarcation de l'espace intérieur 126–127
demeures 138–139
Deng Xiao Ping 18
déplacements 227
dieux 181
  de la Longévité 96–97, 210, 214, 337
  de la Richesse 85, 337
dimension temporelle 17, 76–78
dimensions favorables 118–121
directions célestes et la santé 216
dirigeants 301
dragon
  au repos 215
  céleste 214
  d'Eau 103, 104, 109, 338
  impérial 50
  Vert 16, 48–49, 50, 59, 279, 338
dragons 16, 17, 32, 48–50, 59, 99, 170, 338
  jardin 239
  logos 299
  secteur est 197
  Singapour 22
  succès en affaires 279

E
eau 31, 42, 43, 47, 101–109, 131, 338
  chambre à coucher 164, 197, 199
  chambre d'étudiant 169
  cuisine 184, 185
  École de la Boussole 69
  escaliers 199
  Feng Shui de la Forme 48, 56
  formule de l'écoulement de l' 254
  immeuble 45
  jardin 238, 251–257
  lumières 270
  majeure 104–105
  mineure 104, 106–107
  montagnes 60, 61

nord-ouest 195
salon 174
toits 143, 240
usées 104, 106, 108
voyage 229, 232
éclairage 267-273 voir aussi *lumières*
École de la Boussole 16–17, 24, 63, 67–79, 117, 165, 170
eau 254–255
éléments (relation avec les) 40
mariage 205
porte principale 291
Taiwan 20
trigrammes 38
École de la Forme 16, 17, 24, 48–50, 55–65, 338
aujourd'hui 26–27
lumières 271
rivières 103
tombes 28
écrans 309
églises 326
éléments 17, 31, 40–5, 70, 213, 338
voir aussi *terre, feu, métal, eau, bois*
activer 92–93
Étoiles Volantes 78
études 170
immeubles 45
jardin 238
porte principale 290–291
symboles 132
trigrammes 117
voyage 228, 231
éléphants 338
énergie 338
enfance 205, 327
enfants 339
chambre d' 166, 168–171, 199
place des 197–199
toilettes 187
entrées 149, 339 voir aussi *portes*
magasins 286
sociétés 296
entrepreneurs 277–283
entreprises 293–301
équilibre 35, 41, 107, 331 voir aussi *Ying et Yang*
escalators 320
escaliers 139, 141, 163, 178, 188, 199, 307
étagères 157, 165, 169, 171, 339
étages 180
Étoile(s) Volante(s) 76–77
études 169, 170–171
exercices 215

F
façades 141
facturier 283, 287, 288
fenêtres 153, 159, 339
chambre à coucher 164
dirigeant 301
est 213
jardin 240
salon 176
Feng Shui 339-340
Feng Shui de l'Étoile Volante 69, 76–79, 89, 131, 340
appartement 144, 145
cuisine 184
salon 174
Feng Shui extérieur 340
Feng Shui intérieur 147–59, 340
Feng Shui de la famille 193–199, 340
Feng Shui de la Forme 340
Feng Shui Fey Sin voir *Feng Shui de l'Étoile Volante*
Feng Shui symbolique 17, 81–99, 132
jardin 264–265
longévité 214
protection 313
salon 174, 179
voyage 228
Feng Shui tibétain 230–231
feu 31, 41, 341
barbecues 263
éclairages 268, 273
immeubles 45
jardin 238, 239
montagnes 60, 61
nord-ouest 195
sud-ouest 196, 204, 205
fille, place de la 198
fils, place du 197
flèches empoisonnées 51, 57, 309, 318–327, 330, 341
allée 139
chambre à coucher 171
couloir 156
eau 103
fenêtre 159
immeubles environnants 295
jardin 241
lumières 268
magasin 286
objet tournant 312
plan des pièces 151
poisson 89
porte d'entrée 152–153
salon 180
symboles 93
fleurs 248, 332, 341
coupées 204
fontaines 42, 106–107, 238, 256, 270, 295, 341
formule
de l'eau 252-253
de l'écoulement de l'eau 254-255
des Huit Sites 69, 72–75, 131, 184, 185
divinatoire 34, 35
du Dragon d'Eau 105, 106, 108, 138, 139, 252, 338
mariage 205
voyage 226
fougères 249
foyers 152, 341
Fu Hsi 36, 87
Fu Wei 73, 169, 221
Fuk 97, 181, 341

G
Ganzhi (système) 17, 351
garages 165, 188
gloriette 260–261, 341
Grand duc Jupiter 148
grenade 341-342
grille Lo Shu voir *carré Lo Shu*
grues 96, 214, 342
exercice de la 215

H
Hai 119
Hall de lumière 58, 138, 152, 249, 291, 342
harmonie 35, 40, 342
herbe 263, 342
hexagrammes 34, 36, 38, 112
historique 16
Ho Hai 73
Hong Kong 18–19, 20, 103, 107
banque 21
hôpitaux 29
Hsi Wang Mu 214
Huang Ti 210
Huit Immortels 210
Huit Objets Précieux 88, 342-343
8, période du 77, 348
Huit Sites 69, 72–75, 131, 184, 185

I, J
I Ching 16, 34–37, 59, 82, 113, 115, 116, 133, 143, 344
immortalité 96, 210
jade, arbre de 244
jardins 235–273
en pente 262–263
japonais 47, 273, 343
jardinières 249

K
Kan 39, 78, 117, 353
Ken 39, 116, 117, 155, 170, 353
Kheng Hua 343
King Wen 36
koi (carpe)89, 107, 238
Kou 152
Kuan Kung 85, 313
Kuan Ti 85
Kun 39, 115, 117, 204, 273, 353
Kwan 118

L
lacs d'amour 205
Lao Nai-Tsuan 35
largeur de la maison 140
Lee Kuan Yew 22
Lee, Bruce 21
Li 39, 117, 119, 353
licorne voir aussi *cheval dragon* 87, 99, 343
limites (des secteurs) 128–129, 343
Lin Yun 70
lions 343-344
Lippo (building) 103
lis 245, 344
lits 344
appartements 144
chambres d'étudiants 169
enfants 168
mariage 206
orientations 75, 163, 167, 216, 217
livres 199
logos 50, 299, 344
longévité 88, 96–97, 210, 214, 344
lotus 245
Lui Sha 73
lumières 91, 141, 187, 307, 322, 344
chambres à coucher 165
commerçants 291
jardin 267–273
portes 152
secteur manquant 223, 268
sud-ouest 196, 205, 269
Luo Pan 69, 70, 111–113, 344
lustres 204, 344

M
magnolia 244, 245, 344
maisons

de maître 138-139
de ville 141
individuelles 140
jumelées 141, 149
symbolisme 86
maladies 211–213, 313, 322, 345
Malaisie 28, 107
mantras 231
Mao Tse Tung 18, 19
mares 106, 107, 253, 270, 345
mariage 98, 187, 201–207, 231, 345
matelas 345
méditation 210
mer 105
mère, place de la 196
méridiens 210
métal 31, 45, 345
immeubles 45
jardin 239
montagnes 60, 61
nord-ouest 195
meubles 69
de jardin 241
de salon 174, 175, 176–177
miroirs 310, 345
chambre à coucher 162, 163, 164, 165, 206
foyer 152
magasins 287
salle à manger 181
salon 174, 178, 180
secteurs manquants 223
sud-ouest 196
toilettes 178, 181, 310
monnaie du pape 244, 345
montagnes 16, 27, 48–50, 55–64, 197, 325, 345
affaires 282–283
associations 61
formations 62
immeubles 64
Kun 204
musique 308
nord-ouest 195
orientations 63
porte principale 289
types 60
murs 140, 149, 260, 309, 322, 325, 346

N

naissance (date de) 41, 43, 45
Nien Yen 73, 173, 346
niveaux 58
nombre Kua 72–75, 184, 346
chance en affaires 221, 222
directions de la santé 216
dirigeants 301
mariage 205, 206
orientation du lit 75, 167, 216
porte principale 290
voyage 226, 227, 228
nombres 62, 76–78, 90–91, 116–117, 346
porte bonheur 346
rois 77
nord 197, 346
chambre à coucher 170
eau 42
jardin 238
montagnes 61
toilettes 187
trigrammes 117
voyage 229, 231, 232
nord-est 116, 197, 346
barbecue 263
chambre à coucher 170
chance dans les études 170
cristaux 44
jardin 239
montagnes 61
nombre 91
Porte du Diable 155
toilettes 187
trigrammes 117
voyages 229, 232
nord-ouest 194–195, 346
carillons éoliens 180
cuisine 184
chambre à coucher 170, 195
jardin 239
métal 45
montagnes 61
nombres 91
toilettes 187, 195
trigrammes 117
voyages 229, 232
nourriture 178, 181

O

objets suspendus 346
oranger 246, 347
orchidée 244, 347
origines du Feng Shui 15
ouest 347
carillon éolien 180
chambre à coucher 170
jardin 239
lumières 269
métal 45
montagnes 61
nombres 90, 91
place de la fille 198
toilettes 187
trigrammes 117
voyage 229, 231, 232

P

Pa Kua 17, 22, 31, 68–69, 157, 336, 347
voir aussi *Ciel antérieur* et *Ciel postérieur*
chambre à coucher 166
flèches empoisonnées 318
I Ching 34
immeubles voisins 295
maladie 212
salon 176
symboles 93
Pa Kua Lo-Shu (formule) voir aussi *formule des Huit Sites*
paniers suspendus 240, 249
papier peint 145
pas japonais 261, 269, 270, 281
Passage au linteau voûté 330
patios 241, 262, 347
Patten, Chris 21
pavillons 140
pêches 96, 214, 246, 347
père (place du) 194–195
pergolas 241, 347
phénix 32, 48–49, 50, 99, 138, 348, 350
en vol 215
heureux 215
Rouge 48–49, 50
Pi 118–119
Pi Kan 85
pièces
de monnaie 45, 91, 94, 154, 278, 281, 283, 288, 335, 351
des Dix Empereurs 348
pierres 312
piliers 180, 241, 301, 310, 348
pylônes électriques 325
pin 43, 96, 244, 246, 348
piscine 107, 143, 257, 348
pivoines 98, 165, 244, 245, 348
place
de la fille 197
du fils 197
plafonds 180, 186, 312, 348-349
planchers plans 180
plantes 43, 140, 141, 154, 170, 243–249, 349
voir aussi *jardin*
chambre à coucher 165, 206
est 213
piliers 301
salon 174, 180
sud-est 280
toilettes 187
plateau tournant 181
poisson 42, 181, 308, 330, 349
bassins 106, 107, 253
chambre à coucher 85, 165
jardin 238, 253
richesse 85, 89
salon 174, 179
symboles 95
poisson dragon voir *arrowana*
poisson rouge voir *poisson*
ponts 325, 334
portails 260, 349
portes 156, 260, 349
chambre à coucher 155, 164, 206
chance professionnelle 222
dieux 313
dirigeants 301
du Diable 155
du Dragon 220
escaliers 141
flèches empoisonnées 325
intérieure 156–158
pavillons 140
porte d'entrée 149, 151, 152–155, 349
commerce de détail 290–291
eau 105, 106
escaliers 188
miroir 178
montagne d'or 289
sonnette 289
toilettes 153, 155, 187
portraits 175, 349
poteries 264
poutres 164, 186, 349
appartement 142
chambre à coucher 165, 206
dirigeants 301
séjour 180
principes de base 16
prisons 29, 326
profondeur de la maison 140, 141, 181
prune 244, 245
Pun 118

Q, R

Quatre Créatures Célestes 88, 350-351

racines du Feng Shui 13
reconnaissance sociale 270-271
réfrigérateur 184, 185, 350
règle Feng Shui 118–121
relations 24 voir aussi *amour*
  mariage symboles 88, 98
  toilettes 187
Ren 15, 23, 352
rénovations 148
réputation 270-271
résidences 142-143
richesse 75
  cheval dragon 87
  dieux de la 85
  Dragon Vert 279
  entrepreneurs 277–283
  Feng Shui de l'eau 101–109
  Hall de lumière 138
  poisson 107
  symbolisme 88, 94–95
  vase de 94–95, 179, 278
rideaux 159, 350
Rinpoche, Zopa 228, 231
rivières 48, 350 voir aussi *eau*
roc 27, 64, 65, 296–297, 350
rocailles 263
roussette 95
routes 27, 64, 65, 318, 350
  affaires 286, 296–298
  corporations 296
  derrière les maisons 65, 140

S
salle à manger 151, 163, 180, 181, 350
  table de 181, 352
salle de bains 351, voir *toilettes*
salle de séjour voir *salon*
salon (séjour) 85, 89, 173–181, 351
santé 75, 206, 209–217
  chance 334
  cheval dragon 87
  position des tombes 164
  symboles 96–97
  toilettes 187
Sau 96–7, 181, 210, 214, 341
sceau de Salomon 117, 133
sculptures 241, 264–5, 351
secteurs (ou coins) 335, 351
  chambre à coucher 164, 206
  identification 130
  plantes 213
  salon 180
secteurs (ou coins) manquants 63, 194, 196, 223
  immeubles d'affaires 294
  lumières 223, 268
  miroirs 310
  patios 262
  pavillon 140
  salon 175
secteurs vides 49, 143, 163, 188
7, période du 77, 90, 347-348
Shaolin 215
Shar Chi 33, 58, 103, 351
Sheng Chi 17, 33, 73, 75, 106
siège, orientation du 75
signe du double bonheur 98, 165
Singapour 22
sofas 176
Souffle Cosmique du Dragon 32, 215
statues 93, 351
structure en hauteur 351
studios 144
succès 75, 88, 94–95
sud 351
  barbecue 263
  chambre à coucher 170
  feu 41
  jardin 238–239
  lumières 269
  montagnes 61
  neuf 91
  place de la fille 198
  porte d'entrée 155
  toilettes 187
  trigrammes 117
  voyage 229, 231, 232
sud-est 351
  bois 43
  jardin 239
  montagnes 61
  place de la fille 198
  plantes 280
  toilettes 187
  trigrammes 117
  voyage 229, 232
sud-ouest 196, 351
  amour 204–205
  barbecue 263
  chambre à coucher 170
  jardin 238, 239, 273
  lumières 196, 205, 269
  montagnes 61
  terre 44
  toilettes 187, 196
  trigrammes 117
  voyage 229, 232
Sun 39, 117
Sun Yat Sen 18
symboles
  de bonne fortune 88
  de prospérité 94–95
symbolisme de la maison 86

T
table de salle à manger 181, 352
tabous de la chambre à coucher 164-165
tai-chi 215, 352
Taiwan 18, 20, 28
Talus herbeux 263
Taoisme 34, 117
Tchou, duc de 36
télévision 206
terrasses 262
terre 31, 44, 197, 352
  activer 213
  bois 43
  chambre à coucher 170
  chance 23
  cristal 311
  éclairages 273
  immeubles 45
  jardins 239
  montagnes 60, 61
  santé 212–213
  sud-ouest 204
  toilettes 187, 197
  trigrammes 117
  voyages 229, 231
  voyages 229, 231, 232
thèmes de naissance des habitations 77, 78, 352
Ti 15, 23, 352
Tien 15, 23, 352
Tien Yi 73, 75, 216, 352
Tigre Blanc 16, 48–49, 50, 59, 352
tigres 16, 32, 48–49, 50, 59
  rêves 230
  lumières 269
toilettes 141, 183, 187, 352
  chambre à coucher 164, 165, 199, 206–207
  chambre des enfants 170
  cuisinière 184
  est 187, 197
  lumières 307
  miroirs 178, 181, 310
  nord-ouest 187, 195
  porte d'entrée 153, 155, 187
  salle à manger 181
  sud-ouest 187, 196
toits 89, 143, 240, 319, 320, 323, 352
tombes 18, 28
Tong Shu (almanach) 77, 82, 315, 330
Tortue Noire 48–49, 352-353
tortues
  d'eau 49, 214, 253, 353
  de mer 49, 117, 170, 197, 214
  terrestres 32, 48–49, 63, 99, 170, 214, 253
trigrammes 16–17, 34–36, 38–39, 113–117, 133, 353
Trois Amis de la Vieillesse 244
trophées 170
Tsai Shen Yen 85
Tui 39, 117, 353
Tung, C. H. 20, 21

V, W
vent 56
voies
  de chemin de fer 298
  surélevées 298
voyage 225–233
Wilhelm, Richard 35, 36, 133
Wu Kwei 73
Wuxing voir *éléments*
Xia Yu 109

X, Y
Yang Yun Sang 16
Yap Cheng Hai 20, 354
Yi 118
Yin et Yang 8, 17, 28–29, 46–47, 56–57
  chambre à coucher 162, 165
  liaisons amoureuses 203
  maladie 211
  Pa Kua 114–15
  plantes 248–249
  symbolisme 84

CRÉDITS ICONOGRAPHIQUES

AKG, Londres : 166g ; 210.

Art Directors & Trip : /P. Rauter 230b.

The Bridgeman Art Library, Londres/New York : /Bibliothèque Nationale, Paris, 37c ; /British Library, Londres, 96hg, 220 ; /British Museum, Londres, 282hd ; /Fitzwilliam Museum, Cambridge, 282g ; /Freer Library, Philadelphia 164hd ; /Private Collection 82h, 108b, 205bd, 208-209 ; /Royal Botanical Gardens, Kew 96bd ; /The Victoria & Albert Museum, Londres, 34hd, 84hg.

John-Loup Charmet : 14–15 ; 30–31.

Goh Seng Chong : 50h ; 59b,hd ; 80–81 ; 83 ; 85hg,hd,b ; 87 ; 92h ; 99bg,bcg,bcd,bd ; 102bg ; 138h ; 139h,bg ; 172–173 ; 181c,b ; 214 ; 231h,d ; 246hd ; 254h ; 265bg,bd ; 272bd ; 281hd ; 297h ; 304–305 ; 314bc ; 318h.

The Bruce Coleman Collection : /Jane Burton 95hd ; /Jules Cowan 242–243 ; /Gerald S.Cubitt 96hd ; /Liz Eddison 262 ; /M.P.L. Fogden 248bd ; /Fritz Prenzel 99hc ; /Kevin Rushby 246bg ; /Kim Taylor 249b.

Corbis Images : 321 ; /Macduff Everton 21b ; /Jack Fields 22h ; /Dave G. Houser 28hg.

Dulux Paints : 162–163.

Liz Eddison : 43b ; 96c ; 106h ; 273b ; 280h ; 281hg ; /Gavin Landscaping 272h ; /Natural & Oriental Water Gardens 238b, 239b, 250–251, 256h, 258–259.

ET Archive : /British Museum 203 ; /The Freer Gallery of Art 38, 64h ; /RHS Reeves Collection 98hd ; /Rockhill Nelson Gallery, Kansas 97hd ; /Science Museum 112hg ; /Victoria & Albert Museum 154hd.

The Garden Picture Library : /Linda Barnes 240bg ; /Lynne Brotchie 122–123 ; /Brian Carter 107b, 249h ; /Eric Crichton 100–101 ; /Vaughan Fleming 152b ; /Nigel Francis 236–237 ; /John Glover 239h, 260–261b ; /Michael Howes 257g ; /Rowan Isaac 240bd, 269b ; /Lamontage 264–265c ; /Joanne Pavia 263 ; /Gary Rogers 266–267 ; /J.S. Sira 261hd ; /Ron Sutherland 42b, 47b, 257h, 268hg ; /Juliette Wade 257b ; /Paul Windsor 244h.

The Image Bank : 16b ; /Chinese Tourism Press 33h ; /Anthony Edwards 141hd ; /Tom Knibbs 27h, 139bd ; /Cesar Lucas 142g ; /Mahaux Photo 86b ; /Pat McConville 182–183 ; /Andrea Pistolesi 159b ; /Kevin Rose 46b ; /Gary Russ 145 ; /Jeff Spielman 312hd ; /Dan Sundberg 184bg ; /Simon Wilkinson 282–283b.

Images Colour Library : 34hg ; 37h ; 66–67 ; 70h ; 292–293 ; /Fotostock 325 ; /Charles Walker 212.

The Kobal Collection : 21hd.

The Harry Smith Collection : 244b, 327.

South China Morning Post : 20hg.

The Stock Market : 11hd ; 32b ; 104hg ; 119 ; 141hg ; /Richard Berenholtz 309b ; /Firefly Productions 318 ; /Craig Hammell 54–55 ; /B. Harrington 159b ; /Chris Savage 216hd.

Tony Stone Images : 61 ; 230h ; /Theo Allofs 63 ; /Doug Armand 294g, 297h ; /Bruce Ayres 24b, 221 ; /Christopher Bissell 311bg ; /Rob Boudreau 46hd ; /Ernest Braun 32h ; /Rex Butcher 88hd ; /John Callahan 19h ; /Laurie Campbell 324 ;/ S. Carter 218–219 ; /Stewart Cohen 308c ; /Connie Coleman 149b ; /Cosmo Condina 238hd ; /Phillip Condit 270b ; /Peter Correz 192–193, 200–201 ; /Daniel Cox 168bd ; /P Crowther 218–219 ; /Chris Ehlers 104bd, 136–137 ; /David Epperson 326hd ; /Robert Everts 105hd ; /Alain Le Garsmeur 138b ; /Margaret Gowan 109h ; /Sara Gray 64b ; /William S. Helsel 185h ; /R. van der Hilst 19b ; /Jason Hawkes 43h ; /Claire Hayden 41 ; /John Lamb 47h ; /Peter Langone 75bd ; /Yann Layma 18b ; /Mark Lewis 323bd ; /D.C. Lowe 60 ; /Laurence Monneret 24hg ;/ Pat O'Hara 42h ; /Ben Osborne 230c ; /Lee Page 284–285 ; /Greg Pease 228h ; /Andre Perlstein 322 ; /Joseph Pobereskip 316–317 ; /Ed Pritchard 22b ; /Mervyn Rees 228bg ; /Jon Riley 18h, 202 ; /David Schultz 44b ; /Pete Seaward 298b ; /Mark Segal 26–27b, 276–277 ; /Hugh Sitton 20hd, 326hg ; /Chad Slattery 46hg ; /Bob Thomas 98bd ; /Mark Wagner 224–225 ; /Randy Wells 103h ; /Gary Yeowell 58.

The Wellcome Institute : 16hg.

The Werner Forman Archive : 9h ; 26hd ; 36 ; 196bc ; 313bd.

Elizabeth Whiting Associates : 106b ; 141cg ; 142d ; 144d ; 146–147 ; 149h ; 166c ; 168hd ; 171bd ; 176cd ; 287h ; 289h ; 291b.

PRÊTS DES MODÈLES ET OBJETS

Un grand merci à :
Carla Carrington, R. Chappell, Rukshana Chenoy, Lucianne Lassalle, R. J. Manby-Clarke, Caron Riley, Vincent Riley, Francesca Selkirk, Doug Streeter.
pour leur participation aux photographies

Remerciements à :
Adaptatrap Percussion, Brighton
Bright Ideas, Lewes
Days Gone Bye, Brighton
Dockerills, Brighton
Evolution, Brighton
Graffiti Two, Brighton
Heavenly Realms, Eastbourne
W. D. Hunt, Worthing
Ashley Lawrence Upholstery, Worthing
Elizabeth Simmons (collection privée), Lewes
Spellbound and Spirit, Lewes
Tizz's Accessories, Lewes
Welcome Home, Worthing
Winfalcon's Healing Centre, Brighton
pour leur soutien amical.